Joanna
Glabinski

ORTOGRAFICZNY
SŁOWNIK
UCZNIA

Joanna
Glabińska

Słowniki
Języka
Polskiego

Redaktor
Tomasz Karpowicz

Recenzenci
doc. dr hab. Barbara Klebanowska
prof. dr hab. Edward Polański

WYDAWNICTWO
NAUKOWE
PWN
WARSZAWA
2000

ORTOGRAFICZNY SŁOWNIK

UCZNIA

Zygmunt Saloni

Krzysztof Szafran

Teresa Wróblewska

Dostosowany
do najnowszych
zmian
w ortografii

Projekt graficzny okładki
Maryna Wiśniewska

Redaktor techniczny
Maryla Broda

Skład komputerowy i łamanie
Autorzy

ISBN 83-01-13289-2

Wydawnictwo Naukowe PWN SA
00-251 Warszawa, ul. Miodowa 10
tel.: (0-22) 695 43 21
faks: (0-22) 826 71 63
e-mail: pwn@pwn.com.pl
http://www.pwn.com.pl

Spis treści

Przedmowa

Słownik nasz pomyślany jest jako książka pomocnicza dla uczniów wyższych klas szkoły podstawowej oraz szkół średnich. Ma on służyć tym, którzy starają się pisać po polsku rzeczywiście poprawnie, ale pomoże Ci on tylko w rozwiązywaniu problemów ortograficznych, ponieważ nie zawiera innych informacji o wyrazach polskich, np. o ich wymowie, odmianie czy znaczeniu.

Zasadniczą informacją jest w słownikach ortograficznych sam zapis wyrazu hasłowego. Jednak celem naszym nie jest bynajmniej podanie pisowni jak największej liczby wyrazów. Liczba wyrazów, które mogą być potrzebne współczesnemu uczniowi polskiemu, jest bowiem zbyt wielka, aby zawrzeć ją w podręcznym spisie. Dlatego też nie staramy się pomieścić w zasadniczej części słownikowej tej książki wszystkich słów, które mogą być Ci potrzebne. Chcemy natomiast pomóc Ci uczyć się ortografii. Powinieneś pamiętać, że część słownikowa nie jest jedynym źródłem rozstrzygania kwestii związanych z pisownią. Rozwiązania wielu wątpliwości szczegółowych szukaj bądź w innych częściach niniejszego poradnika: zasadach pisowni oraz w dodatku — zestawieniu wybranych trudniejszych zakończeń wyrazów, bądź też poza nim: w innych książkach i wydawnictwach.

Z zasad pisowni korzystaj wtedy, gdy swą wątpliwość umiesz sformułować w sposób ogólny, tj. gdy będziesz pytał o problem ortograficzny, a nie o konkretny wyraz. Podane w tej książce zasady zajmują wyraźnie mniej miejsca niż w innych materiałach. Wynika to stąd, że ograniczyliśmy się w nich do **najważniejszych** zasad.

Ogromna większość wyrazów języka polskiego to wyrazy odmienne. W tekstach występują one w różnych formach. Różne formy tego samego wyrazu mają na ogół taki sam początek, różnią się natomiast w częściach końcowych. Pisownia owych form może niejednokrotnie sprawiać trudności właśnie ze względu na część końcową: końcówkę fleksyjną lub przyrostek. Na przykład bardzo wiele czasowników w języku polskim w 3. os. liczby pojedynczej czasu teraźniejszego (lub przyszłego prostego) ma zakończenie -*uje*: pisze się ono zawsze tak samo — przez *u*, bez względu na to, jaki to czasownik. Typowe zakończenia polskich form wyrazowych notujemy w dodatku — zestawieniu wybranych trudniejszych zakończeń wyrazów. Jeśli zdobędziesz pewną wprawę w posługiwaniu się naszym poradnikiem, powinieneś umieć znaleźć w nim odpowiedź, jak pisze się takie formy, jak *zdrapuje* czy *zdemilitaryzuje*, choć w słowniku nie są zamieszczone czasowniki *zdrapywać* i *zdemilitaryzować*. Sposób zapisu konkretnych wyrazów podany jest w części słownikowej poradnika. Na jej podstawie możesz uzyskać informacje o pisowni podstawowej formy wyrazu odmiennego oraz tej części wyrazu, która powtarza się w różnych jego formach. Po formie podstawowej wyrazu notujemy, często w postaci skróconej, te jego formy fleksyjne, których pisownia może sprawić trudności. Na przykład przy wyrazie *stożek* znajduje się napis ~*żków*, informujący o tym, że w jednej z form tego wyrazu mamy formę *stożków* (nie informujemy, jaka to forma, ponieważ jest to dla każdego, kto zna język polski, oczywiste). Trudna ortograficznie grupa liter *żk* występuje też w innych formach tego wyrazu, niepodanych w słowniku, a więc *stożka, stożkiem* itd.

W części słownikowej formy fleksyjne podajemy skąpo — wtedy, kiedy nasuwają wątpliwości nie mające charakteru powszechnego. Z reguły nie notujemy w niej na przykład zakończenia -*ę* w formach 1. os. czasowników typu *piszę* czy *rysuję*, choć można mieć wątpliwość, jak się je pisze (informację o ich pisowni można znaleźć w dodatku). Staramy się podawać tę formę, która wywołuje więcej skojarzeń z innymi formami tego samego wyrazu odmiennego albo formami wyrazów pokrewnych.

Korzystając ze słownika, możesz też upewnić się, jaka jest pisownia wielu wyrazów niezamieszczonych w nim bezpośrednio: jeśli podano wyraz pokrewny, a wątpliwość dotyczy części wspólnej obu wyrazów. Gdy wahasz się, jak oddać na piśmie pierwsze cztery sylaby wyrazu *akcjonariuszka*, którego nie ma w słowniku, powinieneś zastosować tę samą pisownię, która obowiązuje w wyrazie *akcjonariusz*.

Występujące w wielu wyrazach polskich cząstki słowotwórcze z reguły pisze się tak samo (kilka ważnych wyjątków omówionych jest niżej w *Zasadach pisowni* w punkcie *Pisownia wybranych przedrostków*).

Stałą pisownię mają więc bardzo częste przedrostki, np.: *prze-, przy-, pod-* (*pode-*). Zawsze tak samo pisze się pierwsze człony wyrazów złożonych, np.: *pierwszo-, hydro-, hiper-, hipo-* czy *pseudo-*. Bardzo często możesz więc zdecydować, jak pisze się dany wyraz zawierający przedrostek, nawet jeśli nie został on zamieszczony w słowniku.

Ustabilizowaną pisownię mają też przyrostki, np. -*unek,* -*utki* czy -*ejszy*, i drugie człony wyrazów złożonych, np.: -*mierz,* -*mistrz*. I w tych wypadkach możesz się zorientować, jak pisze się wyrazy niezamieszczone w słowniku, ale musisz korzystać z zestawienia trudniejszych zakończeń. Część słownikowa zawiera ok. 30 000 wyrazów, czyli mniej, niż funkcjonuje obecnie w języku polskim. Może się więc zdarzyć, że nie znajdziesz w słowniku wyrazu, którego chcesz użyć w wypowiedzi pisemnej. **Autorzy nie zakładają, że ich słownik jest jedynym spisem wyrazów w Twoich rękach czy też jedynym źródłem informacji o ortografii polskiej.** W słowniku umieszczone są tylko wyrazy, które mogą wywołać trudności ze względu na ortografię polską. Pominięte są w nim wyrazy, których napisanie może być trudne z innych powodów.

W zasadzie pominięte są więc w słowniku nazwiska i nazwy miejscowe. Pisze się je bowiem tak, jak każe indywidualna tradycja. Jeśli więc piszesz o Mikołaju Gomółce lub Władysławie Gomułce i masz wątpliwości, jak pisze się nazwisko, poszukaj informacji o interesującej Cię osobie w encyklopedii: znajdziesz tam także poprawną pisownię nazwiska. Tym bardziej dotyczy to oryginalnej pisowni nazwisk niepolskich, które pisze się stosownie do reguł innych języków. Wyjątkowo w słowniku umieściliśmy nazwiska obce najbardziej znane, których tradycyjnie używa się w postaci spolszczonej, jak *Szopen* czy *Waszyngton*. Uwzględniliśmy też najważniejsze nazwy geograficzne, które — używane w piśmie po polsku — mogą sprawić trudności ortograficzne, jak *Białystok*, *Monachium* czy *Newa*. Nie podajemy natomiast nazw obcych o pisowni tradycyjnie przejmowanej z języków obcych ani mniej znanych nazw polskich, nawet wywołujących wątpliwości ortograficzne. Powinieneś bowiem pamiętać, że informacje o ich pisowni można znaleźć gdzie indziej. Źródłem informacji o pisowni są inne teksty pisane: pisownię rzadkich terminów możesz sprawdzić (przy okazji szukania informacji rzeczowej) w specjalistycznym podręczniku, pisownię nazw geograficznych — na odpowiedniej mapie. W wielu książkach umieszczone są zresztą spisy ułatwiające znalezienie informacji: skorowidze i indeksy.

Jeśli masz zamiar użyć w polskim tekście nieprzyswojonego wyrazu obcego, to informacji o jego pisowni szukaj w słowniku języka, z którego został przejęty. Jeśli całkiem nie znasz tego języka, a chcesz zapisać zasłyszany obcy wyraz, którego nie widziałeś na piśmie, to najlepiej zaniechaj tego zamiaru.

W pewnych sytuacjach o postaci ortograficznej wyrazu musisz zadecydować sam. Reguły pisowni są bowiem sformułowane w ten sposób, że możesz zastosować różne warianty zapisu: w zależności od znaczenia wyrazów i treści, którą chcesz przekazać. Słownik nie podpowie Ci na przykład, kiedy masz pisać *Kanadyjka* (to kobieta), a kiedy *kanadyjka* (to łódź albo kurtka). Do zasad ogólnych musisz się odwoływać w wypadku wątpliwości dotyczących stosowania wielkiej litery oraz pisowni z łącznikiem. Pamiętaj, że **jeśli słownik podaje dany wyraz pisany małą** (albo wielką) **literą, nie znaczy to, że zapis tego samego wyrazu wielką** (albo małą) **literą jest błędny.** Podobnie słownik nie jest w stanie rozstrzygnąć wszystkich możliwych wątpliwości dotyczących pisowni rozdzielnej i łącznej. Zwróć uwagę, że jeśli jakieś wyrażenie pisze się łącznie, to jest ono traktowane jako jeden wyraz. Wyraz sprawiający trudności ortograficzne powinien zaś być zapisany w słowniku. Inaczej z wyrażeniami pisanymi rozdzielnie. Jeśli budzą one wątpliwość indywidualną, to powinny też być podane w słowniku. Może być to jednak wątpliwość seryjna, jak np. pisanie *jak* z formami stopnia najwyższego przymiotników i przysłówków. Nie można pomieścić w słowniku wszystkich zbudowanych w ten sposób wyrażeń. Zatem pamiętaj: **jeśli masz wątpliwości, czy dane wyrażenie pisze się łącznie, czy rozdzielnie, a słownik go nie zamieszcza, to znacznie bardziej prawdopodobne jest, że należy je pisać rozdzielnie.**

* * *

Bardzo dziękujemy panom Januszowi Bieniowi i Robertowi Wołoszowi, których sugestie, sformułowane na podstawie analizy materiału *Ortograficznego słownika ucznia* w postaci elektronicznej, bardzo pomogły nam w przygotowaniu jego poprawionego wydania.

* * *

Obecne wydanie *Ortograficznego słownika ucznia* dostosowaliśmy do uchwały Rady Języka Polskiego przy Prezydium Polskiej Akademii Nauk z dnia 9 grudnia 1997 r., zgodnie z którą „partykułę *nie* z imiesłowami przymiotnikowymi — czynnymi i biernymi — piszemy zawsze łącznie". Uchwała dopuściła jednak także pisownię rozłączną: „Wyjątkowo rozłącznie, podobnie jak z przymiotnikami — należy pisać partykułę *nie* w wyraźnych przeciwstawieniach, jak np.: *nie pijący, ale jedzący; nie naruszony, ale całkowicie zniszczony,* oraz w strukturach przeczących takich, jak np. *ani nie kochający, ani nie kochany.* Także: „Jeśli jednak autorowi szczególnie zależy na podkreśleniu czynnościowego („czasownikowego") znaczenia zaprzeczanego imiesłowu, może partykułę *nie* napisać rozłącznie". Zmiana sprowadza się więc w istocie do przewartościowania dopuszczalnych wariantów (dawniej pisownia rozdzielna była zasadnicza, a łączna — dopuszczalna). Dostosowaliśmy jednak do niej część słownikową.

Inne zmiany w wydaniu IV ograniczają się do wprowadzenia w kilku wypadkach dopuszczalnych wariantów ortograficznych rzadziej stosowanych wyrażeń (np. *ś.p.* obok *śp., po niewczasie* obok *poniewczasie*). Zmiany w wydaniu IV nie dezaktualizują więc poprzednich wydań *Ortograficznego słownika ucznia,* z których można nadal korzystać w szkole i w domu.

Zasady pisowni

Pisownia to w znacznej mierze sprawa tradycji. Piszemy jakiś wyraz w określony sposób, dlatego że tak się go pisało i pisze. W zasadniczych zrębach zasady pisowni polskiej zostały ustalone przez autorytatywne ciała kolegialne (Komitet Ortograficzny Polskiej Akademii Umiejętności w roku 1936 i Komitet Językoznawstwa Polskiej Akademii Nauk w roku 1956). Organy te podejmowały jednak decyzje w kwestiach stosunkowo drobnych. Najważniejsze rozbieżności między pisownią a wymową, te, które sprawiają uczniom (zwłaszcza we wczesnych fazach nauki języka polskiego) zasadnicze trudności: pisownia *ó* i *u* na miejscu tej samej głoski [u], pisownia *rz* i *ż* (albo *sz*) na miejscu tych samych głosek oraz pisownia *h* i *ch* — mają znacznie dłuższą historię.

Współczesna ortografia jest odziedziczona z wcześniejszych okresów rozwojowych polszczyzny. Podane wyżej przykłady dzisiejszych trudności ortograficznych powstały skutkiem zmian w języku polskim na przestrzeni wieków. W XVI wieku litery *u* i *ó* pisano w miejscu różnych głosek. Podobnie różnym głoskom odpowiadały *ż* i *rz*. Pisownia jest bowiem uwarunkowana wymową: pisząc po polsku, w zasadzie oddajemy na piśmie brzmienie wyrazów polskich. Jednak nie ma tu odpowiedniości dokładnej. Rozbieżności między mową a pismem wynikają w dużej mierze ze zmian historycznych: dawniej, gdy kształtowała się polska ortografia, zapis znacznie dokładniej oddawał wymowę niż obecnie.

Niektóre dawne uzasadnienia fonetyczne pisowni polskiej przekształciły się w morfologiczne: pisownię słowa uzasadniamy często nie jego wymową, ale budową i powiązaniami z innymi słowami (innymi formami tego samego wyrazu odmiennego albo wyrazami pokrewnymi). Mówimy wtedy często o wymianach głosek. Słowo *stóg* wymawiamy [stuk] — tak samo, jak słowo *stuk*, ale piszemy je przez *óg*, bo w innych formach tego rzeczownika występują w wymowie głoski [o] i [g] („bo: *stogu*"). Z kolei pisownię wyrazu *stożek* przez *ż* możemy uzasadnić przez wskazanie jego pokrewieństwa z wyrazem *stóg*, w którym występuje *g*: głoska [ż] wymienia się z [g]. Morfologicznie uzasadniamy też pisownię wyrazów takich, jak *odsunąć* albo *odżałować*. W pierwszym piszemy — wbrew wymowie — *od-*, bo to jest stała postać przedrostka dodanego do *sunąć*; w drugim występuje *ż* po literze spółgłoskowej, bo taką literą zaczyna się podstawowy czasownik bez przedrostka: *żałować*.

Rozważając zagadnienia ortograficzne i uzasadniając pisownię konkretnych wyrazów, często odwołujemy się do sposobu ich wymawiania. Abyś dobrze rozumiał uzasadnienia pisowni wielu wyrazów, powinieneś zdawać sobie sprawę z tego, że inne są podstawowe jednostki tekstu pisanego: litery, a inne — mowy brzmiącej: głoski. **Głoski** dzielą się na **samogłoski** i **spółgłoski**. Litery, które w typowych sytuacjach odpowiadają samogłoskom: *a, ą, e, ę, i, o, ó, u, y,* nazywamy dalej **literami samogłoskowymi**. Pozostałe litery polskie (które odpowiadają spółgłoskom) nazywamy dalej **literami spółgłoskowymi**. W podanych niżej zasadach pisowni i zestawieniu trudniejszych zakończeń wyrazów odwołujemy się niekiedy do brzmienia wyrazu, nie zaś do jego zapisu ortograficznego: zapis wymowy podajemy wtedy w nawiasie kwadratowym.

Pisownia *rz (ż)*

Litery *rz*, odpowiadające w wymowie jednej głosce [ż] lub [š] (zapisywanej na ogół: *sz*), występują na miejscu dawnej spółgłoski miękkiej [ŕ], która od kilku wieków w języku polskim nie występuje (może Ci być ona znana np. z języka rosyjskiego). Dlatego też często dwuznak *rz* wymienia się z *r*, np.: *mądrze, mądrzy — mądry; wierzę, wierze — wiara; stolarz — stolarski, stolarstwo.*

Z kolei *ż* często wymienia się z *g, ź* lub *z*, np.: *może, możliwy — mogą; nożny, nóżka — noga; mażę — maź, mazi, zmaza.*

Czasem nasuwające wątpliwości (występujące po spółgłoskach) [š] wymienia się z [ś], zwłaszcza w formach stopnia wyższego i najwyższego przymiotników, np.: *lepszy — lepsi, najlepsi, większa — więksi, najwięksi, pierwszego — pierwsi, najpierwsi.*

Pisownia *h (ch)*

Różnicy w pisowni między *ch* i *h* nie odpowiada u olbrzymiej większości Polaków żadna różnica w wymowie, np. słowa *hoży* i *chorzy* wymawiane są identycznie. Głoskę, która występuje w tych wyrazach, oddajemy na piśmie w języku polskim na ogół przez *ch*. Samo *h* piszemy rzadko, na zasadzie wyjątku: wyrazy, w których ono występuje, trzeba zapamiętać.

Wyrazy rozpoczynające się od litery *h* łatwo znajdziesz w części słownikowej. Dla ułatwienia podajemy ważniejsze wyrazy, w których *h* występuje w innych pozycjach:

na końcu formy podstawowej — *druh, poroh*;

w środku formy podstawowej — *aha, alkohol, bezhołowie, błahy, bohater, bohomaz, czyhać, druhna, graham, Jehowa, Mahomet, ohyda, Podhale, pracoholik, rehabilitować, wataha, wahać się, wihajster.*

Pisownia *ó* (*u*)

Litera *ó* występuje na miejscu głoski [u], która rozwinęła się z dawnego [o]. Dlatego często wymienia się z *o*. Przykłady: *stół — stołu, pozwól — pozwoli, bródka — broda, pocztówka — pocztowy.* W rzadkich wypadkach można znaleźć jej wymianę tylko z *e*, np. *siódmy — siedem.*

Uwaga:

Występowanie przyrostków *-uj-* i *-owa-* w różnych formach tego samego czasownika, np. *maluje — malować*, nie jest wymianą głosek.

Pisownia *ą* (*on, om*), *ę* (*en, em*)

Pisownia: *ą* lub *ę* z jednej strony, a z drugiej: *on, om* lub *en, em* - - jest słabo powiązana z wymową. To, jak piszemy, nie zależy od wymowy wyrazu, lecz od jego historii. Z kolei wymowa [ǫ] (nosowego [o], jak w wyrazie *wąs*), [on] lub [om] oraz [ę], [en] lub [em] zależy od głosek sąsiednich i nie jest uwarunkowana pisownią.

Pisownię wyrazów zawierających wymienione litery trzeba więc często traktować indywidualnie, a wątpliwości sprawdzać w słowniku. Możemy tylko podać kilka rad, które mogą się przyczynić do wyrobienia podstawowych skojarzeń:

1) Litery *ą* i *ę* są specyficzne dla języka polskiego. Występują w wyrazach odziedziczonych (rodzimych lub bardzo dawno zapożyczonych). Jeśli w wyrazach nasuwających omawianą wątpliwość wymieniają się głoski [ę] i [ǫ] (lub [e] i [o]), to w piśmie odpowiadają im litery *ę* i *ą*. Przykłady: *kąsać — kęs, wzgląd — względu, ząb — zęba, wziął — wzięła.*

2) Litery ą i ę nie występują w wyrazach zapożyczonych, jeśli zapożyczenie jest do dzisiaj wyraźnie odczuwane. Jeśli znasz z języka obcego wyraz podobny pod względem ortograficznym do wyrazu, co do którego masz wątpliwości, pisz w rozważanym miejscu te litery, które występują na piśmie w języku obcym. Przykłady: *kontakt* — ang. *contact*, franc. *contact*, niem. *Kontakt*, *sensacja* — ang. *sensation*, franc. *sensation*, niem. *Sensation*.

Jeśli wyraz jest terminem międzynarodowym, używanym w podobnych postaciach w wielu językach, to z reguły nie występują w nim litery ą i ę. Często możesz przypuszczać, że taki jest charakter wyrazu, nawet jeśli nie znasz jego odpowiedników w językach obcych. Przykłady: *kompozytor*, *interwencja*, *konstytucja*.

3) Litera ę występuje na końcu niektórych form wyrazów odmiennych, np.: *piszę, będę, zwierzę, imię, wodę, cię, widzę tę książkę* (zob. zestawienie zakończeń). W wymowie starannej odpowiada jej samogłoska [ę] (z lekko osłabioną nosowością), w naturalnej wymowie szybkiej poprawne jest wymawianie na jej miejscu nienosowego [e] (uważaj na zapis!).

4) Litera ą występuje na końcu niektórych form wyrazów odmiennych, np.: *piszą, będą, wodą, krową, dużą, którą, tą* (zob. zestawienie zakończeń). W wymowie odpowiada jej samogłoska [ǫ]. Trafiające się w mowie potocznej wymawianie na jej miejscu [om] lub [oł] uchodzi za niepoprawne (uważaj na zapis!).

Uwaga:

W formach czasowników, których bezokolicznik kończy się na *-(n)ąć*, piszemy zawsze *-(n)ął-, -(n)ęł-* i *-(n)ęl-* — bez względu na wymowę, np.: *krzyknął, krzyknęła, krzyknęli; wziął, wzięła, wzięli.*

Litera *w* po literze spółgłoskowej

W pisowni polskiej litera *w* (odpowiadająca regularnie spółgłosce dźwięcznej) często występuje po literze spółgłoskowej odpowiadającej spółgłosce bezdźwięcznej — całą grupę spółgłoskową wymawia się wtedy bezdźwięcznie, np.: *cwaniak* — [cfańak] czy *ćwierć* — [ćf'erć] itd.; *chwalić, chwila, czwartek, kwiat, kwoka, swoboda, szwagier, świnia, twierdza, twój.*

Po odpowiadających spółgłoskom bezdźwięcznym: *c, ch, cz, ć, k, sz, ś* pisze się z reguły *w*. Litera *f* stosunkowo często występuje tylko po *s*, np.: *sfera, sfora* czy *sfinks*, regularnie: po przedrostku *s-*, np.: *sfilmować, sformułować.* Poza tym trafia się w wykrzyknikach, np.: *pfe, pfuj, tfu.*

14

Litery spółgłoskowe na końcu słowa i cząstki słowotwórczej

Grupy spółgłosek w języku polskim są na ogół w całości albo bezdźwięczne, albo dźwięczne, na końcu słowa zaś występują z reguły spółgłoski bezdźwięczne. Ma to ważne konsekwencje dla ortografii.

Na końcu słowa (najczęściej: formy wyrazu odmiennego) pisze się — często wbrew wymowie — literę spółgłoskową (albo litery spółgłoskowe tworzące dwuznak) odpowiadającą spółgłosce, która występuje w tej samej cząstce słowotwórczej przed samogłoską — w innej formie tego samego wyrazu odmiennego lub formie wyrazu pokrewnego, np.:

pęd — pędy	, ale *sprzęt — sprzęty*
Muz — Muza	*pokus — pokusa*
Bug — Bugu	*buk — buku*
snob — snobem	*snop — snopem*
traw — trawy	*traf — trafy*
wiedz — wiedzą	*wiec — wiecu*
jedź — jedzie	*wznieć — wznieci*
leź — lezie	*nieś — niesie*
waż — waży	*wasz — wasza*
warz — warzy	*strasz — straszy*
gwiżdż — gwiżdże	*świszcz — świszcze*

Podobnie przed przyrostkiem lub końcówką pisze się — często wbrew wymowie — literę spółgłoskową odpowiadającą spółgłosce, którą wymawia się przed samogłoską, np.:

próbka — próba	, ale *łapka — łapa*
wózka — wózek	*pieska — piesek*
Francuzka — Francuzek	*Zuluska — Zulusek*
Władkiem — Władek	*piątkiem — piątek*
krawca — krawiec	*hufca — hufiec*
ważka — ważek	*muszka — muszek*
dowództwo — dowodzą	*proroctwo — prorocy*
dziadkom — dziadek	*dziatkom — dziatek*
młodszy — młody	*bogatszy — bogaty*
groźba — grozi	*prośba — prosi*
wieźć — wiezie	*nieść — niesie*
móżdżku — móżdżek	*płaszczka — płaszczek*

15

Czasem odwoływać się trzeba do słów, w których występuje inne głoska, odpowiadająca literze (lub dwuznakowi) wywołującej wątpliwości, lecz inna głoska, wymieniająca się z tamtą, np.:

ludzki — ludzie   , ale   wariacki — wariaci
szwedzki — Szwedzi   szkocki — Szkoci
sąsiedztwo — sąsiedzi   bogactwo — bogaci

Trudniejsze reguły pisowni związane z występowaniem przyrostków omówione są niżej.

Pisownia wybranych przyrostków

1. -(w)ski (-cki, -dzki)

W formach przymiotników z wymienionym przyrostkiem (a także rzeczowników o odmianie przymiotnikowej, np. nazwisk typu *Jankowski*) przed końcówką przymiotnikową pisze się *-sk-* lub *-ck-* (*-dzk-*) w zasadzie zgodnie z wymową, jednak przydatne są tu reguły bardziej szczegółowe.

Przy wymowie [ck] pisze się *-dzk-*, jeśli przymiotnik pochodzi od rzeczownika o temacie zakończonym na [d], [dz] lub [dź], np.: *gromadzki* (od *gromada*), *sieradzki* (od *Sieradz*), *ludzki* (od *ludzie*), *Rudzki* (od *Ruda*). W pozostałych wypadkach pisze się zgodnie z wymową *-ck-*, np.: *piracki* (od *pirat*), *inteligencki* (od *inteligent*), *niemiecki* (od *Niemiec*), *austriacki* (od *Austriak*), *Potocki* (od *Potok*).

Typowym przyrostkiem przymiotnikowym jest *-owsk-* (*-ewsk-*). Jest on dodawany do tematu rzeczownika, często nazwy własnej, a bywa wymawiany w sposób uproszczony — z pominięciem [w]. Pisze się go zawsze z literą *w*, np.: *ojcowski, piastowski, szopenowski, królewski.*

Często zdarza się, że przyrostek *-sk-* jest dodawany do tematu rzeczownikowego zakończonego na *-w-*; w przymiotniku występuje wtedy taka sama grupa liter *-wsk-*, np.: *krakowski, puławski* (od *Puławy*), *litewski.*

Uwagi:

1) Pisowni *-wsk-* w przymiotnikach pochodzących od nazw własnych nie można traktować jako bezwyjątkowej. Kilka przymiotników zawiera przyrostek *-sk-*, dodany bezpośrednio do tematu rzeczownikowego zakończonego inaczej niż na *-w-*; mają one wtedy nietypowe zakończenie, np.: *kampinoski* (od *Kampinos*), *zaporoski* (od *Zaporoże*). Zakończenie takie może się też pojawić w wypadkach, które mogą nie być oczywiste, np. od *Syngalez* (członek grupy etnicznej w Sri Lance) tworzy się przymiotnik *syngaleski*, a nazwisko bohatera wojny o nie-

podległość Stanów Zjednoczonych to *Pułaski*, bo wywodzi się od miejscowości *Pułazie*.

2) Formy rzeczowników o zakończeniach tematów [sk], [ck] (przed końcówką) pisze się tak, jak wskazuje zakończenie ich podstawy słowotwórczej, np.: *Francuzka* (od *Francuz*), *kołyska* (od *kołysać*), *liska* (od *lisek*), *ogryzki* (od *ogryzek*), *przechadzka* (od *przechadzać się*).

3) Sporo nazwisk ma pisownię tradycyjną, nieodzwierciedlającą pochodzenia. Tak więc obok nazwiska *Niedźwiedzki* (od *niedźwiedź*) istnieje nazwisko *Niedźwiecki*. Najbardziej znanym nazwiskiem o pisowni wyjątkowej (niezgodnej z regułami) jest *Piłsudski*.

2. -stwo (-wstwo, -ctwo, -dztwo)

W formach rzeczowników z wymienionym przyrostkiem przed końcówką pisze się zawsze *-tw-* (z grupą spółgłoskową wymawianą bezdźwięcznie) — przed literami tymi może występować *s*, *c* lub *dz*.

Przy wymowie [ctf] pisze się *-dztw-*, jeśli podstawa słowotwórcza, po której następuje przyrostek, kończy się na [d], [dz] lub [dź], np.: *paskudztwo* (od *paskudny*), *władztwo* (od *władza*), *dowództwo* (od *dowodzić*, por. *dowodzą*). W pozostałych wypadkach pisze się *-ctw-*, np.: *piractwo* (od *pirat*), *piśmiennictwo* (od *piśmienniczy*), *kalectwo* (od *kaleka*).

Przy wymowie [stf] pisze się *-stw-* bez względu na to, jak zakończony jest temat, np.: *towarzystwo* (od *towarzysz*), *zwycięstwo* (od *zwyciężyć*), *ubóstwo* (od *ubogi*).

Przyrostek *-stw-* jest rozszerzony o *w*, jeśli należy ono do tematu podstawowego rzeczownika lub czasownika. Forma podstawowa omawianych rzeczowników kończy się wówczas na *-wstwo*, np.: *znawstwo* (od (*po*) *znawać*, por. *znawca*), *krwiodawstwo* (od (*krew*) *dawać*), *brzuchomówstwo* (od (*brzuchem*) *mówić*).

Uwaga:

Wyjątkowo pisze się *wychodźstwo* i *uchodźstwo*.

3. -ca

Przed przyrostkiem *-ca* (tworzącym nazwy wykonawców — rodzaju męskiego) pisze się taką literę spółgłoskową, jaka wynika z podstawy słowotwórczej, np.: *dowódca* (od *dowodzić*), *zbawca* (od *zbawić*), *wynalazca* (od *wynaleźć*, por. *wynalazł*), *uchodźca* (od *uchodzić*), *drapieżca* (od *drapieżny*), *pochlebca* (od *pochlebiać*), *zastępca* (od *zastępować*).

4. *-izna* (*-yzna*)

Przyrostek *-izna* (*-yzna*) występuje w rzeczownikach pochodzących od przymiotników, rzadziej — od rzeczowników. Ich pisownia zależy od zakończenia tematu wyrazu podstawowego, np. *łatwizna* (od *łatwy*), *starzyzna* (od *stary*).

Rzeczowniki pochodzące od przymiotników zakończonych na *-ski* mają zakończenie *-szczyzna*, np.: *polszczyzna* (od *polski*), *chińszczyzna* (od *chiński*), *królewszczyzna* (od *królewski*).

Rzeczowniki pochodzące od przymiotników zakończonych na *-cki* mają zakończenie *-cczyzna*, np.: *staroświecczyzna* (od *staroświecki*), *Białostocczyzna* (od *białostocki*).

Rzeczowniki pochodzące od przymiotników zakończonych na *-dzki* mają zakończenie *-dczyzna*, np. *flamandczyzna* (od *flamandzki*). Zakończenie to występuje również w wyrazie *piłsudczyzna* (od *Piłsudski*).

O pisowni rzeczowników pochodzących od przymiotników o innych zakończeniach oraz od rzeczowników decyduje zakończenie tematu wyrazu podstawowego, np.: *obczyzna* (od *obcy*), *kozaczyzna* (od *Kozak*), *niemczyzna* (od *Niemiec*, por. *Niemca*).

Przedrostki

1. *z-/s-/ś-*

Wymieniony przedrostek piszemy najczęściej (choć z wyjątkami) zgodnie z wymową. W piśmie może on przyjmować następujące postaci, które koniecznie trzeba poznać, ucząc się ortografii:

z- — przed literami odpowiadającymi samogłoskom oraz spółgłoskom dźwięcznym, a także przed *s* i *h*, np.: *zorientować się, zjechać, zmówić się, złożyć, zbiegać, zdawać, zsyłać, zsinieć, zszarzeć, zheblować*;

ś- — przed parą liter *ci* (odpowiadającą głosce [ć]), np.: *ścierać, ściąć*;

s- — przed literami odpowiadającymi pozostałym spółgłoskom bezdźwięcznym, np.: *spadać, sfabrykować, scalić, sczerstwieć, skopać*.

Uwagi:

1) Literę *h* — ze względów tradycyjnych, a wbrew panującej wymowie — traktuje się jako odpowiadającą spółgłosce dźwięcznej, dlatego omawiany przedrostek ma przed nią postać *z-*, np.: *zhańbić, zharmonizować*, ale *schodzić, schamieć*.

2) Zgodnie z wymienionymi regułami przed literą *s* — bez względu na to, czy odpowiada ona samodzielnej głosce, czy wchodzi w skład dwuznaku *sz* lub *si* — pisze się zawsze *z-*, np.: *zsadzić, zsunąć, zszywać, zsiadać.*

3) Omawiany przedrostek ma jeszcze postać *ze-*. Jej występowanie jest uwarunkowane budową wyrazu podstawowego, a postać pisana odpowiada wymowie, np. *zesłać* (ale *zsyłać*), *zebrać* (ale *zbierze*), *zetnie* (ale *ściąć*).

2. w(e)z-/w(e)s-

Pierwsza litera omawianego przedrostka to zawsze *w* — bez względu na wymowę; jego drugą literę spółgłoskową pisze się w zasadzie zgodnie z wymową, tzn. wymieniony przedrostek przybiera postać:

ws- (lub *wes-*) przed literami odpowiadającymi spółgłoskom bezdźwięcznym, np.: *wspierać, wspomagać, wesprzeć, westchnąć*;

wz- (lub *wez-*) przed literami odpowiadającymi spółgłoskom dźwięcznym, np.: *wzbierać, wzmagać, wezbrać.*

Wyrazów z tym przedrostkiem jest niewiele, toteż ich pisownię można opanować, ucząc się ich indywidualnie.

3. Inne przedrostki

Pozostałe przedrostki zakończone na spółgłoskę (*ob-*, *nad-*, *przed-*, *pod-*, *od-*, *w-*, *roz-*, *bez-*, a także np. *przeciw-*, *ponad-*, *sub-*) pisze się zawsze tak samo — bez względu na litery sąsiednie oraz wymowę, np.:

obstawić	*obdumać*	*obrachunek*
nadstawić	*nadgonić*	*nadjechać*
przedstawić	*przedwojenny*	*przedramię*
podstawić	*podburzyć*	*podmurować*
odstawić	*odżegnać się*	*odnowić*
wstawić	*wrzucić*	*włożyć*
rozstawić	*rozzuchwalić*	*rozognić*
bezpieczny	*bezdymny*	*bezodrzutowy*
przeciwtężcowy	*przeciwgruźliczy*	*przeciwległy*
ponadto	*ponaddźwiękowy*	*ponadludzki*
subkonto	*subwencja*	*sublokator*

Pisownia *i* i *j*

1. *i* i *j* po literach spółgłoskowych, zwłaszcza w zakończeniach typu -*zja*, -*nia*, -*mia*

Po literach *c, s, z* pisze się *j* zgodnie z wymową, zwłaszcza w formach rzeczowników żeńskich, np.: *racja, rację, racją; uncja; pasja; Rosja, Rosję, Rosją; poezja; Azja.*

Po innych literach spółgłoskowych pisze się *j* tylko wtedy, gdy w tym miejscu wypada granica cząstek słowotwórczych, zwłaszcza rodzimego przedrostka i rdzenia czasownikowego, np.: *objawić się, nadjechać, podjąć, odjąć, nadjeść, wjazd, hiperjądrowy.*

Jeśli natomiast spółgłoska [j] występuje po spółgłosce innej niż [c], [s], [z] i nie po przedrostku, pisze się na jej miejscu *i*, tak samo, jak w wypadkach, gdy litera spółgłoskowa i *i* odpowiadają razem spółgłosce miękkiej, np.:

armia	*ziemia*
Arabia	*głębia*
rupia	*Słupia*
Mołdawia	*Karwia*
filozofia	
linia	*jaskinia*
petunia	*ciotunia*
mania	*Mania*
Dania	*dania*
Kalifornia	*waltornia*
gwardia	
partia	
Maria	
lilia	
legia	*giąć*
autarkia	*kierat*
anarchia	
hiena	

2. Zakończenia typu -*zji*, -*nii* (-*ni*), -*mii* (-*mi*)

W formach rzeczowników na -*cj*-, -*sj*-, -*zj*- pisze się -*cji*, -*sji*, -*zji* zgodnie z wymową, np.: *racji, uncji, pasji, Rosji, poezji, Azji.*

W formach rzeczowników o innych zakończeniach tematu pisze się *-ii*, gdy odpowiada mu wymowa [ji], a *-i*, gdy wymawiamy [i], np.:

armii	*ziemi*
Arabii	*głębi*
rupii	*Słupi*
Mołdawii	*Karwi*
filozofii	
linii	*jaskini*
petunii	*ciotuni*
manii	*Mani*
Danii	*dani*
Kalifornii	*waltorni*
gwardii	
partii	
Marii	
dalii	*dali*
legii	*ligi*
autarkii	*barki*
anarchii	

Powiązanie pisowni z wymową może nie być objaśnieniem wystarczającym, zwłaszcza że większość Polaków wymawia identycznie drugą sylabę w słowach *armii* i *ziemi*. Dlatego użyteczne mogą być jeszcze dodatkowe objaśnienia i wskazówki:

1) Rzeczowniki na *-fia*, *-dia*, *-tia*, *-ria*, *-lia*, *-gia*, *-kia*, *-chia* mają w omawianych formach zawsze *-ii*.

2) Rzeczowniki na *-pia*, *-bia*, *-wia*, *-mia* (z reguły pochodzenia obcego) mają w tych formach częściej zakończenie *-ii*, np.: *kopii, fobii, szałwii, ekonomii.*

Zakończenia *-pi, -bi, -wi, -mi* mogą być traktowane jako wyjątkowe. Najważniejsze formy, w których występują, to: *głębi, chełbi, stułbi, skrobi, hrabi, margrabi, burgrabi, ziemi, rękojmi.* Poza tym pisze się je w rodzimych nazwach własnych, np.: *Słupi, Karwi, Rumi.*

3) Rzeczowniki na *-nia* mają zakończenia form na *-i* w zależności od wymowy. Na wypadek wątpliwości mamy wskazówki dokładniejsze:

a) Po literach samogłoskowych oba sposoby wymawiania wyraźnie się różnią, wymowa stanowi więc wystarczającą wskazówkę dla pisowni: *-ni* pisze się, gdy wymawia się [ńi]; *-nii* — gdy wymawia się [ńji], np.: *pani* — *Hiszpanii, Reni* — *Nadrenii, brzoskwini* — *opinii, woni* — *piwonii, laluni* — *unii, dyni* — *cynii.*

b) Po literach spółgłoskowych pisze się z reguły -*ni*, np.: *jezdni*, *sukni*, *kopalni*, *kawiarni*, *guberni*, *wiśni*, *szatni*, *siłowni*, *kuźni*, *bieźni*; -*nii* występuje tylko w obcych nazwach własnych (jest ich stosunkowo niewiele), np.: *Owernii*, *Polihymnii*, i wyjątkowo *kalumnii*.

Uwaga uzupełniająca:

W dopełniaczu liczby mnogiej dopuszczalne jest użycie — dla uniknięcia dwuznaczności — archaicznych form na -*yj* (-*ij*), np.: *zbiór poezyj*, *dowództwo armij* (w domyśle: kilku, nie jednej). Można je jeszcze czasem spotkać w tekstach współczesnych.

3. *i* po literach samogłoskowych i na początku wyrazu

Po literze samogłoskowej nie pisze się „ji", nawet gdy taki zapis oddaje wymowę, a *j* należy do tematu, np.: *idei* (od *idea*), *epopei* (od *epopeja*), *szyi* (od *szyja*), *żmii* (od *żmija*), *Mai* (od *Maja*), *moi* (od *mój*, *moja*), *stoi* (od *stoją*).

Samo *i* pisze się również z reguły na początku wyrazu. Najważniejszy z wyjątków (zapożyczonych z języków obcych) to nazwa języka polskich Żydów: *jidysz*.

Pisownia -*em* w odmianie przymiotnikowej

Dwa typy rzeczowników o odmianie przymiotnikowej mają w narzędniku i miejscowniku na zasadzie wyjątku końcówkę -*em* (zamiast regularnego -*ym*):

1) rzeczowniki rodzaju nijakiego stanowiące nazwy miejscowe oraz nazwy obszarów przyległych do miejscowości (także dwuczłonowe), np.: *w Zakopanem*, *Równem*, *Wysokiem Mazowieckiem*, *Kieleckiem* (ale *w województwie kieleckim*);

2) nazwiska na -*e*, np.: *Lindem*, *Bonapartem*.

Wyrazy przejęte z języków obcych

Kłopoty często sprawiają wyrazy zapożyczone z języków obcych — sposób ich wymawiania może nie odpowiadać polskim regułom odczytywania ich postaci pisanej, przejętej z tych języków. Wyrazy takie mogą być zapisywane po polsku albo w postaci oryginalnej (jak *remake* — wym. [ri- mejk]), albo spolszczonej (jak *kombajn*). Czasem obie postaci są używane wymiennie, np. *dealer* i *diler*.

Jeśli do wyrazu zapożyczonego, którego oryginalna postać pisana nie pasuje do polskich zwyczajów ortograficznych, dodajemy końcówki, łatwiej tworzyć jest inne formy, gdy zapiszemy ten wyraz w postaci spolszczonej, por. odmianę *cowboy, cowboya* itd. oraz *kowboj, kowboja* itd. Niekiedy jednak wyraz w postaci oryginalnej możemy odmieniać bez trudu, np. *jazz* (wym. [dżez]), *jazzu, jazzie* itd.

Skróty i skrótowce

W tekście pisanym niejednokrotnie stosujemy skróty, nie zapisując wyrazów w całości — w postaci, w jakiej występowałyby w mowie. Skróty można wprowadzać samodzielnie, lecz robi się to raczej rzadko: dla potrzeb dłuższych tekstów, w których wyraz skracany może się często powtarzać. Na ogół skraca się wyraz w ten sposób, aby kończył się na literę spółgłoskową (skrót jest pochodny względem pisanej postaci wyrazu), np. *Encyklopedia popularna PWN* wprowadza dla swych potrzeb m.in. następujące skróty: *brun.* — *brunatny, isl.* — *islandzki, koniń.* — *koniński, kośc.* — *kościelny.*

Bez zastrzeżeń można stosować skróty ustabilizowane i często używane (w słowniku podajemy tylko niektóre z nich). Obowiązują jednak pewne reguły ortograficzne przy zapisywaniu skrótów.

Kropkę po skrócie stawia się tylko w razie ucięcia końca wyrazu, np.: *godz.* 'godzina', 'godzinie' itd., *dr.* np. 'doktora' albo 'doktorem', *br.* 'bieżącego roku', *itd.* 'i tak dalej' — z wyjątkiem skrótów nazw jednostek miary, ustalonych na gruncie innych dziedzin niż ortografia, np.: *g* 'gram', *km* 'kilometr', *zł* 'złoty'. Pomija się kropkę, gdy ostatnia litera pozostaje, np.: *dr* 'doktor', *płk* 'pułkownik'.

Odrębny problem stanowią skrótowce, tj. ustabilizowane skróty pisane wielkimi literami. Często mają one charakter oficjalny, stanowią skrótowe nazwy instytucji czy przedsiębiorstw. Pisze się je zgodnie z tradycją. Jest ich zbyt wiele, abyśmy mogli podać je w słowniku. Ponieważ stanowią nazwy indywidualne i są stosowane często w piśmie, w wypadku wątpliwości należy sięgnąć do innego źródła informacji. Tu zasygnalizujemy tylko dwa ważne problemy ogólne.

1) Jeżeli skrótowiec pisze się wielkimi literami, to nie stawia się między nimi kropek, np.: *ONZ, PKO, UJ, ZChN* (w skrótowcach używa się czasem dwuznaku *ch*, innych dwuznaków się nie stosuje).

2) Jeżeli skrótowiec odmieniamy, dodajemy do niego końcówkę po łączniku, np.: *ONZ-u, ZChN-ie*. Często utworzenie takiej formy może być trudne: można wtedy po prostu zrezygnować z dodawania do skrótowca końcówki.

Pisownia łączna i rozdzielna

1. *nie*

Cząstkę przeczącą *nie* piszemy rozdzielnie:

1) z formami regularnych (koniugujących się) czasowników, np.: *nie był, nie ma, nie być, nie będąc, nie przyszedłszy, nie miano*; wyjątkowo także z formami imiesłowów przymiotnikowych — jeśli piszącemu szczególnie zależy na podkreśleniu czynnościowego znaczenia zaprzeczanego imiesłowu, np. *kobieta nie paląca fajki, czasownik nie opatrzony dopełnieniem, nie uczony przez nikogo posiadł sztukę czytania*;

2) z innymi wyrazami używanymi w funkcji czasowników: *nie można, nie trzeba, nie potrzeba, nie warto, nie brak, nie szkoda, nie sposób, nie strach, nie wstyd, nie żal, nie wolno, nie wiadomo, nie widać, nie słychać, nie powinien (nie powinna, nie powinniśmy ...)*;

3) z formami liczebników i zaimków, np.: *nie dwa, nie pierwszy, nie ja, nie twój*;

4) z formami przysłówków nieodprzymiotnikowych, np.: *nie bardzo, nie wczoraj, nie darmo* (wyjątki: *niezbyt, nieraz* 'często');

5) z formami przymiotników i przysłówków w stopniu wyższym i najwyższym, np.: *nie lepszy pomysł, nie najweselsza nowina, nie najlepiej wykonana praca.*

Cząstkę przeczącą *nie* piszemy łącznie:

1) w formach rzeczowników, np.: *nieprzyjaciel, nieporządek*, a także *niepalenie, niewchodzenie* (rzeczownikowe nazwy czynności, takie jak dwa ostatnie przykłady, traktujemy jak regularne rzeczowniki);

2) w formach przymiotników i przysłówków odprzymiotnikowych, np.: *niewesoły, niezgrabne, nieładna, nieładnie*; także z formami imiesłowów przymiotnikowych, np.: *nieusprawiedliwiona nieobecność, czasownik niedokonany, niedouczony teolog, nieprzekonujący argument, niepalący.*

Przepisy dotyczące pisowni *nie* wymagają kilku komentarzy:

1) Zdarza się, że od cząstki *nie-* zaczyna się samodzielny wyraz o wyspecjalizowanym znaczeniu; pisze się go razem, choćby podane wyżej reguły mówiły, że z formami danej części mowy *nie* pisze się rozdzielnie,

np.: *niepokoić, niedomagać* (w znaczeniu 'chorować'), *nienawidzić, niedowidzieć, niejeden* (w znaczeniu 'wielu'), *nieswój* ('zmieszany'), *niektórzy.*

2) Zaprzeczone przysłówki odprzymiotnikowe pisze się łącznie także wtedy, gdy pełnią funkcję orzeczenia w zdaniu, np.: *Nieprzyjemnie stać po kolana w wodzie. Nietrudno to zauważyć.*

3) Cząstkę *nie* z imiesłowami przymiotnikowymi pisze się w zasadzie łącznie. Nie jest to jednak reguła bez wyjątku. Jeśli piszący chce podkreślić czynnościowy, czasownikowy charakter konstrukcji, może *nie* napisać przed imiesłowem przymiotnikowym rozdzielnie. Zwykle więc piszemy *nieprzystosowany, niewierzący,* np.:

> *Ludzie **nieprzystosowani** to ważny problem współczesnego społeczeństwa.*
>
> *Akceptuje to większość Polaków, zarówno wierzących, jak **niewierzących**.*

Nie jest jednak błędem napisanie *nie przystosowany, nie wierzący,* jeśli treść i budowa zdania wskazują na powiązania imiesłowu z podstawowym czasownikiem i chce się to podkreślić, np.:

> *Jeździł po bezdrożach autem **nie przystosowanym** do jazdy terenowej.*
>
> *Rozmawiała z ludźmi **nie wierzącymi** w żadne jej słowo.*

4) Dla zaznaczenia kontrastu czy przeciwstawienia pisana rozdzielnie cząstka przecząca bywa używana także przed formami rzeczowników, przymiotników i przysłówków odprzymiotnikowych, np.: *to nie przyjaciel, ale twój wróg; kupiłam sukienkę nie ładną, lecz wprost cudowną; kupiłam ją nie drogo, ale przeciwnie — bardzo tanio.* Cząstka ta, pisana rozdzielnie, może też wystąpić przed innym wyrazem, z którym częściej występuje łącznie, np. *przyszedł nie jeden gość, ale dziesięciu, choć niejeden się na nim zawiódł.*

2. by (bym, byś, byśmy, byście)

Cząstkę trybu warunkowego *by,* czasem rozszerzoną o końcówkę osobowo-liczbową (*bym, byś, byśmy, byście*), pisze się łącznie:

1) z formami osobowymi czasowników także używanymi nieosobowo, np.: *byłby, byłabym, byłybyśmy, należałoby, wypadałoby;*

2) jako nierozdzielne części spójników i partykuł, zwłaszcza: *aby* (*abym, abyś, ...*), *żeby, ażeby, iżby, gdyby, jakby, oby, czyżby, gdzieżby, niby, byleby, bodajby, niechby, niechajby, nużby;*

3) ze spójnikami niewspółrzędnymi, np. *jeśliby, choćby.*

W wypadku, gdy występujące po spójniku niewspółrzędnym *by* należy wyraźnie do formy czasownikowej i daje się — przy zmianie szyku — ustawić po niej, można zastosować pisownię rozdzielną, np. *Zastrzegł się, że dom zostawi córce, nawet jeśli by się drugi raz ożenił.* Rozdzielnie pisze się tę cząstkę w innych pozycjach. Szczególnie trzeba zwrócić uwagę na pisownię *by* z formami nieosobowymi czasowników, np.: *zrobiono by, zrobić by trzeba, trzeba by to zrobić.*

3. Przyimki i cząstki poprzedzające wyraz

Rozdzielnie pisze się w języku polskim przyimki z następującymi po nich wyrazami, choć grupy takie stanowią całości wymawianiowo-akcentowe, np.: *do góry, z góry, w głąb, bez reszty.* Zasada ta obowiązuje także wtedy, gdy w takiej całostce akcent pada na przyimek, np.: *na dół, na bok, na wieś, po raz pierwszy, o niej, do mnie.*

Szczególnie należy zwrócić uwagę na następujące wypadki:

1) połączenia postaci przyimka rozszerzonej samogłoską *e* z formą zaimka *ja*, np.: *ze mną, przede mną, przede mnie, przeze mnie*;

2) połączenia przyimka z formą przymiotnika używaną tylko w tych połączeniach, np.:

po polsku, po angielsku, po łotrowsku (por. *po mojemu, po macoszemu*);

z pańska, z polska, z angielska, z daleka;

3) połączenia przyimka *za* z formą przymiotnika lub przysłówka, np.: *za duży, za dużo, za wczesny, za wcześnie, za wysoki, za wysoko*;

4) połączenia innych przyimków z formami przysłówków lub innych wyrazów nieodmiennych, np.: *na czarno, na lewo, na pewno, od dzisiaj, na zawsze, na pół*;

5) połączenia przyimków z formami wyrazów *co, to, nic*, np.: *po co, na co, za to, na nic, poza tym*;

6) połączenia przyimków z formami rzeczowników, mające własne znaczenie, często metaforyczne, np.: *na ogół, na odwrót, po kolei, spode łba, w bród, w kółko, za pomocą*;

7) połączenia przyimków z formami rzeczowników archaicznych, nieużywanych poza tym kontekstem we współczesnym języku polskim, np.: *bez liku, bez ustanku, na schwał, z pantałyku*;

8) połączenia przyimków z formami zaimków liczebnych i liczebników, np.: *o ile, o tyle, o mało, o wiele, po pierwsze, po drugie.*

Spośród innych cząstek niedołączanych ortograficznie do wyrazu po nich następującego trzeba wymienić:

1) *jak* — z formami stopnia najwyższego, np.: *jak najłaskawszy, jak najlepiej, jak najbardziej*;

2) *co* — z formami rzeczowników, przymiotników i przysłówków, np.: *co dzień* (ale pochodny od tego wyrażenia przysłówek to *codziennie*, pisany łącznie) i *na co dzień*, *co tydzień*, *co ważniejsze*, *co gorsza*;

3) *byle* i *lada* z formami różnych wyrazów, np.: *byle kto, byle żołnierz, lada jaki, lada uczeń*;

4) przysłówkowe określenia imiesłowów przymiotnikowych, np.: *średnio zaawansowany, nowo przyjęty, dziko rosnąca*;

5) liczebniki oznaczające ułamki: *pół, ćwierć, półtora*, np.: *po pół godzinie, przed ćwierć wiekiem, za półtora roku*.

Uwaga:

W niektórych wypadkach można mieć wątpliwości, czy dane wyrażenie jest jednolitym przymiotnikiem złożonym, czy przymiotnikiem (lub imiesłowem przymiotnikowym) z określającym go przysłówkiem, np.: *lekkostrawny* i *lekko strawny*, *łatwopalny* i *łatwo palny*, *szybkoschnący* i *szybko schnący*, *nowonarodzony* i *nowo narodzony*. W takich wypadkach musi być dopuszczona pisownia alternatywna.

Wypadki wątpliwe należy sprawdzać w słowniku. Podano w nim połączenia o charakterze indywidualnym oraz przykłady połączeń mających charakter seryjny (np. nie znajdziesz w słowniku wyrażenia *po słowacku*, ale powinieneś wywnioskować, jak się je pisze, na podstawie wyrażeń analogicznych, np. *po polsku*).

Pisownię łączną stosuje się w następujących wypadkach, które mogą wywoływać wątpliwości:

1) w wyrazach zawierających przedrostek (przedrostki mają często taką samą postać jak przyimki), np.: *nakupić, podrobić, bezchmurny*;

2) w przyimkach złożonych, np.: *ponad, sponad, poza, spoza, zza, znad*;

3) w połączeniach przyimka z niesylabiczną formą zaimkową *-ń*, np.: *nań* (o znaczeniu 'na niego'), *przedeń, weń*;

4) w licznych połączeniach skostniałych, np.: *dlaczego, naprawdę, naraz, nadzwyczaj, potem, ponadto, zazwyczaj, niezadługo*.

Wszystkie wypadki o charakterze indywidualnym są wprowadzone do słownika. Pominięte bywają natomiast niektóre spośród podobnie zbudowanych wyrazów zawierających przedrostki, np. jeśli nie znajdziesz w słowniku wyrazu *przeciwpylicowy*, powinieneś wywnioskować, jak należy go pisać, na podstawie analogii do wyrazów zawierających ten sam przedrostek i rdzeń zaczynający się podobnie, np.: *przeciwpowodziowy, przeciwpożarowy, przeciwpyłowy*.

4. Cząstki końcowe i występujące po wyrazie

Razem pisze się partykuły i cząstki końcowe: *-że*, *-ż*, *-ąd* (*-inąd*), *-kolwiek*, *-kroć*, *-li*, *-ć*, np.: *chodźże, chodźcież, skądinąd, któregokolwiek, wielekroć, znaszli, toć.*

Rozdzielnie pisze się partykuły i cząstki końcowe: *no, to, też, bądź, indziej, ci*, np.: *chodź no, Jak to?, już to, już też, kto bądź, gdzie bądź, gdzie indziej, a to ci historia, masz ci los.*

5. Wyrazy złożone i użycie łącznika

Przymiotniki złożone z dwóch rdzeni pisze się łącznie (bez łącznika), jeśli oba człony mają charakter nierównorzędny, np.: *wielkomiejski, małomiasteczkowy, żaroodporny.*

Z łącznikiem pisze się przymiotniki złożone z dwóch rdzeni, jeśli oba człony mają charakter równorzędny, np.: (*sztandar*) *biało-czerwony*, (*słownik*) *polsko-angielski.* Tak też pisze się także dwuczłonowe nazwiska, np.: *Grzymała-Siedlecki, Pawlikowska-Jasnorzewska.*

Z łącznikiem można pisać zestawienia rzeczowników równorzędnych, np.: *eksport-import, kupno-sprzedaż* oraz nazwy złożone z dwóch rzeczowników, np.: *Kędzierzyn-Koźle, Kraków-Płaszów, Warszawa-Praga, Warszawa-Falenica, Lądek-Zdrój.* Nie jest jednak błędem pisanie takiej nazwy rozłącznie, np.: *Kędzierzyn Koźle, Kraków Płaszów, Warszawa Praga, Lądek Zdrój* (tak pisze się nazwy stacji kolejowych).

Łącznik stawia się ponadto:

1) dla dołączenia części wyrazu pisanej zgodnie z zasadami budowy tekstu polskiego do części mającej charakter nietypowy, np. końcówki przypadkowej albo przyrostka do skrótu pisanego wielkimi literami (skrótowca) albo drugiego członu złożenia do pierwszej części zapisanej liczbą, np.: *bojownik PPS-u, ONZ-owski, 250-lecie, 2,5-letni* (lepiej jest unikać w takich sytuacjach zapisywania liczb słownie);

2) przy współrzędnym łączeniu pierwszych członów złożeń, np.: *chłopi mało- i średniorolni, silniki 4- i 6-cylindrowe* — po pierwszym członie;

3) pomiędzy członami niektórych wyrazów pochodnych od wyrażeń, zwłaszcza zapożyczonych, np.: *vis-à-vis, zgaduj-zgadula;*

4) w niektórych skrótach, np.: *s-ka* (*spółka*), *z-ca* (*zastępca*);

5) pomiędzy rzadko używanym przedrostkiem a rzeczownikiem — dla podkreślenia doraźności formacji, np.: *niby-człowiek, quasi-nauka, eks--ksiądz* (taka pisownia jest najbardziej naturalna, gdy rzeczownik pisany jest wielką literą, np.: *eks-Polak, pół-Polak*).

Jeśli rzeczownik zawierajacy rzadki przedrostek utrwala się w języku polskim, pisze się go coraz częściej łącznie, np. *eksmąż, pseudointeligent*. Jeśli wyraz taki przyjął się całkowicie (na przykład jako termin) pisownia łączna staje się obowiązująca, np. *nibynóżki, pseudoklasycyzm*.

Uwagi:

1) Zapis mieszany (cyfrowo-literowy) stosuje się wtedy, gdy każda z jego części odpowiada członowi wyrazu złożonego. Do liczby zapisanej cyframi nie należy dodawać końcówki formy liczebnikowej ani jej zakończenia. Nie należy więc pisać: „5-ego" ani „5-ciolecie". Po liczebnikach porządkowych zapisanych cyframi arabskimi można stawiać kropkę, np.: *3. wersja programu, w 5. numerze tygodnika.*

2) Istnieją pary przymiotników złożonych różniących się występowaniem łącznika — w zależności od tego, jaki jest stosunek ich członów, np.: *historyczno-literacki* 'odnoszący się do historii i literatury' i *historycznoliteracki* 'odnoszący się do historii literatury', *spożywczoprzemysłowy (kombinat, zakład)* i *spożywczo-przemysłowy (sklep)*.

3) Wyjątkowo — w rzadkich wypadkach — można postawić łącznik dla uniknięcia dwuznaczności, zwłaszcza przed cząstką osobowo-liczbową *-(e)m, -(e)ś, -(e)śmy, -(e)ście.* Na przykład zdanie *Powiedz mi, gdzieś wczoraj była* może być zrozumiane nie tylko w sensie 'Powiedz mi, gdzie wczoraj byłaś', lecz również w sensie 'Powiedz mi, ona gdzieś wczoraj była'. Użycie łącznika: *Powiedz mi, gdzie-ś wczoraj była* ogranicza możliwości interpretacji (do pierwszej).

Użycie apostrofu

Apostrof jest rzadko stosowanym znakiem graficznym. Ma postać przecinka umieszczonego w górnej części linii pisma. Użycie apostrofu w języku polskim jest ograniczone do dwóch sytuacji:

1) Apostrof stawia się po wyrazie obcym, najczęściej nazwisku, zakończonym *e* niemym (nie wymawianym), przed dodaną do niego polską końcówką rzeczownikową lub polskim przyrostkiem, np.: *college'ów, Wilde'owski.*

2) Apostrof stawia się po wyrazie obcym, najczęściej nazwisku, zakończonym literą *y* albo nie wymawianą literą spółgłoskową przed dodaną do niego polską końcówką przymiotnikową, np.: *Hardy'ego, Rabelais'mu.*

Zasady użycia wielkich liter

Jeśli rozróżnia się w piśmie litery wielkie i małe, to całość tekstu pisana jest literami małymi, a litery wielkie są znakami wyróżnionymi ze względów składniowych, ortograficznych bądź emocjonalnych. W niektórych tekstach, zwłaszcza poetyckich, wyróżnia się niektóre litery (jako wielkie) w sposób specjalny, bądź w nawiązaniu do ukształtowanej tradycji literackiej (wielka litera na początku wersu), bądź na podstawie indywidualnej decyzji autora. Takiego użycia wielkich liter nie będziemy analizować. Dalszy ciąg niniejszego rozdziału dotyczy w całości sytuacji, gdy rozróżnia się litery wielkie i małe w sposób typowy.

Uwaga:
Jeśli rozróżnienia wielkich i małych liter nie stosuje się (np. w tytułach, na szyldach czy w innych napisach informacyjnych), wszystkie litery tekstu mają tradycyjnie postać liter wielkich; jednak używanie w tej sytuacji liter małych nie może być uznane za błąd.

1. Ze względów składniowych

Ze względów składniowych wielką literę stosuje się na początku zdania (lub równoważnika zdania). Początek zdania występuje w tekście ciągłym w następujących sytuacjach:
   a) na początku tekstu (lub jego usamodzielnionego fragmentu);
   b) po kropce (użytej jako znak przestankowy, a nie jako znak graficzny, np. po skrócie) — zawsze;
   c) po wykrzykniku i znaku zapytania — oprócz sytuacji specjalnych, gdy znak przestankowy nie zamyka jednostki zdaniowej;
   d) po wielokropku — jeśli tekst następujący po nim jest składniowo niezależny od tekstu poprzedzającego;
   e) po dwukropku — jeśli jednostka występująca po nim ma charakter zdania.

2. Ze względów znaczeniowych

Ze względów znaczeniowych wielką literą pisze się imiona własne, tj. indywidualne nazwy, przede wszystkim osób. Nazwy indywidualne mogą mieć również zwierzęta (np.: *Reksio, Krasula*), obiekty geograficzne (np.: *Europa, Polska, Warszawa, Wisła, Śniardwy, Sądecczyzna*), ciała niebieskie i gwiazdozbiory (np.: *Jowisz, Jutrzenka, Wielki Wóz, Droga Mleczna*), rośliny (np. *Dewajtis*), inne przedmioty konkretne (np. *Titanic*), postacie mitologiczne i fikcyjne (np.: *Herakles, Boruta*), a także instytucje, firmy oraz inne organa prawne.

Ta ogólna reguła wymaga doprecyzowania dla wielu sytuacji specjalnych, kiedy albo wprowadzone są reguły bardziej szczegółowe, albo też rodzą się wątpliwości, czy w konkretnym wypadku mamy do czynienia z nazwą indywidualną, czy nie.

2.1. W indywidualnych nazwach wielowyrazowych wielką litrą piszemy najczęściej wszystkie wyrazy oprócz wewnętrznych spójników i przyimków, np.: *Stany Zjednoczone Ameryki Północnej, Morze Czarne, Jan bez Ziemi, Jurand ze Spychowa, Wydawnictwa Szkolne i Pedagogiczne.*

2.1.1. Rzeczownikowa nazwa obiektu geograficznego może być poprzedzona rzeczownikiem o charakterze nazwy gatunkowej — rzeczownik ten, w przeciwieństwie do samej nazwy, piszemy małą literą, np.: *morze Bałtyk, jezioro Genezaret, miasto Lubawa.* Jednak ten sam rzeczownik może też wchodzić do nazwy indywidualnej jako jeden z jej członów, szczególnie wtedy gdy inne jej człony są przymiotnikowymi określeniami nazwy gatunkowej, np.: *Morze Bałtyckie, Jezioro Galilejskie, Nowe Miasto Lubawskie.*

Uwaga:

To, czy rzeczownik ma charakter nazwy gatunkowej, czy członu nazwy własnej, jest czasem trudne do rozstrzygnięcia. O pisowni decyduje wtedy tradycja. Małą literą piszemy więc tradycyjnie nazwę ogólną *ulica* i inne nazwy miejskich obiektów topograficznych, np.: *ulica Floriańska, kościół Wszystkich Świętych, kawiarnia Europejska.*

2.1.2. Reguła 2.1. stosuje się do tytułów czasopism, np.: *Gazeta Wyborcza, Poradnik Językowy, Zabawy Przyjemne i Pożyteczne.*

Wyjątek: Jeśli tytuł czasopisma nie odmienia się przez przypadki, wielką literą piszemy tylko jego pierwszy wyraz, np.: *Dookoła świata, Żyjmy dłużej.*

2.1.3. Reguła 2.1. nie stosuje się do tytułów książek i innych dzieł ani do nazw różnych dokumentów pisanych. Wyróżniamy w nich tylko pierwszą literę, np.: *Ludzie bezdomni, Straszny dwór, Mała suita, Babie lato, List pasterski, Instrukcja obsługi.* Zdarza się jednak, że wszystkie wyrazy w nazwie dokumentu o szczególnej doniosłości pisze się tradycyjnie wielką literą, np.: *Stary Testament, Nowy Testament, Konstytucja 3 Maja* (por. niżej punkt 3.).

2.2. Wielką literą w języku polskim pisze się pewne grupy nazw, których indywidualny charakter nie jest oczywisty, a mianowicie:

1) rzeczownikowe nazwy narodowości, ras i innych grup etnicznych oraz nazwy mieszkańców czy obywateli regionów geograficznych oraz jednostek politycznych i administracyjnych, np.: *Polak, Niemiec, Prusak, Saksończyk, Mazur, Warmiak, Murzyn, Indianin, Azjata, Korsykanin;*

2) nazwy świąt, np.: *Wielkanoc, Nowy Rok, Wielki Tydzień;*

3) nazwy orderów i odznaczeń, np.: *Order Odrodzenia Polski, Legia Honorowa.*

Wielką literą nie pisze się:

1) nazw mieszkańców miast i innych miejscowości oraz dzielnic miast, np.: *warszawiak, gdańszczanin, nowohucianin;*

2) nazw członków wspólnot i grup religijnych, zakonnych czy politycznych, np.: *chrześcijanin, buddysta, karmelita, świadek Jehowy* (drugi wyraz pisze się wielką literą jako imię własne), *socjalista;*

3) nazw kalendarzowych, np.: *poniedziałek, styczeń, adwent;*

4) nazw okręgów administracyjnych, np.: *województwo olsztyńskie, okręg moskiewski.*

Uwaga:

Reguły omówione w niniejszym punkcie prowadzą do istnienia par wyrazów pisanych wielką i małą literą, np. *krakowiak* 'mieszkaniec Krakowa' i *Krakowiak* 'mieszkaniec Krakowskiego'.

2.3. Za nazwy indywidualne uważa się nazwy instytucji i urzędów. Zgodnie z regułami ortografii powinno się więc napisać: *Zakład Ubezpieczeń Społecznych, Ministerstwo Rolnictwa, Liceum Ogólnokształcące w Morągu.*

Jednak wiele nazw tego typu to nazwy własne naturalne, nazywające indywidualne przedmioty (konkretne i abstrakcyjne) przez użycie rzeczowników pospolitych, które odnoszą się do nich w sposób regularny. *Liceum Ogólnokształcące w Morągu* jest po prostu liceum ogólnokształcącym w Morągu — mamy prawo pisać tę nazwę, nie wyróżniając liter wielkich. Robimy tak zwłaszcza wtedy, kiedy o danym obiekcie mówimy jako o przedstawicielu pewnego gatunku (w danym wypadku: liceów ogólnokształcących).

Dotyczy to także instytucji, których nazwy utarły się na tyle, że niekoniecznie muszą być traktowane jak nazwy indywidualne: np. *Ministerstwo Rolnictwa* jest to ministerstwo zajmujące się rolnictwem, uzasadniona może być więc również pisownia: *ministerstwo rolnictwa.* Do nazw takich należą także *sejm* i *senat* — można je pisać zarówno wielką, jak i małą literą. Zależy to od intencji piszącego: czy traktuje on daną nazwę jako własną, czy jako pospolitą. Ta sama wskazówka odnosi się również do nazw oficjalnych skróconych.

Jeśli pisze się na przykład o Ministerstwie Rolnictwa, można je w dalszym ciągu tekstu nazywać zarówno *Ministerstwem* (traktując ten wyraz jako skróconą nazwę własną), jak i *ministerstwem* (używając go jako nazwy pospolitej). Na marginesie warto zwrócić uwagę na to, że za praktyką tą przemawia długa tradycja. Wyraz *Słońce* napiszemy wielką literą tylko wtedy, gdy tekst zawiera odwołania do astronomii i przedmiotem zainteresowania jest ciało niebieskie. Jeśli natomiast w tekście literackim czy użytkowym znajdzie się wzmianka o tym obiekcie, to pisze się *słońce* małą literą, co wcale nie znaczy, że autor tekstu nie wie, że taki przedmiot jest dokładnie jeden.

Należy jednak zważać, aby wewnątrz tekstu wielkie litery były stosowane konsekwentnie. Na przykład jest bardzo niewskazane, aby ten sam wyraz użyty w odniesieniu do tego samego przedmiotu był pisany w krótkim tekście raz wielką, a raz małą literą.

Uwaga:

Niekiedy pisze się wielkimi literami tytuły osób zajmujących określone stanowiska, np.: *Minister Rolnictwa, Prezes Naczelnej Izby Kontroli, Rzecznik Praw Obywatelskich.* Pisownia taka jest stosowana z reguły w podpisach listów i innych dokumentów oraz w ich tytułach.

2.4. Nazwami własnymi są też w zasadzie nazwy markowe i handlowe, np. *Fiat, Ursus* czy *Ludwik*, i jako takie pisane są wielką literą. Nazwy wyrobów danej marki pisze się jednak na ogół małą literą.
2.5. Nazwę indywidualną wprowadza często autor tekstu, zwłaszcza literackiego. Czasem może użyć do tego celu rzeczownika pospolitego, nazywając w określony sposób osobę czy rzecz: stosowanie takich nazw w tekście wymaga jednak konsekwencji (por. np. *Sędzia, Hrabia* czy *Rejent* w „Panu Tadeuszu”).

Na tej samej zasadzie można pisać wielką literą nazwy pewnych całości kulturalnych czy historycznych, kierunków literackich i artystycznych, a także nazwy abstrakcyjne, np.: *Zachód, Daleki Wschód, Modernizm, Śmierć.* Warto zwrócić uwagę, że choć przepisy nie są w tym wypadku sformułowane w sposób rygorystyczny, to istnieje wyraźna tendencja stałego pisania wielką literą pewnych wyrazów z tej grupy (np. *Odrodzenie* i *Oświecenie* częściej niż np. *Romantyzm*).

2.6. Przepisy ortograficzne nakazują różnie pisać przymiotniki pochodzące od imion własnych: wielką literą — dzierżawcze (odpowiadające na pytanie *czyj?*), np. *Judaszowe srebrniki* (należące do ewangelijnego Judasza), małą literą — jakościowe (odpowiadające na pytanie *jaki?*), np. *judaszowe pieniądze* (otrzymane przez kogoś jako zapłata za zdradę). W praktyce jednak rozróżnienie to jest na tyle subtelne, że w rozważanych wypadkach można przyjąć pisownię alternatywną (bardziej neutralne jest przy tym pisanie rozważanych przymiotników literą małą).

3. Ze względów uczuciowych i grzecznościowych

Ponadto można używać wielkich liter ze względów uczuciowych i grzecznościowych.

Tradycyjnie odwołujemy się do nich, pisząc wielką literą nazwy wydarzeń i wypadków dziejowych, do których powinno się mieć silny stosunek emocjonalny. Możemy (ale nie musimy) pisać: *Powstanie Warszawskie* czy *Wielka Rewolucja Francuska*.

W tym zakresie pozostawiona jest piszącym duża swoboda. Można pisać nie tylko: *Ciebie, Tobie* czy *Twoją Matkę* w liście prywatnym, ale również: *Ojczyzna, Przyjaźń* czy *Pies* — jeśli charakter tekstu uzasadnia wyróżnienie ekspresywne. Tak jak i w poprzednich wypadkach konieczna jest tu konsekwencja. Ponadto zaś piszącym należy doradzić umiar, bo nadużywanie jakiegoś środka osłabia zwykle jego oddziaływanie.

Przenoszenie części wyrazu do nowej linii

1. Reguły ortograficzne obowiązują również przy przenoszeniu części wyrazu do nowej linii. Pierwszą część wyrazu, zamykającą linię, kończymy wtedy specjalnym znakiem (łącznikiem), drugą część rozpoczynamy, nie sygnalizując tego żadnym znakiem. Łącznik powtarzamy na początku nowej linii tylko w wypadku, gdy podział występuje na miejscu łącznika w wyrazie złożonym (pisanym z łącznikiem), np. *wojna francusko-pruska*: *wojna francusko-* i w nowej linii *-pruska*.

2. Jeśli zachodzi potrzeba przeniesienia części wyrazu do nowej linii, podziału dokonuje się na ogół tak, by każdą z dwóch części można było poprawnie przeczytać, kierując się ogólnymi zasadami odpowiedniości między mową a pismem w języku polskim.

Dlatego też podstawową zasadą dzielenia wyrazu przy przenoszeniu jego części jest **przestrzeganie zgodności** z wymową, przede wszystkim **z podziałem na sylaby**. Jako całostki nierozdzielne są oczywiście traktowane połączenia liter oznaczające jedną głoskę:

a) dwuznaki *ch, cz, sz, rz, dż, dz, dź*;

b) połączenia złożone z litery spółgłoskowej (lub dwuznaku) oraz litery *i* — wraz z następującą ewentualnie dalej literą samogłoskową, np.: *mia·sto, mi·ły, dzie·ci*.

3. Podział wyrazu na sylaby wyznaczają występujące w nim samogłoski (głoski, nie litery samogłoskowe!). W każdej sylabie występuje jedna samogłoska.

Granice sylab często nie są wyraźne (np. dwie sąsiadujące ze sobą litery samogłoskowe mogą należeć do jednej sylaby, jak w wyrazie *auto*, albo do dwóch, jak w wyrazie *nauka*, albo może to nie być jednoznaczne). Jednak jeśli samogłoska występuje w wyrazie po spółgłosce, to nie rozpoczyna ona sylaby (z nielicznymi wyjątkami, podanymi w punkcie 4.).

Występującą między samogłoskami grupę spółgłosek (głosek!) można na ogół dzielić dowolnie (oprócz wyjątków podanych w punkcie 4.), ale tak, aby **przynajmniej jedna spółgłoska dołączona była do sylaby drugiej** (np.: *wa·rstwica, war·stwica, wars·twica, warst·wica*, ale nie „*warstw·ica*"). Ograniczenie występuje tylko w wypadku par jednakowych liter spółgłoskowych: granicę sylab należy umieścić pomiędzy nimi, np.: *wan/na, złam/my*.

4. Ogólnie wskazane, a czasem obowiązujące, jest dzielenie wyrazu w miejscu podziału słowotwórczego, tzn. niedołączanie do jednej jego części liter spółgłoskowych należących — w sposób oczywisty — do innej cząstki słowotwórczej.

Najważniejsza jest tu reguła następująca: przy dzieleniu wyrazu nie można dołączyć samych liter spółgłoskowych do wyraźnie odczuwanego rodzimego przedrostka (lub pierwszego członu wyrazu złożonego) ani też nie można od niego takich liter oddzielić. Dzielimy więc tylko (jeśli wybieramy podział między pierwszą a drugą sylabą): *nie/spodziewanie, nad/spodziewanie, trzy/sta, pod/pisać, pod/orać* (wbrew zasadzie dołączania spółgłoski do następującej po niej samogłoski), a *pod/robić* i *po/drobić* — w zależności od podziału słowotwórczego i znaczenia. Wyjątkowo, ze względu na wymowę, przyjęło się dzielenie po należącej do rdzenia literze *j*, np.: *obej·rzeć; przyj·mie* — taki też podział zalecamy w słowniku.

Jeśli wyraz zawiera przedrostek zapożyczony z języka obcego (także gdy dany wyraz jest zapożyczony jako całość wraz z takim przedrostkiem), podział taki nie jest bezwzględnie obowiązujący, lecz wyłącznie zalecany, np.: *eks·presja, pan·amerykański* (wbrew zasadzie dołączania spółgłoski do następującej po niej samogłoski), *kontr·ofensywa*. Jeśli powstała w wyniku takiego podziału pierwsza część wyrazu nie jest traktowana

35

współcześnie przez Polaków jako wyraźna cząstka słowotwórcza posiadająca własne znaczenie, a kończy się literą spółgłoskową, natomiast druga cześć wyrazu rozpoczyna się literą samogłoskową, to nie radzimy stosować się rygorystycznie do sformułowanego tu zalecenia (i w zgodzie z własnymi poglądami nie zawsze zaznaczamy takie miejsca podziału w słowniku). Dzielenie wyrazu zgodnie z budową na granicy przyrostka i innej cząstki słowotwórczej jest wyłącznie zalecane.

5. Przepisy dzielenia wyrazów przy przenoszeniu są więc stosunkowo liberalne. Tradycyjna praktyka jest bardziej rygorystyczna. Nie dzieli się np. z reguły grupy spółgłoskowej *sk* występującej często w przyrostkach przymiotnikowych i stosuje się prawie zawsze podział *pol·ski*, nie *pols·ki*, choć i ten jest zgodny z przepisami.

Zasady interpunkcji

Zadaniem interpunkcji jest zorganizowanie tekstu, ułatwiające jego zrozumienie i prawidłowe — zgodne z intencją piszącego — odczytanie. Używa się w tym celu znaków przestankowych. Reguły ich stosowania, oparte również na tradycji polskiego piśmiennictwa, zostały sformułowane w uchwalonych przepisach, które skrótowo omawiamy niżej.

Wyróżnia się znaki przestankowe pojedyncze i parzyste. Do grupy drugiej należą nawias i cudzysłów, składające się z części otwierającej i zamykającej; do grupy pierwszej — wszystkie pozostałe znaki. Znaki grupy pierwszej oraz nawias i cudzysłów zamykający są dosunięte do tekstu z prawej strony (bez odstępu), nawias i cudzysłów otwierający — z lewej strony.

1. Kropka

Kropka zamyka wypowiedzenia (zdania i ich równoważniki).

Trudność w stawianiu kropek może wypływać z konieczności zdecydowania, gdzie kończy się samodzielne wypowiedzenie. W zasadzie nie powinno się stawiać kropki pomiędzy wyrazami powiązanymi składniowo.

Całostki kilkuzdaniowe w tekście dobrze jest oddzielać graficznie elementami silniejszymi niż kropka, zwłaszcza przez podział na akapity (rozpoczynające się od nowej linii).

Uwaga:

Kropkę stosuje się także w innych funkcjach niż znaku przestankowego: po skrótach i po liczbach arabskich (użytych w funkcji liczebników porządkowych).

2. Pytajnik

Pytajnik, zwany też znakiem zapytania, stawia się po wypowiedzeniach pytajnych, np.:

Kto to zrobił?

Nie używa się pytajnika po pytaniach zależnych (gdy pytanie jest wprowadzone jako zdanie podrzędne), np.:

Zapytał, kto to zrobił.

Dopuszczalne jest pominięcie pytajnika po tytule mającym postać pytania, np.:

Jak pisać wypracowania

3. Wykrzyknik

Wykrzyknik stawia się po zdaniach i ich równoważnikach, które — przy realizacji głosowej — powinny być wypowiadane mocniej niż inne. Szczególnie często używa się wykrzyknika po zdaniach w trybie rozkazującym, ale nie jest to regułą, np.:

Idź do diabła!

Idź powoli i ostrożnie, abyś sobie nie zrobiła krzywdy.

Użycie wykrzyknika w dużej mierze zależy od intencji nadawcy. Możliwe jest też użycie wykrzyknika po zdaniach z orzeczeniem w innym trybie niż rozkazujący:

Wszyscy muszą iść do diabła!

Poszedłbyś do diabła!

Po pytaniach z silnym tonem uczuciowym można użyć pytajnika i wykrzyknika razem:

Pójdziesz wreszcie do domu czy nie?!

Niekiedy stosuje się wykrzyknik w nawiasie dla zwrócenia uwagi na jakiś szczegół, najczęściej: na rażące niestosowności cudzej wypowiedzi, np.:

Dyrektor oświadczył, że i tym razem poradzim (!) sobie jakoś.

4. Przecinek

Przecinkiem oddziela się części wyodrębnione składniowo wewnątrz zdania (zamkniętego kropką) złożonego lub pojedynczego.

4.1. Między członami zdania złożonego

Wszystkie rozważane niżej zasady odnoszą się do zdań lub ich równoważników. Dla uproszczenia nie powtarzamy w dalszym omówieniu for-

37

mułki typu: „zdanie (lub jego równoważnik)": wszystkie sformułowania dotyczące zdań stosują się także do ich równoważników. Najważniejsza jest reguła następująca:

4.1.1. Przecinkiem oddziela się zdanie podrzędne (lub jego równoważnik) **od kontekstu, od którego jest ono uzależnione.** Obowiązuje ona zarówno wtedy, gdy zdanie podrzędne następuje po wszystkich składnikach zdania nadrzędnego, jak i wtedy, gdy je poprzedza, a także wtedy, gdy jest umieszczone w środku zdania nadrzędnego, np.:

Jutro nie pójdę do kina, ponieważ nie mam czasu.
Ponieważ nie mam czasu, jutro nie pójdę do kina.
Jutro, ponieważ nie mam czasu, nie pójdę do kina.

Koniecznie trzeba pamiętać o zamykaniu przecinkiem zdania podrzędnego wplecionego w zdanie nadrzędne.

Wiele wyrazów, spójników i zaimków, w sposób typowy wprowadza zdania podrzędne. Należą do nich takie wyrazy, jak: *że, jeśli, kiedy, gdy, który* (w różnych formach), *jaki* (w różnych formach), *kto* (w różnych formach) itd. Zdarza się jednak, że zdanie podrzędne jest wprowadzone nie przez sam tylko wyraz spajający, lecz przez wyrażenie, w którego skład wchodzi ów wyraz — w takich wypadkach stawiamy przecinek przed całym wyrażeniem, np.:

Nie pójdę do kina, chyba że bardzo ci na tym zależy.
Chodźmy do kina, tym bardziej że bardzo ci na tym zależy.
Idę do kina, tak że rozerwiemy się trochę.
Nie pójdę do kina, nawet jeśli bardzo ci na tym zależy.
Nie chodzę do kina, od kiedy mnie tam okradziono.
Pójdę do kina, podczas gdy ty będziesz odrabiał lekcje.
Chodzę do kina, do którego mam tylko kilka kroków.
Wybudowano nowoczesne kino, o jakim wszyscy marzyli.
Nie pamiętam, z kim się umówiłam do kina.

Często zdarza się jednak, że do zdania podrzędnego należy tylko spójnik, mający w zdaniu nadrzędnym swój odpowiednik wyrazowy:

Zastanawiał się nad tym problemem dlatego, że dostrzegł jego wartość praktyczną.
Zeszyła rozerwaną suknię tak, że nic nie było widać.

Uwaga:

Wyjątkowo nie odcina się przecinkami wyrażeń o charakterze zdaniowym typu *nie wiadomo, Bóg wie, kto wie,* nadających następującym po nim wyrażeniom znaczenie nieokreśloności, oraz wyrażeń typu *jak ulał, jak z bicza trzasł*, funkcjonujących jak określenia przysłówkowe, np.:

Zjawił się u nas nie wiadomo skąd.
Ubranie leży na nim jak ulał.
Czas upłynął jak z bicza trzasł.

Przecinkiem oddziela się również człon, którego elementem głównym jest imiesłów przysłówkowy (chyba że imiesłów nie ma własnych określeń), np.:

Patrząc uważnie pod nogi, skakała z kamienia na kamień.
Skakała, patrząc uważnie pod nogi, z kamienia na kamień.
Skończywszy robotę, pójdę do kina.
Pójdę, skończywszy robotę, do kina.

4.1.2. W zdaniu złożonym współrzędnie przecinek stawiamy w zależności od charakteru połączenia zdań składowych, a mianowicie:

a) Nie stawiamy przecinka, jeśli są one połączone niepowtarzającym się spójnikiem łącznym (*i, oraz, tudzież*), wyłączającym (*ani, ni*) lub rozłącznym (*albo, lub, bądź, czy*), np.:

Pójdę do kina i odpocznę sobie trochę.
Nie pójdę do kina ani nie odpocznę sobie trochę.
Pójdę do kina albo odpocznę sobie trochę.

b) Stawiamy przecinek, jeśli są one połączone bezspójnikowo albo spójnikiem innego typu niż wymienione, zwłaszcza przeciwstawnym (*ale, lecz, a*) lub wynikowym (*więc, toteż, przeto*), a także rozbudowanym wyrażeniem nadającym drugiemu zdaniu (lub jego równoważnikowi) charakter dodatkowego wyjaśnienia (np.: *i to, a także*), np.:

Pójdę do kina, odpocznę sobie trochę.
Pójdę do kina, ale nie odpocznę sobie ani trochę.
Pójdę do kina, więc odpocznę sobie trochę.
Pójdę do kina, i to zaraz.

c) Jeśli spójnik łączny, wyłączający lub rozłączny powtarza się, przecinek stawiamy przed drugim jego wystąpieniem, np.:

W sobotę i do kina pójdę, i odpocznę sobie trochę.
Dziś albo pójdę do kina, albo odpocznę sobie trochę.
Przez ciebie ani do kina nie pójdę, ani nie odpocznę sobie trochę.

Uwagi:

1) Szczególną uwagę trzeba zwrócić na spójnik *a*. Może on wprowadzać zdanie i mieć charakter przeciwstawny:

Ja pójdę do kina, a ty zostaniesz w domu.

W takich wypadkach należy postawić przecinek.

Natomiast jeśli wprowadza on człon zdania, nie ma charakteru przeciwstawnego, np.:

Zaczęła opowieść długą a ciekawą.

Kielce leżą między Warszawą a Krakowem.

W takich wypadkach przecinka się nie stawia.

2) Wyraz *czy* może wprowadzać zdanie podrzędne, najczęściej pytanie zależne, które wymaga postawienia przecinka, np.:

Nie wiem, czy masz rację.

Może też wprowadzać zdanie współrzędne rozłączne, przed którym przecinka się nie stawia (daje się wtedy wymienić na spójnik *albo*), np.:

Odebrał papiery ze szkoły czy też wyrzucono go z niej.

3) Jeśli skutkiem skomplikowanej budowy składniowej (ustawienia zdania podrzędnego po spójniku wprowadzającym zdania względem niego nadrzędne) wystąpi zbieg dwu wyrażeń łączących, na ogół nie stawia się między nimi przecinka, np.:

Chciałem pójść do kina, ale że pracy miałem masę, zrezygnowałem.

Zaklinał się, że choć poszlaki wskazują na niego, jest niewinny.

Intensywnie uczę się angielskiego, aby jeśli zdarzy się okazja, płynnie rozmawiać w tym języku.

Uczęszczała do szkoły pomaturalnej i aby zarobić na życie, podejmowała prace dorywcze.

Zdanie podrzędne wplecione w ten sposób w nadrzędne można jednak wydzielić z dwóch stron pauzami (por. niżej punkt 8.), a nawet przecinkami, np.:

Zaklinał się, że — choć poszlaki wskazują na niego — jest niewinny.

Wszczęto przeciw niemu śledztwo i, co dotkliwsze, zajęto mu majątek.

4.2. Między członami zdania pojedynczego

Do członów zdania zestawionych współrzędnie (jednorodnych) stosują się podobne reguły jak do zdań składowych współrzędnych w zdaniu złożonym:

a) Między członami połączonymi spójnikiem łącznym, wyłączającym lub rozłącznym nie stawia się przecinka, np.:

Pójdę do kina i do teatru.

Nie pójdę do kina ani do teatru.

Pójdę do kina albo do teatru.

b) Człony połączone bezspójnikowo albo spójnikiem innego typu rozdziela się przecinkiem, np.:

Protestują nauczyciele, lekarze, policjanci, strażacy.

Ma konia, cztery krowy, świnie, kury.

Pójdę do kina, na koncert i do teatru.

Obejrzał ciekawy, kształcący film.

c) Człony połączone powtarzającym się spójnikiem łącznym, wyłączającym lub rozłącznym rozdziela się przecinkiem:

Pójdę i do kina, i do teatru.
Nie pójdę ani do kina, ani do teatru.
Pójdę albo do kina, albo do teatru.

Jeśli dwa człony zdania są jednorodne składniowo, ale treściowo nierównorzędne (albo są zupełnie niewspółmierne, albo drugi uszczegóławia treść pierwszego), nie stawia się między nimi przecinka, np.:

Obejrzał najciekawszy amerykański film historyczny.
Ma cztery krowy holenderki.
Spotkamy się we wtorek o siódmej.

Natomiast jeśli drugi człon objaśnia dokładniej treść pierwszego, rozdziela się je przecinkami, np.:

Spotkamy się dokładnie za tydzień, we wtorek o siódmej.
Porwanie miało miejsce pod Warszawą, między Aninem a Międzylesiem.

Często po przecinku można wtedy dodać wyrażenie *to znaczy, czyli, i to* itp., np.:

Spłacił już całą pożyczkę, i to z dużymi procentami.

Wolno oddzielać przecinkiem rozbudowany okolicznik, jeśli ma on charakter dodatkowego wyjaśnienia, np.:

Ojciec wpadł w ciężką depresję, pod wpływem niespodziewanych
i licznych niepowodzeń.
Ojciec, pod wpływem niespodziewanych i licznych niepowodzeń,
wpadł w ciężką depresję.

Podobnie jak w innych wypadkach oddzielania członu przecinkami, trzeba zwrócić uwagę na to, by były one używane konsekwentnie: przy wpleceniu oddzielanego członu w środek zdania — z obu stron.

Przecinkami oddziela się też wyrazy wtrącone i nienależące do struktury zdania, w tym wykrzykniki i wołacze (także rozbudowane), np.:

Była to, innymi słowy, kompletna klapa.
Wypadki przebiegały, moim zdaniem, w sposób zgoła odmienny.
Och, dajcie mi wreszcie spokój.
Zwracam się do was, drogie panie i szanowni panowie, z apelem.

Uwagi:

1) Przed wyrazem *jak* stawia się przecinek w zależności od jego funkcji i znaczenia. Przecinek stawia się, jeśli *jak* wprowadza porównanie stanowiące zdanie podrzędne, np.:

Krzyczał straszliwie, jak ryczy raniony zwierz.

41

Jeśli natomiast porównanie jest członem zdania pojedynczego, przecinka się nie stawia, np.:

Biegła jak strzała.

Stawia się przecinek przed *jak* wprowadzającym przykład oraz występującym w zwrotach typu *zarówno ..., jak i*; *tak ..., jak,* np.:

Poznała różne miasta, jak Budapeszt, Praga czy Wiedeń.

Poznała zarówno Budapeszt, jak i Pragę.

2) Nie można stawiać przecinka między podmiotem a orzeczeniem, nawet rozbudowanymi, nawet wtedy, gdy — wypowiadane — przedzielone są pauzą, np.:

Zasady stawiania przecinka w zdaniu wielokrotnie złożonym nie różnią się od zasad stawiania przecinka w zdaniu złożonym z dwu zdań składowych.

Pies to przyjaciel człowieka.

W ostatnim przykładzie można przed *to* postawić pauzę, nie można — przecinka.

Musisz bowiem pamiętać, że znaki przestankowe nie zawsze odpowiadają czynnikom wymawianiowo-intonacyjnym.

5. Średnik

Średnik jest znakiem interpunkcyjnym średniej mocy, pośrednim między kropką a przecinkiem. Stosuje się go przede wszystkim dla rozdzielenia członów wchodzących w skład zdania samodzielnego (zamkniętego kropką), jeśli wewnątrz któregoś z nich użyte są przecinki, np.:

O miejscu wyrazu w słowniku decyduje jego skład literowy, ściślej — jego pierwsza litera; gdy pierwsza litera dwu wyrazów jest taka sama, o ich kolejności decyduje litera druga; gdy pierwsze dwie litery są identyczne — litera trzecia itd.

6. Dwukropek

Dwukropka używamy najczęściej przed przytoczeniem, mającym charakter cytatu czy przykładu (zob. tekst niniejszych zasad). Jeśli wyrazy przytoczone wyróżnione są w tekście w inny sposób, np. za pomocą cudzysłowu albo innego niż w całym tekście kroju czcionki (zwłaszcza kursywy), dwukropek nie jest konieczny, np.:

Wojnę ze Szwecją opisał Sienkiewicz w powieści: Potop.

Wojnę ze Szwecją opisał Sienkiewicz w powieści „Potop".

Wojnę ze Szwecją opisał Sienkiewicz w powieści Potop.

Poza tym dwukropek stosujemy przed wyliczeniem poprzedzonym nazwą ogólną lub też wyliczeniem, gdy po orzeczeniu w liczbie mnogiej występuje rzeczownik w liczbie pojedynczej, np.:

Mieli wszystko: jadło, napitek, zabawy.
Na jego ubranie składają się: koszula, czapka, spodnie i buty.

ale (potocznie):

Na jego ubranie składa się koszula, czapka, spodnie i buty.

Dwukropka można użyć między zdaniami, z których drugie zawiera wynik, uzasadnienie lub wyjaśnienie pierwszego, np.:

Budowali domy ogromnym wysiłkiem przez kilkanaście lat, ale nadarcmnie: cała wieś spłonęła w czasie działań wojennych.

7. Wielokropek

Wielokropek oznacza przerwanie toku mowy, np.:

A zatem Mickiewicz i Leśmian... Czy to jedyni poeci polscy, do których odnosi się pan z takim respektem?

Można postawić wielokropek przed słowami nieoczekiwanymi dla czytelnika ze względów treściowych, np.:

Aby ujść przed pościgiem, złodziej wpadł w otwarte drzwi... komisariatu policji.

8. Pauza (myślnik)

Pauzy używa się w miejsce domyślnego członu zdania, np.:

Ty pójdziesz górą, a ja — doliną.
Pies — to przyjaciel człowieka.

W ostatnim przykładzie można pauzę opuścić, nie można natomiast postawić zamiast niej przecinka.

W przytaczanym dialogu pauzą od nowego wiersza zaznacza się początek wypowiedzi jego uczestnika, np.:

— Skąd się pan tu wziął?
— Po prostu przyjechałem.

Dwu pauz używa się do wyodrębnienia członów wtrąconych, przede wszystkim w mowę przytoczoną, np.:

— Pójdź wreszcie do domu — powiedziała gospodyni. — Matka musi się o ciebie niepokoić.

Możliwe jest odcinanie nimi także innych członów wtrąconych, m. in. dodatkowych wyjaśnień, zwłaszcza gdy w zdaniu już są użyte przecinki (w takich wypadkach odcięcie członu wtrąconego przecinkami mogłoby być mylące), np.:

Z waszych planów, nieliczących się zupełnie z realiami, nic — moim zdaniem — nie wyjdzie.

Uwaga:

Należy rozróżniać dwa znaki: pauzę (myślnik) i łącznik. Pierwszy jest znakiem przestankowym, drugi — znakiem graficznym (zasady jego użycia, w wyrazach złożonych i w funkcji znaku przeniesienia części wyrazu do nowej linii, opisane są wyżej w Zasadach pisowni). W druku ich postaci wyraźnie się różnią, np.:

Zosia kupiła powieść, Basia — słownik angielsko-polski.

W piśmie ręcznym i maszynowym mogą być nierozróżnialne, ale powinny być inaczej wprowadzone: pauza musi być z obu stron oddzielona od wyrazów sąsiednich (odstępem wyrazowym lub końcem linii), łącznik powinien być dosunięty do napisu literowego lub cyfrowego przynajmniej z jednej strony.

9. Nawias

Nawiasu (znaku złożonego z dwóch części: otwierającej i zamykającej) używa się do ujmowania ubocznych wyjaśnień. Tekst podany w nawiasie nie musi być składniowo powiązany z tekstem głównym, np.:

Najwybitniejszym kompozytorem okresu klasycyzmu był Wolfgang Amadeusz Mozart (1756–1791).

10. Cudzysłów

Cudzysłowu (znaku złożonego z dwóch części: otwierającej i zamykającej) używa się przy przytaczaniu tekstu (np. tytułów, cytatów, cudzych powiedzeń).

W cudzysłów ujmuje się też niekiedy wyrazy użyte w znaczeniu przenośnym lub ironicznym, np.:

Kary cielesne miały być przejawem „miłości".

W ten sposób jednak należy używać tego znaku tylko wyjątkowo: nadużywany świadczy przede wszystkim o tym, że piszący nie ma pewności co do znaczenia wyrazu i dystansuje się od niego. Jest to świadectwem nieporadności językowej i stylistycznej.

Słownik

W słowniku umieszczone są wyrazy i ich formy, które mogą sprawić trudności ortograficzne. Wyrazy w słowniku podane są w porządku alfabetycznym. Litery w alfabecie polskim ustawione są w następującej kolejności:

a ą b c ć d e ę f g h i j k l ł m n ń o ó p (q) r s ś t u (v) w (x) y z ź ż

W nawiasach podano litery podstawowego alfabetu łacińskiego, które w języku polskim zasadniczo nie są używane i mogą wystąpić tylko w wyrazach zapożyczonych. Inne litery, które mogą okazjonalnie wystąpić w wyrazach polskich przejętych z języków obcych (np. *purée, vis-à-vis*), traktowane są jako warianty liter podstawowych.

O miejscu wyrazu w słowniku decyduje jego skład literowy, ściślej — jego pierwsza litera; gdy pierwsza litera dwu wyrazów jest taka sama, o ich kolejności decyduje litera druga; gdy pierwsze dwie litery są identyczne — litera trzecia itd.

Zasadnicza jednostka słownika poświęcona opisowi jednego wyrazu jest nazywana artykułem hasłowym. W jego skład oprócz formy hasłowej wchodzą niekiedy inne formy wyrazu odmiennego, warianty form oraz informacje ułatwiające ich interpretację, np.:

chart; charcie (*pies*)

W podanym przykładzie interpretację wyrazu ma ułatwić uwaga w nawiasie. Celowi temu mają też służyć — wydrukowane drukiem pochylonym — znaki przestankowe, np.: hura!, znaszli?

Jako formy hasłowe występują w zasadzie formy podstawowe wyrazów polskich: dla rzeczowników i zaimków rzeczownych — mianownik (liczby pojedynczej), dla przymiotników — mianownik rodzaju męskiego liczby pojedynczej stopnia równego, dla liczebników głównych — forma używana przy liczeniu, dla czasowników — bezokolicznik. W rzadkich wypadkach na listę główną wprowadzone bywają inne (niepodstawowe) formy wyrazów.

W wypadkach trudniejszych (czasem również wtedy, gdy wynika to z zasad konstrukcji słownika) oznaczyliśmy miejsca zaleconego podziału wyrazu przy przenoszeniu jego części do nowej linii. Nie podajemy jednak wszystkich poprawnych miejsc podziału. Oznaczenia są następujące:
/ — miejsce podziału obowiązującego (przy wybranym podziale na sylaby);
· — miejsce podziału zalecanego (przy wybranym podziale na sylaby).

Na przykład zamieszczony w słowniku napis „pod/zamcze" wskazuje, że w wypadku dzielenia wyrazu *podzamcze* po pierwszej sylabie nie wolno odcinać samego *po-*, lecz trzeba zmieścić w poprzedniej linii cały przedrostek *pod-*. Z kolei napis „sub·tropikalny" informuje, że w wypadku dzielenia wyrazu *subtropikalny* po pierwszej sylabie wskazane jest odcięcie przedrostka *sub-*, ale podziały po *su-* czy *subt-* nie mogą być traktowane jako błędne.

Zalecenia dotyczące podziału mają niejednakową wagę. Czasem, gdy kropka stoi po przedrostku obcego pochodzenia, podział zalecany jest znacznie lepszy niż inne przeprowadzone na tej samej granicy sylab (tak jest w wypadku wyrazu *subtropikalny*). W innych wypadkach podział zalecany nie jest wyraźnie lepszy. Wprowadzamy go po to, aby wskazać miejsce ucięcia początku wyrazu w innych jego formach. Jeśli bowiem w artykule hasłowym przytaczana jest niepodstawowa forma wyrazu objaśnianego, na ogół nie podajemy jej w całości, lecz pomijamy część przed ostatnim znakiem podziału, np.:

zaciąg·nąć; ~nął, ~nęli, ~nięty

Radzimy dzielić wyraz *zaciągnąć* po literze *g*, przed przyrostkiem (w tym wypadku podział taki jest też zalecony w formach niepodstawowych).

Kreska ukośna /, wskazująca miejsce podziału obowiązującego, stoi niekiedy między literami samogłoskowymi, np.: *za/ufać, Ze/us, żmi/i, tri/umf* — sygnalizujemy w ten sposób, że w pozycjach takich wymawiane są dwie samogłoski, należące do różnych sylab. Jeśli dwie litery samogłoskowe wymawiane są tak, że tylko jedna odpowiada samogłosce, to w wypadkach wątpliwych obie podkreślamy, a kreskę ukośną stawiamy po nich, np.: z<u>au</u>/tomatyzować, <u>Eu</u>/ropa. Gdy sposób wymawiania i podział na sylaby jest oczywisty, rezygnujemy z wyróżnień graficznych, zwłaszcza gdy jedną z tych liter jest *i*, np.: *ciotka, ciemię*. Dotyczy to też liter *ii* na końcu wyrazu, gdy mieszczą się w tej samej sylabie, np.: *opinii, armii*.

Miejsce zaleconego albo nawet obowiązującego podziału w formie przytoczonej w postaci skróconej nie musi być takie samo, jak w formie hasłowej (nie przenosi się do niej automatycznie oznaczenie z formy hasłowej, bo różny w obu formach może być podział na sylaby). W wypadkach szczególnie jaskrawych oznaczamy miejsce zalecanego podziału również w formie niehasłowej. Przykład:

zacią/żyć; ~ż·cie

W przytoczonej formie hasłowej miejsce obowiązkowego podziału (między literami samogłoskowymi występuje tylko jedna litera spółgłoskowa) zaznaczone jest, aby wskazać, od której litery wypisujemy formy niehasłowe. Formę *zaciążcie* po drugiej sylabie radzimy dzielić przed końcówką -*cie* (choć podział przed *ż* nie może być uznany za błędny).

Czasem jednak skrócenie zapisu w miejscu obowiązkowego lub zalecanego podziału mogłoby być mylące dla czytelnika. W takich wypadkach stosujemy dodatkowe oznaczenie:

| — miejsce odcięcia początkowej części wyrazu (niepowtarzanej w innych formach w tym samym artykule hasłowym).

Trzeba tu mocno podkreślić, że znak | często stoi w miejscu, w którym nie zalecamy podziału (choć czasem jest on tam dopuszczalny). Przykłady:

1) ście|ż·ka; ~ż·ce
2) wagabu|n·da; ~n·dzie

W tych przykładach początek wyrazu odcięliśmy w miejscu, w którym nie doradzamy podziału, aby podać te litery formy niepodstawowej, których dotyczy trudność ortograficzna (*ż* czy *sz*, *n* czy *ń*).

3) zaci|ch·nąć; ~ch·nął *lub* ~chł, ~ch·ła, ~ch·li

Radzimy dzielić formy tego wyrazu po *ch*. Wyjątkiem jest forma *zacichł*, w której po *ch* nie występuje żadna litera samogłoskowa.

A

abakus
aba/żur; ~żurze
ab·dyka·cja; ~cji
aber/ra·cja; ~cji
Abisy/nia; ~nii
abitu/rient; ~rien·ci
ab·le/gier; ~grze
ablu·cja; ~cji
ab·nega·cja; ~cji
aboli·cja; ~cji
abona/ment; ~men·cie
abonen·cki
abo/nent; ~nen·ci
abor·cja; ~cji
abory/gen; ~geni
Ab·raham
ab·rakada·bra; ~brze
ab·sen·cja; ~cji
ab·solut·ny
ab·solutorium
ab·solu/tyzm; ~tyzmie
ab·solwen·cki
ab·sol·went; ~wen·ci
ab·sor·bent; ~ben·cie
ab·sor·bować; ~buje
ab·sorp·cja; ~cji
abs·trahować; ~trahuje
abs·trak·cja; ~cji
abs·trakcjo/nizm;
　~nizmie
abs·trakt; ~trak·cie

abs·tynen·cja; ~cji
abs·ty/nent; ~nen·ci
ab·surd; ~sur·dzie
ab·synt; ~syn·cie
absz·tyfi/kant; ~kan·ci
aby; abym, abyś,
　aby·śmy, aby·ście
aceton
ach!
Achil/les
a·chromatycz·ny
acz/kolwiek
adapta·cja; ~cji
adapta/tor; ~torzy
adapter
adap·tować; ~tuje
ad/dytyw·ny
Adelaj·da; ~dzie
adep|t·ka; ~t·ce
adidas
adiektywiza·cja; ~cji
adiunkt; adiunk·ci
adiusta·cja; ~cji
adiu/tant; ~tan·ci
ad·ministra·cja; ~cji
ad·minist·rować; ~ruje
ad·mirali·cja; ~cji
ad·nota·cja; ~cji
adop·cja; ~cji
adop·tować; ~tuje
adora·cja; ~cji

ad·resa|t·ka; ~t·ce
ad·re/sować; ~suje
Adrian
adriaty·cki; ~c/cy
Adriatyk
ad·sorp·cja; ~cji
ad·went; ~wen·cie
ad·wenty·sta; ~ści
ad·wersarz
ad·wo/kat; ~kaci
aerobik
aerodynamicz·ny
aerofo/bia; ~bii
aero/klub
aerona͟u/tyka; ~tyce
aerozol
afa·zja; ~zji
afekta·cja; ~cji
aferzy·sta; ~ści
Af·gani·stan
afiksa·cja; ~cji
afir·ma·cja; ~cji
afi/szować się; ~szuje
afo/ryzm; ~ryzmie
af·ro/azjaty·cki; ~c/cy
af·rodyzjak
afront; afron·cie
agen·cja; ~cji
age|n·da; ~n·dzie
agent; agen·ci
agen·tu/ra; ~rze

49

agita·cja; ~cji
agita/tor; ~torzy
a·glomera·cja; ~cji
a·gnosty/cyzm;
~cyzmie
ago/nia; ~nii
agorafo/bia; ~bii
ag·ra|f·ka; ~f·ce
ag·ra/ryzm; ~ryzmie
ag·re·sja; ~sji
ag·rest; ~reście
ag·robiolo/gia; ~gii
ag·roche/mia; ~mii
ag·rono/mia; ~mii
ag·ronomó|w·ka; ~w·ce
ag·rotech·nik
ag·roturysty/ka; ~ce
aha!
ahoj!
AIDS – *rzadziej* aids
a jak/że
ajatol/lah
ajen·cja; ~cji
ajent; ajen·ci
ajer; ajerze
ajer/koniak
Aj·schylos
Ajudah
aka·cja; ~cji
akade/mia; ~mii
akademi·cki; ~c/cy
aka/pit; ~picie
ak·celera·cja; ~cji
ak·cent; ~cen·cie
ak·cepta·cja; ~cji
ak·cesoria
ak·cja; ~cji
ak·cjonariusz
ak·cy/dens; ~den·sie
ak·cyj·ny
ak·cyza

a·klama·cja; ~cji
a·klimatyza·cja; ~cji
akomoda·cja; ~cji
akom·pania/ment;
~men·cie
akom·pa/niować;
~niuje
ako|n·to; ~n·cie
(*zaliczka*)
akord; akor·dzie
akordeon
ako/wiec *lub* AK-o/-
wiec; ~w·ców
a·kredyta·cja; ~cji
ak·roba·cja; ~cji
ak·sami|t·ka; ~t·ce
ak·sjolo/gia; ~gii
ak·sjo/mat; ~macie
ak·tor; ak·torzy
ak·tó|w·ka; ~w·ce
ak·tualiza·cja; ~cji
ak·tyno/wiec; ~w·ców
ak·tyw
ak·tywa·cja; ~cji
ak·tywiza·cja; ~cji
akumula·cja; ~cji
akumula/tor; ~torze
aku·presu/ra; ~rze
aku·punk·tu/ra; ~rze
akurat
akustycz·ny
akusze/ria; ~rii
ak·wafor·ta; ~cie
ak·wa/lung; ~lun·giem
ak·wamaryn *lub*
ak·wamaryna
ak·wan<u>au</u>/ty/ka; ~ce
ak·warela
ak·warium
ak·we/dukt; ~dukcie
ak·wen

a·kwizy·cja; ~cji
alaba·ster; ~strze
alar·mować; ~muje
Al·ba/nia; ~nii
al·batros
al·binos
Al·bion
al·bowiem
al·boż
Al·brecht; ~brech·cie
al·bum
al·che/mia; ~mii
al·de/hyd; ~hydzie
alego/ria; ~rii
aleja; alei
Aleksan·dria; ~drii
aler·gia; ~gii
alert; aler·cie
ależ
al·fabetyza·cja; ~cji
Al·fons; ~fon·sie
Al·fred; ~fredzie
al·ga; al·dze, alg
al·gebra; ~gebrze
al·gebraicz·ny
Al·gie/ria; ~rii
al·gorytmiza·cja; ~cji
alian·cki; ~c/cy
alians; alian·sie
aliant; alian·ci
alibi
Ali·cja; ~cji
aliena·cja; ~cji
aliga/tor; ~torze
alimen·ty
alitera·cja; ~cji
al·kalo/id; ~idzie
al·kierz
al·kohol
al·koho/lizm; ~lizmie
al·ko/mat; ~macie

Al/lach *lub* Al/lah
al/leluja!
al·manach
aloes
alogiczność
al·pinarium
al·pini·sta; ~ście
al·pi/nizm; ~nizmie
al·tan·ka; ~ce
al·ter·na·cja; ~cji
al·ter·natywa
al·towioli·sta; ~ści
al·tó|w·ka; ~w·ce
al·tru/ista; ~iści
al·tru/izm; ~izmie
aluminium
alumıı
aluwium
alu·zja; ~zji
Al·za·cja; ~cji
al·za·cki; ~c/cy
ał·taj·ski; ~scy
ałun
Amadeusz
amal·ga/mat; ~macie
Amal·teja *lub*
   Amal·tea; ~tei
Ama|n·da; ~n·dzie
amant; aman·ci
ama/rant; ~ran·cie
ama/tor; ~torzy
amator·szczyzna;
   ~szczyź·nie
Amazo/nia; ~nii
amazon·ka; ~ce
am·baras
am·basa/dor; ~dorzy
am·bi·cja; ~cji
am·biwalen·cja; ~cji
am·biwalent·ny
am·bona

am·bra; am·brze
am·bro·zja; ~zji
Am·broży
am·bu/lans; ~lan·sie
am·bulatorium
Ame/lia; ~lii
amerykaniza·cja; ~cji
amerykań·ski; ~scy
ame/tyst; ~tyście
am·fetamina
am·fi/bia; ~bii
am·fibrach
am·fila/da; ~dzie
am·fi/teatr; ~teatrze
Am·fitrion
am·fo/ra; ~rze
amino/kwas
a·mne·stia; ~stii
a·mne·zja; ~zji
amok
amoniak
amor·fizm; ~fizmie
amor·tyza·cja; ~cji
am·per; ~perze (*skrót:*
   A)
am·perogodzina
am·peromierz
am·plitu/da; ~dzie
am·puł·ka; ~ce
am·puta·cja; ~cji
amu/let; ~lecie
amuni·cja; ~cji
anabapty·sta; ~ści
anabo/lizm; ~lizmie
anachro/nizm; ~nizmie
anako/lut; ~lucie
anako|n·da; ~n·dzie
anakreon·tyk
anal·fabe/tyzm;
   ~tyzmie
analitycz·ny

analiza/tor; ~torze
anali/zować; ~zuje
analo/gia; ~gii
analogicz·ny
analo/gizm; ~gizmie
ananas
ananke (*przezna-*
   czenie)
ana/pest; ~peście
anar·chia; ~chii
anar·chi·sta; ~ści
anar·chiza·cja; ~cji
Anasta·zja; ~zji
anato/mia; ~mii
an·cymonek
An·dalu·zja; ~zji
an·dante; ~dan·cie
An·degawe/nia; ~nii
An·droma/cha; ~sze
an·drony
an·drus
an·drut; ~drucie
an·drzej·ki
An·dzia; Andź
anegdo|t·ka; ~t·ce
aneks
anek·sja; ~sji
anek·tować; ~tuje
ane/mia; ~mii
anero/id; ~idzie
aneste·zja; ~zji
anestez·jolog
an·ga/żować; ~żuje
an·giel·skojęzycz·ny
an·giel·szczyzna;
   ~szczyź·nie
an·gina
An·glia; An·glii
an·glikań·ski; ~scy
an·gli·sta; ~ści
an·glis|t·ka; ~t·ce

an·glo-amerykań·ski;
~scy
an·glojęzycz·ny
an·glosa·ski; ~scy
an·go/ra; ~rze
an·hydryt; ~hydrycie
Ania; Ani
ani be, ani me
aniel·ski; ~scy
anilana
anima·cja; ~cji
animiza·cja; ~cji
animo·zja; ~zji
animusz
anioł
anion
ani rusz
aniżeli
an·kie/ta; ~cie
an·kie/ter; ~terzy
An/na
an/nały
An/nasz
anoma/lia; ~lii
anons; anon·sie
anon·sować; ~suje
anorek·sja; ~sji
anor·mal·ny
an·sa
an·sambl
an·tago/nizm; ~nizmie
an·tagoni/zować; ~zuje
an·tar·ktycz·ny
An·tar·kty/da; ~dzie
an·tena
an·te/nat; ~naci
an·tidotum
an·tolo/gia; ~gii
an·toni/mia; ~mii
an·tonó|w·ka; ~w·ce
an·trakt; an·trakcie

an·tresola
an·tropocen·tryzm;
~tryzmie
an·tropo/idal·ny
an·tropolo/gia; ~gii
an·tropomor·fizm;
~fizmie
an·try/kot; ~kocie
An·twer·pia; ~pii
an·tyabor·cyj·ny
an·tyal·koholowy
an·tybiotyk
an·tybo/dziec;
~dź·ców
an·tyboha/ter; ~terzy
an·ty/chryst; ~chryście
an·tycypa·cja; ~cji
an·tycz·ny
an·tyda/tować; ~tuje
an·tydopin·gowy
an·tyf<u>eu</u>/dal·ny
an·tygen
an·tyhigienicz·ny
an·tyhitlerow·ski; ~scy
an·tykaden·cja; ~cji
an·ty/kleryka/lizm;
~lizmie
an·tykon·cep·cja; ~cji
an·tykon·cep·cyj·ny
an·tyk·wa
an·tyk·wa/riat; ~riacie
an·tyk·wariusz
an·tymate/ria; ~rii
an·tyno/mia; ~mii
an·typa/tia; ~tii
an·typody
an·tysemi/tyzm;
~tyzmie
an·tyta/lent; ~len·cie
an·ty/trynita/ryzm;
~ryzmie

an·tywojen/ny
Anul·ka
anu/lować; ~luje
a nuż
any/żek; ~ż·ku
aor·ta; aor·cie
Apacz
apanaż
aparat·czyk
aparatu/ra; ~rze
apar·ta/ment;
~men·cie
apart·heid; ~heidzie
apary·cja; ~cji
apa|sz·ka; ~sz·ce
apa/tia; ~tii
apela·cja; ~cji
ape/lować; ~luje
apeniń·ski; ~scy
aper·cep·cja; ~cji
aperitif
ape/tyt; ~tycie
ap·lauz
ap·lika·cja; ~cji
ap·likan·cki
ap·likan·tu/ra; ~rze
apodyktycz·ny
apoge/um
apokaliptycz·ny
apo·kryf
apolitycz·ny
Apol/lo *lub* Apol/lon
apolo/gia; ~gii
Apolo/nia; ~nii
apo·plek·sja; ~sji
apor·tować; ~tuje
a posteriori
aposterio/ryzm;
~ryzmie
apostoł
apo·strofa

apoteoza
apozy·cja; ~cji
a·pre·cja·cja; ~cji
a·pretu/ra; ~rze
a priori
a·prio/ryzm; ~ryzmie
a·pro/bować; ~buje
à propos
ap·rowiza·cja; ~cji
ap·tekarz
ar (skrót: a)
arabe|s·ka; ~s·ce
Ara/bia; ~bii
Ara|b·ka; ~b·ce
arab·ski; ~scy
arab·szczyzna;
~szczyź·nie
arachidowy
Arachne
arak
aran·ża·cja; ~cji
aran·żer ~żerze
aran·żować; ~żuje
ar·bi/ter; ~trzy
ar·bitral·ny
ar·bitraż
ar·buz
ar·chaicz·ny
ar·chaiza·cja; ~cji
ar·cha/izm; ~izmie
ar·chanioł
ar·cheo·lo/gia; ~gii
ar·cheo·logicz·ny
ar·cheo·zo/ik
ar·chetyp
ar·chidiakon
ar·chidiece·zja; ~zji
ar·chijerej lub ar·chirej
ar·chipelag
ar·chi/tekt; ~tekcie
ar·chitektu/ra; ~rze

ar·chiwalia
ar·chiwi·sta; ~ści
ar·chiwum
ar·chont; ~chon·ci
ar·cybiskup·stwo
ar·cydzieło
ar·cykapłan
ar·cy/książę; ~księcia,
~książęta, ~książąt
ar·cy/księstwo
ar·cy/księż·na
ar·cymistrz
ar·cypasterz
areał
are|n·da; ~n·dzie
aren·darz
areo/metr; ~metrze
areopag
areszt; aresz·cie
aresztan·cki; ~c/cy
aresz·tant; ~tan·ci
Ar·gen·tyna
ar·gonau/ta; ~cie
ar·gu/ment; ~men·cie
ar·gumen·ta·cja; ~cji
ar·gusowy
aria; arii
Ariadna
arianin
aria/nizm; ~nizmie
arier/gar·da; ~dzie
Ar·ka/dia; ~dii
Ar·kadiusz
ar·kadyj·ski; ~scy
ar·kan
Ar·kty/ka; ~ce
ar·kusz
ar·lekina/da; ~dzie
ar·ma/da; ~dzie
ar·ma·ta; ~cie
ar·ma/tor; ~torzy

ar·matu/ra; ~rze
Ar·me/nia; ~nii
ar·mia; ~mii
Ar·nold; ~nol·dzie
arogan·cja; ~cji
aro/gant; ~gan·ci
aro/mat; ~macie
aro/nia; ~nii
ar/ras (tkanina)
ar·sen
ar·senał
ar·szenik
ar·te/ria; ~rii
ar·terio/skleroza
ar·tezyj·ski
ar·tretycz·ny
ar·tre/tyzm; ~tyzmie
Ar·tur; Ar·turze
ar·tykula·cja; ~cji
ar·tykuł
ar·tyku/łować; ~łuje
ar·tyle/ria; ~rii
ar·tyleryj·ski; ~scy
ar·tylerzy·sta; ~ści
ar·tys|t·ka; ~t·ce
ar·tystow·ski; ~scy
ar·tystycz·ny
ar·tyzm; ar·tyzmie
Aryj·czyk
aryj·ski; ~scy
arystokra·cja; ~cji
arystokra|t·ka; ~t·ce
aryt·metycz·ny
aryt·mety/ka; ~ce
aryt·mia; ~mii
aryt·mo/metr;
~metrze
as·ce|t·ka; ~t·ce
as·ce/tyzm; ~tyzmie
as·ceza
asejs·miczny

asekura·cja; ~cji
asekuran·ctwo
aseku/rant; ~ran·ci
aseniza·cja; ~cji
aseptycz·ny
asepty·ka; ~ce
aser·cja; ~cji
ase/sor; ~sorzy
as·falt; asfal·cie
as·fal·tować; ~tuje
aso·cja·cja; ~cji
aso/nans; ~nan·sie
asorty/ment; ~men·cie
as·paragus
a·spekt; aspekcie
a·spira·cja; ~cji
a·spiran·cki; ~c/cy
a·spiran·tu/ra; ~rze
a·spi/rować; ~ruje
a·spiryna
a·społecz·ny
as·te/nia; ~nii
as·ter; astrze
as·tero/ida; ~idzie
ast·ma/tyk; ~tycy
ast·robiolo/gia; ~gii
ast·rofizy/ka; ~ce
ast·rolo/gia; ~gii
ast·ron<u>au</u>/ta; ~cie
ast·rono/mia; ~mii
a·stygma/tyzm;
    ~tyzmie
asygna·cja; ~cji
asygna·ta; ~cie
asyg·nować; ~nuje
asylabicz·ny
asyme·tria; ~trii
asymetrycz·ny
asymila·cja; ~cji
asyn·chro/nia; ~nii
Asy/ria; ~rii

asy·sta; ~ście
asysten·cki; ~c/cy
asysten·tu/ra; ~rze
Asyż
ata/kować; ~kuje
ataman
atamań·ski; ~scy
atana·zja; ~zji
ata/wizm; ~wizmie
ateis|t·ka; ~t·ce
ateistycz·ny
ate/izm; ~izmie
atelier
ateń·ski; ~scy
atest; ateście
atesta·cja; ~cji
ateusz
at·lanty·cki; ~c/cy
at·le/ta; ~cie
at·łas
at·mo/sfe/ra; ~rze
at·mo/sferycz·ny
atomiza·cja; ~cji
ato/mizm; ~mizmie
atomó|w·ka; ~w·ce
at·rak·cja; ~cji
at·rak·cyj·ny
at·ra/ment; ~men·cie
at·rium
at·ry/but; ~bucie
at/taché
at/ty/ka; ~ce
atut; atucie
<u>au</u>/dial·ny
<u>au</u>/dien·cja; ~cji
<u>au</u>/diolo/gia; ~gii
<u>au</u>/diowizual·ny
<u>au</u>/dy·cja; ~cji
<u>au</u>/dytorium
<u>Au</u>/giasz
<u>au</u>/gustianin

<u>Au</u>/gustów
<u>au</u>/kcja; ~kcji
<u>au</u>/kcyj·ny
<u>au</u>/la; ~li
auł; aule
<u>au</u>/ra; ~rze
<u>Au</u>/re/lia; ~lii
<u>au</u>/reola
<u>Au</u>/ro/ra; ~rze
<u>au</u>/spi·cje
<u>au</u>/ste/ria; ~rii
<u>Au</u>/stra·lia; ~lii
<u>au</u>/stralij·ski; ~scy
<u>au</u>/stralopitek
<u>Au</u>/stria; ~strii
<u>au</u>/stria·cki; ~c/cy
<u>Au</u>/striak
<u>au</u>/stro-węgier·ski; ~scy
<u>Au</u>/stro-Węgry
aut; <u>au</u>/cie
<u>au</u>/ten·tycz·ny
<u>au</u>/ten·tyk
<u>au</u>/ten·tyzm; ~tyzmie
<u>au</u>/to; <u>au</u>/cie
<u>au</u>/to/alarm
<u>au</u>/tobio·gra/fia; ~fii
<u>au</u>/tobus
<u>au</u>/tocasco
<u>au</u>/tocharakterysty/-
    ka; ~ce
<u>au</u>/tochton
<u>au</u>/togieł·da; ~dzie
<u>au</u>/to·graf
<u>au</u>/to/iro/nia; ~nii
<u>au</u>/to/kar; ~karze
<u>au</u>/to/kra·cja; ~cji
<u>au</u>/to/kros *lub*
    <u>au</u>/to/cross
<u>au</u>/tomatycz·ny
<u>au</u>/tomatyza·cja; ~cji
<u>au</u>/tomobil/klub

au/tomyj·nia; ~ni
au/tono/mia; ~mii
au/topor·tret; ~trecie
au/top·sja; ~sji
au/tor; ~torzy
au/tora/ment;
  ~men·cie
au/tor·stwo
au/torytatyw·ny
au/tory/tet; ~tecie
au/toryza·cja; ~cji
au/toserwis
au/to/stopowicz
au/to/stra/da; ~dzie
au/tosuge·stia; ~stii
aut·saj·der *lub*
  out·si·der; ~derzy

au/tyzm; ~tyzmie
awan/gar·da; ~dzie
awans; awan·sie
awan·sować; ~suje
awan·taż
awantu/ra; ~rze
awan·tur·nictwo
awa/ria; ~rii
awers
awer·sja; ~sji
awia·cja; ~cji
awione|t·ka; ~t·ce
awitaminoza
awizo
awi/zować; ~zuje
awokado *lub* avocado
aza/lia; ~lii

az·best; ~beś·cie
Azer·bej·dżan
Az·ja; Azji
az·jaty·cki; ~c/cy
azotoks
azo/tować; ~tuje
azoto/wiec; ~w·ców
az·te·cki; ~c/cy
Az·tek
azy/lant; ~lan·ci
azy/mut; ~mucie
aż
aże/by; ~by·śmy,
  ~by·ście
ażur; ażurze

B

ba|b·cia; ~b·ci
babe|cz·ka; ~cz·ce
Babilo/nia; ~nii
babi/niec; ~ń·ców
babiogór·ski; ~scy
ba|b·ka; ~b·ce
babrać; babrz·cie
bab·ski; ~scy
bab·sztyl
babuleń·ka; ~ce
babu/nia; ~ni
bach!
bachanalia
bachana/lie; ~lii
bachan|t·ka; ~t·ce
bach·mat; ~macie
bach·nąć; ~nął, ~nęli
ba/chor; ~chorze
Bachus
bacó|w·ka; ~w·ce
bacz·ność
bać się; boję, boi, bój
badaw·czy
Bade/nia; ~nii
badmin·ton
badylarz
bagaż
bagażow·nia; ~ni
bagażó|w·ka; ~w·ce
bagda|dz·ki; ~dz·cy
    (od Bagdad)

bagien/ny
bagie|t·ka; ~t·ce
bagnisto-torfowy
bajarz
baj·du/rzyć; ~rz·cie
baje|cz·ka; ~cz·ce
baję/da; ~dzie
baj·kopisarz
bajoń·ski; ~scy
bajo/ro; ~rze
baj·ro/nizm; ~nizmie
bajt; baj·cie
baka/lie; ~lii
bakałarz
bak·cyl
bake/lit; ~licie
bakier (na bakier)
bakłażan
bakte/ria; ~rii
bakteriobój·czy
bakteriolo/gia; ~gii
balan·sować; ~suje
ba/last; ~laście
bal·dachim
balerina lub baleryna
baleron
balet/mistrz
ba/lia; ~lii
bal·kon
bal/la/da; ~dzie
bal·neo/klimatycz·ny

bal·neo/lo/gia; ~gii
bal·neo/tera/pia; ~pii
balon-son·da; balo-
    nie-son·dzie
bal·sam
bal·sa/mować; ~muje
balustra|d·ka; ~d·ce
Bal·zak lub Bal·zac
bałagan
bałaganiar·stwo
bałaganiarz
bałałaj·ka lub bała-
    baj·ka
bałamu/cić; ~cę, ~ć·cie
bałamuctwo
bałamu|t·ka; ~t·ce
bał·kań·ski
bał·to/słowiań·ski; ~scy
bał·ty·cki; ~c/cy
bał·wan
bał·wa/nieć; ~nieje,
    ~nieli
bał·wo/chwal·ca
bał·wo/chwal·stwo
bam·bosz
bam·bus
ba|n·da; ~n·dzie
ban·daż
ban·da/żować; ~żuje
ban·de/ra; ~rze
ban·derola

ban·do·ski; ~scy
ban·du/ra; ~rze
ban·dy·cki; ~c/cy
ban·dy/tyzm; ~tyzmie
ban·dzior; ~dziorze
ban·dżo *lub* ban·jo
bang·lade·ski; ~scy
ba/nia; ~ni
banialu/ka; ~ce
baniasty
bani·cja; ~cji
bank
ban·kier; ~kierzy
ban·kiet; ~kiecie
bank·not; ~nocie
banko/mat; ~macie
bankructwo
bań·ka; ~ce
baobab
baon
bapty·sta; ~ści
bar; barze
barachło
barakowóz
barasz·kować; ~kuje
baraż
Bar·ba/ra; ~rze
bar·barzyń·ca
bar·barzyń·stwo
Bar·bór·ka (*święto*
    górnicze)
bar·chan
bar·czy·sty; ~ści
barć; bar·ci
bard; bar·dzie
bar·dzo
barek
bare|t·ka; ~t·ce
barie/ra; ~rze
bark
bar·łożyć; ~łóż·cie

bar·łóg
bar/man
barobus
barok
baro/metr; ~metrze
baronostwo
baronow·ski; ~scy
barowóz
barszcz
Bart·łomiej
bart·nictwo
bar·wić; ~w·cie
barw·nik
barwoczuły
baryka/dować; ~duje
barył·ka; ~ce
basi·sta; ~ści
baskij·ski; ~scy
bastion
Basty/lia; ~lii
baśń
bata/lia; ~lii
batalion (*skrót:* baon)
bate/ria; ~rii
batiu|sz·ka; ~sz·ce
batog
bato/żyć; ~ż·cie
ba/tut; ~tucie
batu/ta; ~cie
baty/sfe/ra; ~rze
baty/skaf
Bawa/ria; ~rii
baweł·na
baweł·niany
bawial·nia; ~ni
ba/wić; ~w·cie
bawół
ba/zalt; ~zal·cie
ba/zar; ~zarze
bazgrać; bazgrz·cie
ba/zia; ~zi

Bazy/lea *lub*
    Bazy/leja; ~lei
bazy/lia; ~lii
bazylianin
bazyli/ka; ~ce
bazyli·szek; ~sz·ka
ba/żant; ~żan·cie
bażan·tar·nia; ~ni
bą/bel; ~b·li
bą/czek; ~cz·ków
bądź co bądź
bądź to
bąk
bąk·nąć; ~nął, ~nęli
Beatrycze
beatyfika·cja; ~cji
bebechy
bech·tać; ~cz·cie
be/czeć; ~cz·cie, ~czeli
be|cz·ka; ~cz·ce
becz·kowóz
beczuł·ka; ~ce
bede/ker; ~kerze
bedł·ka; ~ce
bed·nar·stwo
bed·narz
Bedu/in; ~ini
bef·sztyk
bego/nia; ~nii
behapo/wiec; ~w·ców
behawio/ryzm;
    ~ryzmie
bej·cować; ~cuje
bej·ru·cki; ~c/cy
Bej·rut; ~rucie
bejs·bol *lub* baseball
bekas
bek·hend; ~hen·dzie
bekiesza
bek·nąć; ~nął, ~nęli
bel·canto; ~can·cie

beletrysty/ka; ~ce
bel·fer; ~frze
Bel·gia; ~gii
bel·gij·ski; ~scy
bel·gra|dz·ki; ~dz·cy
(od Belgrad)
bel·ka; ~ce
bel·weder·czyk
Bel·zebub
Beł·chatów
beł·ko/tać; ~cze lub
~ce, ~cz·cie
bełt; beł·cie
beł·tać
bemol
Bene/dykt; ~dykcie
benedyktyn
benefi·cjum; ~cjów
benefis
Beneluks lub Benelux
ben·gal·ski; ~scy
Beniamin
beniaminek
ben·zen
ben·zol
ben·zyna
ben·zynomierz
Beo·cja; ~cji
ber·beć
ber·berys
bere·ski; ~scy (od Be-
reza Kartuska)
be/ret; ~recie
ber·mudy (szorty)
ber·mu|dz·ki; ~dz·cy
Ber·nard; ~nar·dzie
ber·nar·dyn
Besara/bia; ~bii
Beskid; Beskidzie
beski|dz·ki; ~dz·cy
bes/sa

bes·tia; ~tii
bestial·stwo
best·sel/ler – rzadziej
best·se/ler; ~lerze
best·wić się; ~wij
beszamel
besztać
be|t·ka; ~t·ce
Betlejem
betoniar·nia; ~ni
betoniarz
beto/nować; ~nuje
bez; bzu
bez/al·koholowy
bez/apelacyj·nie
bez/barw·ny
bez/biał·kowy
bez/błęd·ny
bez/boż·ny
bez/bron/ny
bez/brzeż·ny
bez/celowy
bez/cen/ny
bez/ceremonial·ny
bez/chmur·ny
bez/cłowy
bez/czel·ny
bez/cześcić; ~czeszczę,
~cześć·cie
bez/czyn/ność
bez/dech
bez/den/ny
bez/deszczowy
bez/dom·ny
bez/droże
bez/drzew·ny
bez/dusz·ny
bez/dziet·ny
bez/dźwięcz·ny
bezeceń·stwo
beze/cny

beze mnie
bez/głos
bez/gotów·kowy
bez/gwiezd·ny
bez/hołowie
bez/ideowy
bez/imien/ny
bez/in·teresow·ny
bez/kar·ność
bez/kolizyj·ny
bez/kom·promisowy
bez/kon·fliktowy
bez/kon·kuren·cyj·ny
bez/kres·ny
bez/kręgo/wiec;
~w·ców
bez/królewie
bez/krwawy
bez/krytycz·ny
bez/kształt·ny
bez/litos·ny
bez/litoś·nie
bez/lud·ny
bez/ludzie
bez/ład
bez mała
bez/miar
bez/mięs·ny
bez/myśl·ny
bez/na/dzieja; ~dzie/i
bez/namięt·ny
bez/od/pływowy
bez ogródek
bez/okolicz·nik
bez/ołowió|w·ka;
~w·ce
bez/osobowy
bez/owoc·ny
bez/pań·ski; ~scy
bez/par·tyj·ny
bez/pieczeń·stwo

bez/piecz·ny
bez/pie/ka; ~ce
bez/płat·ny
bez/płciowy
bez/płod·ność
bez/pod/miotowy
bez/pod/staw·ny
bez/po/staciowy
bez/po/śred·ni
bez/potom·nie
bez/po/wrot·nie
bez/pra/wie; ~wi
bez/produktyw·ny
bez/przed/miotowy
bez/przewodowy
bez/przy/kład·ny
bez/rad·ny
bez reszty
bez/rękaw·nik
bez/robocie
bez/rozum·nie
bez/ruch
bez/rybie
bez/sen/ność
bez/sens; ~sen·sie
bez/sen·sow·ny
bez sensu
bez/sil·ny
bez/skutecz·nie
bez skutku
bez/spor·ny
bez/sprzecz·nie
bez/stron/ny
bez/szelest·nie
bez/szkodowy
bez/szmerowy
bez/śnież·ny
bez/śred·niów·kowy
bez/talen·cie
bez tchu
bez/ter·minowo

bez/tlenowy
bez/tłuszczowy
bez/troska
bez/tro·ski; ~scy
bez u/stan·ku
bez/u/stan/nie
bez/użytecz·ny
bez/wartościowy
bez wątpienia
bez/wied·nie
bez/wietrz·ny
bez/wład; ~władzie
bez/wład·ność
bez/wod·ny
bez/won/ny
bez/wstyd
bez/wstyd·nik
bez/wstyd·ny
bez wstydu
bez/wyjąt·kowy
bez wyjąt·ku
bez/względ·ny
bez/załogowy
bez/zasad·ny
bez/zęb·ny
bez/zwłocz·nie
bez zwłoki
bez/zwrot·ny
bez żenady
bez/żen/ny
bez/żeń·stwo
beżowy
bęben
bęben·ko/wiec;
    ~w·ców
bęb·nić; ~nij
bęc!
bęc·nąć; ~nął, ~nęli
bęc·wał
będę; będzie, bądź·cie
bę/kart; ~kar·cie

bhp (bezpieczeństwo i
    higiena pracy)
biadać
biadolić
bial·skopod/la·ski;
    ~scy
bialuch·ny
bialu|t·ki; ~t·cy
biała|cz·ka; ~cz·ce
Biała Pod/laska
biał·ko
biał·kó|w·ka; ~w·ce
biało-czerwony
biało/drzew
biało/głowa; ~głów
biało/gwar·dzi·sta;
    ~ści
białomor·ski; ~scy
białoru/szczyzna;
    ~szczyź·nie
Białoruś
Biało/stoc/czyzna;
    ~czyź·nie
biało/sto·cki; ~c/cy
biało/stoczanin
białowie·ski; ~scy
Białowieża
Biały/stok;
    Białego/stoku
biatlon lub biathlon
bibe/lot; ~locie
bi|b·ka; ~b·ce
Bib·lia; ~lii
biblij·ny
bibliofil·stwo
biblio·gra/fia; ~fii
bibliotekarz
biblioteko/zna|w·ca;
    ~w·ców
biblioteko/znaw·stwo
bibli·sta; ~ści

bibosz
bibuł·ka; ~ce
biceps
bi/czować; ~czuje
bić; bije, bij
bidet
bidon
biebrzań·ski; ~scy (*od*
Biebrza)
biec; biegł
bie/da; ~dzie
biedactwo
bieder/meier; ~meierze
bied·nieć; ~nieje, ~nieli
bied·niu|t·ki; ~t·cy
bie/dować; ~duje
biedron·ka; ~ce
biedul·ka; ~ce
bie/dzić się; ~dzę,
~dź·cie
bieg
biega|cz·ka; ~cz·ce
bieg·ły
bieg·nąć; biegł, bieg·li
biegun
biegun·ka; ~ce
biegus
bielań·ski; ~scy (*od*
Bielany)
bie/lizna; ~liź·nie
bieliź·niar·stwo
biel·ski; ~scy
bielskobial·ski *lub*
bielsko-bial·ski; ~scy
(*od* Bielsko-Biała)
bieluch·ny
bielu|t·ki; ~t·cy
biełu/ga; ~dze
bien/nale
bier·ka; ~ce
bier·nik

bier·ność
bier·wiono
bierz·mować; ~muje
bies
biesia/dować; ~duje
bie/sić się; ~ście
Bieszczady
bieszcza|dz·ki; ~dz·cy
bieżący
bież·nia; ~ni
bież·nik
bież·ni/kować; ~kuje
biga/mia; ~mii
bigami·sta; ~ści
big-band; big-ban·dzie
big·bit; ~bicie
– *rzadziej* big-beat
big·bito/wiec; ~w·ców
bigos
bigote/ria; ~rii
bijaty/ka; ~ce
bikini
bi/lans; ~lan·sie
bi/lard; ~lar·dzie
bilatera/lizm; ~lizmie
bile/ter; ~terzy
bilion
bilon
Biłgoraj
bim·bać
bim·ber; ~brze
bim·brow·nia; ~ni
binar·ny
bin·du/ga; ~dze
binokle
b<u>io</u>/cenoza
b<u>io</u>/che/mia; ~mii
biodró|w·ka; ~w·ce
biodrza·sty; ~ści
b<u>io</u>/ener·goterap<u>eu</u>/ta;
~cie

b<u>io</u>/ener·gotera/pia;
~pii
b<u>io</u>/fizy/ka; ~ce
b<u>io</u>/gra/fia; ~fii
b<u>io</u>/in·żynie/ria; ~rii
b<u>io</u>/lo/gia; ~gii
b<u>io</u>/meteorolo·gia; ~gii
b<u>io</u>/poten·cjał
b<u>io</u>/prąd; ~prądzie
b<u>io</u>/rytm
b<u>io</u>/sfera; ~sferze
b<u>io</u>/terap<u>eu</u>/ta; ~ci
b<u>io</u>/tera/pia; ~pii
b<u>io</u>/top; ~topie
bir·bant; ~ban·ci
bi/ret; ~recie
biseksua/lizm; ~lizmie
biskaj·ski; ~scy
biskup (*skrót:* bp)
biskup·stwo
bi/sować; ~suje
bi·stro; ~strze
bisur·ma/nić się;
~ń·cie
bisz·kopt; ~kop·cie
bit; bicie
bitels *lub* beatles
bitel·sow·ski; ~scy
bitumicz·ny
bit·wa
biuletyn
biur·ko
biu/ro; ~rze
biuro/kra·cja; ~cji
biuro/wiec; ~w·ców
biust; biuście
biustonosz
biwa/kować; ~kuje
Bizan·cjum
bizan·tyj·ski *lub*
bizan·tyń·ski; ~scy

biz·mut; ~mucie
biznes *lub* business
biznes/men *lub* busi-
　ness/man
biznes/plan
bizon
bizun
biżute/ria; ~rii
bla/cha; ~sze
blachar·stwo
blacharz
blad·nąć – *zob.*
　blednąć
blado; bladziej *lub*
　bledziej
bladoróżowy
blady; bladzi, bled·szy
　lub blad·szy
bladziu|t·ki
bla/ga; ~dze
bla/gier; ~gierzy
blak·nąć; blak·nął *lub*
　blakł
blamaż
bla/mować się; ~muje
blan·kiet
blan·ko *lub* blan·co (in
　blanco)
bla|sz·ka; ~sz·ce
blat; blacie
bled·nąć; bled·nął *lub*
　bladł
bled·nieć; ~nieje, ~nieli
bledziu|t·ki; ~t·cy
blef *lub* bluff
ble/fować *lub*
　bluf/fować; ~fuje
blejt·ram
ble/kot; ~kocie
ble|n·da; ~n·dzie
ble/zer; ~zerze

blichtr; blichtrze
bliski; bliż·szy
blisko/wschod·ni (*od*
　Bliski Wschód)
blisko/znacz·ny
bliziu|t·ki; ~t·cy
bliz·na; bliź·nie
bliź·ni
bliź·niak
bliź·nięta; ~niąt
bli|ż·szy; ~ż·si
bloka/da; ~dzie
blo·kować; ~kuje
blond
blon·dyn·ka; ~ce
bl<u>ue</u>s
bluf/fować *lub*
　ble/fować; ~fuje
bluszcz
bluza
bluzg·nąć; ~nął, ~nęli
blu|z·ka; ~z·ce
blu|z·nąć; ~ź·nie,
　~z·nął, ~z·nęli
bluź·nić; bluź·nij·cie
　lub bluźń·cie
bluź·nier·stwo
błagać
błahos|t·ka; ~t·ce
bła/hy; ~h·szy
bła·zen; ~ź·nie
błazeń·stwo
Błażej
błąd; błędzie
błą/dzić; ~dzę, ~dź·cie
błąkać się
błęd·ny
błękit·no/oki
błękit·ny
bło/cić; ~cę, ~ć·cie
błoc·ko

błogo/sła/wić; ~w·cie
błogo/sławień·stwo
błonica
błonie
błon·ko/skrzydłe
błon/nik
błot·nisty
błyskawica
błyskawicz·nie
błyskot·li/wy; ~w·szy
bły|s·nąć; ~s·nę,
　~ś·nie, ~ś·nij, ~s·nął,
　~s·nęła *lub* ~s·ła
błyszczący
błyszczeć; błyszcz·cie,
　błyszczeli
bm. (*bieżącego*
　miesiąca)
boa
boaze/ria; ~rii
boba/sek; ~s·ków
bob·kowy
bob·sle/i·sta; ~ści
bob·slej
bochenek
Boch·nia; ~ni
bociani
bo/ciek; ~ć·ka
bo/czek; ~cz·ku
bocz·ny
bo/czyć się; ~cz·cie
boć·win·ka *lub*
　bot·win·ka; ~ce
bodaj/by
bodaj to
bodeń·ski
bodiak
bod·nąć; ~nął, ~nęła
bo/dziec; ~dź·ców
boga/cić się; ~cę,
　~ć·cie

bogactwo
boga|cz·ka; ~cz·ce
Bogarodzica *lub*
 Bogurodzica
boga|t·ka; ~t·ce
boga/ty; ~t·szy
Bogaty/nia; ~ni
Bog/dan
bogini
bogoboj·ny
bogo/ojczyźniany
Bogumił
Bogurodzica *lub*
 Bogarodzica
Bogu/sław
Boguś
boha/ter; ~terzy
bohater·ski; ~scy
bohater·stwo
bohater·szczyzna;
 ~szczyź·nie
Boh/dan
bohema (*cyganeria*)
bohemi·sta; ~ści
bohomaz
bo/isko
boja; bo/i
bo/jar; ~jarzy
bojaź·li/wy; ~w·szy
bo/jaźń; ~jaź·ni
bo/jer; ~jerze
boj·kot; ~kocie
boj·ko/tować; ~tuje
boj·ler; ~lerze
bojow·nik
bojó|w·ka; ~w·ce
bojów·karz
boko/brody
bokser; bokserze
boksyt; boksycie
bolą|cz·ka; ~cz·ce

bo/leć; ~li
bo/leć; ~leje, ~leli
bole/ro; ~rze
boleś·nie
bo/lid; ~lidzie
Boli/wia; ~wii
Bolo/nia; ~nii
Bolsze/wia; ~wii
bol·szewi·cki; ~c/cy
bol·sze/wizm; ~wizmie
bom·ba
Bom·baj
bom·bar·dier; ~dierzy
bom·bar·dować; ~duje
bom·bastycz·ny
bom·biasty
bom|b·ka; ~b·ce
bom·blować; ~bluje
bom·bonie/ra; ~rze
bom·bo/wiec; ~w·ców
bonapar·ty·sta; ~ści
Bonawen·tura; ~turze
bonifika·ta; ~cie
Bonn
bon ton
bon·za; bon·zie
bon·żur·ka; ~ce
boń·ski; ~scy (*od*
 Bonn)
boogie-woogie
boom – *rzadziej* bum
bor; borze
bor·diu/ra; ~rze
borg (na borg)
bo/rować; ~ruje
borowik
borowo/dór; ~dorze
boró|w·ka; ~w·ce
bor·suk
Boru/ta; ~cie
borykać się

Borys
boski; boscy
bos·man
bosono/gi; ~dzy
boss; bos/sie
bos/sa nova
Boś·nia; ~ni
bośnia·cki; ~c/cy
botani/ka; ~ce
bo/tek; ~t·ków
botwin·ka *lub* boć-
 win·ka; ~ce
bowiem
boy *lub* boj; boyów *lub*
 bojów
bo/żek; ~ż·ków
Bożena
boż·nica *lub* bóż·nica
bożonarodzeniowy
boży
Boży/dar; ~darze
bożyszcze
bób
bóbr; bobrze
Bóg; Boże
bój
bój·ka; ~ce
ból
bór; borze
bóstwo; bóstw
bóść; bodzie, bódź·cie
 lub bodź·cie; bódł
bóż·nica *lub* boż·nica
br. (*bieżącego roku*)
Braban·cja; ~cji
braci/szek; ~sz·ków
bractwo
brać; bierze, bierz·cie
Brah·ma
brajl
braj·low·ski

brakarz
brak·nąć; ~nie
brakorób
brakorób·stwo
bra/kować; ~kuje
brami/nizm; ~nizmie
bram·karz
bram·ko/strzel·ny
Bran·den/bur·gia; ~gii
bran·den/bur·ski; ~scy
bran·dy
bran·ka; ~ce
bran·sole|t·ka; ~t·ce
bran·ża
bran·żo·wiec; ~w·ców
brat; bracia, brać·mi
bra/tek; ~t·ków
brater·ski; ~scy
brater·stwo
bratobój·ca
bratobój·stwo
Braty/sława
bra<u>u</u>/ning *lub*
  browning
brawo; braw
brawu/ra; ~rze
Brazy/lia; ~lii
brąz
brązo/wieć; ~wieje,
  ~wieli
brązow·nictwo
brązowy
Brda; Brdzie
bred·nia; ~ni
bre/dzić; ~dzę, ~dź·cie
breja; brei
brelo/czek; ~cz·ków
Breta/nia; ~nii
bret·nal
bretoń·ski; ~scy (*od*
  Bretania)

brew; brwi
brewe/rie; ~rii
brewiarz
bre|w·ka; ~w·ce
bre/zent; ~zen·cie
brnąć; brnij·cie, brnął,
  brnęli
bro/czyć; ~cz·cie
bro/da; ~dzie
broda|w·ka; ~w·ce
bro/dzić; ~dzę, ~dź·cie
bro/dziec; ~dź·ców
bro/ić; broję, bro/i,
  brój·cie, bro/ił
broj·ler; ~lerze
broj·ler·nia; ~ni
bromowo/dór; ~dorze
bron·chit; ~chicie
Bro·nia; ~ni
bro/nić; ~ń·cie
Broni/sław
bro/nować; ~nuje
broń; broni
bro|sz·ka; ~sz·ce
broszu/ra; ~rze
bro/war; ~warze
browar·nictwo
bród; brodzie
bró|d·ka; ~d·ce
bróg
brud; brudzie
bruda/sek; ~s·ków
bruder·szaft; ~szaf·cie
brud·nopis
brud·ny
bru/dzić; ~dzę, ~dź·cie
brukarz
bru/kiew; ~k·wi
bruko/wiec; ~w·ców
Brukse/la; ~li
bruksel·ka; ~ce

brukwiany
brulion
brunat·ny
brune|t·ka; ~t·ce
Brun·szwik
brus
brusz·nica
brutal·ność
brut/to; brut·cie
bruzda; bruź·dzie,
  bruzd
bruździć; brużdżę,
  bruźdź·cie
bryczesy
bry|cz·ka; ~cz·ce
brydż – *rzadziej* bridż
brydży·sta – *rzadziej*
  bridży·sta; ~ści
bryg (*statek*)
bryga/da; ~dzie
bryga/dier; ~dierze
brygadzi·sta; ~ści
Brygi·da; ~dzie
bryja; bry/i
bryk (ściągać z bryka)
bry/kiet; ~kiecie
bryk·nąć; ~nął, ~nęli
brylan·cik
bry/lant; ~lan·cie
bry/lować; ~luje
bryła
bryn·dza
brystol
Bryta/nia; ~nii
bryt·fan/na
brytyj·ski; ~scy
bryzg
bryzg·nąć; ~nął, ~nęli
bry|z·nąć; ~ź·nie,
  ~ź·nij, ~z·nął, ~z·nęli
bryzol

brzask
brząk·nąć; ~nął, ~nęli
brzdąc
brzdąk·nąć; ~nął, ~nęli
brzdęk·nąć; ~nął, ~nęli
brzechwa (*część
  pocisku*)
brzeg
brzemien/ny
brze/mię; ~mienia
brze·ski; ~scy
brzeszczot
Brześć; Brześcia
brzezina
brzeź·niak
brze/żek; ~ż·ków
brzę/czeć; ~cz·cie,
  ~czeli
brzęk·nąć; brzękł lub
  brzęk·nął, brzęk·nęli
  (*puchnąć*)
brzęk·nąć; ~nął, ~nęli
  (*wydać dźwięk*)
brzmieć; brzmij
brzoskwi/nia; ~ni
brzoza; brzóz
brzó|z·ka; ~z·ce
brzuch
brzuchomó|w·ca;
  ~w·ców
brzuchomów·stwo
brzu/siec; ~ś·ców
brzu/szek; ~sz·ków
brzydactwo
brzy|d·ki; ~d·cy, ~d·szy
brzy|d·nąć; ~dł *lub*
  ~d·nął
brzydula
brzy/dzić się; ~dzę,
  ~dź·cie
brzyte|w·ka; ~w·ce

brzytwa
bu/bek; ~b·ków
buc
bucefał
buch*!*
buchal·ter; ~terzy
buchal·te/ria; ~rii
buch·nąć; ~nął, ~nęli
bu/cior; ~ciorze
bu/czeć; ~cz·cie, ~czeli
bu/czek; ~cz·ków
bu/da; ~dzie
Buda/peszt; ~pesz·cie
Bud/da; ~dzie
bud/dyj·ski; ~scy
bu|d·ka; ~d·ce
bu/dowa; ~dów
bu/dować; ~duje
budow·lan·ka; ~ce
budow·nictwo
budow·niczy
budrysó|w·ka; ~w·ce
budu/ar; ~arze
budujący
budulec
budynek
budyń
bu/dzić; ~dzę, ~dź·cie
bud·żet; bud·żecie
bud·żetó|w·ka; ~w·ce
bu/fet; ~fecie
buf/fo
bufiasty
bufon
bufona/da; ~dzie
bu/for; ~forze
Bug (*rzeka*)
buhaj
bujać
buj·da; buj·dzie, bujd
buj·nąć; ~nął, ~nęli

buj·ny
buk (*drzewo*)
Buka/reszt; ~resz·cie
bukat
bukieciarz
bu/kiet; ~kiecie
bukini·sta; ~ści
bukłak
buk·macher
bukoli/ka; ~ce
Bukowina
buk·sować; ~suje
buk·szpan
bul·dog
bul·do/żer; ~żerze
bul·got; ~gocie
bu/lić; ~l·cie
buli/mia; ~mii
bulion
bul/la
bul·wa
bul·war; ~warze
bul·wer·sować; ~suje
buła
bułanek
buła|w·ka; ~w·ce
Bułga/ria; ~rii
buł·ka; ~ce
bum
bume/lant; ~lan·ci
bumerang
bungalow
bun·kier; ~krze
bunt; bun·cie
bun·tować; ~tuje
buń·czucz·ny
bura; burze
burak
bur·boń·ski; ~scy
bur·czeć; ~cz·cie,
  ~czeli

bur·czymu/cha; ~sze
bur·da; ~dzie
bur·del
bur·gra/bia; ~biego *lub*
~bi
Bur·gun·dia; ~dii
bur·gun|dz·ki; ~dz·cy
bur·ka; ~ce
burk·liwy
burk·nąć; ~nął, ~nęli
bur·les·ka; ~ce
bur·ła·cki; ~c/cy
bur·łak
bur/mistrz
bur/mistrzostwo
bur/mistrzow·ski; ~scy
bur·nus
bur·sa
bur·sztyn
bur·ta; bur·cie
bury
burza; burz
burzan
burz·li/wy; ~w·szy
burzyciel
bu/rzyć; ~rz·cie
burżua·zja; ~zji
burżuazyj·ny
burżuj

Busko
busola
busz
Buszmen
bu/szować; ~szuje
but
buta; bucie
butan
buta·pren
butel·ka; ~ce
butik *lub* boutique
but·la; ~li
but·ny
butonier·ka; ~ce
butwieć; butwieje
buzdygan
buzia; buzi, buź
buzia/czek; ~cz·ków
buziul·ka; ~ce
bu/zować; ~zuje
buź·ka; buź·ce
bużań·ski; ~scy (*od*
Bug)
by/czek; ~cz·ków
być; będę, będą,
bądź·cie
byd·go·ski; ~scy
Byd·goszcz
bydląt·ko

byd·lę; ~lęcia, ~ląt
bydlęcy
bydło
byko·wiec; ~w·ców
byle
byle/by; ~byś,
~by·śmy, ~by·ście
byle co
byle jak
bylejakość
byle kto
byle tylko
bylina
było nie było
bynaj/mniej
bystro; bystrzej
bystro/oki
bystry; bystrzy
bystrzy·cki; ~c/cy
byt; bycie
bzdu/ra; ~rze
bzdur·stwo
bzdu/rzyć; ~rz·cie
bzik
Bzu/ra; ~rze
bzyk·nąć; ~nął, ~nęli
bździć; bżdżę, bździ,
bździj·cie

C

cac·ko
cacusz·ko
cacuś
cal
caló|w·ka; ~w·ce
calu|t·ki; ~t·cy
cał·kiem
cał·kować; ~kuje
całodzien/ny
cało/kształt;
~kształ·cie
całopalenie
całos|t·ka; ~t·ce
całość
ca/łować; ~łuje
całun
całus
cam·ping *lub* kem·ping
can·zona *lub* kan·cona
cap·nąć; ~nął, ~nęli
capstrzyk
car; carze
car·stwo
casco
casus *lub* kazus
cą|ż·ki; ~ż·ków
cd. (*ciąg dalszy*)
CD (*płyta kompak-
towa*)
cdn. (*ciąg dalszy
nastąpi*)

CD-ROM (*dysk kom-
puterowy*)
ce/ber; ~brze
cebrzyk
cebula
cech
ce/cha; ~sze
cech/mistrz
cechować; cechuje
Cecy/lia; ~lii
ce/dować; ~duje
cedr; cedrze
ceduła
cedzak
ce/dzić; ~dzę, ~dź·cie
cegiel·nia; ~ni
cegieł·ka; ~ce
ceglar·stwo
cegla·sty; ~ści
cekin
ce/la; ~li
celebra·cja; ~cji
cele·brans; ~bran·si
cele·brant; ~bran·ci
celi/bat; ~bacie
cel·nik
ce/lować; ~luje
Cel·sjusz *lub* Cel·sius
cel·ty·cki; ~c/cy
celujący
celulo/id; ~idzie

celuloza
cem·browować; ~bruje
cem·browina
ce/ment; ~men·cie
cemen·ta·cja; ~cji
cemen·tow·nia; ~ni
cemen·towóz
ce/nić; ~ń·cie
cen/nik
cen/ny
ceno/twór·czy
cent; cen·cie
cen·taur; ~tau/rze
cen·tra; ~trze
cen·traliza·cja; ~cji
cen·tra/lizm; ~lizmie
cen·tral·ka; ~ce
cen·tral·ny
cen·tro/prawica
cen·trować; ~truje
cen·trum
cen·tryfu/ga; ~dze
cen·try·sta; ~ści
cen·tryzm; ~tryzmie
cen·tu/ria; ~rii
cen·tuś
cen·tym
cen·ty/metr; ~metrze
(*skrót:* cm)
cen·tymetró|w·ka;
~w·ce

cen·zor; ~zorzy
cen·zura; ~zurze
cen·zural·ny
cen·zus
ceow·nik
Cepe/lia; ~lii
cepeliow·ski; ~scy
ce/per; ~prze
ce/ra; ~rze
ceramicz·ny
cera|t·ka; ~t·ce
ceregiele
ceremo/nia; ~nii
ceremoniał
cer·kiew; ~kwi
cer·kie|w·ka; ~w·ce
ce/rować; ~ruje
cer·tować się; ~tuje
cer·tyfika·cja; ~cji
cer·tyfi/kat; ~kacie
cesar·sko-królew·ski
  (*skrót:* ck)
cesar·stwo
cesarz
ce·sja; ~sji
cetnar; cetnarze
ce|w·ka; ~w·ce
cew·ni/kować; ~kuje
cez; cezie
Cezariusz
cezu/ra; ~rze
cęgi
cę|t·ka; ~t·ce
cęt·kowany
cha! *lub* ha!
cha/ber; ~brze
chabe/ta; ~cie
chachmę/cić; ~cę,
  ~ć·cie
chade·cja; ~cji
chade·cki; ~c/cy

chadzać
chajt·nąć się; ~nął,
  ~nęli
chal·cedon
cha·łat; ~łacie
chał·ka; ~ce
chał·tu/ra; ~rze
chał·tu/rzyć; ~rz·cie
chału|p·ka; ~p·ce
chałup·nictwo
chał·wa
cham
cha/mieć; ~mieje,
  ~mieli
cham·pion *lub*
  czem·pion
cham·stwo
chamuś
chan
chan·dra; ~drze
chaos
chaotycz·ny
chap·nąć; ~nął, ~nęli
chaps·nąć; ~nął, ~nęli
charak·ter; ~terze
charak·terystycz·ny
charak·terysty/ka; ~ce
charak·teryza·cja; ~cji
charak·teryzator·nia; ~ni
char·cica
char·czeć; ~cz·cie,
  ~czeli
char·gé d'af/faires
chark·nąć; ~nął, ~nęli
char·kot; ~kocie
char·ła·cki; ~c/cy
Charon
chart; char·cie (*pies*)
char·terowy *lub*
  czar·terowy
Charyb·da; ~dzie

charytatyw·ny
charyzma *lub*
  charyzmat
cha/syd; ~sydzi
chasy|dz·ki; ~dz·cy
chaszcze
cha|t·ka; ~t·ce
chcąc nie chcąc
chcieć; chce, chciej·cie,
  chcieli, chcieliby
chciej·stwo
chci/wiec; ~w·ców
chci/wy; ~w·szy
che! *lub* he!
cheł·bia; ~bi
Chełm (*miasto*)
Chełm·no
Chełm·ża
cheł·pić się; ~p·cie
chełp·liwy
che/mia; ~mii
chemi|cz·ka; ~cz·ce
chemika/lia
chemiza·cja; ~cji
chemoterapeu̲/tycz·ny
  lub chemioterapeu̲/-
  tycz·ny
chemotera/pia *lub* che-
  miotera/pia; ~pii (*le-
  czenie za pomocą
  środków chemicz-
  nych*)
Cheops
cher·la·cki; ~c/cy
cher·lactwo
Chero/nea *lub* Chero/-
  neja; ~nei, ~neę
cherubin
chęć
chędo/go; ~żej
chę|t·ka; ~t·ce

chęt·nie
chi! *lub* hi!
chi/chot; ~chocie
chi/cho/tać; ~cze *lub*
~ce, ~cz·cie
chicho|t·ka; ~t·ce
chimera
chimerycz·ny
chinina
Chiny
chiń·szczyzna;
~szczyź·nie
chiroman·cja; ~cji
chi/rurg; ~rur·dzy
chirur·gia; ~gii
chirur·gicz·ny
chiton
chityna
chlać
chlap·nąć; ~nął, ~nęli
chla|s·nąć; ~ś·nie,
~ś·nij, ~s·nął, ~s·nęli
chlastać; chlaszcz·cie
chleb
chleboda|w·ca; ~w·ców
chlebuś
chlew
chlew/mistrz
chlew·nia; ~ni
chli/pać; ~p·cie
chlip·nąć; ~nął, ~nęli
chlor; chlorze
chlorek
chlorofil
chloroform
chloro/plast; ~plaście
chlo/rować; ~ruje
chloro/wiec; ~w·ców
chlorowo/dór; ~dorze
chluba
chlu/bić się; ~b·cie

chlub·ny
chlup·nąć; ~nął, ~nęli
chlu·pot; ~pocie
chlu|s·nąć; ~ś·nie,
~ś·nij, ~s·nął, ~s·nęli
chlustać; chluszcz·cie
chłam
chłap·nąć; ~nął, ~nęli
chłep·tać; ~cz·cie
chło/dek; ~d·ku
chłod·nąć; chłódł
chłod·nia; ~ni
chłod·niarz
chłod·nictwo
chłod·nieć; ~nieje
chłod·nik
chłodziar·ka; ~ce
chłodzić; chłodzę,
chłodź·cie *lub*
chłódź·cie
chło·nąć; ~ń·cie, ~nął,
~nęli
chłon/ny
chłop·czysko
chło/pek; ~p·ków
chłopiąt·ko
chło/piec; ~p·cze,
~p·ców
chło/pieć; ~pieje,
~pieli
chło/pię; ~pięcia,
~piąt
chłopięc·two
chłopięcy
chłopoma/nia; ~nii
chłop·stwo
chło·sta; ~ście
chłód; chłodzie
chły·stek; ~st·ków
chma/ra; ~rze
chmiel

chmu/ra; ~rze
chmur·nieć; ~nieje,
~nieli
chmu/rzyć się; ~rz·cie
choch·la
choch·lik
chochoł
chociaż
chociaż/by
Cho/cim; ~cimia
choć
choć/by; ~bym, ~byś,
~by·śmy, ~by·ście
choda/czek; ~cz·ków
chod·li/wy; ~w·szy
chod·nik
chodu!
chodziarz
cho·dzić; ~dzę; ~dź·cie
Chodzież
chodzony
choin·ka; ~ce
choinó|w·ka; ~w·ce
chojak
Choj·nice
choj·ra·cki; ~c/cy
choj·rak
chole/ra; ~rze
choleryk
chole·sterol
chole|w·ka; ~w·ce
choło/dziec; ~dź·ców
chomą/to; ~cie
chomik
chomi·kować; ~kuje
Chopin *lub* Szopen
chorał
chorą/giew; ~g·wi
chorągie|w·ka; ~w·ce
chorąży (*skrót:* chor.)
choreicz·ny

chorej
choreo·gra/fia; ~fii
cho/roba; ~rób
chorobo/twór·czy
cho/rować; ~ruje
chorób·sko
Chor·wa·cja; ~cji
chor·wa·cki; ~c/cy
cho/ry; ~rzy
cho/rzeć; ~rzeje, ~rzeli
Chorzów
chować
chód; chodzie
chór; chórze
chóral·nie
chór/mistrz
chórzy·sta; ~ści
chów
chrabąszcz
chram
chra/pać; ~p·cie
chra|p·ka; ~p·ce
chrap·li/wy; ~w·szy
chrap·nąć; ~nął, ~nęli
chrapy
chrobo/tać; ~cz·cie
chrobo/tek; ~t·ków
chro·bry; ~brzy
chrom
chromać
chromatycz·ny
chromian
chromolić
chromosom
chro/mować; ~muje
chromy
chronicz·ny
chro/nić; ~ń·cie
chronolo/gia; ~gii
chronologiza·cja; ~cji
chrono/metr; ~metrze

Chronos
chropawy
chropowaty
chru/pać; ~p·cie
chrup·ki
chrup·nąć; ~nął, ~nęli
chrust; chruście
chruś·niak
chryja; chryi
chry/pieć; ~p·cie,
  ~pieli
chry|p·ka; ~p·ce
chryp·li/wy; ~w·szy
chry|p·nąć; ~p·nął *lub*
  ~pł, ~p·nęli *lub* ~p·li
Chrystian
chrystia/nia *lub*
  krystia/nia; ~nii
chrystianiza·cja; ~cji
chrystia/nizm;
  ~nizmie
Chrystus
chryzan·tema
chryzo/lit; ~licie
Chryzostom
chrzan
chrza/nić; ~ń·cie
chrząk·nąć; ~nął, ~nęli
chrząs|t·ka; ~t·ce
chrząst·kowa/cieć;
  ~cieje
chrząst·ko/wiec;
  ~w·ców
chrząszcz
chrzciciel
chrzcić; chrzczę,
  chrzcij
chrzciel·nica
chrzciny
chrzest; chrzcie
chrzest·ny

chrześcijanin
chrześcijań·ski; ~scy
chrześcijań·stwo
chrześ·nia|cz·ka; ~cz·ce
chrzęst; chrzęście
chrzęst·no/szkieletowy
chrzęst·ny
chrzęścić; chrzęszczę,
  chrzęść·cie
chu! *lub* hu!
chuch·nąć; ~nął, ~nęli
chuchro; chuchrze
chuć; chuci
chuder·lawy
chude/usz
chu|d·nąć; ~dł *lub*
  ~d·nął, ~d·li
chudoba
chudopacho/łek;
  ~ł·ków
chu/dy; ~dzi, ~d·szy
chudziąt·ko
chudzie/lec; ~l·ców
chudzina
chudziu|t·ki; ~t·cy
chuligan
chuligane/ria; ~rii
chuliga/nić; ~ń·cie
chuligań·stwo
chusta; chuście
chus|t·ka; ~t·ce
chuścina
chu/tor; ~torze
chwa·cki; ~c/cy
chwaleb·ny
chwalić
chwali/pięta; ~pięcie
chwała
chwast; chwaście
chwastobój·czy
chwat; chwacie

chwiać; chwieje,
   chwiali *lub* chwieli
chwiej·ny
chwierutać
chwila
chwile|cz·ka; ~cz·ce
chwiló|w·ka; ~w·ce
chwost; chwoście
chwy/cić; ~cę, ~ć·cie
chwyt; chwycie
chwy|t·ki; ~t·cy
chwyt·li/wy; ~w·szy
chyba
chyb·cikiem
chy·bić; ~b·cie
chy|b·ki; ~b·cy
chyb·nąć; ~nął, ~nęli
chybot·li/wy; ~w·szy
chylić
chył·kiem
chytrość
chytru/sek; ~s·ków
chytrze
chy·ży; ~ż·szy
ciach·nąć; ~nął, ~nęli
ciacho
ciał·ko
ciamaj·da; ~dzie
ciap·nąć; ~nął, ~nęli
ciapowa/ty; ~ci
ciar·ki
ciasny; ciaśniej·szy
ciastecz·ko
ciast·kar·nia; ~ni
ciast·karz
ciast·ko
ciasto; cieście
ciaśniut·ki
ciąć; tnie, tnij, ciął,
   cięli, cięty
ciąg

ciągle
ciągli/wy; ~w·szy
ciągłość
ciągły
ciąg·nąć; ~nął, ~nęli
ciąg·nik
ciągotki
ciągutka
ciąża
cią/żyć; ~ż·cie
cichaczem
cich·cem
ci|ch·nąć; ~chł *lub*
   ~ch·nął, ~ch·li
ci/cho; ~szej
cichobież·ny
cichociem·ny
cichu|t·ki; ~t·cy
cichy; cisi, cich·szy
ciec; ciekł
Ciechanów
Ciechocinek
ciecz
cieć; ciecia
ciek
ciekawić
ciekawos|t·ka; ~t·ce
ciekaw·ski; ~scy
cieka/wy; ~w·szy
ciek·ły
ciek·nąć; ciekł *lub*
   ciek·nął, ciek·ła
cielątko
cie/lec; ~l·ców
cieles·ny
cieleś·nie
cie/lę; ~lęcia, ~ląt
cielęcina
cielęcy
cielisty
cieliście

ciel·sko
ciemiącz·ko
ciemieniowy
ciemieniu/cha; ~sze
cie/mię; ~mienia,
   ~mion
ciemię/ga; ~dze
ciemię·ski; ~scy
ciemięstwo
ciemię|z·ca; ~z·ców
ciemiężyciel
ciemię/żyć; ~ż·cie
ciem·nia; ~ni
ciem·niactwo
ciem·nica
ciem·nieć; ~nieje,
   ~nieli
ciem·niu|t·ki; ~t·cy
ciem·no; ciem·niej
ciem·no/blond
ciem·no/brązowy
ciem·no/gród
ciem·no/skóry;
   ~skórzy
cie|m·ny; ~m·niej·szy
cieniolub·ny
cie/niować; ~niuje
cieni·sty; ~st·szy
cieniu|t·ki; ~t·cy
cien·ki; cien·cy,
   cień·szy
cien·kopis
cien·ko/włók·nisty
cień
cieplar·nia; ~ni
ciepl·ny
cieplutki
ciepłociąg
ciepło/krwisty
ciepłomierz
ciepłow·nia; ~ni

ciepłow·nictwo
cier·niście
cierń
cier·piący
cier·pieć; ~p·cie, ~pieli
cier·pięt·nictwo
cier|p·ki; ~p·cy
cierp·li/wy; ~w·szy
cierp·nąć; cierpł *lub*
  cierp·nął, cierp·li
ciesiel·ski
ciesiel·stwo
ciesioł·ka; ~ce
cie/szyć się; ~sz·cie
cieś·la
cieś·nina
cie·trzew
cięcie; cięć
cięciwa
cięgi
cięgiem
cię/ty; ~ci
cię/żar; ~żarze
ciężar·na
ciężaro/wiec; ~w·ców
ciężaró|w·ka; ~w·ce
cię|ż·ki; ~ż·cy, ~ż·szy
ciężko ran/ny
cięż·ko/straw·ny *lub*
  cięż·ko straw·ny
cięż·ko/zbroj·ny *lub*
  cięż·ko zbroj·ny
cinerama
cink·ciarz
cin·que·cen·to; ~cie
cios
ciot·czysko
ciote|cz·ka; ~cz·ce
ciot·ka; ~ce
ciotuch·na
ciotu/nia; ~ni

ci|s·nąć; ~s·nę, ~ś·nie,
  ~ś·nij·cie, ~s·nął,
  ~s·nęli
cisza
ciś·nienie
ciś·nieniomierz
ciuch
ciuch·cia
ciuciuba|b·ka; ~b·ce
ciuć·ma
ciułactwo
cium·cia
ciupa
ciupa/ga; ~dze
ciupa|ż·ka; ~ż·ce
ciup·nąć; ~nął, ~nęli
ciu/ra; ~rze
ciur·kiem
ciu/szek; ~sz·ków
cizia; ciź
ciż·ba; ciżb
ciżem·ka; ~ce
ckli/wy; ~w·szy
ckm; ckm-u, ckm-ie
clić; clij·cic
clou
clown *lub* klown *lub*
  klaun
cło
cmen·tarz
cmok·nąć; ~nął, ~nęli
cnota; cnocie, cnót
cnotli/wy; ~w·szy
c.o. (*centralne
  ogrzewanie*)
co bądź
coca-cola *lub* koka-kola
co chwila
co dnia
co do
co do joty

codzien/nie
co dzień
cof·nąć; ~nął, ~nęli
co godzina
cogodzin/ny
co gor·sza
co in/nego
co jak co
cokol·wiek; czego-
  kol·wiek, czemu-
  kol·wiek, czym/-
  kol·wiek
cokol·wiek bądź
cokol·wiek by
cokół
co krok
co/kwartal·ny
co kwartał
co lep·szy
com·ber; ~brze
com·bi *lub* kom·bi
co miesiąc
comiesięcz·ny
co minuta
com·pact *lub* kom·pakt
co naj/waż·niej·sze
co naj/więcej
co naj/wyżej
con·fiteor
co nieco
co niedziela
coniedziel·ny
co niemiara
coniunctivus *lub*
  koniunktiwus
co noc
conoc·ny
con·stans
con·tinu/um *lub*
  kon·tinu/um
co prawda

71

co prędzej
co rano
coraz
corocz·ny
co rok
co rychlej
cosecans *lub* kosekans
co sekun·da
co sił
cosinus *lub* kosinus
cosinus<u>oi</u>/da *lub*
kosinus<u>oi</u>/da; ~dzie
coś; czegoś, czemuś,
czymś
coś/kol·wiek;
czegoś/kol·wiek,
czemuś/kol·wiek,
czymś/kol·wiek
coś niecoś
coś ty!
co tam
cotan·gens *lub*
kotan·gens; ~gen·sie
cotan·gen·s<u>oi</u>/da *lub*
kotan·gen·s<u>oi</u>/da;
~dzie
co tchu
co to
co tydzień *lub* co
tygo/dnia
cotygo/dniowy
coun·try
co waż·niej·sze
cow·boy *lub* kow·boj
cowieczor·ny
co wieczór
co więcej
co więk·szy
co za (*np.* co za traf)
co zacz
co żywo

có/ra; ~rze
córe|cz·ka; ~cz·ce
cór·ka; ~ce
córuch·na
córu/nia; ~ni
córuś
cóż; czegóż *lub* czegoż,
czemuż, czym/że
cóż by
crawl – *częściej* kraul
credo *lub* kredo
cross – *rzadziej* kros
cu·cha; ~sze
cuch·nąć; ~nął, ~nęli
cu/cić; ~cę, ~ć·cie
cud; cudzie
cuda·cki; ~c/cy
cudactwo
cuda/czek; ~cz·ków
cudeń·ko
cud·ny
cudo/twór·ca
cudo/twór·stwo
cudow·nie
cudzo/łożyć; ~łóż·cie
cudzołóstwo
cudzołóż·ca
cudzoziemiec
cudzoziem·ski; ~scy
cudzoziem·szczyzna;
~szczyź·nie
cudzożyw·ny
cudzy
cudzy/słów; ~słowu,
~słowie
cug
cugle
cu/kier; ~krze
cukiere/czek; ~cz·ków
cukier·nia; ~ni
cuki/nia; ~nii

cukrow·nia; ~ni
cukrow·nictwo
cukrowy
cukró|w·ka; ~w·ce
cukrzyca
cukrzyć; cukrz·cie
cu/mować; ~muje
cumulus
cup·nąć; ~nął, ~nęli
cwa/łować; ~łuje
cwania·cki; ~c/cy
cwaniactwo
cwania/czek; ~cz·ków
cwa/ny; ~ń·szy
cwibak
cyber·netycz·ny
cyber·nety/ka; ~ce
cybuch
cycuś
cyfer/blat; ~blacie
cyfra; cyfrze
cygane/ria; ~rii
Cygani/cha; ~sze
cygar·ni|cz·ka; ~cz·ce
cyga/ro; ~rze
cyjanek
cyjan·kali
cyjanowo/dór; ~dorze
cykl
cyklamen
cyklicz·ny
cykliniarz
cyklistó|w·ka; ~w·ce
cyklon
cyklop
cyko/ria; ~rii
cyku/ta; ~cie
cylin·der; ~drze
cym·bali·sta; ~ści
cym·bał
cym·bał·ki

cym·ber·gaj
cymes
cyna·dra; ~drze
cynamon
cyn·giel
cy/nia; ~nii
cy/nizm; ~nizmie
cyn·kować; ~kuje
cyno/ber; ~brze
cypel
Cyprian
cyprys
cyr·kiel
cyr·ko/wiec; ~w·ców
cyr·kó|w·ka; ~w·ce
cyr·kula·cja; ~cji
cyr·kuł
cyro·graf
cyrulik
cyrylica
cysta; cyście
cyster·na
cysters
cytade/la; ~li
cytat
cytolo/gia; ~gii
cyto/plazma; ~plazmie
cy/tra; ~trze
cytrus
cytryna
cytrynó|w·ka; ~w·ce
cywil
cywili·sta; ~ści
cywiliza·cja; ~cji
cywil·ny
cyze/lować; ~luje
cza/cha; ~sze
cza-cza
czad; czadzie
cza/ić się; czaję, cza/i,
  czaj·cie, cza/ił

czaj·ka; ~ce
czaj·nik
czam·buł
cza|p·ka; ~p·ce
czap·kować; ~kuje
czaprak
czar; czarze
cza/ra; ~rze
czar·dasz
czar·niu|t·ki; ~t·cy
Czar·no/góra; ~górze
czar·no/księ·ski; ~scy
czar·no/księstwo
czar·no/księż·nik
czar·nole·ski; ~scy
czar·nomor·ski
czar·nopióry
czar·noryn·kowy
czar·no/skóry; ~skórzy
czar·nowidz·two
czar·noziem
czar·nu/cha; ~sze
czar·nul·ka; ~ce
czar·nu|sz·ka; ~sz·ce
czarodziej·stwo
cza/rować; ~ruje
czart; czar·cie
czar·terowy *lub*
  char·terowy
czarujący
czaso/chłon/ny
czasopi|s·mo; ~ś·mie
czasopiś·mien/nictwo
czaso/przestrzeń
czasow·nik
czasó|w·ka; ~w·ce
czastu|sz·ka; ~sz·ce
cza|sz·ka; ~sz·ce
cza/tować; ~tuje
Czatyr·dah
czą/ber; ~brze

cząste|cz·ka; ~cz·ce
cząs|t·ka; ~t·ce
czciciel
czcić; czczę, czcij
czcigod·ny
czcion·ka; ~ce
czczo (na czczo)
czczy
Czech; Czesi
Czecho/słowa·cja; ~cji
czecho/słowa·cki;
  ~c/cy
Cze/cze/nia; ~nii
czegóż *lub* czegoż
czek
czekan
czekola|d·ka; ~d·ce
czela|d·ka; ~d·ce
czelad·nik
czeladź
czeluść
czem·pion *lub*
  cham·pion
czem·pio/nat; ~nacie
czemuż
cze/pek; ~p·ków
czepial·stwo
cze/piec; ~p·ców
czep·liwość
czere/da; ~dzie
czerem·cha; ~sze
czerep
czereś·nia; ~ni
Czer·kies
czer·nić; ~ń·cie
czer·nieć; ~nieje
czerń; czer·ni
czer·pać; ~p·cie
czer·stwieć; ~stwieje
czer·stwy
czerw; czer·wi

73

czerw·cowy
czer·wiec; ~w·ca
czer·wie/nić; ~ń·cie
czer·wie/nieć; ~nieje
czer·wien/ny
czer·wo·niec; ~ń·ców
czer·won·ka; ~ce
czer·wono/ar·mi·sta;
~ści
czer·wono/gwar·dyj·-
ski; ~scy
czer·wono/krzy·ski;
~scy
czer·wono/skóry;
~skórzy
czer·wony; ~wień·szy
Czer·wony Krzyż
cze/sać; ~sze, ~sz·cie
cze·ski; ~scy
czes·ne
Cze|sz·ka; ~sz·ce
cześć; czci
cześ·nik
często; częściej
Częstochowa
częstochow·ski; ~scy
często gęsto
częstokół
często/kroć
częstotliwość
czę·stować; ~stuje
częsty; części,
częst·szy
częściowy
część; części
czka|w·ka; ~w·ce
czknąć; czknął, czknęli
człapać
człek
człeko/kształt·ny
człon·kostwo

człon·kow·ski
człono/wiec; ~w·ców
człowie/czek; ~cz·ków
człowieczeń·stwo
czmych·nąć; ~nął,
~nęli
czochrać
czołg
czołgać się
czołgi·sta; ~ści
czoło; czół
czołobit·ność
czołó|w·ka; ~w·ce
czo/pek; ~p·ków
czo/pować; ~puje
czort
czosnek
czółen·ko
czół·ko
czół·no
czter/dzies|t·ka; ~t·ce
czter/dziestola/tek;
~t·ków
czter/dziestolet·ni
czter/dziestopięcio-
minutowy
czter/dziesty pierwszy
czter/dzieścio/ro;
~r·ga
czter/dzieści pięć
czterech/set/lecie
czterech/set·ny
czter/nas|t·ka; ~t·ce
czter/nastola/tek;
~t·ków
czter/nastolet·ni
czter/nastowiecz·ny
czter/nasty
czter/naście
cztero/chlorek (*np.*
węgla)

czterocyfrowy
czteroczęściowy
czterogodzin/ny
cztero/klasó|w·ka;
~w·ce
cztero/krot·ny
czterola/tek; ~t·ków
czterolet·ni
cztero/osobowy
czteropiętrowy
cztero/strun/ny
czterosuw
cztery/sta ósmy
cztery/stumetro/wiec;
~w·ców
czuba|t·ka; ~t·ce
czu/bek; ~b·ków
czu/bić się; ~b·cie
czuć
czuj duch*!*
czuj·ka; ~ce
czuj·nik
czuj·ny
Czuk·cza
czuko·cki; ~c/cy
czulić się
czułek
czułko/wiec; ~w·ców
czułost·kowość
czu/ły; ~l·szy, ~l·si
czupiradło
czupryna
czupur·ny
czupu/rzyć się; ~rz·cie
czuwać
czwar·tak
czwar·tek
czwar·to/klasi·sta; ~ści
czwar·to/rzęd;
~rzędzie
czwar·ty; ~ci

czwora|cz·ki; ~cz·ków
czworaki
czwo/ro; ~r·ga
czworobocz·ny
czworobok
czworo/kąt; ~kącie
czworokąt·ny
czworono/gi; ~dzy
czworonóg
czworo/ścian
czwó/ra; ~rze
czwór/bo/i·sta; ~ści
czwór/bój
czwór·ka; ~ce
czwór/mecz
czwór/nasób
czyhać
czyj; czyja, czyim,
  czyi, czyimi
czyj bądź

czyj/kolwiek;
  czy/im/kolwiek,
  czy/i/kolwiek
czyjś; czyimś, czyiś,
  czyichś, czyimiś
czyli
czyliż
czym prędzej
czym/że
Czyn·gis-chan lub
  Dżyn·gis-chan
czyn/nik
czyn/ność
czyn/ny
czynsz
czyn·szó|w·ka; ~w·ce
czyrak
czys|t·ka; ~t·ce
czysto; czyściej
czystopis

czysto polski
czy·sty; ~ści, ~st·szy
  lub ~ściej·szy
czyści/but; ~bucie
czyścić; czyszczę,
  czyść·cie
czyściec; czyść·ca
czyścio/cha; ~sze
czyścio/szek; ~sz·ków
czyściu|t·ki; ~t·cy
czyść·cowy
czytel·nia; ~ni
czytel·nictwo
czytel·ni|cz·ka; ~cz·ce
czyt·nik
czy/tywać; ~tuje
czyż
czyż/by
czyżyk

ćma; ciem
ćmić; ćmij
ćpać
ćpun
ćwiar|t·ka; ~t·ce
ćwiar·tować; ~tuje
ćwiar·tuch·na
ćwiczenie

ćwiczon·ko
ćwi/czyć; ~cz·cie
ćwiek
ćwierć
ćwierć/finali·sta; ~ści
ćwierć/finał
ćwierć/in·teli/gent;
  ~gen·ci

ćwierć/nuta
ćwierć/wiecze
ćwierk·nąć; ~nął, ~nęli
ćwikła
ćwir!
ćwok

D

dach
dacharz
dachó|w·ka; ~w·ce
dacza
dać; dadzą
dada/izm; ~izmie
dageroty/pia; ~pii
dai·monion
daktylo·gra/fia; ~fii
daktylo·sko/pia; ~pii
daktylo/wiec; ~w·ców
dal; dali
dalaj/lama
dalekobież·ny
dalekopis
dalekosięż·ny
dalekowidz
dalekowidz·two
daleko/wschod·ni
daleko/wzrocz·ny
da/lia; ~lii
dalibóg
dal·szo·planowy
dal·szy; ~si
dal·toni·sta; ~ści
dal·to/nizm; ~nizmie
damasceń·ski; ~scy (od
  Damaszek)
Damian
damsko-męski
damul·ka; ~ce

Danaida
dan·dys
Da/nia; ~nii
danie; dań
daniel
dan·ser; ~serzy
dan·sing lub dan·cing
dan·tej·ski
Danu/ta; ~cie
dań; dani
dar; darze
dar/czyń·ca
darem·nie
Dariusz
darmo/cha; ~sze
dar·mo/zjad; ~zjadzie
darń; dar·ni
da/rować; ~ruje
daro/wizna; ~wiź·nie
darwi/nizm; ~nizmie
da/rzyć; ~rz·cie
da/szek; ~sz·ków
da/tek; ~t·ków
da/tować; ~tuje
da|w·ca; ~w·ców
Da/wid; ~widzie
da|w·ka; ~w·ce
daw·kować; ~kuje
dawno miniony
dąb; dębie
dąb·czak

dą/bek; ~b·ków
dąb·rowa
dąb·row·ski; ~scy
dąb·row·szczak
dąb·ró|w·ka; ~w·ce
dąć; dmie, dął, dęli,
  dęty
dąsać się
dąż·ność
dą/żyć; ~ż·cie
dbałość
dcn. (dalszy ciąg
  nastąpi)
deba/tować; ~tuje
de/bel
debi/lizm; ~lizmie
debiutan·cki; ~c/cy
debiu/tant; ~tan·ci
debli·sta; ~ści
decen·traliza·cja; ~cji
dech; tchu, tchem
de/cha; ~sze
de/chrystianiza·cja;
  ~cji
decybel (skrót: dB)
decy/dent; ~den·ci
decy/dować; ~duje
decy/metr; ~metrze
  (skrót: dm)
decy·zja; ~zji
deduk·cja; ~cji

dedyka·cja; ~cji
de/fekt; ~fekcie
defen·sywa
defe/tyzm; ~tyzmie
defi/cyt; ~cycie
defila/da; ~dzie
defini·cja; ~cji
definien·dum
defi/niens; ~nien·sie
definitywnie
de·fla·cja; ~cji
defor·ma·cja; ~cji
defor·mować; ~muje
de·fr<u>au</u>/da·cja; ~cji
de·fr<u>au</u>/dant; ~dan·ci
degenera·cja; ~cji
dc·glomera·cja; ~cji
de·grada·cja; ~cji
de·gra/dować; ~duje
de·gren·gola/da; ~dzie
de·gre·sja; ~sji
degusta·cja; ~cji
dehumaniza·cja; ~cji
de/ifika·cja; ~cji
de/iktycz·ny
de/i·sta; ~ści
de/izm; de/izmie
dekabry·sta; ~ści
deka/da; ~dzie
dekaden·cja; ~cji
dekaden·cki; ~c/cy
deka/dent; ~den·ci
dekaden·tyzm;
   ~tyzmie
deka/gram (*skrót:*
   dag)
dekalog
deka/nat; ~nacie
dekapitaliza·cja; ~cji
dekarz
dekatyza·cja; ~cji

de/kiel; ~k·li *lub*
   ~k·lów
de·klama·cja; ~cji
de·kla/mować; ~muje
de·klara·cja; ~cji
de·klasa·cja; ~cji
de·klina·cja; ~cji
deko/der; ~derze
deko/dować; ~duje
dekoloniza·cja; ~cji
de/kolt; ~kol·cie
dekom·ple/tować;
   ~tuje
dekom·pozy·cja; ~cji
dekom·pre·sja; ~sji
dekomuniza·cja; ~cji
dekon·cen·tra·cja; ~cji
dekon·spira·cja; ~cji
dekora·cja; ~cji
dekoracyj·ny
dekorator·nia; ~ni
de/kować; ~kuje
dekret; dekrecie
delega·cja; ~cji
delegaliza·cja; ~cji
delegali/zować; ~zuje
delega|t·ka; ~t·ce
delegatu/ra; ~rze
dele/gować; ~guje
delek·tować się; ~tuje
del·fi·cki; ~c/cy
del·fin
de/lia; ~lii
delibera·cja; ~cji
delibe/rować; ~ruje
deli·cja; ~cji
delikates
delikat·nieć; ~nieje,
   ~nieli
deli/kwent; ~kwen·ci
delimita·cja; ~cji

delirium
del·ta; ~cie
deluwium
dema/gog; ~godzy
demago/gia; ~gii
demakijaż
demar·ka·cja; ~cji
demaskator·ski; ~scy
dema·skować; ~skuje
dematerializa·cja; ~cji
demen·cja; ~cji
demen·ti
demen·tować; ~tuje
demilitaryza·cja; ~cji
demistyfika·cja; ~cji
demiurg
demobiliza·cja; ~cji
demo·gra/fia; ~fii
demo·kra·cja; ~cji
demo·kratyza·cja; ~cji
demo·kra/tyzm;
   ~tyzmie
demo/lować; ~luje
demo/lud; ~ludzie
demon
demoni/zować; ~zuje
demon·stra·cja; ~cji
demon·strant;
   ~stran·ci
demon·strować;
   ~struje
demon·taż
demon·tować; ~tuje
demoraliza·cja; ~cji
demorali/zować; ~zuje
dena·cjonaliza·cja; ~cji
de/nar; ~narze
dena|t·ka; ~t·ce
denatu/rat; ~racie
den·drolo/gia; ~gii
den·dryt; den·drycie

dener·wować; ~wuje
den·ko
den/ny
denomina·cja; ~cji
denota·cja; ~cji
den·ty·sta; ~ści
den·tys|t·ka; ~t·ce
denun·cja·cja; ~cji
deon·tolo/gia; ~gii
departa/ment;
~men·cie
depe/szować; ~szuje
depila·cja; ~cji
depo/nent; ~nen·ci
depo/nować; ~nuje
deporta·cja; ~cji
depor·tować; ~tuje
depo/zyt; ~zycie
depozytariusz
de·prawa·cja; ~cji
de·pre·cja·cja; ~cji
de·pre·cjo/nować;
~nuje
de·pre·sja; ~sji
de·pry/mować; ~muje
de·prywatyza·cja; ~cji
deputa·cja; ~cji
depu/tat; ~tacie
deputowany
de/ra; ~rze
deratyza·cja; ~cji
der·by
deresz
der·matolo/gia; ~gii
derwisz
derywa·cja; ~cji
de/sant; ~san·cie
desan·to/wiec; ~w·ców
deseń
de/ser; ~serze
de|s·ka; ~s·ce

deskorol·ka; ~ce
de·skryp·cja; ~cji
de·spekt; ~spekcie
de·spera·cja; ~cji
de·spera·cki; ~c/cy
despo|t·ka; ~t·ce
despo/tyzm; ~tyzmie
de·stabiliza·cja; ~cji
de·struk·cja; ~cji
destyla·cja; ~cji
destylar·nia; ~ni
desty/lować; ~luje
desu *lub* des/sou
desusy
desygna·cja; ~cji
desyg·nat; ~nacie
desyg·nować; ~nuje
desyn·chroniza·cja;
~cji
deszcz; deszczu *lub*
dżdżu
deszczomierz
deszczow·nia; ~ni
deszczó|w·ka; ~w·ce
deszczuł·ka; ~ce
deszyfra·cja; ~cji
deszyf·rant; ~ran·ci
deszyfraż
detalicz·ny
detali·sta; ~ści
detek·tor; ~torze
detektyw
deter·gent; ~gen·cie
deter·mina·cja; ~cji
deter·mi/nizm;
~nizmie
detona·cja; ~cji
detona/tor; ~torze
de·troniza·cja; ~cji
deu/ter; ~terze
dewaloryza·cja; ~cji

dewalua·cja; ~cji
dewa/luować; ~luuje
dewasta·cja; ~cji
dewa·stować; ~stuje
dewia·cja; ~cji
dewiant; dewian·ci
dewiza
dewi|z·ka; ~z·ce
dewo·cja; ~cji
dewo·cjonalia
dewoń·ski
dewo|t·ka; ~t·ce
dezabil
dez·aktualiza·cja; ~cji
dez·aktywa·cja; ~cji
dez·aktywiza·cja; ~cji
dez·aproba/ta; ~cie
dez·atomiza·cja; ~cji
deza/wuować; ~wuuje
dezer·cja; ~cji
dezer·ter; ~terzy
dezerte/rować; ~ruje
dez·in·for·ma·cja; ~cji
dez·in·for·mować;
~muje
dez·in·tegra·cja
dez·odo/rant; ~ran·cie
dez·oksyrybonukle/-
inowy (kwas, *skrót:*
DNA)
dez·or·ganiza·cja; ~cji
dez·orien·ta·cja; ~cji
dezyde/rat; ~racie
dezyn·fek·cja; ~cji
dezyn·sek·cja; ~cji
dęba (stanąć)
dęb·czak
Dębica
dębina
Dęblin
dęb·niak

dębowy
dę|t·ka; ~t·ce
dę/ty; ~ci
diabel·ski; ~scy
diabeł
diabetyk
diabląt·ko
diabolicz·ny
dia·chro/nia; ~nii
diadem
diagnoza
dia/gram
diak
diakon
dia·krytycz·ny
dia/lekt; ~lekcie
dialektolo/gia; ~gii
dialekty/ka; ~ce
dialektyza·cja; ~cji
dializa
dialog
dia/ment; ~men·cie
diametral·nie
Diana
diapozytyw
diariusz
dia·skop
dia·spo/ra; ~rze
diater·mia; ~mii
didaskalia
diece·zja; ~zji
diece·zjal·ny
diesel
dieslow·ski
die/ta; ~cie
dietety|cz·ka; ~cz·ce
di/ler *lub* dea/ler;
  ~lerzy
di/nar; ~narze
dino/za̲u̲r; ~za̲u̲/rze
din·toj·ra; ~rze

dio/da; ~dzie
Dionizos
diop·tria; ~trii
diplodok
dipol
disc jockey
disco
discopolo
diuk
diuna
diver·timen·to
diwa
dlaboga!
dlaczego
dlaczegóż *lub*
  dlaczegoż
dla niepo/znaki
dlań (dla niego)
dlatego
dła/wić; ~w·cie
dłoń
dłu/bać; ~b·cie
dług
długach·ny
dłu/gi; ~dzy, ~ż·szy
dłu/go; ~żej
długodys·tan·so/wiec;
  ~w·ców
długo/grający
długolet·ni
długometrażowy
długo oczekiwany
długopis
długość
długo/ter·minowy
długo/trwały
długowiecz·ny
długo/wło/sy; ~si
dłu/to; ~cie
dłu/tować; ~tuje
dłu·żni|cz·ka; ~cz·ce

dłuż·ny
dłuż·szy
dłużyć się
dłu/żyzna; ~żyź·nie
dmucha/wiec; ~w·ców
dmucha|w·ka; ~w·ce
dmuch·nąć; ~nął, ~nęli
dn. (*dnia*)
DNA (*kwas dezoksy-
  rybonukleinowy*)
dnieć; dnieje
Dniepr; Dnieprze
Dniestr; Dniestrze
dnió|w·ka; ~w·ce
dno; dnie
doba; dób
dober·man
do/bić; ~bije
do/biec *lub* do/-
  bieg·nąć; do/biegł
dobijać
dobi|t·ka; ~t·ce
dobit·nie
dobosz
do/bór; ~borze
dobra; dóbr
do/brać; ~bierze,
  ~bierz·cie
dobranoc
dobrano|c·ka; ~c/ce
do/brnąć; ~brnij·cie,
  ~brnął, ~brnęli
dobrobyt
dobroczyn/ność
dobroczyń·ca
dobrodusz·ny
dobro/dziej; ~dziejów
  lub ~dziei
dobrodziej·stwo
dobrosąsie|dz·ki;
  ~dz·cy

dobrot·liwy
dobrowol·ny
dobry wieczór
dobrze
dobu/dować; ~duje
dobudó|w·ka; ~w·ce
dobu/dzić; ~dzę,
 ~dź·cie
do/być; ~bądź·cie
doby/tek; ~t·ku
docelowo
doce/nić; ~ń·cie
do/cent; ~cen·ci
 (*skrót:* doc.)
dochodowość
docho/dzić; ~dzę,
 ~dź·cie
docho/wywać; ~wuje
do/chód; ~chodzie
do/chra/pać się; ~p·cie
dociąć; do/tnie,
 dociął, docięli
dociąg·nąć; ~nął, ~nęli
docią/żyć; ~ż·cie
do/ciec; ~ciek·nie *lub*
 ~ciecze, ~ciek·nij·cie
 lub ~ciecz·cie, ~ciekł
dociek·liwy
docierać
docinać
doci|s·nąć; ~ś·nie,
 ~ś·nij, ~s·nął,
 ~s·nęli, ~ś·nięty
do cna
docu/cić; ~cę, ~ć·cie
docze/pić; ~p·cie
docze|p·ka; ~p·ce
docze|s·ny; ~ś·ni
doczła/pać; ~p·cie
do czynienia
do czysta

do/czyścić; ~czyszczę,
 ~czyść·cie
do/dać; ~dadzą
dodat·kowy
do/dru/kować; ~kuje
do/drzeć; ~darł
dodu/sić; ~szę, ~ś·cie
do dziś dnia
do/dzwo/nić się;
 ~ń·cie
dofinan·sować; ~suje
dog (*pies*)
doga/dywać się; ~duje
doga/sić; ~szę, ~ś·cie
doga|s·nąć; ~ś·nie, ~sł
 lub ~s·nął
do/glądać
do/gła/dzić; ~dzę,
 ~dź·cie
do głębi
do/głęb·ny
dogma/tyzm; ~tyzmie
do/godzić; ~godzę,
 ~gódź·cie
dogo/nić; ~ń·cie
dogorywać
dogo/tować; ~tuje
do góry nogami
do grun·tu
do/gry|w·ka; ~w·ce
do/gryźć; ~gryź·cie,
 ~gryzł, ~gryź·li
do/grze/bać; ~b·cie
dogrzewać
doho/lować; ~luje
do/ić; doję, do/i, dój,
 do/ił
do/igrać się
do/in·for·mować;
 ~muje
do/in·we·stować; ~stuje

dojarz
do/jazd; ~jeździe
dojąć; doj·mie,
 doj·mij, dojął, dojęli
doje/chać; ~dzie,
 ~dź·cie
do/jeść; ~jedzą,
 ~jedz·cie, ~jadł
dojeżdżać
doj·mować; ~muje
doj·mujący
doj·ny
doj·rzałość
doj·rzeć; ~rzy
doj·rzeć; ~rzeje
doj·ście
dojść; doj·dzie,
 dojdź·cie, doszedł
do jutra
dok (*w stoczni*)
do/kar·mić; ~mię, ~mi,
 ~m/my
doka/zać; ~że, ~ż·cie
doka/zywać; ~zuje
dokąd bądź
dokąd/kolwiek
dokądś
do/ker; ~kerzy
do/kleić; ~kleję, ~klei,
 ~klej·cie, ~kleił
do/kła|d·ka; ~d·ce
do/kład·ny
dokoluś·ka
dokoła *lub* dookoła
dokom·ple/tować;
 ~tuje
dokom·po/nować;
 ~nuje
doko/nywać; ~nuje *lub*
 ~nywa
do koń·ca

dokoń·czyć; ~cz·cie
doko·op·towáć; ~tuje
do/krę/cić; ~cę, ~ć·cie
dokrę|t·ka; ~t·ce
do/kroić; ~kroję,
  ~kroi, ~krój, ~kroił
do/kształ·canie
do/kształ·cić; ~cę, ~ć·cie
doktor (skrót: dr);
  doktorzy
dokto/rant; ~ran·ci
doktor honoris c<u>au</u>/sa
doktorostwo
doktory/zować; ~zuje
dok·tryner·stwo
dokuczać
dokucz·li/wy; ~w·szy
doku/ment; ~men·cie
dokumen·ta·cja; ~cji
dokumen·tal·ny lub
  dokumen·tar·ny
doku/pić; ~p·cie
do/kwate/rować; ~ruje
do/lać; ~leje, ~leli lub
  ~lali
dolaró|w·ka; ~w·ce
dola/tywać; ~tuje
dole/cieć; ~cę, ~ć·cie,
  ~cieli
doleg·liwość
dole|w·ka; ~w·ce
do/leźć; ~leź·cie, ~lazł,
  ~leź·li
dole/żeć; ~ż·cie, ~żeli
do licha
doli/czyć; ~cz·cie
dolin/ny
dol·nołuży·cki; ~c/cy
dol·no/ślą·ski; ~scy
Dol·ny Śląsk
dolo/mit; ~micie

doła/dować; ~duje
dołą/czyć; ~cz·cie
do/łować; ~łuje
do/łożyć; ~łóż·cie
doma/lować; ~luje
do/mar·znąć; ~znie,
  ~zł lub ~znął,
  ~znięty
doma/tor; ~torzy
domel·dować; ~duje
do/miar; ~miarze
domie/rzyć; ~rz·cie
domie|sz·ka; ~sz·ce
domięśniowy
domina·cja; ~cji
domina|n·ta; ~n·cie
dominikanin
dominium
domi/nować; ~nuje
do/mknąć; ~mknij·cie,
  ~mknął, ~mknęli
do/mknięcie
do/młó/cić; ~cę, ~ć·cie
do mnie
do/mniemywać
domofon
domo/krąstwo
domo/krą|ż·ca; ~ż·ców
domo/rosły; ~roś·li
domostwo
domó/wić; ~w·cie
domykać
domyślić się;
  domyśl·cie
domyśl·ny
do naga
Donald
do niczego
doni|cz·ka; ~cz·ce
do niedawna
do niepo/znaki

do niepo/znania
do/nieść; ~nieś·cie,
  ~niósł, ~nieś·li
donikąd
do/niosły; ~nioślej·szy
Don/kiszot lub Don
  Kichot
don/kiszote/ria; ~rii
donosiciel·stwo
dono/sić; ~szę, ~ś·cie
donoś·ny
don/żuan
don/żuane/ria ~rii
doń (do niego)
dookoła lub dokoła
dopa/sować; ··suje
do/paść; ~padł
do/paść, ~paś·cie,
  ~pasł, ~paś·li
dopa·trywać się; ~truje
do/patrzyć; ~patrz·cie
do/pchnąć; ~pchnij·cie,
  ~pchnął, ~pchnęli
do peł·na
dopeł·niacz
dope|ł·nić; ~łnij·cie lub
  ~łń·cie
dopeł·nienie
do/peł|z·nąć; ~z·nie
  lub ~ź·nie, ~z·nął lub
  ~zł, ~z·li lub ~ź·li
dopę/dzić; ~dzę,
  ~dź·cie
do/piąć; do/pnij·cie,
  dopiął, dopięli
do/piec; ~piecz·cie,
  ~piekł
dopiero by
dopijać
dopil·nować; ~nuje
do/ping; ~pin·giem

dopi/sać; ~sz·cie
dopi/sek; ~s·ków
do/pła/cić; ~cę, ~ć·cie
do/pły/nąć; ~ń·cie,
~nął, ~nęli
do/pływ
dopokąd
dopo/mnieć się;
~mnij·cie, ~mnieli
dopo/móc; ~może,
~móż·cie, ~mógł
doposa/żyć; ~ż·cie
dopotąd
dopowie/dzieć;
~dz·cie, ~dzieli
dopoży/czyć; ~cz·cie
dopóki
dopóty
do późna
do/pra/cować; ~cuje
do/prawdy
do/prowa/dzić; ~dzę,
~dź·cie
do/prząc; ~przęże,
~przęż·cie lub
~prząż·cie, ~prząsł,
~przęg·li
do/przęg·nąć; do/-
przęg·nął lub do/-
prząsł, do/przęg·li
do/pust; ~puście
do/puścić; ~puszczę,
~puść·cie
dopy/tywać się; ~tuje
dora|d·ca; ~d·ców
dorad·czy
dora/dzić; ~dzę,
~dź·cie
doradz·two
doraź·ny
do reszty

dorę/czyć; ~cz·cie
doro/bek; ~b·ku
do/robić; ~rób·cie
dorob·kiewiczostwo
dorob·kiewiczow·ski;
~scy
dorocz·ny
doro|s·ły; ~ś·li,
~ś·lej·szy
do/ros·nąć; ~roś·nij,
~rósł, ~roś·li
do roz/puku
doro|ż·ka; ~ż·ce
doroż·karz
dorość – zob.
doros·nąć
do równa
dorów·nywać; ~nuje
do/rwać się; ~rwij
dory·cki; ~c/cy
dory/sować; ~suje
doryw·czy
dorzecze
dorzecz·ny
do rzeczy
do/rznąć; ~rznij·cie,
~rznął, ~rznęli
dorzu/cić; ~cę, ~ć·cie
do/rżnąć; ~rżnij·cie,
~rżnął, ~rżnęli
dosa/dzić; ~dzę,
~dź·cie
do/schnąć; ~schnął lub
~sechł, ~schli
dosiąc – zob.
dosięg·nąć
do/siąść; ~siądź·cie,
~siadł, ~sied·li
do siebie
dosie/dzieć; ~dzę,
~dź·cie, ~dzieli

do siego (roku)
dosięg·nąć; dosięg·nął
lub dosiągł, dosięg·-
nęli lub dosięg·li
do/sko/czyć; ~cz·cie
doskonały
do/skór·ny
do/skwierać
do/słać; ~śle, ~ślij·cie
do/słać; ~ściele,
~ściel·cie
do/słodzić; ~słodź·cie
lub ~słódź·cie
do/słow·nie
do/słu/żyć; ~ż·cie
do/sły/szeć; ~sz·cie,
~szeli
do/sma/żyć; ~ż·cie
do/solić; ~sól·cie
do/spać; ~śpij·cie
dos/sier
do/stać; ~stanie,
~stań·cie
do/stać; ~stoję, ~stoi,
~stój·cie
do/star·czyć; ~cz·cie
do/statecz·nie
do/sta/tek; ~t·ku
do/sta|w·ca; ~w·ców
do/staw·czy
do/sta/wić; ~w·cie
do/sta|w·ka; ~w·ce
do/stą/pić; ~p·cie
do/stęp·ny
do/stę/pować; ~puje
do/stojeń·stwo
do/stoj·ny
do/sto/sować; ~suje
do/stro/ić; ~stroję,
~stro/i, ~strój·cie
~stro/ił

82

do/strojenie
do/strzec; ~strzeże,
~strzeż·cie, ~strzegł,
~strzeg·li, ~strzeżony
do/strzegal·ny
do/stu/dzić; ~dzę,
~dź·cie
do sucha
dosu/nąć; ~ń·cie, ~nął,
~nęli
dosu/szyć; ~sz·cie
dosychać
dosyć
dosy/pać; ~p·cie
do syta
do/szczęt·nie
do szczętu
do/szkolić; ~szkol·cie
lub ~szkól·cie
do/szlu/sować; ~suje
doszu/kiwać się; ~kuje
do/ścig·nąć; ~nij·cie,
~nął, ~nęli
dość
do/środ·kować; ~kuje
do/świad·czenie
do/świad·czyć; ~cz·cie
do/świet·lić
dota·cja; ~cji
do/tasz·czyć; ~cz·cie
dotąd
do tego
dotętniczy
do/tkli/wy; ~w·szy
do/tknąć; ~tknij·cie,
~tknął, ~tknęli
do/tle/nić; ~ń·cie
do/tłuc; ~tłucz·cie,
~tłukł
do/tować; ~tuje
do/trwać

do/trzeć; ~tarł
do/trzy/mywać; ~muje
do/tworzyć; ~twórz·cie
dotych/czas
dotych/czasowy
doty/czyć
dotyk
do tyłu
do/uczyć; ~ucz·cie
do upadłego
do u/słyszenia
do/ust·nie
dowarto·ściowáć;
~ściuje
dowa/rzyć; ~rz·cie
(dogotować)
dowa/żyć; ~ż·cie (za
pomocą wagi)
dowcip·kować; ~kuje
dowcip·niś
do wczoraj
do we/wnątrz
dowę/dzić; ~dzę,
~dź·cie
dowia/dywać się;
~duje
do widzenia
dowie/dzieć się;
~dz·cie, ~dzieli
dowier·cić; ~cę, ~ć·cie
dowierzać
do/wieść; ~wiedź·cie,
~wiódł, ~wied·li
do/wieźć; ~wieź·cie,
~wiózł, ~wieź·li
do/wlec; ~wlecz·cie,
~wlókł lub ~wlekł,
~wlek·li
do wnętrza
do/wodzić; ~wodzę,
~wódź·cie

do woli
dowol·ny
do/wozić; ~wożę,
~woź·cie lub ~wóź·cie
do/wód; ~wodzie
dowód·ca (skrót: dca
lub d-ca)
dowód·czy
dowódz·two
dowóz
do wyboru
doza; doz lub dóz
do/zbro/ić; do/zbroję,
do/zbro/i, do/zbrój,
do/zbro/ił
do/zgon/ny
do/znać
dozorcostwo
dozo/rować; ~ruje
do/zować; ~zuje
do/zór; ~zorze
do/zwolić; ~zwól·cie
dozyme·tria ~trii
doża; dożów
do/żąć; ~żnij·cie, ~żął,
~żęli (zboże)
doże·glować; ~gluje
do/żyć; ~żyje
dożyl·ny
dożyn·ki
dożywać
do żywego
doży/wić; ~w·cie
dożywot·ni
dój·ka; ~ce
dół
drab
drabiniasty
drabin·ka; ~ce
drachma
drago/nia; ~nii

dragoń·ski; ~scy (od
   dragon)
dra/ka; ~ce
drakoń·ski; ~scy
dramatopisarz
dramatur·gia; ~gii
dramatyza·cja; ~cji
drań·stwo
drape/ria; ~rii
drapi/chrust;
  ~chruście
drapież·ca
drapież·czy
drapież·nictwo
drap·nąć; ~nął, ~nęli
dra/pować; ~puje
dra|s·nąć; ~s·nę, ~ś·nie,
  ~ś·nij, ~s·nął, ~s·nęli
drastycz·ny
drate|w·ka; ~w·ce
dratwa
Draw·sko
draże|t·ka; ~t·ce
draż·li/wy; ~w·szy
draż·nić; ~nij·cie lub
  ~ń·cie
drąg
drą/żek; ~ż·ków
drą/żyć; ~ż·cie
drelichowy
drenaż
dre/nować; ~nuje
dre|p·tać; ~pcz·cie
dres lub dresy; dresów
dreszcz
dreszczo/wiec; ~w·ców
drewien·ko
drew·ko
drew·niany
drew·nopochod·ny
drewut·nia; ~ni

Drez·no; Dreź·nie
drę/czyć; ~cz·cie
dręt·wy; ~wi
drga|w·ka; ~w·ce
drgnąć; drgnij, drgnął,
  drgnęli
driada
driakiew
drink; drin·kiem
drobiar·stwo
drobiazgowość
drobiaż·dżek; ~dż·ków
drobić; drób·cie
drobniu|t·ki; ~t·cy
drob·nomieszczań·ski
drob·nos|t·ka; ~t·ce
drob·no/szlache·cki;
  ~c/cy
drob·no/u/strój
dro/czyć się; ~cz·cie
droga; drodze, dróg
droge/ria; ~rii·
dro/gi; ~dzy, ~ż·szy
dro/go; ~żej
drogocen/ny
drogo/wiec; ~w·ców
drogo/wskaz
drogó|w·ka; ~w·ce
Drohiczyn
Drohobycz
drop; dropi lub
  dropiów
drops
drozd; droździe
drożdże
drożdżó|w·ka; ~w·ce
dro/żeć; ~żeje
droż·ność
droż·szy
drożyć się; droż·cie lub
  dróż·cie

drożyna
dro/żyzna; ~żyź·nie
drób
dró|ż·ka; ~ż·ce (od
  droga)
dróż·nik
druciany
druciarz
drucik
dru/czek; ~cz·ków
dru/gi; ~dzy
drugoligo/wiec;
  ~w·ców
drugorocz·ny
drugorzęd·ny
drugo/stron/ny
druh
druh·na
dru/id; dru/idzi
drukar·nia; ~ni
drukarz
dru/kować; ~kuje
drum·la
drut; drucie
druzgo/tać; ~cz·cie
druż·ba
dru|ż·ka; ~ż·ce
  (druhna)
drużyna
drwa; drew
drwal
drwę·cki; ~c/cy (od
  Drwęca)
drwić; drwij·cie
dryblas
drybling
dry/fować; ~fuje
dryg
dryg·nąć; ~nął, ~nęli
dry/lować; ~luje
dry|n·da; ~n·dzie

drzaz·ga; ~dze
drzeć; darł, dar·li
drze/mać; ~mię, ~mie,
  ~m/my
drzew·ce
drzewiarz
drzew·ko
drzewo/ryt; ~rycie
drzeworyt·nictwo
drzewo/stan
drzewo/zna|w·ca;
  ~w·ców
drzewo/znaw·stwo
drzwiczki
drżą|cz·ka; ~cz·ce
drżeć; drżeli
dua/lizm; ~lizmie
dub/bing
dubel·tó|w·ka; ~w·ce
du·bler; ~blerzy
du·blet; ~blecie
duby smalone
duch
ducho/ta; ~cie
duchowień·stwo
duchowy
du/da; ~dzie
du/dek; ~d·ków
dud·nić; ~nij
dudziarz
duet; duecie
duf·ny
dujawica
dukać
du/kat; ~kacie
dukt; dukcie
Dulcy/nea; ~nei, ~neę
dulka
dul·szczyzna;
  ~szczyź·nie
dum·ka; ~ce

dum·ny
dum·ping
Dunaj
Dunajec
duń·ski; ~scy
dupa
duperele
dupli/kat; ~kacie
dur; durze
dura/leks; ~leksie
dur/aluminium
dureń
dur·szlak
du/rzyć się; ~rz·cie
du/sić; ~szę, ~ś·cie
dusza
duszkiem (wypić)
Duszniki
dusz·no
dusz/paster·ski
dusz/paster·stwo
dusz/pasterz
duszy|cz·ka; ~cz·ce
duży; duzi, więk·szy
dwa; dwóch lub dwu,
  dwom lub dwóm
dwadzieścia pięć
dwadzieścioro pięcioro
dwa/kroć
dwanaście
dwanaścio/ro; ~r·ga
dwie·ście; dwu/stu
dwie·ście dwadzieścia
  dwa
dwie trzecie
dwo/ić; dwoję, dwo/i,
  dwój·cie, dwo/ił
dwo/in·ka; ~ce
dwo/isty
dwo/iście
dwoja|cz·ki; ~cz·ków

dwoje; dwoj·giem
dwo/rować; ~ruje
dwor·ski; ~scy
dworzanin
dworzec
dworzyszcze
dwóch/set/lecie lub
  dwuset/lecie
dwóch/set·ny lub
  dwuset·ny
dwója; dwó/i; dwój
dwójarz
dwój·ka; ~ce
dwój/nasób (w
  dwójnasób)
dwóm lub dwom
dwór; dworze
dwór·ka; ~ce
dwu/aktó|w·ka; ~w·ce
dwu/boista; ~boiści
dwu/bój; ~boju
dwuczęściowy
dwudzies|t·ka; ~t·ce
dwudziesto/cztero-
  godzin/ny
dwudziestojed·nolet·ni
dwudziesto/krot·nie
dwudziestolecie
dwudziesty pierwszy
dwu/dźwięk
dwugodzin/ny
dwu/groszó|w·ka;
  ~w·ce
dwukół·ka; ~ce
dwu/krot·nie
dwula/tek; ~t·ków
dwumian
dwumiesięcz·nik
dwunas|t·ka; ~t·ce
dwunast·nica
dwunastolet·ni

dwunasto/zgłosko/-
  wiec; ~w·ców
dwunasty
dwunoż·ny
dwuod/działowy
dwupien/ny
dwupiętrowy
dwupoló|w·ka; ~w·ce
dwuroż·ny
dwurur·ka; ~ce
dwu/rząd; ~rzędzie
dwurzędowy
dwuset/lecie *lub*
  dwóch/set/lecie
dwuset·ny *lub*
  dwóch/set·ny
dwusiecz·na
dwu/stron/ny
dwu/stulecie *lub*
  dwu/stolecie
dwu/stu/złotó|w·ka;
  ~w·ce
dwusuw
dwuszereg
dwu/ślad; ~śladzie
dwu/tlenek
dwutygod·nik
dwutysięcz·ny
dwuwiersz
dwu/władza
dwuwymiarowy
dwu/zmianowy
dwu/znacz·ny
dy/cha; ~sze
dychawicz·ny
dychoto/mia; ~mii
dydaktycz·ny
dydak·tyzm; ~tyzmie
dyferen·cja·cja; ~cji
dyfte/ryt; ~rycie
dy·ftong; ~fton·giem

dyfu·zja; ~zji
dyg·nąć; ~nął, ~nęli
dygnitarz
dygo/tać; ~cz·cie
dygre·sja; ~sji
dyk·cja; ~cji
dykta; dykcie
dyktafon
dykta|n·do; ~n·dzie
dykta/tor; ~torzy
dyktatu/ra; ~rze
dykteryj·ka; ~ce
dyk·tować; ~tuje
dyle/mat; ~macie
dyletan·cki; ~c/cy
dyletan·ctwo
dyle/tant; ~tan·ci
dyletan·tyzm; ~tyzmie
dyli/żans; ~żan·sie
dylu-dylu
dyluwium
dy/mić; ~mię, ~mi,
  ~m/my
dymi·sja; ~sji
dymisjo/nować; ~nuje
Dymitr; Dymitrze
dym·nik
dymo/chłon/ny
dynami/ka; ~ce
dyna/mit; ~micie
dynamiza·cja; ~cji
dynamo/metr;
  ~metrze
dyna·stia; ~stii
dyn·dać
dyn·gus
dy/nia; ~ni
dynoseku|n·da; ~n·dzie
dyploma·cja; ~cji
dyplo/mant; ~man·ci
dyploma/ta; ~cie

dyplomatycz·no-kon·-
  sular·ny
dyplomowany
dyr·dymał·ka; ~ce
dyrek·cja; ~cji
dyrek·tor; ~torzy
  (*skrót:* dyr.)
dyrek·to/riat; ~riacie
dyrek·torostwo
dyrek·tor·ski; ~scy
dyrek·tywa
dyrygen·cki; ~c/cy
dyry/gent; ~gen·ci
dyry/gować; ~guje
dyscyplina
dyscyplinar·ny
dyserta·cja; ~cji
dys·gra/fia; ~fii
dys·har·mo/nia; ~nii
dys·ho/nor; ~norze
dys·junk·cja; ~cji
dysk·dżokej – *częściej*
  disc jockey
dyskie|t·ka; ~t·ce
dyskobol
dys·kom·fort; ~for·cie
dys·kon·tować; ~tuje
dyskote/ka; ~ce
dys·kre·cja; ~cji
dys·kredyta·cja; ~cji
dys·kret·ny
dys·krymina·cja; ~cji
dys·kurs
dys·ku·sja; ~sji
dys·kusyj·ny
dys·ku/tant; ~tan·ci
dys·kwalifika·cja; ~cji
dys·kwalifi/kować;
  ~kuje
dys·lek·sja; ~sji
dys·loka·cja; ~cji

dyso·cja·cja; ~cji
dyso/nans; ~nan·sie
dys·pe|n·sa; ~n·sie
dys·per·sja; ~sji
dys·po/nent; ~nen·ci
dys·pozy·cja; ~cji
dys·pozycyj·ność
dys·pozytor·nia; ~ni
dys·pozytu/ra; ~rze
dys·propor·cja; ~cji
dys·pu/ta; ~cie
dys·tans; ~tan·sie
dys·trybu·cja; ~cji
dys·trybu/tor; ~torze
dy·stych
dys·tyn·gowany
dys·tynk·cja; ~cji
dys·tynk·tywny
dysyden·cki; ~c/cy
dysy/dent; ~den·ci
dysymila·cja; ~cji
dysza
dy/szeć; ~sz·cie, ~szeli
dyszel
dysz·kant; ~kan·cic
dytyramb
dywaga·cja; ~cji
dywanik
dywer·sant; ~san·ci
dywer·sja; ~sji
dywide|n·da; ~n·dzie
dywi·zja; ~zji
dywi·zjon
dyzen·te/ria; ~rii
dy/żur; ~żurze
dyżur·ny
dzbanu/szek; ~sz·ków
dziab·nąć; ~nął, ~nęli
dziać się; dzieje
dziad; dziadzie
dzia/dek; ~d·ka

dziadostwo
dziadow·ski; ~scy
dziadunio
dziaduś
działa|cz·ka; ~cz·ce
działal·ność
działko/wiec; ~w·ców
dzianina
dziar·ski; ~scy
dziat·ki
dziat·wa
dziąsło; dziąśle
dzicz
dzi/czeć; ~czeje, ~czeli
dzi/czyzna; ~czyź·nie
dzi/da; ~dzie
dzidziuś
dzieciar·nia; ~ni
dzieciąt·ko
dzie/cię; ~cięcia, ~ciąt
dziecięctwo
dziecięcy
dziecina/da; ~dzie
dzieci|n/nieć; ~n/nieje,
  ~n/nieli
dziccin/ny
dzieciń·stwo
dzieciobój·stwo
dzieciuch
dziecko; dzieć·mi
dziedzic
dziedzictwo
dziedzicz·ność
dziedzi/czyć; ~cz·cie
dziedzina
dziedzi/niec; ~ń·ców
dzie/gieć; ~g·ciu
dziejopisar·stwo
dziejo/twór·czy
dzieka/nat; ~nacie
dziekań·ski; ~scy

dzielić
dziel·nica
dziel·ność
dzieło
dzien/ni/czek; ~cz·ków
dzien/nie
dzien/nik
dzien/nikarz
dzien/ny
dzień/doberek!
dzień dobry
dzień w dzień
dzier·gać – *rzadziej*
  dzierz·gać
dzier·la|t·ka; ~t·ce
dzierża|w·ca; ~w·ców
dzierżaw·czy
dzierża/wić; ~w·cie
dzierżyć; dzierż·cie
dzierży/mor·da; ~dzie
dziesią|t·ka; ~t·ce
dziesięcina
dziesięcio/bo/ista;
  ~iści
dziesięcio/bój; ~boju
dziesięcio/groszó|w·ka;
  ~w·ce
dziesięciolecie
dziesięciopiętrowy
dziesięcio/ro; ~r·ga
dziesięciotysięcz·ny
dziesięcio/złotó|w·ka;
  ~w·ce
dziesięć tysięcy
dziesięt·ny
dziet·ny
dziewan/na
dziewcząt·ko
dziew·czę; ~częcia,
  ~cząt
dziewczęcy

dziewczyn·ka; ~ce
dziewiar·sko-poń·-
 czosz·niczy
dziewiarz
dziewią|t·ka; ~t·ce
dziewiąty
dziewica
dziewictwo
dziewięciolet·ni
dziewięcio/ro; ~r·ga
dziewięć/dzie/siąt
 dwa; ~sięciu dwu
dziewięć dziesiątych
dziewięć/dziesiąty drugi
dziewięć/dziesięciolet·ni
dziewięć/dziesięcio/-
 ośmiolet·ni
dziewięć/dziesięcio/ro;
 ~r·ga
dziewię|ć/set; ~ciuset
dziewięć/set/let·ni
dziewięć/set·ny
dziewięć/sił
dziewięć tysięcy
dziewięt/nas|t·ka; ~t·ce
dziewięt/nastola/tek;
 ~t·ków
dziewięt/nastowiecz·ny
dziewięt/na·sty
dziewięt/na·ście
 tysięcy
dziewięt/na·ścio/ro;
 ~r·ga
dzie|w·ka; ~w·ce
dzie/woja; ~woi
dzieworódz·two
dziewo·słąb lub
 dziewo·słęb
dziewu/cha; ~sze
dziewu|sz·ka; ~sz·ce
dzieża

dzięcielina
dzięcioł
dzię/giel; ~gli lub
 ~gieli
dzięk/czyn/ny
dzięki
dzię/kować; ~kuje
dzi/ki; ~cy, '~k·szy
dziku|s·ka; ~s·ce
dziobać; dziob·cie lub
 dziób·cie
dzio/bek lub dzió/bek;
 ~b·ków
dziob·nąć lub dziób·-
 nąć; ~nął, ~nęli
dziób
dzi/ryt; ~rycie
dzisiaj
dzisiej·szy; ~si
dziś
dzium·dzia
dziupla
dziu/ra; ~rze
dziura/wić; ~w·cie
dziura/wiec; ~w·ców
dziure|cz·ka; ~cz·ce
dziw
dziwactwo
dziwa/czeć; ~czeli
dziwacz·ny
dziwa/czyć; ~cz·cie
dzi/wić się; ~w·cie
dzi|w·ka; ~w·ce
dziwoląg
dziwożona
dzwo·nić; ~ń·cie
dzwon·ko
dzwon/nica
dzyn·dzel
dźgnąć; dźgnij,
 dźgnął, dźgnęli

dźwięcz·ny
dźwięk
dźwiękona/śladow·czy
dźwięko/szczel·ny
dźwig
dźwig·nąć; ~nął, ~nęli
dźwig·nia; ~ni
Dźwina
dżdżow·nica
dżdżu (od deszcz)
dżdżysty
dżdżyście
dżem
dżen·tel/men lub
 gen·tleman
dżentel/meń·ski; ~scy
dżer·sej lub jersey
dżez – częściej jazz
dżin lub dżinn
 (demon)
dżin lub gin (wódka)
dżins; dżinsie
dżinsy
dżip lub jeep
dżiu-dżitsu lub jujit·su
dżoj/stik – częściej
 joy/stick
dżokej lub jockey
dżokej·ka; ~ce
dżoker lub joker
dżon·ka; ~ce
dżudo lub judo
dżu/dok lub dżu/doka;
 ~docy
dżul
dżuma
dżungla
dży/git; ~gici
Dżyn·gis-chan lub
 Czyn·gis-chan

E

ebo/nit; ~nicie
echo
echoloka·cja; ~cji
echoso|n·da; ~n·dzie
edam·ski (ser)
Ed·mund; ~mun·dzie
eduka·cja; ~cji
Ed·ward; ~war·dzie
edy·cja; ~cji
edykt; edykcie
edy/tor; ~torzy
edytor·stwo
efekciar·stwo
efekciarz
efekt; efekcie
efemery/da; ~dzie
efe·ski; ~scy (od Efez)
egalita/ryzm; ~ryzmie
Egea; Egei, Egeę
egej·ski; ~scy
egi/da; ~dzie
Egipcjanin
egiptolo/gia; ~gii
egocen·tryzm;
  ~tryzmie
egoi·sta; ~ści
egoistycz·ny
egoizm; egoizmie
egoty·sta; ~ści
ego/tyzm; ~tyzmie
eg·zal·ta·cja; ~cji

eg·zaminacyj·ny
eg·zamina/tor; ~torzy
eg·zami/nować; ~nuje
eg·zegeza
eg·zeku·cja; ~cji
eg·zekutywa
eg·ze·kwie; ~kwii
eg·ze·kwować; ~kwuje
eg·zema
eg·zem·plarz
eg·zem·plifika·cja; ~cji
eg·zoder·ma
eg·zor·cyzm; ~cyzmie
eg·zo/sfera; ~sferze
eg·zoter·micz·ny
eg·zotycz·ny
eg·zysten·cja; ~cji
eg·zysten·cja/lizm;
  ~lizmie
eg·zysten·cjal·ny
eg·zys·tować; ~tuje
ejakula·cja; ~cji
ej/że!
ekier·ka; ~ce
ekipa
ek·lek·tyzm; ~tyzmie
ek·ler; ~lerze
eko/klimat
ekolo/gia; ~gii
ekono/mia; ~mii
ekonomicz·ny

ekonomi·sta; ~ści
eko/sfera; ~sferze
ek·raniza·cja; ~cji
eks·celen·cja; ~cji
eks·cen·trycz·ność
eks·cen·tryk
eks·cerp·cja; ~cji
eks·ces
eks·cyta·cja; ~cji
eks·cy/tować; ~tuje
eks·hibi·cjo/nizm;
  ~nizmie
eks·huma·cja; ~cji
eks·hu/mować; ~muje
eks·kluzyw·ny
eks·komuni/ka; ~ce
eks·kre/ment;
  ~men·cie
eks·kur·sja; ~sji
eks·libris
eks-mąż lub eks/mąż
eks·mi·sja; ~sji
eks·mi/tować; ~tuje
eks·pan·sja; ~sji
eks·pan·syw·ny
eks·patria·cja; ~cji
eks·pat/riant; ~rian·ci
eks·pe/dient; ~dien·ci
eks·pe/diować; ~diuje
eks·pedy·cja; ~cji
eks·pedy/tor; ~torzy

eks·pedy/tura; ~turze
eks·per·cki; ~c/cy
eks·pert; ~per·ci
eks·per·tyza
eks·pery/ment;
~men·cie
eks·pia·cja; ~cji
eks·plicyt·ny
eks·plika·cja; ~cji
eks·ploata·cja; ~cji
eks·ploa/tować; ~tuje
eks·plo/dować; ~duje
eks·plora·cja; ~cji
eks·plo·zja; ~zji
eks·po/nat; ~nacie
eks·po/nent; ~nen·ci
eks·po/nować; ~nuje
eks·port; ~por·cie
eks·por·tować; ~tuje
eks-poseł *lub* eks/poseł
eks·pozy·cja; ~cji
eks·pozytu/ra; ~rze
eks·pres – *rzadziej*
ex·pres
eks·pre·sja; ~sji
eks·pre·sjo/nizm;
~nizmie
eks·presyw·ny
eks·taza
eks·ten·sja; ~sji
eks·ten·syw·ny
eks·ter·mina·cja; ~cji
eks·ter·ni·sta; ~ści
eks·terytorial·ny
eks·tra
eks·trady·cja; ~cji
eks·trahować; ~trahuje
eks·trak·cja; ~cji
eks·tra/klasa
eks·trakt; ~trak·cie
eks·trawagan·cja; ~cji

eks·trawagan·cki; ~c/cy
eks·trawer·sja; ~sji
eks·tremi/sta; ~ści
eks·tre/mizm; ~mizmie
eks·tremum
eks-żona *lub* eks/żona
ekumenicz·ny
ekume/nizm; ~nizmie
Ekwador
ek·wilibry·sta; ~ści
ek·wipaż
ek·wi/pować; ~puje
ek·wipunek
ek·wiwalen·cja; ~cji
ek·wiwa/lent; ~len·cie
elabo/rat; ~racie
elanobaweł·na
elastik
elastycz·ny
El·bląg
el·blą·ski; ~scy
elea·cki; ~c/cy
elegan·cja; ~cji
elegan·cki; ~c/cy
ele/gant; ~gan·ci
ele/gia; ~gii
elegij·ny
elek·cja; ~cji
elekt; elek·cie
elek·tor; ~torzy
elek·to/rat; ~racie
Elek·tra; ~trze
elek·troche/mia; ~mii
elek·trociepłow·nia;
~ni
elek·tro/da; ~dzie
elek·trododat·ni
elek·trodynami/ka;
~ce
elek·tro/energety/ka;
~ce

elek·tro/filtr; ~fil·trze
elek·trokar·dio·grafia;
~grafii
elek·tro/lit; ~licie
elek·troliza
elek·troluks
elek·tromagnes
elek·tromagne/tyzm;
~tyzmie
elek·tromechani/ka
elek·tromon·ter; ~terzy
elek·tromotorycz·ny
elek·tron
elek·tronicz·ny
elek·tro·skop
elek·tro/statycz·ny
elek·trotech·ni/ka; ~ce
elek·tro/ujem·ny
elek·trow·nia; ~ni
elek·trowóz
elek·tro/wstrząs
elek·trycz·ny
elek·tryfika·cja; ~cji
elek·tryk
elek·try/zować; ~zuje
ele/ment; ~men·cie
elemen·tarz
Eleono/ra; ~rze
elew
elewa·cja; ~cji
elewa/tor; ~torze
elf
Eliasz
Eligiusz
elik·sir; ~sirze
elimina·cja; ~cji
elimi/nować; ~nuje
elipsa
elipso/i/da; ~dzie
elip·tyczny
elita/ryzm; ~ryzmie

elizej·ski
eli·zja; ~zji
elokwen·cja; ~cji
elokwent·ny
El·żbie/ta; ~cie
el·żbietan·ka; ~ce
El·żu/nia; ~ni
ełcki; ełc/cy (od Ełk)
emab·lować; ~luje
ema/lia; ~lii
ema/liować; ~liuje
emana·cja; ~cji
eman·cypa·cja; ~cji
eman·cypan|t·ka; ~t·ce
Emanuel
em·bar·go
em·ble/mat; ~macie
em·briolo/gia; ~gii
em·brion
emen·tal·ski
emery·cki; ~c/cy
eme/ryt; ~rycie
emerytu/ra; ~rze
em·fatycz·ny
em·faza
emigra·cja; ~cji
emigran·cki; ~c/cy
emi·grant; ~gran·ci
Emi/lia; ~lii
eminen·cja; ~cji
emir; emirze
emisariusz
emi·sja; ~sji
emi/tować; ~tuje
emo·cja; ~cji
emo·cjona/lizm;
~lizmie
emo·cjo/nować się;
~nuje
em·pa/tia; ~tii
em·pire

em·pi/ria; ~rii
em·pirycz·ny
em·pi/ryzm; ~ryzmie
em/ploi
emul·sja; ~sji
en·cefalo·gra/fia; ~fii
en·cykli/ka; ~ce
en·cyklope/dia; ~dii
en·cyklopedy·sta; ~ści
en·cyklope/dyzm;
~dyzmie
en·de·cja; ~cji
en·de·cki; ~c/cy
en·de/mia; ~mii
en·doder·ma
en·do·krynolo/gia; ~gii
en·do/pla·zma; ~zmie
en·doter·micz·ny
Eneasz
Ene̲i/da; ~dzie
ener·getycz·ny
ener·gety/ka; ~ce
ener·gia; ~gii
ener·gicz·ny
ener·go/chłon/ny lub
ener·gio/chłon/ny
ener·go/twór·czy lub
ener·gio/twór·czy
enigmatycz·ny
en·kawudzi·sta; ~ści
en·klawa
en·klity/ka; ~ce
en·ten·ta; ~cie
en·tliczek (pentliczek)
en·toder·ma
en·tomolo/gia; ~gii
en·tro/pia; ~pii
en·tu·zja/sta; ~ści
en·tu·zjazm; ~zjazmie
enun·cja·cja; ~cji
en·zym

eo·cen
Eos
eo·zoicz·ny
epar·chia; ~chii
epa/tować; ~tuje
epej·so/dion; ~dia
epicen·trum
epi·cki; ~c/cy
epicz·ny
epide/mia; ~mii
epidemiolo/gia; ~gii
epider·ma
epidia·skop
epifo/ra; ~rze
epigon
epigo/nizm; ~nizmie
epi·gramat
epi/ka; ~ce
epikure/izm; ~izmie
epilep·sja; ~sji
epilep·ty|cz·ka; ~cz·ce
epilog
epi·sko/pat; ~pacie
epi·stemolo/gia; ~gii
epi·stolo·gra/fia; ~fii
epi·stoła
epitafium
epi/tet; ~tecie
epi/zod; ~zodzie
epo/ka; ~ce
epope/icz·ny
epo/peja; ~pei
epos
Erazm; Erazmie
erek·cja; ~cji
eremi/ta; ~cie
erg
er·gono/mia; ~mii
Eris
er/kaem
er·mitaż

Er·nest; ~neście
ero/dować; ~duje
erotoma/nia; ~nii
ero/tyzm; ~tyzmie
ero·zja; ~zji
er/ra/ta; ~cie
erudy·cja; ~cji
erudy·ta; ~cie
erup·cja; ~cji
ery/nia; ~nii
erysty/ka; ~ce
Erytrea *lub* Erytreja;
  Erytrei
erytro/cyt; ~cycie
er·zac
esauł *lub* asauł
es·be·cja; ~cji
es·bec·ki; ~c/cy
es·bek
ese/ista; ~iści
esej
esen·cja; ~cji
es/es/man
es·ka·dra; ~drze
es·kala·cja; ~cji
es·kapa/da; ~dzie
es·ka/pizm; ~pizmie
Es·kimos
es·kor·ta; ~cie
es·kor·tować; ~tuje
es·kulap (*lekarz*)
es·peran·cki; ~c/cy
es·peran·to
es·peran·ty·sta; ~ści
es·tablish·ment;
  ~men·cie
ester; estrze
es·tety/ka; ~ce
es·te/tyzm; ~tyzmie

Es·to/nia; ~nii
es·tra/da; ~dzie
es·trado/wiec; ~w·ców
es·tyma
esy-floresy
etatyza·cja; ~cji
etażer·ka; ~ce
eter·nit; ~nicie
eterycz·ny
Etio/pia; ~pii
etiu/da; ~dzie
et·nicz·ny
et·no·gra/fia; ~fii
et·nolo/gia; ~gii
et·ru·ski; ~scy
etui
etycz·ny
etykie|t·ka; ~t·ce
etylina
etymolo/gia; ~gii
eu/charys·tia; ~tii
Eu/fe/mia; ~mii
eu/fe/mizm; ~mizmie
eu/fo/nia; ~nii
eu/fo/ria; ~rii
Eu/frat; ~fracie
Eu/ge·nia; ~nii
Eu/geniusz
eu/glena
eu/kaliptus
Eu/klides
eu/nuch
Eur·azja; ~azji
eur·azjaty·cki; ~c/cy
eu/reka *lub* heu/reka
Eu/ropa
eu/ropeiza·cja; ~cji
eu/ropej·ski; ~scy
eu/rorakie/ta; ~cie

eu/rowalu/ta; ~cie
Eu/rydy/ka; ~ce
Eu/rypides
Eu/stachy
eu/tana·zja; ~zji
Eu/ze/bia; ~bii
ewakua·cja; ~cji
ewa/kuować; ~kuuje
Ewan·ge/lia; ~lii
  (*księga*)
ewan·geli·cki; ~c/cy
ewan·geli/cyzm;
  ~cyzmie
ewan·geli·sta; ~ści
ewan·geliza·cja; ~cji
ewan·ge/lizm; ~lizmie
ewene/ment; ~men·cie
ewen·tual·nie (*skrót:*
  ew.)
ewiden·cja; ~cji
ewiden·cjo/nować;
  ~nuje
ewident·ny
Ew·ka; Ew·ce
ewoka·cja; ~cji
ewolu·cja; ~cji
ewolu·cjo/nizm;
  ~nizmie
ewo/luować; ~luuje
exodus
ex·plicite
ex·posé
ex·pres – *częściej*
  eks·pres
Ezaw
Ezechiasz
Ezechiel

F

Fabian
fabrycz·ny
fabry/kant; ~kan·ci
fabular·ny
fabularyza·cja; ~cji
fabuła
face·cja; ~cji
fa/cet; ~ceci
fach
facho/wiec; ~w·ców
facja|t·ka; ~t·ce
faeton
fagas
fagoci·sta; ~ści
fa/got; ~gocie
f<u>air</u> pl<u>ay</u>
faja; f<u>ai</u>, faj
fa/jans; ~jan·sie
faj·czarz
fajer·ka; ~ce
fajer·werk
fajf
faj·fus
faj·ka; ~ce
faj·nie lub faj·no
fajowy
faj·rant; ~ran·cie
fajt/łapa
fajt·nąć; ~nął, ~nęli
fa/kir; ~kirzy
faks lub fax

faksymi/le lub
  facsimi/le; ~liów
fakto·gra/fia; ~fii
faktomon·taż
faktor; faktorze
fakto/ria; ~rii
faktu/ra; ~rze
faktycz·nie
fakul·tatywność
fakul·tet; ~tecie
fa/la; ~li
fala|n·ga; ~n·dze
fal·ban·ka; ~ce
faliście
fal/lus
falo/chron
fal·set; ~secie
fal/start; ~star·cie
fal·syfika·cja; ~cji
fałd; fał·dzie
fał·da; ~dzie
fał|d·ka; ~d·ce
fałsz
fał·szer·stwo
fał·szerz
fał·szy/wiec; ~w·ców
fał·szy|w·ka; ~w·ce
fami/lia; ~lii
fami/liant; ~lian·ci
familij·ny
fanabe/ria; ~rii

fana/tyzm; ~tyzmie
fan club lub fan·klub
fan·fa/ra; ~rze
fan·farona/da; ~dzie
fant; fan·cie
fan·tasmago/ria; ~rii
fan·ta·sta; ~ści
fan·tas|t·ka; ~t·ce
fan·tastycz·nona/-
  ukowy
fan·tasty/ka; ~ce
fan·ta·zja; ~zji
fan·tazyj·ny
fan·tom
fara; farze
faramu|sz·ka; ~sz·ce
faraon
far·biar·nia; ~ni
far|b·ka; ~b·ce
far·bować; ~buje
far·focel
far·ma
far·mac<u>eu</u>/ta; ~cie
far·ma·cja; ~cji
far·makolo/gia; ~gii
far·mer; ~merzy
far·mer·ki
far·ny
far·sa
farsz
fart; far·cie

far·tuch
far·tu/szek; ~sz·ków
farys
faryze/izm; ~izmie
faryze/usz
faryze/uszostwo
faryze/uszow·ski; ~scy
fasa/da; ~dzie
fascyna·cja; ~cji
fascy/nować; ~nuje
fa|s·ka; ~s·ce
fasoló|w·ka; ~w·ce
fason
fa/sować; ~suje
fastry/gować; ~guje
fasze/rować; ~ruje
faszy·sta; ~ści
faszystow·ski; ~scy
faszyza·cja; ~cji
fa/szyzm; ~szyzmie
fata/lizm; ~lizmie
fatała/szek; ~sz·ków
fatamor·gana
fatum
fatwa; fatw
faty/ga; ~dze
faty/gować; ~guje
fau̲l; fa̲u/li *lub* fa̲u/lów
fa̲u/lować; ~luje
fa̲un; fa̲u/na
fa̲u/na
Fa̲u/styna
faworek
fawory|t·ka; ~t·ce
fawory/zować; ~zuje
fax *lub* faks
faza
fąfel
febra; febrze
Febus
fech/mistrz

fech·tunek
federa·cja; ~cji
federacyj·ny
federal·ny
fed·rować; ~ruje
fedrunek
fe/e/ria; ~rii
fekalia
fel·cować; ~cuje
fel·czer; ~czerzy
feld·febel
feld·mar·szałek
fe/ler; ~lerze
fel·ga; ~dze
Feli·cja; ~cji
felieton
Feliks
fel/lach
feminis|t·ka; ~t·ce
feministycz·ny
feminiza·cja; ~cji
Feni·cja; ~cji
feni·cki; ~c/cy
fenig
Feniks
fenolo/ftale/ina
fenomen
fenomenal·ny
fenomenolo/gia; ~gii
feraj·na
feral·ny
Fer·dy/nand;
  ~nan·dzie
fe/rie; ~rii
fer·ma
fer·ment; ~men·cie
fer·men·ta·cja; ~cji
fer·wor; ~worze
fest
festiwal
festyn

fe/ta; ~cie
fe/tor; ~torze
fe/tować; ~tuje
fetyszy·sta; ~ści
fety/szyzm; ~szyzmie
fe̲u/da/lizm; ~lizmie
fe̲u/dal·ny
fe̲u/dał
fez
fia/kier; ~krze
fiasko
fide/izm; ~izmie
Fidiasz
fiesta; fieście
fif·ka; ~ce
fi/ga; ~dze
figiel
figlarz
figle-migle
figo/wiec; ~w·ców
figu/ra; ~rze
figura·cja; ~cji
figu/rant; ~ran·ci
figuró|w·ka; ~w·ce
fik·cja; ~cji
fikcyj·ny
fik-mik
fik·nąć; ~nął, ~nęli
fikołek
fiksa·cja; ~cji
fiksum-dyrdum
fiku-miku
fikuś·ny
Filadel·fia; ~fii
filan·trop; ~tropi
filan·tro/pia; ~pii
filan·tropij·ny
fi/lar; ~larze
filare·cki; ~c/cy
filare/ta; ~cie
filateli·sta; ~ści

filc
fil·cować; ~cuje
fi/let; ~lecie
fil·har·mo/nia; ~nii
fi/lia; ~lii
filial·ny
filigranowy
filipi/ka; ~ce
Filipiny
fili·ster; ~strzy
filiżan·ka; ~ce
filmote/ka; ~ce
fil·mować; ~muje
fil·mo/wiec; ~w·ców
fil·mo/znaw·stwo
filoden·dron
filogeneza
filolo/gia; ~gii
filoma·cki; ~c/cy
filoma/ta; ~cie
fi/lować; ~luje
filozo/fia; ~fii
filozo/fować; ~fuje
filtr; fil·trze
fil·tra·cja; ~cji
fil·trować; ~truje
filumeni·sta; ~ści
filu|t·ka; ~t·ce
finali·sta; ~ści
finaliza·cja; ~cji
finali/zować; ~zuje
finan·si·sta; ~ści
finan·sje/ra; ~rze
finan·sować; ~suje
fine·zja; ~zji
finezyj·ny
finisz
fini/szować; ~szuje
Fin·lan·dia; ~dii
fiń·ski; ~scy
fio/kować się; ~kuje

fi/oletowy
fi/ol·ka; ~ce
fi/oł (dostać fioła)
fi/ołek
fi/ołkowy
fiord; fior·dzie
firan·ka; ~ce
fir·cyk
fir·ma/ment; ~men·cie
fir·mować; ~muje
fis·har·mo/nia; ~nii
fiska/lizm; ~lizmie
fiskal·ny
fiskus
fista/szek; ~sz·ków
fisz·bin
fi|sz·ka; ~sz·ce
fiu bździu
fiuk·nąć; ~nął, ~nęli
fi·zjolo/gia; ~gii
fi·zjono/mia; ~mii
fi·zjoterape̱u/ta; ~cie
fi·zjotera/pia; ~pii
fizycz·ny
fizy/ka; ~ce
fizykoche/mia; ~mii
fizykoterape̱u/ta; ~cie
fizykotera/pia; ~pii
fizy/lier; ~lierzy
fizys
fla/cha; ~sze
fla/czeć; ~czeje, ~czeli
fla/ga; ~dze
flago/wiec; ~w·ców
flak
flakon
Flamand·czyk
flaman|dz·ki; ~dz·cy
flama·ster; ~strze
flaming
flan·ca

flan·cować; ~cuje
Flan·dria; ~drii
flanela
flank lub flanka
fla|sz·ka; ~sz·ce
fla̱usz
flą·dra; ~drze
fleci·sta; ~ści
fle/czer; ~czerze
flegmaty|cz·ka; ~cz·ce
flegma/tyzm; ~tyzmie
flej·tuch
flek·sja; ~sji
fleksyj·ny
flesz
flet·nia; ~ni
flin·ta; flin·cie
flir·ciarz
flir·tować; ~tuje
flisa·cki; ~c/cy
flisactwo
floks
flo/ra; ~rze
floreci·sta; ~ści
Floren·cja; ~cji
floren·cki; ~c/cy
flo/ret; ~recie
Florian
Flory/da; ~dzie
flory|dz·ki; ~dz·cy
flo/ta; ~cie
floty|l/la; ~l/li
flu/id; flu/idzie
fluktua·cja; ~cji
flu/or; ~orze
flu/orescen·cja; ~cji
flu/oryza·cja; ~cji
flu/ory/zować; ~zuje
fo/bia; ~bii
fochy
fo|cz·ka; ~cz·ce

foks·terier; ~terierze
foks·trot; ~trocie
fokus
fok/żagiel
fol·der; ~derze
fol·gować; ~guje
fo/lia; ~lii
foliał
folio
folk·lor; ~lorze
folk·lory·sta; ~ści
folks·dojcz *lub*
 volks·deutsch
fol·wark
fonety/ka; ~ce
fo/nia; ~nii
fonia·tria; ~trii
fono·gra/fia; ~fii
fonolo/gia; ~gii
fon·tan/na
fon·taź
for·dan·ser; ~serze
forem·ka; ~ce
fo/rint; ~rin·cie
for·ma·cja; ~cji
for·mali·sta; ~ści
for·maliza·cja; ~cji
for·ma/lizm; ~lizmie
for·mal·ność
for·mant; ~man·cie
for·mat; ~macie
for·mierz
for·mizm; ~mizmie
for·mo/twór·czy
for·mować; ~muje
for·mularz
for·muła
for·mu/łować; ~łuje
for·nal
for·nir; ~nirze
for·poczta; ~pocz·cie

for·sa
for·sować; ~suje
for·sy·cja; ~cji
fort; for·cie
for·teca
for·tel
for·tepian
for·tun/ny
for·tyfika·cja; ~cji
forum
foryś
fosa
fosfat; fosfacie
fosfor; fosforze
fosforan
fosforescen·cja; ~cji
fosforowo/dór; ~dorze
fosfo/ryt; ~rycie
fosforyza·cja; ~cji
fosfory/zować; ~zuje
fos·gen
fo|t·ka; ~t·ce
foto/ama/tor; ~torzy
fotoche/mia; ~mii
foto/elektrycz·ny
fotogaze|t·ka; ~t·ce
fotogenicz·ny
foto·gra/fia; ~fii
fotokomór·ka; ~ce
fotoko/pia; ~pii
fotomon·taż
foto/off·set; ~secie
foto/plastykon
fotoreportaż
fotorepor·ter; ~terzy
foto/skład; ~składzie
fotosyn·teza
fo/yer
frach·to/wiec; ~w·ców
frag·ment; ~men·cie
fraj·da; ~dzie

fra/jer; ~jerzy
frak
frak·cja; ~cji
framu/ga; ~dze
framu|ż·ka; ~ż·ce
Franci/szek; ~sz·ka
Fran·cja; ~cji
francu·ski; ~scy
francu·szczyzna;
 ~szczyź·nie
Francu|z·ka; ~z·ce
Fra/nia; ~ni
frank
frant; fran·cie
Franuś
fra/pować; ~puje
fra/sować się; ~suje
frasunek
fra|sz·ka; ~sz·ce
fraszkopisarz
fr<u>au</u>/cy/mer; ~merze
fraze/olo/gia; ~gii
fraze/olo/gizm;
 ~gizmie
frazes
frega/ta; ~cie
frekwen·cja; ~cji
frencz
frenetycz·ny
freon
fresk
fre|t·ka; ~t·ce
frez
fre/zer; ~zerzy
fre·zja; ~zji
fre/zować; ~zuje
frędzel *lub* frędzla
fro|n·da; ~n·dzie
front; fron·cie
fron·tal·ny
fron·to/wiec; ~w·ców

frote/rować; ~ruje
frot·ka; ~t·ce
frotowy
frot/té
fruktoza
fru/nąć; ~ń·cie, ~nął,
~nęli
frustra·cja; ~cji
frust·rat; ~racie
fruwać
frycowe
Fryderyk
Fry/gia; ~gii
frygij·ski; ~scy
frykas
frymar·czyć; ~cz·cie
frymuśny
fry/tek *lub* fry|t·ka;
~t·ki
frytu/ra; ~rze
frywol·ny
fry·zjer; ~zjerzy
fry·zjer·stwo
fry|z·ka; ~z·ce
fryzu/ra; ~rze
ftaleina
ftyzja·tria; ~trii
fu/cha; ~sze

fufaj·ka; ~ce
fu/ga; ~dze
fuja/ra; ~rze
fujar·ka; ~ce
fuk·nąć; ~nął, ~nęli
fuks
fuk·sja; ~sji
fumy
fun·da; ~dzie
fun·da·cja; ~cji
fun·da/ment; ~men·cie
fun·damen·ta/lizm;
~lizmie
fun·da/tor; ~torzy
fund·nąć; ~nął, ~nęli
fun·dusz
funk·cja; ~cji
funk·cjonal·ny
funk·cjonariusz
funk·cyj·ny
funk·tor; ~torze
funt; fun·cie
fu/ra; ~rze
furażer·ka; ~ce
fur·czeć
fur·da!
fur·gon
fur·gone|t·ka; ~t·ce

fu/ria; ~rii
furia·cki; ~c/cy
fu/riat; ~riaci
furk·nąć; ~nął, ~nęli
fur/kot; ~kocie
fur·ko/tać
fur·ma/nić; ~ń·cie
fur·man·ka; ~ce
furo/ra; ~rze
fur·tian
fur|t·ka; ~t·ce
fusy
fu/szer; ~szerzy
fusze/rować; ~ruje
fut·bol – *rzadziej*
foot·ball
fut·boló|w·ka; ~w·ce
futerał
fu/tor; ~torze
fu/tro; ~trze
futropodob·ny
futryna
futrzak
futurolo/gia; ~gii
futury·sta; ~ści
futu/ryzm; ~ryzmie
fu·zja; ~zji

G

gabar·dyna
gaba/ryt; ~rycie
gabi/net; ~necie
gablo|t·ka; ~t·ce
Gabriel
gach
ga/cić; ~cę, ~ć·cie
gad; gadzie
gadat·liwy
ga|d·ka; ~d·ce
gado/ptak
gadul·stwo
gadżet *lub* gadget
gafa; gaf
gag
gaga/tek; ~t·ków
gaić; gaję, gai, gaj
gaik
gaj
Gaja; Gai, Gaję
gajó|w·ka; ~w·ce
galakty/ka; ~ce
ga/lant; ~lan·ci
galan·te/ria; ~rii
ga/lar; ~latrze
galare|t·ka; ~t·ce
galeon
gale/ra; ~rze
gale/ria; ~rii
galerio/wiec; ~w·ców
galer·nik

galeryj·ka
Ga/lia; ~lii
Gali·cja; ~cji
galicyj·ski; ~scy
gali/cyzm; ~cyzmie
Gali/lea; ~lei, ~leę
Galilej·czyk
galilej·ski; ~scy
galimatias
Gall Anonim
galo/pować; ~puje
galó|w·ka; ~w·ce
gal·wanicz·ny
gal·waniza·cja; ~cji
gal·wano/metr;
  ~metrze
gałą|z·ka; ~z·ce
ga/łąź; ~łęziami *lub*
  ~łęź·mi
gałe|cz·ka; ~cz·ce
gałęziasty
gał·ganiarz
gał·gań·stwo
gał·ka; ~ce
gama (*muzyczna*)
gam/ma (*promienie,
  litera grecka*)
gamoń
gane/czek; ~cz·ków
gang
gang·rena

gang·ster; ~sterzy
ga/nić; ~ń·cie
gap; gapiów
ga/pić się; ~p·cie
gapiostwo
gapiow·ski; ~scy
gapowi|cz·ka; ~cz·ce
gar; garze
garaż
garb
gar·bar·nia; ~ni
gar·barz
gar·bić się; ~b·cie
garb·nik
garbu/sek; ~s·ków
gar·da; ~dzie
gar·de/roba; ~rób
gard·łować; ~łuje
gard·łowo-nosowy
gar·dzić; ~dzę, ~dź·cie
gar·dzioł·ko
gar·ko/tłuk
gar·kuch·nia; ~ni
gar·ma/żer; ~żerzy
gar·maże/ria; ~rii
gar·mażer·nia; ~ni
gar·nąć się; ~nął, ~nęli
garn·carz
garn·czek; ~cz·ków
gar·nek; ~n·ków
gar·niec; ~n·ców

gar·ni/rować; ~ruje
gar·ni/tur; ~turze
gar·nizon
gar·nu/szek; ~sz·ków
gar·sonie/ra; ~rze
gar·son·ka; ~ce
gars|t·ka; ~t·ce
garść
ga/sić; ~szę, ~ś·cie
gas·nąć; gaś·nie, gasł
  lub gas·nął, gaś·li
gastrolo/gia; ~gii
gastrono/mia; ~mii
gastrula
gaś·nica
ga|t·ki; ~tek
gatunek
Gau/den·ty
gawę/da; ~dzie
gawędziarz
gawę/dzić; ~dzę,
  ~dź·cie
ga/wiedź; ~wiedzi
gawo/rzyć; ~rz·cie
gawrosz
gaz
gazda; gaździe
gazdostwo
gazdow·ski; ~scy
gazdó|w·ka; ~w·ce
gazeciarz
gazela
gaze|t·ka; ~t·ce
gazik
gazobeton
gazo/chłon/ny
gazociąg
gazomierz
gazonoś·ny
gazo/szczel·ny
gazow·nia; ~ni

gazowo-węglowy
gazyfika·cja; ~cji
gaździna
gaź·nik
gaża
gąb·czasty
gą|b·ka; ~b·ce
gąsiąt·ko
gąsienica
gą/sior; ~siorze
gą|s·ka; ~s·ce
gąszcz
gbur; gburze
gdak·nąć; ~nął, ~nęła
Gdańsk
gde/rać; ~raj·cie lub
  ~rz·cie
gder·li·wy
gdyby
Gdy/nia; ~ni
gdyń·ski; ~scy
gdyż
gdzie bądź
gdzie by
gdzie in·dziej
gdziekol·wiek bądź
gdziekol·wiek by
gdziekol·wiek in·dziej
gdzienie/gdzie
gdzieś tam
gdzież/by (skądże)
gehen/na
gej lub gay
gej·sza
gej·zer; ~zerze
gem
gen·cjana
genealo/gia; ~gii
genera·cja; ~cji
generali·cja; ~cji
generalis/simus

generaliza·cja; ~cji
generał (skrót: gen.)
generałostwo
genera/tor; ~torze
generaty/wizm;
  ~wizmie
gene/rować; ~ruje
Genesis
genetycz·ny
genew·ski; ~scy
geneza
Ge/nia; ~ni
genial·ny
genitalia
geniusz
Genowefa
Ge/nua; ~nui, ~nuę
genueń·ski; ~scy
geocen·trycz·ny
geo/cen·tryzm;
  ~tryzmie
geode/ta; ~ci
geode·zja; ~zji
geodezyj·ny
geofizy/ka; ~ce
geo/gra/fia; ~fii
geolo/gia; ~gii
geo/metria; ~metrii
geometrycz·ny
geomorfolo/gia; ~gii
geopolitycz·ny
geor·gi/ka; ~ce
geor·gi/nia; ~nii
geo/sfera; ~sferze
ge/pard; ~par·dzie
geranium
gerbe/ra; ~rze
geria·tria; ~trii
Ger·ma/nia; ~nii
ger·maniza·cja; ~cji
ger·ma/nizm; ~nizmie

ger·manofil·stwo
ger·mań·ski; ~scy
geron·tolo/gia; ~gii
Gertru/da; ~dzie
gest; geście
gestapo
gestapow·ski; ~scy
gestia; gestii
gestykula·cja; ~cji
geszef·ciarz
getry
get/to; get·cie
gęba; gąb *lub* gęb
gębusia
gęgać
gę/got; ~gocie
gę/si; ~siego
gęsiar·ka; ~ce
gęst·nąć; gęst·nął *lub*
  gęstł
gęst·nieć; ~nieje, ~niał
gęstość
gęst·wa
gęst·wina
gęsty; gęst·szy *lub*
  gęściej·szy
gęś
gęściut·ki
gęślarz
giaur; gi<u>au</u>/rze
giąć; gnie, gnij·cie,
  giął, gięli, gięty
gib·ki; gib·cy
giczoł
gi/dia; ~dii
Giedymin
gieł·da; ~dzie
gieł·dziarz
gier·mek
gieroj
Gie/wont; ~won·cie

giez; gza
giezłecz·ko
gięt·ki; gięt·cy
gi/gant; ~gan·cie
gigan·toma/nia; ~nii
gil; gili *lub* gilów
gil·dia; ~dii
giloty/nować; ~nuje
gil·za; ~zie
gimnastycz·ny
gimnasty/kować;
  ~kuje
gimna·zjali·sta; ~ści
gimna·zjum; ~zja
gi/nąć; ~ń·cie, ~nął,
  ~nęli
ginekolo/gia; ~gii
gipiu/ra; ~rze
gipsow·nia; ~ni
gira; girze
girla|n·da; ~n·dzie
girl·sa
gi/ser; ~serzy
giser·nia; ~ni
gita/ra; ~rze
gitarzy·sta; ~ści
gito/wiec; ~w·ców
gla·cjolo/gia; ~gii
gladia/tor; ~torzy
gladiolus
glan·cować; ~cuje
glan·sować; ~suje
glazu/ra; ~rze
glebo/twór·czy
glebo/znaw·stwo
glejt; glej·cie
glę/da; ~dzie
glę/dzić; ~dzę, ~dź·cie
gliceryna
glicy/nia; ~nii
glikogen

glikol
glikoza *lub* glukoza
glinian·ka; ~ce
gliniarz
glino/krzem
glinowo/dór; ~dorze
glista; gliście
glizda; gliździe
glob; globie
global·ny
glob·tro/ter; ~terzy
globul·ka; ~ce
globus
glono/wiec; ~w·ców
glo/ria; ~rii
gloryfika·cja; ~cji
glosa
glukoza *lub* glikoza
glut
glutaminowy
glutenowy
gła|d·ki; ~d·cy, ~d·szy
gład·ko; gładziej
gładysz
gła/dzić; ~dzę, ~dź·cie
gładziu|t·ki; ~t·cy
głaskać; głaszcz·cie
głaz
głąb; głąbie, głąby
  (*kapusty*)
głąb; głębi (*głębina*)
głę/bia; ~bi
głę/boki; ~b·szy
głod·nieć; ~nieje,
  ~nieli
głodo/mór; ~morze
gło/dować; ~duje
gło/dó|w·ka; ~w·ce
gło/dzić; ~dzę, ~dź·cie
  lub głódź·cie
gło/sić; ~szę, ~ś·cie

gło|s·ka; ~s·ce
gło/sować; ~suje
głosow·nia; ~ni
głoś·nia; ~ni
głoś·no
głowa; głów
głowić się; głów·cie
gło/wizna; ~wiź·nie
głow·nia; ~ni
głowonóg
głód; głodzie
głóg
głów·czy·zna lub
głów·szczy·zna;
~ź·nie
głó|w·ka; ~w·ce
głów·kować; ~kuje
głów·nie
głów·nodowodzący
głu|ch·nąć; ~chł lub
~ch·nął, ~ch·li
głucho-ciem·ny
(głuchy i
niewidomy)
głuchoła·ski; ~scy
Głuchołazy
głuchonie/my; ~mi
głu/chy; ~si, ~ch·szy
głu/pi; ~p·szy
głu/piec; ~p·cze,
~p·ców
głupiu|t·ki; ~t·cy
głup·stwo
głusza
głu/szec; ~sz·ców
głu/szyć; ~sz·cie
gmach
gmatwać
gme/rać; ~raj·cie lub
~rz·cie
gmin/ny

gnat; gnacie
gnejs; gnej·sie
gnę/bić; ~b·cie
gniadosz
gniazd·ko
gniazdo; gnieździe
gnić; gnije
gni/da; ~dzie
gnieciuch
gnieść; gniecie,
gnieć·cie, gniet·li,
gniótł
gniew
Gniez·no; Gnieź·nie
gnieździć się; gnieżdżę,
gnieźdź·cie
gnieź·nień·ski; ~scy
gniot; gniocie
gno/ić; gnoję, gno/i,
gnój, gno/ił
gnojó|w·ka; ~w·ce
gnój; gnoju
gnuś·nieć; ~nieje,
~nieli
gnuś·ny
gobelin
gocki; goc/cy (od Got)
gode·cja; ~cji
godło
godzić; godzę, gódź·cie
godzina (skrót: godz.
lub g.)
godzin/ny
godzi/wy; ~w·szy
gofr; gofrze
gog·le; ~li
goguś
go/ić; goję, go/i, gój,
go/ił
goj; gojów
gokart; gokar·cie

gol; goli
gola/sek; ~sków
go/lec; ~l·ców
go/leń; ~leni
golf
Go/liat; ~liacie
goli/bro/da; ~dzie
golić; gol·cie lub gól·cie
go/lizna; ~liź·nie
gol·kiper; ~kiperze
gol·nąć; ~nął, ~nęli
golon·ka; ~ce
golu|t·ki; ~t·cy
go/łąb; ~łębi
gołą/bek; ~b·ków
gołębiarz
gołęb·nik
gołoborze
goło/ledź; ~ledzi
goło/słow·ny
gołowąs
goły; goli
gomół·ka
gon·ciarz
gon·dola
gon·do/lier; ~lierzy
gong
Goniądz
go/niec; ~ń·ców
gonit·wa
gont; gon·cie
goń·czy
go/rący; ~ręt·szy
gorą|cz·ka; ~cz·ce
gorącz·kować; ~kuje
gor·czyca
gordyj·ski
gor·li/wiec; ~w·ców
gor·li/wy; ~w·szy
gors; gor·sie
gor·set; ~secie

gor·szyć; ~sz·cie
gory|cz·ka; ~cz·ce
gorzał·ka; ~ce
go/rzeć; ~rzeje, ~rzeli
gorzej
gorzel·nia; ~ni
gorzel·nictwo
gorz·ki
gorzk·nąć; ~nął
gorzk·nieć; ~nieje
Gorzów
gos·poda; ~podzie,
~pód
gospodar·stwo
gospodarz
gospoda/rzyć; ~rz·cie
gościć; goszczę,
gość·cie
gościec; gość·ca
gości/niec; ~ń·ców
gościn/ność
gość; gość·mi
gość·cowy
Got·fryd; ~frydzie
go/tować; ~tuje
gotowal·nia; ~ni
goto/wiec; ~w·ców
gotowy lub gotów
gotó|w·ka; ~w·ce
gotycki
gotyk
gou/da; ~dzie
goździk lub gwoździk
gó/ra; ~rze
góral·ski; ~scy
góral·szczyzna;
~szczyź·nie
gór·ka; ~ce
gór·nictwo
gór·nik
gór·nolot·ny

gór·nołuży·cki; ~c/cy
gór·no/ślą·ski; ~scy
Gór·no/ślązak
Gór·ny Śląsk
góro/twór; ~tworze
góro/twór·czy
gó/rować; ~ruje
gór·ski; ~scy
górzy·sty; ~st·szy
gówniarz
gówno
gra; grze
grab
grabarz
gra/bić; ~b·cie
grabież
grabie|ż·ca; ~ż·ców
grabież·czy
grab·ki
grabula
graca
graciar·nia; ~ni
gra·cja; ~cji
gra·cki; ~c/cy
gracz
grać
grad; gradzie
grada·cja; ~cji
gradobicie
graduał
gradus
graf
graf/fiti
graficz·ny
grafi/ka; ~ce
gra/fit; ~ficie
grafolo/gia; ~gii
grafoma/nia; ~nii
graham
graham·ka; ~ce
graj·car; ~carze

graj/dołek
gra/jek; ~j·ków
gram (skrót: g)
gramatu/ra; ~rze
gramaty/ka; ~ce
gramo/atom
gramocząste|cz·ka;
~cz·ce
gramofon
gramolić się
gramorów·noważ·nik
granat·nik
granato/wiec; ~w·ców
granatowy
gra|n·da; ~n·dzie
gran·dziarz
graniasto/słup
granica
grani/czyć; ~cz·cie
gra/nit; ~nicie
grant; gran·cie
granu/lat; ~lacie
granul·ka; ~ce
grań; grani
gra/sant; ~san·ci
gra/sować; ~suje
grat; gracie
gratis
gra|t·ka; ~t·ce
gratula·cja; ~cji
gratulacyjny
gratyfika·cja; ~cji
gra/wer; ~werzy
grawerunek
grawita·cja; ~cji
grawi/tować; ~tuje
graż·dan·ka; ~ce
Grażyna
grążel
grą/żyć; ~ż·cie
grdy/ka; ~ce

Gre·cja; ~cji
gre·cki; ~c/cy
grec·kokatoli·cki;
 ~c/cy
gregoriań·ski
grejp·frut; ~frucie
 – *rzadziej*
 grape-fruit
grekokato/lik; ~licy
gremial·nie
gre/mium; ~miów
grena/dier; ~dierzy
Gren·lan·dia; ~dii
gren·lan|dz·ki; ~dz·cy
gręp·lować; ~luje
grill; gril/lów *lub*
 gril/li
grobla
grobo/wiec; ~w·ców
groch
grocho/drzew
grochó|w·ka; ~w·ce
grodzić; grodzę,
 grodź·cie *lub*
 gródź·cie
gro|dz·ki; ~dz·cy
grog
groma|d·ka; ~d·ce
groma/dzić; ~dzę,
 ~dź·cie
groma|dz·ki; ~dz·cy
gromić; gromię, gromi,
 grom/my
grom·ki
grom·nica
gromo/wła|d·ca;
 ~d·ców
gron·ko
gron·ko/wiec; ~w·ców
grono/staj; ~stai *lub*
 ~stajów

gros
grosz (*skrót:* gr)
gro/szek; ~sz·ków
groszorób·stwo
groszó|w·ka; ~w·ce
grote|s·ka; ~s·ce
grot·maszt; ~masz·cie
grotołaz
groza
grozić; grożę, groź·cie
 lub gróź·cie
groź·ba; gróźb
groź·ny
grób
gród; grodzie
gró/dek; ~d·ków
Grójec
gruba/sek; ~sków
grubaś·ny
grubianin
grubiań·stwo
gru/bieć; ~bieli
grubiu|t·ki; ~t·cy
grubo/skór·ny
grubo·ściomierz
gruboziar·nisty
gru/by; ~b·szy
gruchać
gruch·nąć; ~nął, ~nęli
gru/chot; ~chocie
gruczoł
gru/da; ~dzie
gru|d·ka; ~d·ce
Grudziądz
grudzią|dz·ki; ~dz·cy
grudzień
grunt; grun·cie
grun·tować; ~tuje
Grun·wald; ~wal·dzie
grun·wal|dz·ki; ~dz·cy
gru|p·ka; ~p·ce

gru|sz·ka; ~sz·ce
gruz
gru/zeł; ~ź·le
gruzeł·kowaty
gruziń·ski; ~scy
Gru·zja; ~zji
gruzobeton
gruzowisko
gruźlica
gruźli|cz·ka; ~cz·ce
gryczany
gryf
gry/ka; ~ce
grylażowy
grymas
gryma/sić; ~szę, ~ś·cie
grymaś·ny
gryn·szpan
gry|p·ka; ~p·ce
gryps
grypse/ra; ~rze
grysik
gryzipiórek
gryzmolić
gryzoń
gryźć; gryzę, gryź·cie,
 gryzł, gryź·li
grzać; grzeje, grzali *lub*
 grzeli
grzał·ka; ~ce
grzan·ka; ~ce
grzą|d·ka; ~d·ce
grząski
grząźć – *zob.* grzęz·nąć
grzbiet; grzbiecie
grzdyl
grze/bać; ~b·cie
grzebieniasty
grzebień
grzeb·nąć; ~nął, ~nęli
grzebuła

grzeby/czek; ~cz·ków
grzech
grzecho/tać; ~cz·cie
grzecho|t·ka; ~t·ce
grzechot·nik
grzecz·niu|t·ki; ~t·cy
grzecz·ny
Grzegorz
grzej·nictwo
grzej·nik
grzesz·nik
grze/szyć; ~sz·cie
grzew·czy
grzę/da; ~dzie
grzęzawisko
grzęz·nąć; grzęź·nie,
  grzązł lub grzęz·nął,
  grzęz·ła, grzęź·li
grzmieć; grzmij,
  grzmieli
grzmo/cić; ~cę, ~ć·cie
grzmot·nąć; ~nął,
  ~nęli
grzyb
grzy/bek; ~b·ków
grzybiarz
grzybica
grzy/bieć; ~bieli
grzybień
grzyb·nia; ~ni
grzybobój·czy
grzybo/branie
grzybo/znaw·stwo
grzywa
grzy|w·ka; ~w·ce
grzywna
guber·na/tor; ~torzy
gubernatorstwo
guber·nia; ~ni
gu/bić; ~b·cie
Gucio

gula
gulasz
gul·den
gul·got
Guli/wer; ~werze
gul·ka; ~ce
gułag
gumiak
gum·ka; ~ce
gumno; gumnie
gumole/um
gumo/wiec; ~w·ców
gumożywica
gu/nia; ~ni
guru
gusła
gust; guście
Gustaw
guścik
guślar·stwo
guślarz
gutaper·ka; ~ce
guwer·nan|t·ka; ~t·ce
guwer·ner; ~nerzy
guz
guzdrać się; guzdrz·cie
guzdral·ski; ~scy
gu/zek; ~z·ków
guzik
guzowa/cieć; ~cieje
guzowatość
Gwadelupa
gwał·cić; ~cę, ~ć·cie
gwałt; gwał·cie
gwał·tow·ny
gwar; gwarze
gwa/ra; ~rze
gwaran·cja; ~cji
gwa/rant; ~ran·ci
gwaran·tować; ~tuje
gwar·dia; ~dii

gwar·dian
gwar·dzi·sta; ~ści
gwarectwo
gwar·ny
gwaro/zna|w·ca;
  ~w·ców
gwaro/znaw·stwo
gwa/rzyć; ~rz·cie
gwasz
Gwatemala
gwiazda; gwieździe
gwiaz|d·ka; ~d·ce
gwiaz·dor; ~dorzy
gwiazdo/zbiór;
  ~zbiorze
gwiaździsty lub
  gwieździsty
gwiezd·ny
gwi/nea; ~nei, ~neę,
  ~nee
gwinej·ski; ~scy (od
  Gwinea)
gwint; gwin·cie
gwin·tować; ~tuje
gwin·tó|w·ka; ~w·ce
gwizd; gwiździe
gwizdać; gwiżdże,
  gwiżdż·cie
gwiz·dek; ~d·ków
gwizd·nąć; ~nął, ~nęli
gwoździć; gwożdżę,
  gwóźdź·cie lub
  gwoźdź·cie
gwoździk (mały
  gwóźdź)
gwoździk lub goździk
  (kwiat, przyprawa)
gwóźdź
gzić się; gżę, gzij
gzyms
gżegżół·ka; ~ce

H

ha! *lub* cha!
habilita·cja; ~cji
habilitowany
ha/bit; ~bicie
habs·bur·ski; ~scy (*od*
Habsburg)
ha·cje|n·da; ~n·dzie
haczyk
Hades
haf·ciar·ka; ~ce
haf·ciar·nia; ~ni
haf·ciar·stwo
haft; haf·cie
haf|t·ka; ~t·ce
haf·tować; ~tuje
Ha/ga; ~dze
hagio·gra/fia; ~fii
haiku
Haiti
haj·da!
haj·dama·cki; ~c/cy
haj·dama/czyzna;
~czyź·nie
haj·damak *lub*
haj·damaka
haj·dawery
haj·du·cki; ~c/cy
haj·du/czek; ~cz·ków
haj·duk
Haj·nó|w·ka; ~w·ce
haj/że!

hak
haka/ta; ~cie
hala
halabar·da; ~dzie
halerz
hali/but; ~bucie
hali·cki; ~c/cy
Halicz
Halin·ka; ~ce
hal·ka; ~ce
hall *lub* hol
(*przedpokój*)
hal·ny
halo!
halogenowy
hals
hal·sować; ~suje
Hal|sz·ka; ~sz·ce
halsz·tuk
halucyna·cja; ~cji
halucynogen/ny
hałabur·da; ~dzie
hałas
hała/sować; ~suje
hała·stra; ~strze
hałaś·li/wy; ~w·szy
hał·da; ~dzie
hamak
ham·bur·ger; ~gerze
ham·lety/zować; ~zuje
ha/mować; ~muje

hamow·nia; ~ni
hamulec
han·del
hand·larz
hand·lować; ~luje
hand·lo/wiec; ~w·ców
hand·ló|w·ka; ~w·ce
han·dry/czyć się;
~cz·cie
han·gar; ~garze
Ha/nia; ~ni
hanieb·ny
Han/na
Han/nibal
hanoj·ski; ~scy (*od*
Hanoi)
hant·le
hań·ba
hań·bić; hańb·cie
Hań·cza
hap/pening
harabur·da; ~dzie
haracz
harakiri
harap
haratać
harbuz – *częściej*
arbuz
Harc *lub* Harz
har·cap
har·ce

har·cer·ski; ~scy
har·cer·stwo
har·cerz
harc/mistrz (*skrót:*
  hm.)
har·cować; ~cuje
har·có|w·ka; ~w·ce
har·dy; ~dzi
har·dzieć; ~dzieje,
  ~dzieli
harem
Hare|n·da; ~n·dzie
har·fa
har·fiarz
har·mi/der; ~derze *lub*
  ~drze
har·mo/nia; ~nii
har·monicz·ny
har·monij·ka; ~ce
har·monij·ny
harmoni·sta; ~ści
har·moni/zować; ~zuje
har·mono·gram
har·naś
ha/rować; ~ruje
haró|w·ka; ~w·ce
har·pia; ~pii
har·pun
har·pun/nik
hart; har·cie (siła,
  odporność)
har·tować; ~tuje
har·tow·ny
hasać
ha·ski; ~scy (*od* Haga)
hasło; haś·le
haszysz
ha·tha-jo/ga; ~dze
ha<u>u</u>!
ha<u>u</u>/bica
ha<u>u</u>st; ha<u>u</u>/ście

Hawa/je; ~jów
hawaj·ski; ~scy
hawań·ski; ~scy (*od*
  Hawana)
ha/zard; ~zar·dzie
heban
hebano/wiec; ~w·ców
hebel
heblar·nia; ~ni
heb·lować; ~luje
hebra/izm; ~izmie
Hebraj·czyk
hebraj·ski; ~scy
heca
hedo/nizm; ~nizmie
Hefaj·stos
hegemo/nia; ~nii
he, he! *lub* che, che!
h<u>ei</u>/nemedina
hej!
hej·nał
hej/że!
Hekate *lub* Hekata
hekatom·ba
heksa/metr; ~metrze
hektar; hektarze
  (*skrót:* ha)
hekto/litr; ~litrze
  (*skrót:* hl)
hekto·pascal (*skrót:*
  hPa)
Hektor; Hektorze
Hekuba
Hel (*półwysep*)
hel (*pierwiastek*)
helanko *lub* helanco
Helena
heli/kopter; ~kopterze
heliocen·trycz·ny
heliocen·tryzm;
  ~tryzmie

Helio/dor; ~dorze
Helios
helio·skop
helio·trop
helio·tro/pizm;
  ~pizmie
Hel/la/da; ~dzie
hel/lenistycz·ny
hel/le/nizm; ~nizmie
hel/leń·ski; ~scy
helo|w·ce; ~w·ców
hel·siń·ski; ~scy (*od*
  Helsinki)
hel·ski; ~scy
hełm
heł·mofon
hematolo/gia; ~gii
hema/tyt; ~tycie
hemofi/lia; ~lii
hemo/globina
hemor<u>oi</u>/dy
hemotera/pia; ~pii
  (*leczenie krwią*)
hen (hen daleko)
He/nia; ~ni
hen/na
henr; henrze
Henryk
He/ra; ~rze
heraklej·ski; ~scy
Herakles *lub* Herkules
heral·dy/ka; ~ce
herb
her·baciar·nia; ~ni
her·barz
her·ba/ta; ~cie
her·bat·nik
Her·bert; ~ber·cie
her·bicydy
herc (*skrót:* Hz)
Her·cegowina

herety·cki; ~c/cy
herety|cz·ka; ~cz·ce
here·zja; ~zji
Her·kules *lub* Herakles
herm·afrody/ta; ~cie
Her·man
Her·menegil·da; ~dzie
Her·mes
her·metycz·ny
He/rod; ~rodzie
hero/iczny
hero/i/komicz·ny
hero/ina
hero/izm; ~izmie
he/rold; ~rol·dzie
heros
herszt; hersz·cie
he·ski; ~scy (*od* Hesja)
Hesperydy
hesperyj·ski
Hes·tia; ~tii
het (het za rzeką)
hete/ra; ~rze
heterogenicz·ny
heteroseksua/lizm;
 ~lizmie
het·ka-pętel·ka
het·man
het·ma/nić; ~ń·cie
hetmań·ski; ~scy
het/ta/!
hety·cki; ~c/cy
h<u>eu</u>/reka! *lub* <u>eu</u>/reka!
h<u>eu</u>/reza
h<u>eu</u>/rystycz·ny
Heweliusz
Hez·jod; ~jodzie
hia/cynt; ~cyn·cie
hiber·na·cja; ~cji
hiena
hierar·chia; ~chii

hierar·chiza·cja; ~cji
hiero·glif
hiero·glificz·ny
Hieronim
hi-fi
higiena
higienicz·ny
higienis|t·ka; ~t·ce
higro·skopij·ny
hi, hi! *lub* chi, chi!
Hilary
Hil·degar·da; ~dzie
himala/ista; ~iści
himala/izm; ~izmie
Hima/laje; ~lajów *lub*
 ~lai
himalaj·ski; ~scy
hin·du/ista; ~iści
hin·du/izm; ~izmie
Hin·dukusz
Hin·dus
hindu·ski; ~scy
Hiob – *rzadziej* Job
hiper·bola
hiper·boliza·cja; ~cji
hiper·in·fla·cja; ~cji
hiper·po/praw·ność
hipi/ka *lub* hip/pi/ka;
 ~ce
hipis *lub* hip/pis
hipnoterap<u>eu</u>/ta; ~cie
hipnotera/pia; ~pii
hipnotycz·ny
hipnoty/zer; ~zerzy
hipnoty/zować; ~zuje
hipnoza
hipochon·dria; ~drii
hipochon·dry|cz·ka;
 ~cz·ce
hipo·drom
hipokorystycz·ny

Hipo·krates
hipo·kry/ta; ~ci
hipo·kry·zja; ~zji
Hipo/lit; ~licie
hipopotam
hipotaksa
hipote/ka; ~ce
hipotetycz·ny
hipoteza
hip/pi/ka *lub* hipi/ka;
 ~ce
hip/pis *lub* hipis
hipsome·tria; ~trii
hipsometrycz·ny
Hiroszima *lub*
 Hirosima
histe/ria; ~rii
histery|cz·ka; ~cz·ce
histery/zować; ~zuje
histolo/gia; ~gii
histo/ria; ~rii
historio/gra/fia; ~fii
historio/twór·czy
historiozo/fia; ~fii
history/cyzm; ~cyzmie
historycz·ny
historyj·ka; ~ce
histo/ryzm; ~ryzmie
Hiszpa/nia; ~nii
hiszpań·ski; ~scy
hit; hicie
hitlero/wiec; ~w·ców
hitlerow·ski; ~scy
HIV (*wirus wywo-*
 łujący AIDS)
hm!
hob/bi·sta *lub*
 hob/by·sta; ~ści
hob/by
hoc!
hoch·sztap·ler; ~lerzy

hoch·sztapler·stwo
hocki-klocki
ho/dować; ~duje
hodo|w·ca; ~w·ców
hodow·la
hodża
Hohen·zol/lern
ho, ho!
hoja; ho/i (roślina)
hoj·ny
hoke/ista; ~iści
hokej
hokejów·ki
hokus-pokus
hol (lina)
hol lub hall
  (przedpokój)
hola!
Holan·dia; ~dii
hol·ding
Holen·der; ~drze
holen·der!
  (przekleństwo)
holen·drować; ~druje
holocen
holoceń·ski
holo·gra/fia; ~fii
holo·kaust; ~kau/ście
  – częściej holo·caust
ho/lować; ~luje
hołd; hoł·dzie
hoł·dować; ~duje
hołob·la; ~li
hoło/ta; ~cie
hołu/bić; ~b·cie
hołu/biec; ~b·ców
hołysz
ho/mar; ~marze
Ho/mer; ~merze
homery|c·ki; ~c/cy
homi/lia; ~lii

homocen·tryzm;
  ~tryzmie
homofo·nia; ~nii
homogenicz·ny
homogenizowany
homo·gram
homologa·cja; ~cji
homolo/gować; ~guje
homoni/mia; ~mii
homonimicz·ny
homoseksuali/sta; ~ści
homoseksua/lizm;
  ~lizmie
Hon·duras
Hong·kong
Honolulu
ho/nor; ~norze
honorarium
Honora/ta; ~cie
honoris causa
hono/rować; ~ruje
honorowy
hop!
hop·la!
hop·sa!
hop·sasa!
Horacy lub Horacjusz
hor·da; ~dzie
hor·mon
horod·niczy
horo·skop
hor/rendal·ny
hor/ror; ~rorze
horten·sja; ~sji (kwiat)
hory/zont; ~zon·cie
hosan/na
hospi·cjum
hospita·cja; ~cji
hospitaliza·cja; ~cji
hospitali/zować; ~zuje
hospi/tant; ~tan·ci

hospi/tować; ~tuje
hos/sa; hos/sie
hostes/sa; hostess
hostia; hostii
hot dog
hotelar·stwo
hotelarz
hoży
hra/bia; ~biego lub ~bi
  (skrót: hr.)
hrabiostwo
hrabiow·ski; ~scy
hrab·stwo
hramo/ta lub
  gramo/ta; ~cie
hreczkosiej
Hrubieszów
hu! lub chu!
huba
Hu/bert; ~ber·cie
hu|b·ka; ~b·ce
huc·pa
hucul·ski; ~scy
hucul·szczy·zna; ~ź·nie
Hucuł
hu/czeć; ~cz·cie, ~czeli
hucz·ny
hu/fiec; ~f·ców
huf·nal
hugeno·cki; ~c/cy
huge/not; ~noci
Hugo; Hugona
huk
huk·nąć; ~nął, ~nęli
hulać
hula-hoop
hulaj/noga; ~nodze,
  ~nóg
hula/ka; ~ce
hulan·ka; ~ce
hulaszczy

hul·taić się; ~tai, ~tają
hul·taj; ~tajów *lub*
~tai
humani·sta; ~ści
humanistycz·ny
humanitar·ny
humanita/ryzm;
~ryzmie
humaniza·cja; ~cji
huma/nizm; ~nizmie
hu/mor; ~morze
humore|s·ka; ~s·ce
humorystycz·ny
hunc·wot
hun·garysty/ka; ~ce
hun·wej·bin
hura! *lub* hur/ra!
huragan
hura/opty/mizm *lub*
hur/ra/opty/mizm;
~mizmie
hurapatrio/tyzm *lub*
hur/rapatrio/tyzm;
~tyzmie
hur·kotać
hur·mem
hur/ra! *lub* hura!

hurt; hur·cie
hurtow·nia; ~ni
husa/ria; ~rii
husar·ski; ~scy
husarz
husy·cki; ~c/cy
husy/ta; ~ci
husy/tyzm; ~tyzmie
huśtać
huśta|w·ka; ~w·ce
hu/ta; ~cie
hut·nictwo
hut·niczy
hut·nik
hu/zar; ~zarzy
huzar·ski; ~scy
huzia!
hybry/da; ~dzie
hyc!
hycać
hycel
Hydra; Hydrze (*po-
twór mitologiczny*)
hy/drant; ~dran·cie
hydrau/lik
hydrobiolo/gia; ~gii
hydrobu/dowa; ~dów

hydroche/mia; ~mii
hydro/elek·trow·nia;
~ni
hydro/ener·gia; ~gii
hydrofo/bia; ~bii
hydro/for; ~forze
hydrofor·nia; ~ni
hydrogeolo/gia
hydroksyl
hydroliza
hydrolo/gia; ~gii
hydrometeorolo/gia;
~gii
hydrone|t·ka; ~t·ce
hydro/plan
hydro/sfera; ~sfcrze
hydro/staty/ka; ~ce
hydrotech·ni/ka; ~ce
hydroterapeu/tycz·ny
hydrotera/pia; ~pii
hydro/tro/pizm;
~pizmie
hydro/węzeł; ~węźle
hymen
hymn
hyś *lub* hyź

I

Ibe/ria; ~rii
ibero/amerykań·ski;
  ~scy
iberyj·ski; ~scy
ibidem (skrót: ib. lub
  ibid.)
ibis
ich/mościе lub
  ich/mościowie
ich·tiolo/gia; ~gii
ich·tiolowy
ich·tio/z<u>au</u>r; ~z<u>au</u>/rze
idea; ide/i, ide/ę, ide/e
idealis|t·ka; ~t·ce
idealiza·cja; ~cji
idea/lizm; ~lizmie
ideali/zować; ~zuje
ideal·ny
ideał
iden·tyczny
iden·tyfika·cja; ~cji
ideo·gra/fia; ~fii
ideo/lo/gia; ~gii
ideo/twór·czy
ideo/wiec; ~w·ców
idio/cieć; ~cieje, ~cieli
idioctwo
idiom
idio/ta; ~cie
idiotycz·ny
idio/tyzm; ~tyzmie

idol; idoli lub idolów
idyl/la
Iga, Idze, Ig
ige/lit; ~licie
igiel·ny
ig·lak
ig·lasto-liściasty
ig·lica
ig·liwie
ig·loo
ig·ła
Ig·nacy
i·gnoran·cja; ~cji
i·gnoran·cki; ~ć/cy
i·gno/rant; ~ran·ci
Igor; Igorze
i·grać
i·gra|sz·ka; ~sz·ce
igr·ce
i·grek
i·grzyska
iguana
i in. (i inni, i inne)
Ikar; Ikarze
ikebana
ikono·gra/fia; ~fii
ikono·stas
ikra; ikrze
iks
ilasty
Il·de/fons; ~fon·sie

ile bądź
ilekol·wiek bądź
ile/kroć
ileś; iluś, ilomaś
ileż; iluż
Ilia/da; ~dzie
iloczas
iloczyn
ilo/krot·ny
iloraz
ilo/stopniowy lub
  ilu/stopniowy
ilościowy
ilość
ilumina·cja; ~cji
ilumina/tor; ~torze
ilustra·cja; ~cji
ilustratyw·ny
ilu·zja; ~zji
ilu·zjo/nizm; ~nizmie
iluzorycz·ny
ił; ile
Ił·ża
imać się
imadło
imagina·cja; ~cji
imagi/nować; ~nuje
imam
imaży/nizm; ~nizmie
im·becy/lizm; ~lizmie
im·bir; ~birze

im·bryk
imienia (*skrót:* im.)
imieniny
imien/ni|cz·ka; ~cz·ce
imien/ny
imie/słów
imię; imienia
imigra·cja; ~cji
imi·grant; ~gran·ci
imita·cja; ~cji
im/manent·ny
im/matrykula·cja; ~cji
im/matryku/lować;
   ~luje
im/muni/tet; ~tecie
im/munolo/gia; ~gii
im·pas
im·peratiwus *lub*
   im·perativus
im·pera/tor; ~torzy
im·peratyw
im·per·fektum *lub*
   im·per·fectum
im·peria/lizm; ~lizmie
im·perium
im·pertynen·cja; ~cji
im·pertynen·cki; ~c/cy
im·perty/nent; ~nen·ci
im·pet; ~pecie
im·plant; ~plan·cie
im·planta·cja; ~cji
im·plicite
im·plicyt·ny
im·plika·cja; ~cji
im·plo·zja; ~zji
im·pon·derabilia
im·po/nować; ~nuje
im·port; ~por·cie
im·por·ter; ~terzy
im·por·tować; ~tuje
im·poten·cja; ~cji

im·po/tent; ~ten·ci
im·pre·gna·cja; ~cji
im·pre·gnować; ~gnuje
im·presario
im·pre·sja; ~sji
im·presjoni·sta; ~ści
im·pre·sjonistycz·ny
im·presjo/nizm; ~ni-
   zmie
im·presyj·ny
im·preza
im·prowiza·cja; ~cji
im·prowi/zować; ~zuje
im·puls
im·pul·syw·ność
im·pu/tować; ~tuje
im więcej
inaczej (*skrót:* in.)
in·<u>au</u>/gura·cja; ~cji
in blanco
in·cognito
in·cy/dent; ~den·cie
in·da·ga·cja; ~cji
in·da/gować; ~guje
in·deks
in·deksa·cja; ~cji
in·deter·mi/nizm;
   ~nizmie
In·dianin
in·diań·ski; ~scy
In·die; ~dii
in·dikatiwus *lub*
   in·dicativus
In·dochiny
in·dochiń·ski; ~scy
in·do<u>eu</u>/rope·ista;
   ~iście
in·do<u>eu</u>/ropej·ski; ~scy
in·do/irań·ski; ~scy
in·dok·tryna·cja; ~cji
in·dolen·cja; ~cji

in·dolent·ny
In·done·zja; ~zji
in·dor; ~dorze
in·duk·cja; ~cji
in·duk·cjo/nizm;
   ~nizmie
in·duk·cyj·ny
In·dus
in·dustrializa·cja; ~cji
in·dy|cz·ka; ~cz·ce
in·dyferen·tyzm; ~ty-
   zmie
in·dygo
in·dyj·ski; ~scy
in·dyk
in·dywidu/aliza·cja; ~cji
in·dywidu/a/lizm;
   ~lizmie
in·dywidu/ali/zować;
   ~zuje
in·dywi|du/um; ~du/a,
   ~du/ów
in·eks·pryma·ble; ~bli
in·er·cja; ~cji
in·fa/mia; ~mii
in·fant; ~fan·ci
in·fan·ty/lizm; ~lizmie
in·fek·cja; ~cji
in·fiks
in·fil·tra·cja; ~cji
in·finitiwus *lub*
   in·finitivus
in·fir·me/ria; ~rii
in·fla·cja; ~cji
in·fla·cjogen/ny
in flagran·ti
in·flan·cki; ~c/cy
In·flan·ty
in·for·ma·cja; ~cji
in·for·ma/tor; ~torze
in·for·maty/ka; ~ce

in·for·matyza/cja; ~cji
in·for·mować; ~muje
in·fra/struk·tu/ra; ~rze
in·fuła
In·ga; ~dze
in·geren·cja; ~cji
in·gredien·cje; ~cji
in·gres
In·gusze/tia; ~tii
in·hala·cja; ~cji
in·hala/tor; ~torze
in·herent·ny
ini·cja·cja; ~cji
ini·cjał
ini·cja/tor; ~torzy
ini·cjatywa
iniek·cja; ~cji
in·kar·na·cja; ~cji
in·kasen·cki
in·ka/sent; ~sen·ci
in·ka/sować; ~suje
in·kaust; ~kau/ście
in·klina·cja; ~cji
in·klu·zja; ~zji
in·kor·pora·cja; ~cji
in·krusta·cja; ~cji
in·krymi/nować; ~nuje
in·kuba·cja; ~cji
in·kuba/tor; ~torze
in·kunabuł
in·kwizy·cja; ~cji
in·kwizy/tor; ~torzy
In/nocen·ty
in/nojęzycz·ny
in/no/plemie/niec;
  ~ń·ców
in/ność
in/nowa·cja; ~cji
in/nowacyj·ny
in/nowa/tor; ~torzy
in/nowier·ca

in/ny
Ino/wroc·ław; ~ławia
in·sceniza·cja; ~cji
in·sekt; ~sekcie
in·sektobój·czy
in·semina·cja; ~cji
in·semina/tor; ~torzy
in·se/rat; ~racie
in·skryp·cja; ~cji
in·spek·cja; ~cji
in·spekt; ~spekcie
in·spek·tor; ~torzy
in·spek·to/rat; ~racie
in·spi·cjent; ~cjen·ci
in·spira·cja; ~cji
in·stala·cja; ~cji
in·stan·cja; ~cji
in·struk·cja; ~cji
in·struktaż (pouczanie)
in·struk·tor; ~torzy
in·struk·tyw·ny
in·stru/ment; ~men·cie
in·strumen·ta·cja; ~cji
in·strumen·tariu|sz·ka;
  ~sz·ce
in·stru/ować; ~uje
in·stynkt; ~stynk·cie
in·stynk·tow·ny
in·stytu·cja; ~cji
in·stytu·cjona/lizm;
  ~lizmie
in·sty/tut; ~tucie
in·sulina
in·surek·cja; ~cji
in·sygnium
in·synua·cja; ~cji
in·synuować;
  ~synu/uje
in·tar·sja; ~sji
in·tegra·cja; ~cji
in·tegral·ność

in·tegrować; ~tegruje
in·telektuali·sta; ~ści
in·teligen·cja; ~cji
in·teligen·cki; ~c/cy
in·teligent·ny
in·ten·cja; ~cji
in·ten·den·cki; ~c/cy
in·ten·dent; ~den·ci
in·ten·den·tu/ra; ~rze
in·ten·syfika·cja; ~cji
in·ten·syw·ny
in·ter·ak·cja; ~cji
in·ter·cy/za; ~zie
in·ter·dyscyplinar·ny
in·tere/sant; ~san·ci
in·teresow·ność
in·teresujący
in·ter·fejs lub
  in·ter·face
in·ter·feren·cja; ~cji
in·ter·linia; ~linii
in·ter·loku/tor; ~torzy
in·ter·lu/dium; ~dia
in·ter·me/dium; ~dia
in·ter·mez/zo
in·ter·na
in·ter·na·cjona/lizm;
  ~lizmie
in·ter·na·cki; ~c/cy
in·ter·nat; ~nacie
in·ter·net; ~necie
in·ter·ni·sta; ~ści
in·ter·nować; ~nuje
in·ter·pela·cja; ~cji
in·ter·pe/lować; ~luje
in·ter·per·sonal·ny
in·ter·pola·cja; ~cji
in·ter·preta·cja; ~cji
in·ter·preta/tor; ~torzy
in·ter·pre·tować; ~tuje
in·ter·punk·cja; ~cji

in·ter·punk·cyj·ny
in·ter/regnum
in·ter·reks
in·ter·satelitar·ny
in·ter·subiekty/wizm;
~wizmie
in·ter·wał
in·ter·wen·cja; ~cji
in·ter·wen·cjo/nizm;
~nizmie
in·ter·wen·cyj·ny
inter·we/niować; ~niuje
in·tona·cja; ~cji
in·to/nować; ~nuje
in·trat·ny
in·troduk·cja; ~cji
in·troliga/tor; ~torzy
in·troligator·nia; ~ni
in·troniza·cja; ~cji
in·tro·spek·cja; ~cji
in·trower·sja; ~sji
in·truz; ~truzie
in·trygan·cki; ~c/cy
in·try/gant; ~gan·ci
in·try/gować; ~guje
in·try|ż·ka; ~ż·ce
in·tui·cja; ~cji
in·tui·cyj·ny
in·tym·ny
in·wali/da; ~dzie
in·wali/dz·ki; ~dz·cy
in·walidz·two
in·wa/riant; ~rian·cie
in·wa·zja; ~zji
in·wektywa
in·wen·cja; ~cji
in·wen·taryza·cja; ~cji
in·wen·tarz
in·wer·sja; ~sji
in·westować; ~westuje
in·westy·cja; ~cji

in·westycyj·ny
in·wigila·cja; ~cji
in·woka·cja; ~cji
in·ży/nier; ~nierzy
(*skrót:* inż.)
in·żynie/ria; ~rii
in·żynierostwo
in·żynier·ski; ~scy
in·żynieryj·no-tech·-
nicz·ny
ipe/ryt; ~rycie
ip/pon
ira·cki; ~c/cy
irań·ski; ~scy
ir·cha; ~sze
Irene/usz
Iren·ka
ir·ga; ~dze
Iris *lub* Iryda
Ir·land·czyk
Ir·lan·dia; ~dii
ir·lan|dz·ki; ~dz·cy
iroke·ski; ~scy
irokez (*fryzura*)
iro/nia; ~nii
ironi/zować; ~zuje
ir/racjona/lizm;
~lizmie
ir/racjonal·ny
iryd; irydzie
Iry/da; ~dzie
iryga·cja; ~cji
irys
iryta·cja; ~cji
iry/tować; ~tuje
i·schias
i·skać
i·skiere|cz·ka; ~cz·ce
i·skra; iskrze
i·skrzyć
is·la/mizm; ~mizmie

is·lam·ski; ~scy
Is·land·czyk
Is·lan·dia; ~dii
is·lan|dz·ki; ~dz·cy
Is·tam·buł *lub*
Stambuł
ist·nieć; ~nieje, ~nieli
ist·ny
isto|t·ka; ~t·ce
istot·ny
iść; idź·cie, szedł
i tak dalej (*skrót:* itd.)
Ita/lia; ~lii
itp. (i tym podobne, i
tym podobnie)
iwa; iw
Izaak
Izabe/la; ~li
Izajasz
izba; izbie, izb
izde|b·ka; ~b·ce
izoba/ra; ~rze
izo·chro/nizm; ~nizmie
izo·glosa
izo·hipsa
izola·cja; ~cji
izolacyj·ny
izola|t·ka; ~t·ce
izola/tor; ~torze
Izol·da; ~dzie
izo/lować; ~luje
izome/ria; ~rii
izome·tria; ~trii
izoter·ma
izotop
Iz·rael
iz·raeli·cki; ~c/cy
Izy/dor; ~dorze
iż
iż/by; ~bym, ~byś,
~by·śmy, ~by·ście

J

ja; mnie, mię, mi
jabł·czany
jabłecz·nik
jabł·ko
jabłon·ka; ~ce
Jabłon/na
jabłoń
jabłuszko
jacht; jachcie
jachting
jacht/klub
jaćwie·ski; ~scy
Jaćwież
jad; jadzie
jadać
jadal·nia; ~ni
jadłodaj·nia; ~ni
jadło/spis
jadło/wstręt;
　~wstręcie
jadowi/ty; ~ci, ~t·szy
Jadwi/ga; ~dze
Ja|dź·ka; ~dź·ce
Jadźwing
Jagiel/lon·ka; ~ce
Jagiel/loń·czyk
jagiel/loń·ski; ~scy
Jagieł/ło; Jagiel/le
Jagien·ka; ~ce
jagła
jagniąt·ko

jag·nię; ~nięcia,
　~nięta, ~niąt
jagnięcy
ja/goda; ~godzie, ~gód
jagó|d·ka; ~d·ce
ja/guar; ~guarze
Jagusia
Jah·we *lub* Jehowa
jajecz·nica
jaj·ko
jaj·nik
jajo/gło/wy; ~wi
jajorod·ny
jajo/wód; ~wodzie
jak bądź
jak/by (jakby z krzyża
　zdjęty)
jak by (jak by to
　zrobić?)
jak gdyby
jaki bądź; jacy bądź
jakikol·wiek;
　jacykol·wiek
jakiś; jacyś
jakiś/kol·wiek;
　jacyś/kol·wiek
jaki taki
jakiż; jacyż
jak/kol·wiek bądź
jak naj/bar·dziej
jak naj/większy

jak niepysz·ny
jakobin
jakobi/nizm; ~nizmie
jakobiń·ski ~scy
jakoby
jakoś (*w jakiś sposób*)
jakościowy
jakość (dobra jakość)
jako tako
jako/wyś; ~wiś
jakoż
jako że (*ponieważ*)
jak to?
Jakub
Jaku·cja; ~cji
jaku·cki; ~c/cy
jak wyżej (*skrót:* jw.)
jak/że
jał·muż·na
jało|sz·ka; ~sz·ce
jałow·có|w·ka; ~w·ce
jało/wiec; ~w·ców
jałó|w·ka; ~w·ce
Jał·ta; Jał·cie
jał·tań·ski; ~scy
ja/ma; ~mie
Jamaj·ka; ~ce
jamb; jambie
jam·bor<u>ee</u>
jamisty
jam·nik

Jamno; Jamnie
jamo/chłon
jan·czar; ~czarzy
jan/czar·ka; ~ce
Jan·ka; ~ce
Jan·kes
jan·ke·ski; ~scy
Jan·kiel
jan·tar; ~tarze
Janus
Janu/szek; ~sz·ka
Japo/nia; ~nii
Japoń·czyk
japoń·ski; ~scy
jar; jarze
jard; jar·dzie (skrót: yd)
jar·marcz·ny
jar·mark
jar·muł·ka
jar·muż
jarociń·ski; ~scy (od
    Jarocin)
Jaro/sław
jarosz
jar·ski
jary; jarzy
ja/rząb; ~rzębów
jarzą/bek; ~b·ków
jarzeniowy
jarzenió|w·ka; ~w·ce
jarzębaty lub
    jarzębiaty
jarzębiak
jarzębina
jarz·mo; ~mie
jarzyć się
jarzyna (warzywo)
jarzynó/wka; ~w·ce
jaseł·ka
jaskier; jaskrze
jaski/nia; ~ni

jaskinio/wiec; ~w·ców
jaskinio/znaw·stwo
jaskół·ka; ~ce
jaskra; jaskrze
jaskrawoczerwony
jaskra/wy; ~w·szy
Jasło; Jaśle
jasno; jaśniej
jasno/blond
jasnogór·ski; ~scy (od
    Jasna Góra)
jasnoniebieski
jasnowidz
jasnowidzący
jasnowidztwo
jasno/wło/sy; ~si
jasny; jaśni, jaśniej·szy
jaspis
Jastar·nia; ~ni
jastrząb; jastrzębia
jastrzębi
ja/syr; ~syrze
jaszczur; jaszczurze
jaszczur·czy
jaszczur·ka; ~ce
jaśmino/wiec; ~w·ców
jaś·nieć; ~nieje, ~nieli
jaśniepań·ski; ~scy
jaśniepań·stwo
jaśniutki
jat·ka; ~ce
ja/wa; ~wie
jawaj·ski; ~scy
jawić się
jaw·no/grzesz·nica
jaw·ny; ~niej·szy
ja/wor; ~worze
Jaworz·no
jaz (zapora)
jazda; jeździe, jazd
jazgo/tać; ~cz·cie

jazgot·li/wy; ~w·szy
Jazon
jazz; jaz/zie – rzadziej
    dżez
jazz-band; ~ban·dzie
    – rzadziej dżez·bend;
    ~ben·dzie
jaźń; jaź·ni
jąć; jął, jęła, jęli
ją/dro; ~drze
jądrzasty
jąkać się
ją·trzyć; ~trz·cie
je/chać; ~dzie, ~dź·cie
jedenas|t·ka; ~t·ce
jedenastola/tek;
    ~t·ków
jedenastolet·ni
jedenasto/zgłosko/-
    wiec; ~w·ców
jedenasty
jedena·ście; ~stu
jedlina
jedna czwarta
jedna/ki; ~cy
jednakowo
jednakowoż
jednak/żc
jed·nia; ~ni
jedno/aktó|w·ka;
    ~w·ce
jednobarw·ny
jedno/brzmiący
jednocześ·nie
jednoczęściowy
jedno/członowy
jedno/czyć; ~cz·cie
jednogarb·ny
jedno/głoś·nie
jednokomór·ko/wiec;
    ~w·ców

jednolet·ni
jednoli/ty; ~ci
jednomian
jednomyśl·nie
jednonoż·ny
jedno/osobowy
jednopiętrowy
jednoramien/ny
jednorazó|w·ka; ~w·ce
jednorę/ki; ~cy
jednorodzin/ny
jednoro/żec; ~ż·ców
jednorzędowy
jednorzędó|w·ka; ~w·ce
jedno/staj·nie
jednos|t·ka; ~t·ce
jednos·tkowy
jedno/stron/ny
jedność
jedno/ślado/wiec;
   ~w·ców
jedno/znacz·ny
jednożeń·stwo
jed·wab; ~wabi lub
   ~wabiów
jedwabiście
jedwabnictwo
jedyna|cz·ka; ~cz·ce
jedynak
jedynie
jedyn·ka; ~ce
jedynobóstwo
jedyno/wła|d·ca;
   ~d·ców
jedyno/władz·two
jedzenie
jedzon·ko
je/gier; ~grze
jegomość
Jehowa lub Jahwe
jej/mość

jeleniogór·ski; ~scy (od
   Jelenia Góra)
jeleń
jeli/to; ~cie
jeł·czeć; ~czeje
jełop lub jołop
jemeń·ski; ~scy
jemioła
jemiołu/cha; ~sze
jemiołu|sz·ka; ~sz·ce
je/niec; ~ń·ców
jenie·cki; ~c/cy
je/not; ~nocie
jer; jerze
Jeremiasz
Jerozolima lub
   Jeruzalem
jerozolim·ski; ~scy
Jerycho
jerychoń·ski; ~scy
Jerzy
jerzyk (ptak)
jesien/no-zimowy
jesień
jesion
jesion·ka; ~ce
je/siotr; ~siotrze
jestestwo
jeszcze by
jeść; jem, jedz·cie,
   jadł, jed·li
jeśli
jeśliby
jezd·nia; ~ni
jezio/ro; ~rze
jezui·cki; ~c/cy
jezui·ta; ~ci
Jezus
jeździć; jeżdżę,
   jeźdź·cie
jeździec; jeźdź·ców

jeździe·cki; ~c/cy
jeździectwo
jeż
jeżdżenie
jeżeli
jeżeliby
jeżo/wiec; ~w·ców
jeżo/zwierz
je/żyć; ~ż·cie
jeżyk (mały jeż)
jeżyna (krzew)
ję/czeć; ~cz·cie, ~czeli
jęczmien/ny
jęczmień
Jędrek
jędr·ny; ~niej·szy
Jędruś
Jędrzej
Jędrzejów
jędza
jęk·nąć; ~nął, ~nęli
ję|t·ka; ~t·ce
ję/zor; ~zorze
języ/czek; ~cz·ków
języko/zna|w·ca;
   ~w·ców
języko/znaw·stwo
język polski
jidysz
Joachim
Joan/na
Job – częściej Hiob
jod; jodzie
jo/dek; ~d·ku
jodła
jo/dować; ~duje
jodowo/dór; ~dorze
jody/nować; ~nuje
jog
jo/ga; ~dze
jog/ging

jo/gizm; ~gizmie
jo/gurt; ~gur·cie
joj·czyć; ~cz·cie
Jokohama
Jo/la|n·ta; ~n·cie
jołop *lub* jełop
jon
Jonasz
Jonatan
Jo/nia; ~nii
joniza·cja; ~cji
joni/zować; ~zuje
jono/sfera; ~sferze
joń·ski; ~scy (*od*
   Jonia)
Jorda/nia; ~nii
jordanow·ski
jot
jo/ta; ~cie
jowial·ny
jowial·szczyzna;
   ~szczyź·nie
Jowisz
joy/stick – *rzadziej*
   dżoj/stik
Józef
Jó/zek; ~z·ka
Jó|z·ka; ~z·ce
juan (*pieniądz*)
jubel

jubila|t·ka; ~t·ce
jubi/ler; ~lerzy
jubileusz
ju|b·ka; ~b·ce – *rza-
   dziej* jup·ka; ~ce
ju/cha; ~sze
juchtowy
jucz·ny
juda/izm; ~izmie
Judasz (*imię*)
judaszostwo
judaszow·ski; ~scy
Ju/dea; ~dei, ~deę
judo *lub* dżudo
Judy/ta; ~cie
ju/dzić; ~dzę, ~dź·cie
Jugo/sła/wia; ~wii
jugo/słowiań·ski; ~scy
juhas
jujit·su – *częściej*
   dżiu-dżitsu
Ju/lia; ~lii
Julian
Julian/na
juliań·ski
Juli/ta; ~cie
Juliusz
juna·cki; ~c/cy
juna|cz·ka; ~cz·ce
junak

ju/nior; ~niorzy
   (*skrót:* jun.)
jun·kier; ~krzy
Junona *lub* Juno
ju|n·ta; ~n·cie
jupi/ter; ~terze
jup·ka; ~ce – *częściej*
   ju|b·ka; ~b·ce
juraj·ski
Ju/rand; ~ran·dzie
Jurek
ju/ror; ~rorzy
jur·ta; ~cie
jury
jurys·dyk·cja; ~cji
jury·sta; ~ści
Justyna
ju/ta; ~cie
Jut·lan·dia; ~dii
jut·lan|dz·ki; ~dz·cy
jutro; jutrze
jutrzej·szy
jutrzen·ka; ~ce
jutrz·nia; ~ni
juwena/lia; ~liów
   (*igrzyska studenckie*)
juwenilia; ~liów
   (*młodzieńcze dzieła*)
już to

K

kaba/czek; ~cz·ków
kabalarz
kabanos
kaba/ret; ~recie
ka/bel; ~bli
kabłąk
kabotaż
kaboty/nizm; ~nizmie
kabotyń·stwo
kabrio/let; ~lecie
Kabul
kabu/ra; ~rze
kabza; kabz
kac
ka/cet; ~cecie
Kacper; Kacprze
kacykostwo
kacykow·ski; ~scy
kaczan
kaczą·ko
kacze/niec *lub* ka-
    czy/niec; ~ń·ców
ka|cz·ka; ~cz·ce
ka/czor; ~czorze
kaczu|sz·ka; ~sz·ce
kade·cki; ~c/cy
kaden·cja; ~cji
ka/det; ~decie
kadłub
kadłu/bek; ~b·ków
kadm

kadr; kadrze
kadra; kadrze
kadrowi|cz·ka; ~cz·ce
kadro/wiec; ~w·ców
kaduce/usz
kaduk
ka/dzić; ~dzę, ~dź·cie
kadzidło
kadź; kadzi
kaemi·sta; ~ści
ka/far; ~farze
kafej·ka; ~ce
kafel
kaflar·nia; ~ni
kaftan
kaganek
kaga/niec; ~ń·ców
kahał
Ka/in
Ka/ir; Ka/irze
Kaja; Ka/i
kajakarz
kaj·daniarz
kaj·dan·ki
ka/jet; ~jecie
Kajetan
Kaj·fasz
kaj·tek; ~t·ków
kaju/ta; ~cie
kaj·zer·ka; ~ce
kakadu

kakao
kakofo/nia; ~nii
kaktus
kala/fior; ~fiorze
kalafo/nia; ~nii
kalam·bur; ~burze
kalare|p·ka; ~p·ce
kal·cjum
kal·cyt; ~cycie
kalectwo
kale/czyć; ~cz·cie
Kaledo/nia; ~nii
kalefak·tor; ~torze
kalej·do·skop
kale/ka; ~ce
kalen·darium
kalen·darz
kalenica
kalesony
kalet·nictwo
ka/lia; ~lii
kali/ber; ~brze
kalif
Kalifor·nia; ~nii
kalifor·nij·ski; ~scy
kali·gra/fia; ~fii
kali·gra/fować; ~fuje
Ka/likst; ~likś·cie
kalin·ka; ~ce
Kaliope
kali·ski; ~scy

kal·ka; ~ce
kal·koma/nia; ~nii
kal/kować; ~kuje
kal·kula·cja; ~cji
kal·kula/tor; ~torze
kal·ku/lować; ~luje
Kal·ku/ta; ~cie
kalo/ria; ~rii (*skrót:* cal)
kalorycz·ny
kalory/fer; ~ferze
kalory/metr; ~metrze
kalory/metria; ~metrii
kalosz
kalum·nia; ~nii
Kal·wa/ria; ~rii
kal·waryj·ski
kal·wi/nizm; ~nizmie
kałamarz
kałasznikow
kał·dun
Kał·muk
kałuża
kama/szek; ~sz·ków
Kam·bodża
kambr; kam·brze
kam·bryj·ski
kam·buz *lub* kam·buza; ~buzie
Kam·cza|t·ka; ~t·ce
kame/a; kame/i, kame/ę, kame/e
kame/duła; ~dułów
kameleon
kame/lia; ~lii
kame/ra; ~rze
kameral·ny
kamer·dy/ner; ~nerzy
kamer·ton
Kamerun
kamerzy·sta; ~ści

kam·fo/ra; ~rze
kamica
kamieniarz
kamienica
kamieni|cz·ka; ~cz·ce
kamie/nieć; ~nieje
kamieniołom
kamienisty
kamien/ny
kamie/nować; ~nuje
kamień
kamikadze *lub* kamikaze
Kami/la; ~li
kamion·ka; ~ce
kamizel·ka; ~ce
kam·pa/nia; ~nii
Kam·pinos
kam·pino·ski; ~scy
kam·pus
kam·rat; ~raci
kamuflaż
kamu·flować; ~fluje
kamu/szek; ~sz·ków
kamy/czek; ~cz·ków
Kana/da; ~dzie
kanadyj·ka; ~ce
kanadyj·karz
kana/lia; ~lii
kanaliza·cja; ~cji
kanalizacyj·ny
kanali/zować; ~zuje
kana|p·ka; ~p·ce
kana/rek; ~r·ków
kanaryj·ski; ~scy
kan·cela/ria; ~rii
kan·cerogen/ny
kan·ciar·stwo
kan·ciarz
kan·cia·sty; ~ści
kan·cik

kan·cjonał
kanc·lerz
kan·cona
kan·cone/ta; ~cie
kan·de/labr; ~labrze
kan·dyda·cki; ~c/cy
kan·dydatu/ra; ~rze
kan·dy/dować; ~duje
kan·dy/zować; ~zuje
kan·gur; ~gurze
ka/nia; ~ni
kaniba/lizm; ~lizmie
kanikuła
kanion
kani·ster; ~strze
kan·ka; ~ce
kan·kan
kanoe *lub* canoe
kanona/da; ~dzie
kanonicz·ny
kano/nier; ~nierzy
kanonik (*skrót:* kan.)
kanoniza·cja; ~cji
kant; kan·cie
kan·ta/ta; ~cie
kan·ton
kan·tor; ~torze
kan·tować; ~tuje
kan·ty|cz·ka; ~cz·ce
kan·tylena
kan·tyna
kan·tyzm; ~tyzmie
kan·wa
kań·czug
ka/olin
ka/o/wiec; ~w·ców
ka/pać; ~p·cie
kap·can
kap·ca/nieć; ~nieje, ~nieli
kap·ciuch

119

ka/peć; ~p·cia
kapelan
kapelań·ski; ~scy
kapel/mistrz
kapel/mistrzostwo
kapel/mistrzow·ski
kapelusz
kape/rować; ~ruje
kaperow·nictwo
kapiszon
kapitali·sta; ~ści
kapitalistycz·ny
kapitaliza·cja; ~cji
kapita/lizm; ~lizmie
kapitało/chłon/ność
kapitan (*skrót:* kpt.)
kapitań·ski; ~scy
Kapitol
kapitula·cja; ~cji
kapitulan·ctwo
kapitu/lant; ~lan·ci
kapitularz
kapitu/lować; ~luje
kapituła
ka|p·ka; ~p·ce
kaplica
kapli|cz·ka; ~cz·ce
kapłan
kapłań·stwo
kap·nąć; ~nął, ~nęli
kapo
kapok
ka/pować; ~puje
kapral (*skrót:* kpr.)
kaprys
kapry/sić; ~szę, ~ś·cie
kapryś·ny
kapsel *lub* kapsla
kapsuł·ka; ~ce
kap·szta|dz·ki; ~dz·cy
  (*od* Kapsztad)

kap·tować; ~tuje
kap·tur; ~turze
kapucyn
kapucyń·ski; ~scy
ka/pusta; ~puście
kapuś
kapuściany
kapuś·nia/czek;
  ~cz·ków
kaput
kapuza
ka/ra; ~rze
Karabach
karaba·ski; ~scy
karabela (*szabla*)
karabinek (*skrót:* kbk)
karabi/nier; ~nierzy
karacena
ka/rać; ~rze, ~rz·cie
kara|f·ka; ~f·ce
kara/ib·ski; ~scy
kara/im·ski; ~scy
karakuł
karal·ność
karaluch
karam·bol
karaś
ka/rat; ~racie
karate/ka; ~ce
karawaniarz
karawaning
karawela (*żaglowiec*)
karb
kar·bid; ~bidzie
kar·bidó|w·ka; ~w·ce
kar·boksylowy
kar·bol
kar·bon
kar·bonariusz
kar·bować; ~buje
kar·bowa/niec; ~ń·ców

kar·bowy
kar·bun·kuł
kar·bura/tor; ~torze
kar·cer; ~cerze
kar·ciar·stwo
kar·ciarz
kar·cić; ~cę, ~ć·cie
kar·cięta; ~ciąt
karcz
kar·czek; ~cz·ków
kar·czem·ny
karcz·marz
kar·czoch
kar·czować; ~czuje
kar·czunek
kar·dia/mid; ~midzie
kar·diochirur·gia; ~gii
kar·dio·gra/fia; ~fii
kar·diolo/gia; ~gii
kar·dynal·ny
kar·dynał
karen·cja; ~cji
kares
kare|t·ka; ~t·ce
kariaty/da; ~dzie
karibu
karie/ra; ~rze
karierowi|cz·ka; ~cz·ce
karierowiczostwo
karierowiczow·ski;
  ~scy
kar·kołom·ny
kar·kono·ski; ~scy
Kar·konosze
kar·kó|w·ka; ~w·ce
kar·leć; ~leje, ~leli
kar·lica
kar·łowa/cieć; ~cieje
kar·łowa/ty; ~ci
kar·mazyn
kar·melek

kar·meli·cki; ~c/cy
kar·meli/ta; ~cie
kar·miciel·ka; ~ce
kar·mić; ~mię, ~mi,
　~m/my
kar·mi/nować; ~nuje
karm·nik
kar·na·cja; ~cji
kar·nawał
kar·net; ~necie
kar·niak
kar·nisz
kar·ność
ka/ro; ~rze
karoca
karose/ria; ~rii
karoten
karo|t·ka; ~t·ce
karp; kar·pi
kar·pa·cki; ~c/cy
Kar·pacz
Kar·paty
kar·ta; ~cie
kar·tacz
kar·teliza·cja; ~cji
kar·telu/szek; ~sz·ków
kar·te·zja/nizm;
　~nizmie
kar·te·zjań·ski; ~scy
Kar·te·zjusz
kar·ting
kar·tin·go/wiec;
　~w·ców
kar|t·ka; ~t·ce
kart·kować; ~kuje
kart·kó|w·ka; ~w·ce
kar·tofel
kar·toflisko
kar·to·gra/fia; ~fii
kar·ton
kar·tote/ka; ~ce

kar·tu·ski ~scy (od
　Kartuzy)
karuzela
karygod·ny
karykatu/ra; ~rze
karykatu/rować; ~ruje
karykaturzy·sta; ~ści
karzeł
kasa·cja; ~cji
Kasan·dra; ~drze
kase|t·ka; ~t·ce
kaseton
Ka/sia; ~si
kasiarz
Kasiu/nia; ~ni
ka·sjer; ~sjerzy
Kasjo/peja; ~pe/i,
　~pe/ją
kask
kaska/da; ~dzie
kaska/der; ~derzy
kasłać
ka/sować; ~suje
kasow·nik
Kasper; Kasprze
kaspij·ski
kasta; kaście
kastaniety
kastet; kastecie
Kastor (i Polluks)
kastra·cja; ~cji
Kasty/lia; ~lii
kastylij·ski
kasyno
kasza
kasza/lot; ~locie
kaszan·ka; ~ce
kaszel
ka|sz·ka; ~sz·ce
kaszkiet
kasz·lać lub kasz·leć

kaszl·nąć; ~nął, ~nęli
kasz·mir; ~mirze
kasztano/wiec; ~w·ców
kasztela/nia; ~nii
kasztelań·ski; ~scy
Kaszu|b·ka; ~b·ce
kaszub·ski; ~scy
kaszub·szczyzna;
　~szczyź·nie
kat; kacie
kata·chre/za; ~zie
katafalk
kata·klizm; ~klizmie
katakum·by
katalep·sja; ~sji
kataliza
kataliza/tor; ~torze
katalo/gować; ~guje
Katalo/nia; ~nii
kataloń·ski; ~scy
katapul·tować; ~tuje
ka/tar; ~tarze
kata/rakta; ~rak·cie
kataryniarz
Katarzyna
kata·stral·ny
kata·strofa
kata·stro/fizm; ~fizmie
kateche|t·ka; ~t·ce
katecheza
katechiza·cja; ~cji
kate/chizm; ~chizmie
kate·dra; ~drze
katego/ria; ~rii
kategorial·ny
kategorycz·nie
kategoryza·cja; ~cji
ka·thar·sis
kation
katiusza
kato/da; ~dzie

katoli·cki; ~c/cy
katoli/cyzm; ~cyzmie
katoli|cz·ka; ~cz·ce
katolik
kator·ga; ~dze
katorż·niczy
katostwo
ka/tować; ~tuje
katowi·cki; ~c/cy
katow·nia; ~ni
katow·ski; ~scy
katru/pić; ~p·cie
katusza
Katyń
kau/cja; ~cji
kau/czuk
kau/ka·ski; ~scy
Kau/kaz
kau/stycz·ny
kau/zatyw·ny
kau/zyper·da; ~dzie
kawa; kaw
kawalarz
kawalą/tek; ~t·ków
kawa/ler; ~lerze
kawale/ria; ~rii
kawaler·ski
kawalerzy·sta; ~ści
kawal·ka/da; ~dzie
kawałe/czek; ~cz·ków
kawę/czeć; ~cz·cie
kawiaren·ka; ~ce
kawiar·nia; ~ni
ka/wior; ~wiorze
ka|w·ka; ~w·ce
kawu·nia; ~ni
kazach·ski *lub*
    kaza/ski; ~scy
Kazach/stan
ka/zać; ~że, ~ż·cie
Kaza·szka; ~sz·ce

kazeina
Kazimierz
kaziro|d·ca; ~d·ców
kazirod·czy
kazirodz·two
kazno/dzieja; ~dzie/i,
    ~dziejów
kaznodziej·stwo
kazus *lub* casus
kaźń; kaź·ni
każ·dorazowy
każ·dy
każ·dziutki
kącik
kądziel
kąkol
ką/pać; ~p·cie
kąpielisko
kąpielów·ki
kąsać
ką/sek *lub* kę/sek;
    ~s·ków
kąś·liwy
kąt; kącie
ką/tek; ~t·ków
kątomierz
kbks (karabinek
    sportowy)
kciuk
keczup *lub* ketchup
ke/fir; ~firze
keks
kel·ner; ~nerzy
kem·ping *lub* camping
Ke/nia; ~nii
ken·karta; ~kar·cie
kenozo/icz·ny
kepi
keson
ketchup *lub* keczup
keton

kędy bądź
kędykol·wiek
kędyż
kędzierza/wić; ~w·cie
Kędzierzyn
kę/dzior; ~dziorze
kę|p·ka; ~p·ce
kęs
kę/sek *lub* ką/sek;
    ~sków
Kętrzyn
khaki
Khmer; Khmerze
kibic
kibić
kibi|t·ka; ~t·ce
kib·lować; ~luje
ki/cha; ~sze
kich·nąć; ~nął, ~nęli
kiciuś
kick bokser *lub* kick
    boxer
kick boxing
kic·nąć; ~nął, ~nęli
kicz
kidnaper·stwo
kidnaping
kie|c·ka; ~c/ce
kiedy bądź
kiedy indziej
kiedykol·wiek
kiedy niekiedy
kiedyś
kiedyż to?
Kiej·stut; ~stucie
Kielec/czyzna;
    ~czyź·nie
kiele·cki; ~c/cy
kielich
kieli/szek; ~sz·ków
kiel·nia; ~ni

kieł
kiełb; kieł·bia
kieł·ba|s·ka; ~s·ce
kieł·kować; ~kuje
kiełz·nać
kiełż
kiep; kpa
kiep·ski; ~scy
kier
kie/rat; ~racie
kierdel
kie/reja; ~re/i
kiere/szować; ~szuje
kiere·zja; ~zji
kier·masz
kiero|w·ca; ~w·ców
kierow·nictwo
kierow·nik; ~nicy
kierp·ce
kierunek
kierun·ko/wskaz
kierz; krzów
kie|s·ka; ~s·ce
kie/szeń; ~szeni
kieszon·ka; ~ce
kieszon·ko/wiec;
 ~w·ców
kija/szek; ~sz·ków
kijek; kij·ków
Kijów
kiks
ki/kut; ~kucie
kilim
kil·kadziesiąt;
 ~kudziesięciu
kil·ka/kroć
kil·kanaście; ~kunastu
kil·kanaścio/ro; ~r·ga
kil·kaset; ~kuset
kil·ku/dniowy *lub*
 kilko/dniowy

kil·kudziesięciolet·ni
kil·kulet·ni *lub*
 kil·kolet·ni
kil·kunastola/tek;
 ~t·ków
kil·kunastolet·ni
kil·kuset/let·ni
kil·kuset/tysięcz·ny
kil·kutysięcz·ny *lub*
 kil·kotysięcz·ny
kilo·bajt; ~baj·cie
 (*skrót:* kB)
kilof
kilo/gram (*skrót:* kg)
kilokalo/ria; ~rii
 (*skrót:* kcal)
kilo/metr; ~metrze
 (*skrót:* km)
kilometraż
Kilo/nia; ~nii
kilo/pond; ~pon·dzie
 (*skrót:* kp)
kilo/wat; ~wacie
 (*skrót:* kW)
kilowatogodzina
 (*skrót:* kWh)
kilo/wolt; ~wolcie
 (*skrót:* kV)
kim·nąć; ~nął, ~nęli
kin·der·bal
kin·der·sztuba
kin·dżał
kinemato·gra/fia; ~fii
kine·skop
kineste·zja; ~zji
kinetycz·ny
Kin·ga; ~dze
kin·kiet; ~kiecie
kinoma/nia; ~nii
kino/opera/tor; ~torzy
kino/teatr; ~teatrze

kioskarz
ki/per; ~perze *lub*
 ~prze
kipieć
kip·nąć; ~nął, ~nęli
kir; kirze
kira·sjer; ~sjerzy
kir·cha; ~sze
kir·gi·ski; ~scy
Kir·gi·zja; ~zji
Kir·gi|z·ka; ~z·ce
kirys
ki/sić; ~szę, ~ś·cie
ki|s·nąć; ~ś·nie, ~sł *lub*
 ~s·nął, ~ś·li *lub*
 ~s·nęli
ki|sz·ka; ~sz·ce
kiszon·ka; ~ce
kiść
kit; kicie
ki|t·ka; ~t·ce
ki/tować; ~tuje
kitwa/sić się; ~szę,
 ~ś·cie
kiur; kiurze
kiw·nąć; ~nął, ~nęli
kla|cz·ka; ~cz·ce
klaj·ster; ~strze
kla/kier; ~kierzy
klakson
klam·ra; ~rze
kla|p·ka; ~p·ce
klap·nąć; ~nął, ~nęli
klaps
klar·neci·sta; ~ści
klar·net; ~necie
klarow·ny
klary|s·ka; ~s·ce
kla/ser; ~serze
klaskać; klaszcze,
 klaszcz·cie

kla|s·nąć; ~ś·nie,
   ~ś·nij·cie, ~s·nął,
   ~s·nęli
klaso/pracow·nia; ~ni
klasó|w·ka; ~w·ce
klasycy/sta; ~ści
klasycystycz·ny
klasy/cyzm; ~cyzmie
klasyfika·cja; ~cji
klasyfika/tor; ~torze
kla·sztor; ~sztorze
klaś·nięcie
kla|t·ka; ~t·ce
Kl<u>au</u>/dia; ~dii
Kl<u>au</u>/diusz
kl<u>au</u>n *lub* klown *lub*
   clown
kl<u>au</u>/strofo/bia; ~bii
kl<u>au</u>/zula
kl<u>au</u>/zu/ra; ~rze
klawesyn
klawiatu/ra; ~rze
klawi/kord; ~kor·dzie
klawisz
kląć; klnie, klnij·cie,
   klął, klęli
kląskać
klątwa
kle/cha; ~sze
klech·da; ~dzie
kle/cić; ~cę, ~ć·cie
kle/ić; kleję, kle/i,
   klej·cie, kle/ił
kle/ik
kle/isty
klej
klej·not; ~nocie
klejon·ka; ~ce
kleko/tać; ~cz·cie
kleks
Kle/mens; ~men·sie

Klemen·tyna
Kleofas
Kleopa·tra; ~trze
klepisko
kle|p·ka; ~p·ce
klep·nąć; ~nął, ~nęli
klepsy·dra; ~drze
kleptoma/nia; ~nii
kler; klerze
klerk *lub* clerk
kleryka/lizm; ~lizmie
kleszcz
klę/czeć; ~cz·cie, ~czeli
klęk·nąć; klęk·nął *lub*
   kląkł, klęk·li *lub*
   klęk·nęli
klępa
klę·ska; ~sce
klęs·nąć; klęś·nie,
   klęs·nął *lub* kląsł
kli/ent; klien·ci
kli/en·tela
kli/en|t·ka; ~t·ce
kli/ka; ~ce
klik·nąć; ~nął, ~nęli
klimakterium
klimatolo/gia; ~gii
klimatotera/pia; ~pii
klimatyza·cja; ~cji
klincz
klin·ga; ~dze
klinicz·ny
klini/ka; ~ce
klin·kier; ~kierze
Klio
klip *lub* clip
klips
kliring *lub* cl<u>ea</u>ring
klisza
Klitaj·mestra;
   ~mestrze

kli|t·ka; ~t·ce
klituś-baj·duś
kli/wia; ~wii
kloa/ka; ~ce
klo/cek; ~c·ków
klocu/szek; ~sz·ków
klomb
klops
klosz
klo/szard; ~szar·dzie
klown *lub* klaun *lub*
   clown
klo/zet; ~zecie
klub
klu/cha; ~sze
klucz
Klucz·bork
klu/czyć; ~cz·cie
kluć się; kluje
klu·ska; ~s·ce
kła/czek; ~cz·ków
kła|d·ka; ~d·ce
kłaj·pe|dz·ki; ~dz·cy
   (*od* Kłajpeda)
kła/mać; ~mię, ~mie,
   ~m/my
kłam·ca
kłam·czu/cha; ~sze
kłam·stwo; kłamstw
kłap·nąć; ~nął, ~nęli
kłapo/uchy
kłaść; kładzie,
   kładź·cie, kładł,
   kładziony
kłąb; kłębie
kłącze
kłę/bek; ~b·ków
kłębiasty
kłębić się
kłębu/szek; ~sz·ków
kłoda; kłodzie, kłód

Joanna Głabińska

kło|dz·ki; ~dz·cy
Kłodz·ko
kłonica
kło/pot; ~pocie
kłopot·liwy
kło/sek; ~s·ków
kło/sić się; ~szą
kłó/cić się; ~cę, ~ć·cie
kłó|d·ka; ~d·ce
kłót·li/wy; ~w·szy
kłót·nia; ~ni
kłuć; kłuje *lub* kole,
  kłuj·cie *lub* kol·cie
kłus
kłusow·nictwo
kły/kieć; ~k·cia
kmieć; kmiecia
kminek
kmio/tek; ~t·ków
knaj|p·ka; ~p·ce
kneb·lować; ~luje
knecht; knech·cie
knedel
kniahini
kniaziostwo
kniaziow·ski; ~scy
kniaź
knieja; kniei
kno/cić; ~cę, ~ć·cie
knować
knuć; knuje
knur; knurze
knut; knucie
kny/pek; ~p·ków
koafiu/ra; ~rze
koagula·cja; ~cji
koala
koali·cja; ~cji
koali·cjant; ~cjan·ci
koalicyj·ny
ko/balt; ~bal·cie

kobieciarz
kobierzec
kobie|t·ka; ~t·ce
kobra; kobrze
kobuz
kobza
kobziarz
kochać
kochaś
ko/cher; ~cherze
koch·liwy
kociąt·ko
Kocie/wie; ~wia
ko/cię; ~cięcia, ~cięta,
  ~ciąt
kocio/kwik
ko/cioł; ~tła
kocisko
kociuba
Kock
kocmołuch
kocmołu/szek; ~sz·ków
kocówa
ko/cur; ~curze
kocz
ko/czek; ~cz·ków
koczkodan
ko/czować; ~czuje
kod; kodzie
kodeks
ko/dować; ~duje
kodyfika·cja; ~cji
ko/eduka·cja; ~cji
ko/egzysten·cja; ~cji
ko/enzym
kofe/ina
kofunk·cja; ~cji
kogel-mogel
kognity/wizm;
  ~wizmie
kogoż *lub* kogóż

ko/gut; ~gucie
koheren·cja; ~cji
koherent·ny
kohor·ta; ~cie
ko/ić; koję, ko/i, kój,
  ko/ił
koja; koi
koja/rzyć; ~rz·cie
kojący
kojec
kojf·nąć; ~nął, ~nęli
ko/jot; ~jocie
kok
koka-kola *lub* coca-cola
koka/ina
kokar|d·ka; ~d·ce
kokiete/ria; ~rii
kokie|t·ka; ~t·ce
koklusz
kokon
kokos
koko/sić się; ~szą,
  ~ś·cie
koko|sz·ka; ~sz·ce
koko/ta; ~cie
koksow·nia; ~ni
koksow·nictwo
kok·tajl *lub* cock·tail
kolabora·cja; ~cji
kolaboran·cki; ~c/cy
kolabo/rant; ~ran·ci
kola·cja; ~cji
kolar·stwo
kolarz (*rowerzysta*)
kola|s·ka; ~s·ce
kolaż (*kompozycja*
  artystyczna)
kol|b·ka; ~b·ce
Kol·chi/da; ~dzie
kol·chi|dz·ki; ~dz·cy
kol·czasty

125

kol·cza|t·ka; ~t·ce
kol·czu/ga; ~dze
kol·czyk
kole|b·ka; ~b·ce
kolec
kole/ga; ~dze (skrót:
   kol.)
kolegial·ny
kolegia/ta; ~cie
kolegium
kole·ina
ko/lej; ~lei
kolejarz
kolej·nictwo
kolej·ność
kolek·cja; ~cji
kolek·cjoner·stwo
kolekcjonować
kolek·tor; ~torze
kolek·tu/ra; ~rze
kolek·tyw
kolek·tywiza·cja; ~cji
kolen·der lub
   kolen·dra; ~drze
koleżan·ka; ~ce (skrót:
   kol.)
koleżeń·ski; ~scy
kole|ż·ka; ~ż·ce
kolę/da; ~dzie
kolę/dować; ~duje
ko/lia; ~lii
koli/ber; ~brze
koli/dować; ~duje
koliga/cić się; ~cę,
   ~ć·cie
koliga·cja; ~cji
kolisty
koliszczy·zna; ~ź·nie
koliście
koli·zja; ~zji
kol·nąć; ~nął, ~nęli

kologarytm lub
   cologarytm
kolo/id; ~idzie
koloka·cja; ~cji
kolo·kwia/lizm;
   ~lizmie
kolo·kwium
kolom·bina
kolo/nia; ~nii
kolonia/lizm; ~lizmie
kolonial·ny
kolonij·ny
koloniza·cja; ~cji
koloni/zować; ~zuje
koloń·ski
ko/lor; ~lorze
koloratu/ra; ~rze
kolory·sta; ~ści
kolo/ryt; ~rycie
kolory/zować; ~zuje
kolos
kolosal·ny
Kolose/um lub
   Colos/se/um
kol·por·taż
kol·por·ter; ~terzy
kolt; kol·cie
kolubryna
Kolumb
Kolum·bia; ~bii
kolumien·ka; ~ce
kolumna/da; ~dzie
Koluszki
kołacz
koła/tać; ~cz·cie
koła|t·ka; ~t·ce
koł·choz
koł·choź·nik
koł·czan
koł·dra; ~drze
koł·dun

kołek
Koł/łątaj
koł·nierz
koło; kół
Koło/brzeg
koło/brze·ski; ~scy
koło/brzeżanin
kołodziej
koło/myja; ~my/i
   (zamęt)
kołonotat·nik
kołowa/cizna; ~ciźnie
koło/wrót; ~wrocie
koł·pak
koł·tun
koł·tune/ria; ~rii
koł·tuń·stwo
koły/sać; ~szę, ~sz·cie
koły|s·ka; ~s·ce
koma|n·do; ~n·dzie
koman·dor; ~dorzy
   (skrót: kmdr)
koman·do/ria; ~rii
koman·dos
ko/mar; ~marze
komasa·cja; ~cji
kom·bajn
kom·batan·cki; ~c/cy
kom·batan·ctwo
kom·ba/tant; ~tan·ci
kom·bi lub combi
kom·bina·cja; ~cji
kom·bi/nat; ~nacie
kom·bina/tor; ~torzy
kom·binator·stwo
kombinatoryczny
kom·binatory/ka; ~ce
kom·biner·ki
kom·binezon
kom·bi/nować; ~nuje
kome/dia; ~dii

komedian·cki; ~c/cy
komedian·ctwo
kome/diant; ~dian·ci
komediofarsa
komediopisarz
komedyj·ka; ~ce
kome|n·da; ~n·dzie
komen·dant; ~dan·ci
 (*skrót:* kmdt)
komen·dan·tu/ra; ~rze
komen·de/rować; ~ruje
komen·tarz
komen·ta/tor; ~torzy
komer·cja; ~cji
komer·cjaliza·cja; ~cji
komer·cja/lizm;
 ~lizmie
komer·cjal·ny
komer·cyj·ny
komes
kome/ta; ~cie
kome|t·ka; ~t·ce
kome|ż·ka; ~ż·ce
kom·fort; ~for·cie
komicz·ny
komik
komiks
kominiarz
Komin·tern
komis
komi/sant; ~san·ci
komisa/riat; ~riacie
komisarycz·ny
komisarz
komi·sja; ~sji
komisyj·ny
komi/tet; ~tecie
komitywa
komiwoja/żer; ~żerze
ko/mizm; ~mizmie
kom·na/ta; ~cie

ko/moda; ~modzie,
 ~mód
ko/mora; ~morze,
 ~mór
komó|d·ka; ~d·ce
komór·ka; ~ce
kom·pakt *lub* com·pact
kom·pan
kom·pa/nia; ~nii
kom·panion
kom·paraty·sta; ~ści
kom·pas
kom·patybil·ny
kom·pen·dium
kom·pen·sa·cja; ~cji
kom·pen·sować; ~suje
kom·peten·cja; ~cji
kom·petent·ny
kom·pila·cja; ~cji
kom·pila/tor; ~torze
kom·pi/lować; ~luje
kom·pleks
kom·pleksowy
kom·plemen·ciarz
kom·ple/ment;
 ~men·cie
kom·plet; ~plecie
kom·plet·ny
kom·plika·cja; ~cji
kom·pli/kować; ~kujc
kom·po/nent; ~nen·cie
kom·po/nować; ~nuje
kom·post; ~poście
kom·pot; ~pocie
kom·potier·ka; ~ce
kom·pozy·cja; ~cji
kom·pozy/tor; ~torzy
kom·pres
kom·pre·sja; ~sji
kom·pre/sor; ~sorze
kom·promis

kom·promita·cja; ~cji
kom·promi/tować;
 ~tuje
kom·pu/ter; ~terze
kom·puteryza·cja; ~cji
kom·somo/lec; ~l·ców
kom·tur; ~turze
komuch
komuna
komunaliza·cja; ~cji
komunal·ny
komunał
komu/nard; ~nar·dzi
komu/nia; ~nii
komunij·ny
komunika·cja; ~cji
komunikacyj·ny
komuni/kant; ~kan·cie
komuni/kat; ~kacie
komunikatyw·ność
komuni·sta; ~ści
komu/nizm; ~nizmie
komuta·cja; ~cji
komża
ko/nar; ~narze
kon·celebra·cja; ~cji
kon·cele/brant;
 ~bran·ci
kon·cen·tra·cja; ~cji
kon·cen·tracyj·ny
kon·cen·trat; ~tracie
kon·cen·trować; ~truje
kon·cen·trycz·ny
kon·cep·cja; ~cji
kon·cep·cyj·ny
kon·cept; ~cep·cie
kon·cep·tu/alizm;
 ~alizmie
kon·cern
kon·cert; ~cer·cie
kon·cert·mistrz

kon·cer·tować; ~tuje
kon·cerz
kon·ce·sja; ~sji
kon·cha; ~sze
kon·cy/pować; ~puje
kon·den·sa·cja; ~cji
kon·den·sa/tor; ~torze
kon·dolen·cja; ~cji
kon·dom *lub* kon·don
kon·dor; ~dorze
kon·do/tier; ~tierzy
kon·du/ita; ~icie
kon·dukt; ~duk·cie
kon·duktor; ~duktorzy
kon·dy·cja; ~cji
kon·dygna·cja; ~cji
konek·sje; ~sji
kone/ser; ~serzy
ko/new; ~n·wi
kone|w·ka; ~w·ce
kon·fabula·cja; ~cji
kon·federa·cja; ~cji
kon·federa·cki; ~c/cy
kon·fede/rat; ~raci
kon·federa|t·ka; ~t·ce
kon·fek·cja; ~cji
kon·fek·cyj·ny
kon·feran·sjer; ~sjerzy
kon·feren·cja; ~cji
kon·fe/rować; ruje
kon·fesjonał
kon·fet/ti *lub*
con·fet/ti
kon·fiden·cja; ~cji
kon·fiden·cjonal·ny
kon·fi/dent; ~den·ci
kon·figura·cja; ~cji
kon·fir·ma·cja; ~cji
kon·fiska/ta; ~cie
kon·fitura
kon·flikt; ~flik·cie

kon·fliktogen/ny
kon·for·mi·sta; ~ści
kon·for·mizm; ~mizmie
kon·frater·nia; ~ni
kon·fron·ta·cja; ~cji
Kon·fu·cjusz
kon·fun·dować; ~duje
kon·fu·zja; ~zji
kon·genial·ny
kon·glomera·cja; ~cji
kon·glome/rat; ~racie
Kon·go
kon·grega·cja; ~cji
kon·gres
kon·gres·man
Kon·gresó|w·ka; ~w·ce
(*Królestwo Kongr.*)
kon·gru/en·cja; ~cji
kon·gru/ent·ny
koniak
koniarz
koniczyna
ko/niec; ~ń·ców
koniecz·ność
koniń·ski; ~scy (*od*
Konin)
konio/krad; ~kradzie
konisko
ko/niuch
koniuga·cja; ~cji
koniunk·cja; ~cji
koniunk·tiwus *lub*
coniunctivus
koniunk·tu/ra; ~rze
koniunk·tura/lizm;
~lizmie
koniu/szek; ~sz·ków
koniuszy
kon·klawe *lub*
con·clave
kon·klu/dować; ~duje

kon·klu·zja; ~zji
kon·kor·dan·cja; ~cji
kon·kor·dat; ~dacie
kon·kret·ny
kon·kretyza·cja; ~cji
kon·kre/tyzm; ~tyzmie
kon·ku/bent; ~ben·ci
kon·kubi/nat; ~nacie
kon·kuren·cja; ~cji
kon·ku/rent; ~ren·ci
kon·kurs
kon·kury
kon·kwista/dor;
~dorzy
kon/nica
kon/no
konopiasty
kono/pie; ~pi
konota·cja; ~cji
kono/tować; ~tuje
konował
Kon·rad; ~radzie
kon·sekra·cja; ~cji
kon·sekwen·cja; ~cji
kon·sekwent·nie
kon·sen·sus *lub*
con·sen·sus
kon·serwa
kon·serwa·cja; ~cji
kon·ser·want; ~wan·cie
kon·serwa/tor; ~torzy
kon·serwatorium
kon·serwaty·sta; ~ści
kon·serwatyw·ny
kon·serwa/tyzm;
~tyzmie
kon·ser·wować; ~wuje
kon·sjerż·ka; ~ce
kon·sola
kon·sole/ta; ~cie
kon·solida·cja; ~cji

kon·sonan·tyzm;
~tyzmie
kon·sor·cjum
kon·spekt; ~spek·cie
kon·spira·cja; ~cji
kon·spira/tor; ~torzy
kon·stabl
Kon·stan·cja; ~cji
kon·sta|n·ta; ~n·cie
Kon·stan·ty
Kon·stan·tynopol
kon·stata·cja; ~cji
kon·sta/tować; ~tuje
kon·stela·cja; ~cji
kon·ster·na·cja; ~cji
kon·struk·cja; ~cji
kon·struk·tor; ~torzy
kon·struk·ty/wizm;
~wizmie
kon·struk·tyw·ny
kon·st|ru/ować;
~ru/uje
kon·stytu/anta;
~an·cie
kon·stytu·cja; ~cji
kon·stytu·cjona/lizm;
~lizmie
kon·sty|tu/ować;
~tu/uje
kon·stytutyw·ny
kon·su/lat; ~lacie
kon·sul·ta·cja; ~cji
kon·sul·tant; ~tan·ci
kon·sul·ting *lub*
con·sul·ting
kon·sul·tować; ~tuje
kon·sumen·cki; ~c/cy
kon·su/ment; ~men·ci
kon·su/mować; ~muje
kon·sump·cjo/nizm;
~nizmie

kon·sump·cyj·ny
kon·sylium
kon·systen·cja; ~cji
kon·systorz
kon·sytua·cja; ~cji
kon·szachty
kon·takt; ~tak·cie
kon·tamina·cja; ~cji
kon·tekst; ~tekś·cie
kon·tem·pla·cja; ~cji
kon·te/ner; ~nerze
kon·teneryza·cja; ~cji
kon·tent; ~ten·ci
kon·tentować się
kon·ter·fekt; ~fek·cie
kon·testa·cja; ~cji
kon·ti|nu/um *lub*
con·ti|nu/um;
~nu/ów
kon·to; kon·cie
kon·tra; ~trze
kon·traba|n·da;
~n·dzie
kon·traban·dzi·sta;
~ści
kon·trabas
kon·trabasi·sta; ~ści
kontr/admirał
kon·tradyk·cja; ~cji
kon·trafał·da; ~dzie
kontr/agita·cja; ~cji
kon·tra/hent; ~hen·ci
kontr/ak·cja; ~cji
(*przeciwdziałanie*)
kon·trak·cja; ~cji
(*ściągnięcie*)
kon·trakt; ~trakcie
kon·trakta·cja; ~cji
kontr/alt; ~al·cie
kon·tra/punkt;
~punkcie

kontr/ar·gu/ment;
~men·cie
kon·trast; ~traście
kontr/asygna/ta; ~cie
kontr/atak
kontr/demon·stra·cja;
~cji
kon·tre/dans; ~dan·sie
kontr/kan·dy/dat;
~daci
kontr/natar·cie
kontr/ofen·sywa
kon·tro/ler; ~lerze
kon·trol·no-pomiarowy
kon·tro/lować; ~luje
kon·trować; ~truje
kon·trower·sja; ~sji
kontr/propaga|n·da;
~n·dzie
kontr/propozy·cja; ~cji
kontr/refor·ma·cja; ~cji
kontr/rewolu·cja; ~cji
kontr/tor·pedo/wiec;
~w·ców
kontr/uderzenie
kontr/wy/wiad;
~wiadzie
kontr/wywiadow·czy
kon·trybu·cja; ~cji
kon·tu/ar; ~tuarze
kon·tur; ~turze
kon·turó|w·ka; ~w·ce
kon·tusz
kon·tu·zja; ~zji
kon·ty/nent; ~nen·cie
kon·tyn·gent; ~gen·cie
kon·tynua·cja; ~cji
kon·tynu/ator; ~atorzy
kon·ty|nu/ować;
~nu/uje
konus

kon·wa/lia; ~lii
kon·wek·tor; ~torze
kon·we/nans; ~nan·sie
kon·wen·cja; ~cji
kon·wen·cjona/lizm;
    ~lizmie
kon·went; ~wen·cie
kon·wer·sa·cja; ~cji
kon·wer·satorium
kon·wer·sja; ~sji
kon·wer·sować; ~suje
kon·wikt; ~wik·cie
kon·wojen·cki; ~c/cy
kon·wo/jent; ~jen·ci
kon·wo/jować; ~juje
kon·woka·cja; ~cji
kon·wój
kon·wul·sje; ~sji
koń; koń·mi
koń·cowy
koń·có|w·ka; ~w·ce
koń·czyć; ~cz·cie
koń·czyna
koń·ski
ko/opera·cja; ~cji
ko/ope/rant; ~ran·ci
ko/opta·cja; ~cji
ko/ordyna·cja; ~cji
ko/ordyna/tor; ~torzy
ko/ordy/nować; ~nuje
kopa; kop *lub* kóp
kopa|cz·ka; ~cz·ce
ko/pać; ~p·cie
kopal·nia; ~ni
kopal·nictwo
kop·cić; ~cę, ~ć·cie
kop·ciuch
kop·ciu/szek; ~sz·ków
kop·cować; ~cuje
kop·czyk
ko/peć; ~p·cia

Kopen·ha/ga; ~dze
kopen·ha·ski; ~scy
ko/per; ~prze
koper·czaki
koper·ta; ~cie
ko/pia; ~pii
kopiasty
ko/piec; ~p·ców
kopiej·ka; ~ce
ko/piować; ~piuje
kopi·sta; ~ści
ko|p·ka; ~p·ce
kop·nąć; ~nął, ~nęli
ko/produ/cent; ~cen·ci
ko/produk·cja; ~cji
kops·nąć; ~nął, ~nęli
kopula·cja; ~cji
kopuła
kopyść
kopyt·ko
ko/ra; ~rze
ko/rab; ~rabiów *lub*
    ~rabi
koralo/wiec; ~w·ców
Koran
kor|b·ka; ~b·ce
kor·bo/wód; ~wodzie
kor·cić
kord; kor·dzie
kor·degar·da; ~dzie
kor·delas
kor·dial·ny
Kor·dian
kor·dzik
Ko/rea; ~rei, ~reę
koreań·ski; ~scy
korefe/rat; ~racie
korefe/rent; ~ren·ci
korek·cja; ~cji
koreks
korek·ta; ~cie

korek·tor; ~torzy
korek·tu/ra; ~rze
korela·cja; ~cji
kore/lat; ~lacie
korepety·cja; ~cji
korepety/tor; ~torzy
kore·spon·den·cja; ~cji
kore·spon·dent; ~den·ci
kore·spon·dować; ~duje
kor·kociąg
kor·ko/wiec; ~w·ców
Kor·ne/lia; ~lii
kor·ner; ~nerze
kor·nik
kor·niszon
Korn·wa/lia; ~lii
koro/dować; ~duje
koromy·sło; ~śle
korona·cja; ~cji
koron·ka; ~ce
koron·kar·stwo
koron/ny
koro/nować; ~nuje
korowaj
koro/wód; ~wodzie
koro·zja; ~zji
kor·pora·cja; ~cji
kor·pulent·ny
kor·pus
kor·puskular·ny
kor/rida *lub* cor/rida
kor·sarz
kort; kor·cie
korum·pować; ~puje
ko/rund; ~run·dzie
korup·cja; ~cji
korwe/ta; ~cie
koryfe/usz
kory/gować; ~guje
koryn·cki; ~c/cy (*od*
    Korynt)

korytarz
koryt·ko
ko/rzec; ~r·ców
korzenionóż·ka
korzenio/plasty/ka; ~ce
korzen/ny
korzeń
korzyć się; korz·cie *lub*
  kórz·cie
korzystać
korzyst·ny
korzyść
kosa/ciec; ~ć·ców
kosarz (*pająk*)
kosiarz
ko/sić; ~szę, ~ś·cie
kosinus *lub* cosinus
kosinus<u>oi</u>/da *lub*
  cosinus<u>oi</u>/da; ~dzie
kosisko
kosma/cić; ~cę, ~ć·cie
kos·mek; ~m·ki
kosmety|cz·ka; ~cz·ce
kosmicz·ny
kosmi/ta; ~cie
kosmo·drom
kosmogo/nia; ~nii
kosmolo/gia; ~gii
kosmon<u>au</u>/ta; ~ci
kosmopoli/tyzm;
  ~tyzmie
kosmos
kosmowi·zja; ~zji
kosmó|w·ka; ~w·ce
kosmyk
koso/drzewina
koso/oki
kostium
kostiumolo/gia; ~gii
kos|t·ka; ~t·ce
kost·nica

kost·nieć; ~nieje, ~nieli
kost·no/szkieletowy
kostropa/ty; ~ci
kostrzewa (*roślina*)
kostu/cha; ~sze
kos·tur; ~turze
kostycz·ny
kosy/nier; ~nierzy
koszaliń·ski; ~scy
koszałki-opałki
kosza/rować; ~ruje
koszer·ny
kosz·mar; ~marze
koszt; kosz·cie
kosztela
kosztorys
kosz·tować; ~tuje
kosztow·ny
koszula
koszy·cki; ~c/cy (*od*
  Koszyce)
koszy/czek; ~cz·ków
koszykarz
koszykó|w·ka; ~w·ce
koś·ba
kościany
kościec; kość·ców
kościel·ny
Kościerzyna
kościo/trup
kościółek *lub* kościołek
kości·sty; ~ści
kościuszko/wiec;
  ~w·ców
kość; kość·mi
kość·cowy
kośla/wić; ~w·cie
kośla/wiec; ~w·ców
kot; kocie
kotan·gens *lub*
  cotan·gens; ~gen·sie

kotan·gen·s<u>oi</u>/da *lub*
  kotan·gen·s<u>oi</u>/da;
  ~dzie
kota/ra; ~rze
ko/tek; ~t·ków
kote/ria; ~rii
ko|t·ka; ~t·ce
kotlarz
kotlet
kotlina
kotlin/ny
kot·łować się; ~łuje
kotłow·nia; ~ni
koturn
kotuś
kotwica
kotwi/czyć; ~cz·cie
kotylion
kowadło
kowal·stwo
kow·boj *lub* cow·boy
kow·boj·ski; ~scy
kowień·ski; ~scy (*od*
  Kowno)
koza; kóz
koza·cki; ~c/cy
kozactwo
koza/czyzna; ~czyźnie
koze/ra; ~rze (nie bez
  kozery)
koze|t·ka; ~t·ce
kozica
kozik
ko/zioł; ~zła, ~źle
kozioł·kować; ~kuje
Kozioro/żec; ~ż·ca
  (*gwiazdozbiór*)
kozodój
koźlarz
koźląt·ko
Koźle (*miasto*)

koźlę; koźlęcia,
  koźlęta, koźląt
kożuch
kożu/szek; ~sz·ków
kół
kół·ko
kórni·cki; ~c/cy
Kórnik (miasto)
kó|z·ka; ~z·ce
kpiarz
kpić; kpię, kpij·cie
kra; krze
krab
krach
kraciasty
kradzież
kra/ik
kra/ina
kraj
krajal·nia; ~ni
krajan
kraj·ka; ~ce
krajobraz
krajo/zna|w·ca;
  ~w·ców
krajo/znaw·czy
krajo/znaw·stwo
kra/kać; ~cze, ~cz·cie
krakers
krak·nąć; ~nął, ~nęła
krakowia/czek;
  ~cz·ków
krakow·ski; ~scy
Kraków
kraksa
krakus (mieszkaniec
  Krakowa)
kraku|s·ka; ~s·ce
kramarz
kramik
kra/niec; ~ń·ców

kranówa
krań·cowość
kras
kra/sić; ~szę, ~ś·cie
krasnolu/dek; ~d·ków
kras·ny; kraś·ni
Krasny/staw;
  Krasnego/stawu
krasomó|w·ca; ~w·ców
krasomów·stwo
kraszan·ka; ~ce
kraść; kradł, krad·li
kraś·nieć; ~niał, ~nieli
kra/ter; ~terze
kra|t·ka; ~t·ce
krat·kować; ~kuje
kr<u>au</u>l; kr<u>au</u>/la
  – rzadziej crawl
kra/wat; ~wacie
kraw·cowa
kraw·czyk
kra/wędź; ~wędzie
krawęż·nik
krawie·cki; ~c/cy
krawiectwo
krąg; kręgiem
krąg·łość
krą/żek; ~ż·ków
krążenie
krąż·ko/pław
krążow·nik
krą/żyć; ~ż·cie
krea·cja; ~cji
krea·cjo/nizm; ~nizmie
krea/tor; ~torzy
kreatu/ra; ~rze
kre/cha; ~sze
kre/dens; ~den·sie
kre|d·ka; ~d·ce
kredo lub credo
kredowobiały

kredytobior·ca
kredytoda|w·ca;
  ~w·ców
krema·cja; ~cji
krematorium
krematoryj·ny
kremó|w·ka; ~w·ce
krem·plina
kre/ol (mieszaniec)
kre/ować; ~uje
kres
kre|s·ka; ~s·ce
kres·kó|w·ka; ~w·ce
kreso/wiec; ~w·ców
kresy
kreś·lar·nia; ~ni
kreś·larz
kreś·lić; kreśl·cie
kret; krecie
kreteń·ski; ~scy (od
  Kreta)
kretes (z kretesem)
kretowisko
krety/nizm; ~nizmie
kretyń·ski; ~scy
krew; krwi
krewe|t·ka; ~t·ce
kre|w·ki; ~w·cy
krew·niak
kreza
krez·ka (mała kreza)
krezus
krę/cić; ~cę, ~ć·cie
krę/ciek; ~ć·ka (dostać
  kręćka)
kręcz
kręg (w kręgosłupie)
kręgarz
kręgiel·nia; ~ni
kręg·larz
kręgo/słup

kręgo/wiec; ~w·ców
krępa·cja; ~cji (bez
　krępacji)
krę/pować; ~puje
krępy
krętactwo
krętacz
krę/tu-wętu
kręty
krio·terap<u>eu</u>/tycz·ny
krio·tera/pia; ~pii
　(zamrażanie w
　celach leczniczych)
krnąbr·ność
krochmal
kro/czek; ~cz·ków
kro/czyć; ~cz·cie
kroć/set (do kroćset)
krogu/lec; ~l·ców
kroić; kroję, kroi,
　krój·cie, kroił
kroj·czy
krok
kro/kiet; ~kiecie
kro/kiew; ~kwi
krokie|w·ka; ~w·ce
krokodyl
krokus
krokwiowy
krok w krok
krom·ka; ~ce
kronikarz
Kronos
kron·sel·ka; ~ce
kro/pić; ~p·cie
kropidło
kro|p·ka; ~p·ce
krop·liście
krop·lomierz
krop·ló|w·ka; ~w·ce
krop·nąć; ~nął, ~nęli

kros; krosie – *częściej*
　cross
krosien·ka
kro·sno; ~śnie
krosta; kroście
kros|t·ka; ~t·ce
Krościen·ko
krośnień·ski; ~scy (*od*
　Krosno)
krot·ność
kroto/chwila
krowa; krów
kró|b·ka; ~b·ce
krócej
krócica
króciutki
krój
król
królestwo
Króle/wiec; ~w·ca
królew·ski; ~scy
królew·szczyzna;
　~szczyźnie
króli/czek; ~cz·ków
królikar·nia; ~ni
królobój·ca
królobój·stwo
królowa
króló|w·ka; ~w·ce
krót·ki; krót·szy
krót·ko; krócej
krót·kodystan·so/wiec;
　~w·ców
krót·kofalar·stwo
krót·kofalo/wiec;
　~w·ców
krót·kofaló|w·ka; ~w·ce
krót·kometrażó|w·ka;
　~w·ce
krót·ko ostrzyżony
krót·ko/trwały

krót·kowidz·two
krót·ko/wzrocz·ność
kró|w·ka; ~w·ce
krtań
krucho
kruch·ta; ~cie
kruchut·ki
kru/chy; ~ch·szy
kru·cja/ta; ~cie
krucyfiks
kru/czek; ~cz·ków
kruczoczar·ny
kruczo/włosy
kruk
krup·cza|t·ka; ~t·ce
kru·pier; ~pierzy
krup·nik
krup·niok
krupy
kruszar·ka; ~ce
kru/szec; ~sz·ców
kru/szeć; ~szeje
kruszon
kruszon·ka; ~ce
Kruszwica
kru/szyć; ~sz·cie
kruż·ganek
krwawią|cz·ka; ~cz·ce
krwawica
krwa/wić; ~w·cic
krwaw·nik
krwawoczerwony
krwawy
krwiak
krwin·ka; ~ce
krwiobieg
krwioda|w·ca; ~w·ców
krwiodaw·stwo
krwiolecz·nictwo
krwiomocz
krwionoś·ny

krwiopij·ca
krwio/twór·czy
krwiożer·czy
krwi·sty; ~ści
krwotok
kryć; kryje
kry/gować się; ~guje
kryjó|w·ka; ~w·ce
kry/kiet; ~kiecie
kryl
kryminali·sta; ~ści
kryminogen/ny
kryminolo/gia; ~gii
krynicz·ny
krynolina
krypa
kry/peć; ~p·cie
kryp·ta; ~cie
krypto·gra/fia; ~fii
kryptonim
kryptoreklama
kryska (na Matyska)
krystalicz·ność
krystaliza·cja; ~cji
krystali/zować; ~zuje
krystalo·gra/fia; ~fii
Krystian
krystia/nia lub
  chrystia/nia; ~nii
Krysz·na lub Krisz·na
kryształ
kryterium
kryty/cyzm; ~cyzmie
krytycz·noliteracki
krytycz·ny
krytykan·ctwo
kryty/kant; ~kan·ci
kryza
kry|z·ka; ~z·ce
kryzys
krzaczasty

krzak
krzątać się
krzem
krzemian
Krzemie/niec; ~ń·ca
krzemien/ny
krzemień
krzemion·ka; ~ce
krzemowo/dór; ~dorze
krzepa
krzepiąco
krze/pić; ~p·cie
krze|p·ki; ~p·cy
krze|p·nąć; ~p·nął lub
  ~pł, ~p·ła
krze/sać; ~sze, ~sz·cie
krzesany (taniec)
krzesiwo
krzesło; krześle
krzew
krzewiasty
krzewiciel
krze/wić; ~w·cie
krzewo/stan
krzewu|sz·ka; ~sz·ce
krzta; krzcie
krztu/sić się; ~szę,
  ~ś·cie
krztu/siec, ~ś·ca
krztyna
krzy/czeć; ~cz·cie,
  ~czeli
krzyka|cz·ka; ~cz·ce
krzyk·nąć; ~nął, ~nęli
krzyna
Krzysztof
krzywa
krzyw·da; ~dzie
krzyw·dzić; ~dzę,
  ~dź·cie
krzywica

krzy/wić; ~w·cie
krzywik
krzy/wizna; ~wiź·nie
krzyw·ka; ~ce
krzywoliniowy
krzywono/gi; ~dzy
krzywo/przy/siąc lub
  krzywo/przy/sięg-
  nąć; ~siągł, ~sięg·li
krzywo/przysię·ski;
  ~scy
krzywo/przysięstwo
krzywo/przysię|z·ca;
  ~z·ców
krzywo/przysięż·ny
Krzywo/usty (Bole-
  sław)
krzywulec
krzywy
krzyż
krzyża·cki; ~c/cy
krzyżactwo
Krzy/żak; ~żacy
krzyżodziób
krzy/żować; ~żuje
krzyżo/wiec; ~w·ców
krzyżó|w·ka; ~w·ce
krzyżulec
krzyżyk
Ksantypa
Ksawery
Kse/nia; ~ni
ksenofo/bia; ~bii
ksenon
ksero lub xero
ksero·graf
ksero·gra/fować; ~fuje
kseroko/pia; ~pii
kse/rować; ~ruje
ksiądz; księża (skrót:
  ks.)

ksią·ski; ~scy, (*od*
   Książ)
ksiąstew·ko – *rzadziej*
   księstew·ko
Książ
książąt·ko
książ·czyna
książe|cz·ka; ~cz·ce
książę; księcia,
   książęta, książąt
   (*skrót:* ks.)
książęcy
ksią|ż·ka; ~ż·ce
książkowy
książ·nica
ksieni
księga; księdze, ksiąg
księgaren·ka; ~ce
księgar·nia; ~ni
księgarz
księgowość
księgo/zbiór; ~zbiorze
księgo/znaw·stwo
księstew·ko – *częściej*
   ksiąstew·ko
księstwo
Księżak (*mieszkaniec*
   Łowickiego)
księż·na
księż·ni|cz·ka; ~cz·ce
księżow·ski; ~scy
księżulek
księży
księżyc
ksiuty
ksyla/mit; ~micie
ksylofon
ksywa; ksyw
kształ·cenie
kształ·cić; ~cę, ~ć·cie
kształt; kształ·cie

kształt|t·ka; ~t·ce
kształ·tować; ~tuje
kszyk (*ptak*)
kto bądź
ktokol·wiek; kogo-
   kol·wiek, komukol·-
   wiek, kim/kol·wiek
ktoś; kogoś, komuś,
   kimś
kto to?
którędy bądź
którędykol·wiek
któ/ry; ~rzy
który bądź
którykol·wiek;
   któremukol·wiek,
   którzykol·wiek
któryś
któryż; której/że,
   którzyż
któż; kogóż *lub* kogoż,
   komuż, kim/że
Kuba
kubań·ski; ~scy
kubatu/ra; ~rze
ku/bek; ~b·ków
kubeł
kubik
ku/bizm; ~bizmie
kubrak
kubryk
Kubuś
kuc
kucać
kucharz
kucha/rzyć; ~rz·cie
kuch·cik
kuchen·ka; ~ce
kuchen/ny
kuch/mistrz
kuch/mistrzostwo

kuch/mistrzow·ski;
   ~scy
kuch·nia; ~ni
kuch·ta; ~cie
ku·cja; ~cji – *częściej*
   ku/tia; ~tii
kuc·ki
kuc·nąć; ~nął, ~nęli
kucyk
kucz·ny (*siad*)
kuć; kuje
kudła/cić; ~cę, ~ć·cie
kudła/ty; ~ci
kudły
Kudowa
kufaj·ka; ~ce
kufel
ku/fer; ~frze
kuglar·stwo
kuglarz
kujawiak (*taniec*)
kujaw·ski; ~scy
Kujawy
kuj·nąć; ~nął, ~nęli
kujon
ku/jot; ~jocie
kuk (*kok, kucharz*)
kukać
kukieł·ka; ~ce
kukła; kukieł
kuk·nąć; ~nął, ~nęła
kuksa/niec; ~ń·ców
kuks·nąć; ~nął, ~nęli
kukuł·ka; ~ce
kuku na muniu
kukuruź·nik
kukurydza
kukurydziany *lub*
   kukurydzany
kukuryku!
kula

kulas
kula/wiec; ~w·ców
kul·ba/czyć; ~cz·cie
kul·ba/ka; ~ce
kulebiak
kule|cz·ka; ~cz·ce
ku/leć; ~leje, ~leli
kul·fon
kulić się
kulig (jazda saniami)
kulik (ptak)
kulinaria
kulinar·ny
kulis
kulisa
kulisty
kul·ka; ~ce
kul·mina·cja; ~cji
kulomb (skrót: C)
kulo/miot; ~miocie
kulo/od/por·ny
kul·szowy
kult; kul·cie
kul·tu/ra; ~rze
kul·tural·no-oświatowy
kul·turo/twór·czy
kul·turo/zna|w·ca;
　~w·ców
kul·turo/znaw·stwo
kul·tury·sta; ~ści
kul·tywa·cja; ~cji
kul·tywa/tor; ~torze
kul·ty/wować; ~wuje
kulu/ary
kuła·cki; ~c/cy
kułak
kum
kumać się
kum·kać
kumostwo
kumo|sz·ka; ~sz·ce

kumoter·stwo
kum·pel
kum·plostwo
kumula·cja; ~cji
kumu/lować; ~luje
kumys
kuna
kun·del
Kunegu|n·da; ~n·dzie
kung-fu
kunk·tator·stwo
kunszt; kunsz·cie
kun·sztow·ny
kupa
kupała (obrzęd)
ku|p·czyć; ~pcz·cie
ku/per; ~prze
ku/pić; ~p·cie
Kupi/do; ~dzie
kupidynek
ku/piec; ~p·ców
kupie·cki; ~c/cy
kupiectwo
ku|p·ka; ~p·ce
kuplet
kup·no-sprzedaż
kupon
ku/pować; ~puje
kur; kurze
ku/ra; ~rze
kura·cja; ~cji
kura·cjusz
ku/rant; ~ran·cie
kura/ra; ~rze
kuratela
kura/tor; ~torze
kuratorium
kurator·stwo
kuraż (dla kurażu)
kurcz
kur·cząt·ko

kur·czę; ~częcia,
　~częta, ~cząt
kurcz·liwość
kur·czowo
kur·czyć się; ~cz·cie
kurdesz
kur·dupel
Kurdy/stan
kurek
kure|n·da; ~n·dzie
kureń lub kurzeń
kure|w·ka; ~w·ce
kurew·stwo
kur·han
ku/ria; ~rii
ku/rier; ~rierze
kuriozal·ny
kuriozum
kur·ka; ~ce
kur·kowy
Kur·lan·dia; ~dii
kur·niawa
kur·nik
kur·ny
kuronió|w·ka; ~w·ce
kuropatwa
ku/rort; ~ror·cie
ku/rować; ~ruje
Kurp; Kur·piów
kur·piow·ski; ~scy
Kur·piow·szczyzna;
　~szczyź·nie
kur·sant; ~san·ci
kur·si·sta; ~ści
kur·sokon·feren·cja;
　~cji
kur·sor; ~sorze
kur·sować; ~suje
kur·sywa
kur|t·ka; ~t·ce
kurtua·zja; ~zji

kurtuazyj·ny
kurtyna
kurtyzana
kurz
kurzaj·ka; ~ce
kurzawa
kurza|w·ka; ~w·ce
kurzeń *lub* kureń
kurzy
ku/rzyć; ~rz·cie
kusiciel·ski; ~scy
ku/sić; ~szę, ~ś·cie
kusto|sz·ka; ~sz·ce
ku/sy; ~si
kusza
kuszący
kusze|t·ka; ~t·ce
kuszty/czek; ~cz·ków
kuśnierz
kuśtykać *lub* kusztykać
kuta/sek; ~s·ków
ku/ter; ~trze
kuter/no/ga; ~dze
ku/tia; ~tii – *rzadziej*
  ku·cja; ~cji
Kutno
kutwa
kuwej·cki; ~c/cy
Ku/wejt; ~wej·cie
kuwe/ta; ~cie
kuzynostwo
kuzynow·ski; ~scy
kuź·nia; ~ni
kwacz
kwa·dra; ~drze
kwa·drans; ~dran·sie
kwa·drat; ~dracie
kwadratu/ra; ~rze
kwadrofo/nia; ~nii
kwadry/ga; ~dze
kwadrylion

kwadrywium
kwa/kier; ~krzy
kwak·nąć; ~nął, ~nęła
kwalifika·cja; ~cji
kwalifika/tor; ~torze
kwalifi/kować; ~kuje
kwant; kwan·cie
kwan·tyfika/tor;
  ~torze
kwan·tytatywny
kwa/pić się; ~p·cie
kwaran·tan/na
kwarc
kwar·ciany
kwar·có|w·ka; ~w·ce
kwark
kwarta
kwartal·nik
kwartał
kwartet
kwartowy
kwa/sek; ~s·ków
kwa/sić; ~szę, ~ś·cie
kwaskowaty
kwasolub·ny
kwasowęglowy
kwaś·nieć; ~nieje
kwaś·ny
kwate/ra; ~rze
kwater/mistrzostwo
kwater/mistrzow·ski;
  ~scy
kwaterunek
kwef
kwe/fić; ~f·cie
kwere|n·da; ~n·dzie
kweres
kwesta; kweście
kwestarz
kwe·stia; ~stii
kwestionariusz

kwestio/nować; ~nuje
kwe·stor; ~storzy
kwe·stować; ~stuje
kwestu/ra; ~rze
kwękać
kwiaciar·nia; ~ni
kwiaciar·stwo
kwiat; kwiecie
kwiato/stan
kwiatu/szek; ~sz·ków
kwiczeć
kwiczoł
Kwi/dzyn; ~dzyna
kwie/cić; ~cę, ~ć·cie
kwie/cień; ~t·nia
kwieciście
kwiet·nik
kwie/tyzm; ~tyzmie
kwik·nąć; ~nął, ~nęła
kwilić
kwin·ta; ~cie
kwin·tal
kwint·esen·cja; ~cji
kwin·tet; ~tecie
kwin·tylion
Kwiryna
kwiry/ta; ~cie
kwit; kwicie
kwita
kwitariusz
kwi/tek; ~t·ków
kwi|t·nąć; ~tł *lub*
  ~t·nął, ~t·ła
kwi/tować; ~tuje
kwiz *lub* quiz
kwo/ka; ~ce
kwok·nąć; ~nęła
kworum *lub* quorum
kwo/ta; ~cie
kynolo/gia; ~gii
kysz!

L

la/ba; ~bie
labie/dzić; ~dzę,
  ~dź·cie
labi/rynt; ~ryn·cie
laboga!
laboran·cki; ~c/cy
labo/rant; ~ran·ci
laboratorium
laburzy·sta; ~ści
labuś
Lach
la/cha; ~sze
La·cjum
la|cz·ki; ~cz·ków
lać; leje, lali *lub* leli
la/da; ~dzie
lada chwila
lada co (*cokolwiek*)
ladaco (*nicpoń*)
ladacz·nica
lada jaki
lada kto
lady (*pani*)
lafi/rynda; ~ryn·dzie
la/ga; ~dze
la/gier; ~grze
laguna
la/i·cki; ~c/cy
la/icyza·cja; ~cji
la/i/cyzm; ~cyzmie
la/ik; la/icy

la/ikat; la/ikacie
laj/konik
la/ka; ~ce
la/kier; ~kierze
lakier·nia; ~ni
lakmusowy
lakonicz·ny
la/kować; ~kuje
lakta·cja; ~cji
lakto·wit; ~wicie
lale|cz·ka; ~cz·ce
lal·karz
lalu/nia; ~ni
laluś
lama/izm; ~izmie
lam·ba/da; ~dzie
lam|b·da; ~b·dzie
lam·blia; ~blii
lamb·lioza
lam·brekin
la/ment; ~men·cie
lamen·ta·cja; ~cji
lame/ta; ~cie
lami/nat; ~nacie
lamó|w·ka; ~w·ce
lam·pa; ~pie
lam·part; ~par·cie
lam·pas
lam·pe/ria; ~rii
lam·pion
lam|p·ka; ~p·ce

lamus
lan·ca
lan·cet; ~cecie
Lanc·korona
lan·da/ra; ~rze
lan·do; ~dzie
lan·dryn·ka; ~ce
land·szaft *lub*
  lan·szaft; ~szaf·cie
lan·gu·sta; ~ście
lan·sjer; ~sjerze
lan·sować; ~suje
lan·tano/wiec; ~w·ców
La/oko͟on (grupa
  Laokoona)
la/otań·ski; ~scy (*od*
  La/os)
lapidar·ny
lapis
lap·nąć; ~nął, ~nęli
Lapo/nia; ~nii
lapsus
lap·top
larum
lar·wa
lary (lary i penaty)
laryn·golo/gia; ~gii
Larysa
las; lesie
lase|cz·ka; ~cz·ce
la/ser; ~serze

lase/rować; ~ruje
laska; lasce
laso/step
lasotun·dra; ~drze
la/sować; ~suje
las/so
lastrykarz
lastryko *lub* lastrico
La|sz·ka; ~sz·ce
lataren·ka; ~ce
latar·nia; ~ni
lata/wiec; ~w·ców
lateks
latopis
latorośl
latryna
latyfun·dium
latyniza·cja; ~cji
laty/nizm; ~nizmie
latyno/amerykań·ski;
    ~scy
Latynos
latynoski
laub·zega; ~zedze
lau/fer; ~frze
laur; lau/rze
Lau/ra; ~rze
lau/reat; ~reaci
Lau/ren·cja; ~cji
la/ur·ka; ~ce
lawe|n·da; ~n·dzie
lawe/ta; ~cie
Lawi/nia; ~nii
lawi/rant; ~ran·ci
lawi/rować; ~ruje
laza/ret; ~recie
lazu/lit; ~licie
la/zur; ~zurze
lazu/ryt; ~rycie
ląc się *lub* lęg·nąć się;
    lągł, lęg·ła

ląd; lądzie (*ziemia*)
Lądek
lądo/lód; ~lodzie
lądo/twór·czy
lą/dować; ~duje
lądowisko
lądowo-wod·ny
ląg *lub* lęg
leasing
lebie/ga; ~dze
lebio/da; ~dzie
lec *lub* leg·nąć; leg·-
    nij·cie, legł, leg·li
Lech
Le/chia; ~chii
lechi·cki; ~c/cy
Lechi/ta; ~ci
le/cieć; ~cę, ~ć·cie,
    ~cieli
leciuch·ny
leciu|t·ki; ~t·cy
lecytyna
lecz
lecz·nictwo
le/czyć; ~cz·cie
ledwo *lub* ledwie
    do/strzegal·ny
ledwo ledwo
lega·cja; ~cji
legali|st·ka; ~st·ce
legaliza·cja; ~cji
lega/lizm; ~lizmie
le/gar; ~garze
legat; legacie
lege|n·da; ~n·dzie
legen·dar·ny
leg/ginsy
le/gia; ~gii
legion
legioni·sta; ~ści
legisla·cja; ~cji

legislatu/ra; ~rze
legityma·cja; ~cji
leg·nąć *lub* lec;
    leg·nij·cie, legł
legni·cki; ~c/cy
legowisko
legumina
lej; lejów (*wyrwa w
    ziemi*)
lej – *rzadziej* leja; le/i
    (*pieniądz rumuński*)
lej·ba
lejc
lej·dej·ski; ~scy
lejek
lejt·motyw *lub*
    leit·motiv
lejt·nant; ~nan·ci
lekar·ski; ~scy
lekar·stwo
lekarz (*skrót:* lek.)
lek·cewaźąco
lek·cewa/żyć; ~ż·cie
lek·cja; ~cji
lek/ki; lek·cy, lżej·szy
lek/ko; lżej
lek/ko/atle/ta; ~cie
lek/ko/atletyka *lub*
    lek/ka atletyka
lek/kocięż·ki (*waga w
    boksie*)
lek/koduch
lek/kodusz·ny
lek/komyśl·ny
lek/kopół/śred·ni
    (*waga w boksie*)
lek/ko ran/ny
lek/ko/straw·ny *lub*
    lek/ko straw·ny
lek/ko/śred·ni (*waga
    w boksie*)

lek/ko ubrany
lek/ko/zbroj·ny *lub*
 lek/ko zbroj·ny
lekoma/nia; ~nii
leksykaliza·cja; ~cji
leksyko·gra/fia; ~fii
leksykolo/gia; ~gii
leksykon
lek·tor; ~torze
lek·to/rat; ~racie
lektu/ra; ~rze
lekty/ka; ~ce
lekuch·ny *lub*
 lek/kuch·ny
lekusień·ki *lub* lek/ku-
 sień·ki; ~cy
lelum polelum
 (*ślamazara*)
lemiesz
lemonia/da; ~dzie
le/mur; ~murze
len; lnie
le/nić się; ~ń·cie
lenin·gra|dz·ki; ~dz·cy
leni/nizm; ~nizmie
lenistwo
leniuch
leniu/szek; ~sz·ków
leni/wiec; ~w·ców
leni/wy; ~w·szy
len/nik
len/no
len·teks *lub* len·tex
leń; leni *lub* leniów
Leoka/dia; ~dii
Leo/nard; ~nar·dzie
Leon·cjusz
Leo/nia; ~nii
leo/pard; ~par·dzie
Leo/pold; ~pol·dzie
le/pić; ~p·cie

lepiszcze
le|p·ki; ~p·cy
lep·szy; lep·si
les·bij·ka; ~ce
les·bij·ski; ~scy
le/ser; ~serze
lesisto-górzysty
less; les/sie
leszcz
leszczyna
leszczyń·ski; ~scy (*od*
 Leszno)
Le/szek; ~sz·ków
leś·nictwo
leś·niczostwo
leś·niczó|w·ka; ~w·ce
letarg
let·nisko
Lety·cja
l**eu**/ke/mia; ~mii
l**eu**/ko/cyt; ~cycie
l**eu**/ko·plast; ~plaście
lew
Le/want; ~wan·cie
le/wan·tyń·ski; ~scy
le/war; ~warze
lewatywa
lewiatan
lewico/wiec; ~w·ców
lewita·cja; ~cji
lewko/nia; ~nii
lewo/brzeż·ny
leworęcz·ny
lewo/skręt·ny
lewo/skrzydłowy
lewo/stron/ny
lewus
leźć; lezę, leź·cie, lazł,
 leź·li
Leżajsk
leżak

le/żeć; ~ż·cie, ~żeli
Lębork
lędź·wie; ~wi
lędź·wiowy
lęg *lub* ląg
lęg·nąć się *lub* ląc się;
 lągł, lęg·ła
lęk
lęk·li/wy; ~w·szy
lgnąć; lgnij, lgnął,
 lgnęli
liana
lias
liba·cja; ~cji
libań·ski; ~scy (*od*
 Liban)
liberaliza·cja; ~cji
libera/lizm; ~lizmie
libe/ria; ~rii
liberty/nizm; ~nizmie
liberum veto
Li/bia; ~bii
libij·ski; ~scy
libreci·sta; ~ści
libret/to; libret·cie,
 librett
liceali·sta; ~ści
licen·cja; ~cji
licen·cja·cki
licen·cjat; ~cjacie
licen·cjo/nować; ~nuje
licen·tia poetica
lice/um; ~a, ~ów
licho
lich·tarz
lichu|t·ki; ~t·cy
lichwa
lichwiarz
li/chy; ~si, ~ch·szy
li/cować; ~cuje
licó|w·ka; ~w·ce

licyta·cja; ~cji
licy/tant; ~tan·ci
licy/tować; ~tuje
licz·ba (*skrót:* l.)
liczeb·nik
licz·ko
licz/man
licz·nik
li/czyć; ~cz·cie
liczy/grosz
liczy/krupa
li/der *lub* l<u>ea</u>/der;
~derzy
Li/dia; ~dii
Li|d·ka; ~d·ce
Lidzbark
li|dz·ki; ~dz·cy (*od*
Lida)
li/ga; ~dze
liga|w·ka; ~w·ce
lignina
ligo/wiec; ~w·ców
li/gustr; ~gustrze
li/kier; ~kierze
likwida·cja; ~cji
likwida/tor; ~torzy
lik·wor; ~worze
lilaróż (*kolor*)
li/lia; ~lii
Liliana
lilij·ka; ~ce
liliowy
lilipu|t·ka; ~t·ce
lim·ba
limeryk
limes
lim·fatycz·ny
lim·fo/cyt; ~cycie
li/mit; ~micie
limuzyna
lincz *lub* lynch

linear·ny
ling·wi·sta; ~ści
ling·wisty/ka; ~ce
li/nia; ~nii
liniał
li/nieć; ~nieje
linij·ka; ~ce
li/niować; ~niuje
linio/wiec; ~w·ców
liniu/szek; ~sz·ków
linociąg
linole/um
lino/ryt; ~rycie
lino/sko/czek; ~cz·ków
linotypi·sta; ~ści
lioń·ski; ~scy (*od*
Lyon)
lip·cowy
li/piec; ~p·ca
li|p·ka; ~p·ce
lip·ny
liposomowy
Lipsk
lir; lirze
lira; lirze
liryk
li/ryzm; ~ryzmie
li/sek; ~s·ków
lisica
lisi|cz·ka; ~cz·ce
lisiu/ra; ~rze
list; liście
lista; liście
listek; list·ków
liste|w·ka; ~w·ce
listono|sz·ka; ~sz·ce
listo/pad; ~padzie
listo/wie; ~wia
listwa
liszaj
li|sz·ka; ~sz·ce

liściasty
liścień
liścik
liściożer·ny
liść; liść·mi
lit; licie
lita/nia; ~nii
lite/ra; ~rze
litera·cki; ~c/cy
literatu/ra; ~rze
literaturo/zna|w·ca;
~w·ców
literaturo/znaw·stwo
liter·nictwo
literó|w·ka; ~w·ce
litew·ski; ~scy
litew·szczyzna;
~szczyź·nie
lit·kup
lito·gra/fia; ~fii
lito/sfe/ra; ~rze
lito|s·ny; ~ś·ni
litościwy
lito/wiec; ~w·ców
litr; litrze (*skrót:* l)
litraż
litró|w·ka; ~w·ce
litua/nizm; ~nizmie
litur·gia; ~gii
Lit·wa
Lit·win; ~wini
lity
li tylko
Li/wia; ~wii
li/zać; ~że, ~ż·cie
lizboń·ski; ~scy (*od*
Lizbona)
lizes·ka; ~ce
li|z·nąć; ~z·nę, ~ź·nie,
~ź·nij, ~z·nął, ~z·nęli
lizol

lizusostwo
lizusow·ski; ~scy
lniano/włosy
lob/by
lobe/lia; ~lii
loch
lo/cha; ~sze
lo/czek; ~cz·ków
lodołamacz
lodowacenie
lodowa/cieć; ~cieje,
~cieli
lodow·cowy
lodo/wiec; ~w·ców
lodowisko
lodow·nia; ~ni
lodó|w·ka; ~w·ce
lodziar·nia; ~ni
lodziarz
lo/dżia; ~dżii – czę-
ściej lo|g/gia; ~g/gii
logarytm
logicz·ny
logi/ka; ~ce
logo·gryf
logope/dia; ~dii
logos
lojali·sta; ~ści
loja/lizm; ~lizmie
lojal·ka; ~ce
loka·cja; ~cji
lo/kaj; ~ka/i lub ~kajów
lokaliza·cja; ~cji
loka/ta; ~cie
loka/tor; ~torzy
lokator·ski
lo/kaut; ~kau/cie
lokomo·cja; ~cji
lokomotywow·nia; ~ni
lo/kować; ~kuje
lokó|w·ka; ~w·ce

lokum *lub* locum
lom·bard; ~bar·dzie
Lom·bar·dia; ~dii
lom·bar|dz·ki; ~dz·cy
Lon·dyn
Lon·gin
long·play; ~playów
lont; lon·cie
lord; lor·dzie
lor·ne|t·ka; ~t·ce
lor·nion *lub* lor·gnon
los
lo/sować; ~suje
lot; locie
Lotaryn·gia; ~gii
lotaryń·ski; ~scy
lote/ria; ~rii
lo|t·ka; ~t·ce
lot·nia; ~ni
lot·niarz
lot·nictwo
lot·nisko/wiec; ~w·ców
lotos
lotowski (*od* LOT)
lot/to
lot/to/mat; ~macie
lowelas
Lozan/na
loża; lóż
lód; lodzie
lśniący
lśnić
lu/an|dz·ki; ~dz·cy (*od*
Lu/anda)
lub
Lubaczów
luba|sz·ka; ~sz·ce
lub·czyk
lubel·ski; ~scy
Lubel·szczyzna;
~szczyźnie

lubić
lubież·nik
lubież·ny
Lubin
Lublin
lu/bować się; ~buje
lubu·ski; ~scy
lucerna (*roślina*)
Lu/cia; ~ci
Lu·cjan
Lucyfe|r *lub* Lucype|r;
~rze
Lucyna
lud; ludzie
Lu|d·ka; ~d·ce
Lud/miła
lud·ność
ludobój·stwo
ludo/jad; ~jadzie
ludoma/nia; ~nii
ludomań·stwo
Ludo/mir; ~mirze
ludo/wiec; ~w·ców
ludo/władz·two
ludo/znaw·stwo
ludożer·stwo
Ludwik
ludwisarz
ludycz·ny
lu/dzie; ~dź·mi
lu|dz·ki; ~dz·cy
ludz·kość
lufa
luf·cik
lu|f·ka; ~f·ce
luft; luf·cie (do luftu)
lugro·traw·ler; ~lerze
lu/i/dor; ~dorze
Lu/iza
Lu/i·zjana
luk

lu/ka; ~ce
lu/kier; ~krze
lukratywny
lukre·cja; ~cji
luk·rować; ~ruje
luks *lub* lux (*skrót:* lx)
Luksem·burg
luks·fer *lub* lux·fer;
~ferze
luksus
lulać
lumbago
lumen (*skrót:* lm)
luminal
luminarz
lumine·scen·cja; ~cji
lump

lum·pen·proleta/riat;
~riacie
lunapark
luna/tyzm; ~tyzmie
lu/nąć; ~ń·cie, ~nął,
~nęli
lunch *lub* lancz
lune/ta; ~cie
lupa
lu/ra; ~rze
lustra·cja; ~cji
lu·stro; ~strze
lustrzany
lut; lucie
luteń·ka; ~ce
luteranin
lutera/nizm; ~nizmie

lut·nia; ~ni
lutnik
lutni·sta; ~ści
lu/tować; ~tuje
lutow·nica
luty
Luwr; Luwrze
luz
luzak
luź·ny
lwia paszcza (*roślina*)
lwiąt·ko
lwow·ski; ~scy
Lwów
lycra; lycrze
lżej·szy; ~si
lżyć; lżyj

ła/będź; ~będzi
łach
ła/cha; ~sze
łach·maniarz
łąch·my/ta; ~cie
łacho/tać; ~cz·cie
łachot·ki
łachu·dra; ~drze
łacia/ty; ~ci
łacin/nik
łaciń·ski; ~scy
łacno
ład; ładzie
ład·nieć; ~nieje, ~nieli
ład·niu|t·ki; ~t·cy
ła/dować; ~duje
ładow·nia; ~ni
ładunek
ła/dzić; ~dzę, ~dź·cie
ła/gier; ~grze
ła/giew; ~gwi
łagod·nieć; ~nieje,
  ~nieli
łagodniu|t·ki; ~t·cy
ła/godzić; ~godzę,
  ~godź·cie lub
  ~gódź·cie
łagrowy
łajać
łaj·ba
łaj·da·cki; ~c/cy

łaj·dactwo
łaj·daczka
łaj·da/czyć się; ~cz·cie
łaj·dak
łaj·dus
łaj·no
łaj·za
łak·nąć; ~nął, ~nęli
łakocie
łakom·czuch
łako/mić się; ~mię,
  ~mi, ~m/my
łakom·stwo
łam; łamie
ła/mać; ~mię, ~mie,
  ~m/my
łama/ga; ~dze
łama/niec; ~ń·ców
łami/głó|w·ka; ~w·ce
łami/strajk
łam·liwość
łan; łanie
ła/nia; ~ni
łań·cuch
łań·cu·cki; ~c/cy
łań·cu/szek; ~sz·ków
Łań·cut
ła/pać; ~p·cie
łapan·ka; ~ce
łap·czywość
ła/peć; ~p·cia

łapiduch
ła|p·ka; ~p·ce
łapow·nictwo
łapówa
łapów·karz
łaps
łap/serdak
łap·sko
łapu-capu
łasi|cz·ka; ~cz·ce
ła/sić się; ~szę, ~ś·cie
Łask
łaska; łasce
łaska|w·ca; ~w·ców
łaska/wy; ~w·szy
łasko/tać; ~cz·cie
łaskot·ki
ła/sować; ~suje
ła/such
ła/sy; ~si
łaszczyć się; łaszcz·cie
ła/szek; ~sz·ków
ła|t·ka; ~t·ce
łatwiuch·ny
łatwiut·ki
łatwi·zna; ~źnie
łatwopal·ność
łatwowier·ność
łatwo zapal·ny
ławica
ła|w·ka; ~w·ce

ław·ko/wiec; ~wce
ław·nik
ławra; ławrze
łazan·ka; ~ce
Łazarz
łazę/ga; ~dze
łazęgostwo
ła/zić; ~żę, ~ź·cie
łazieb·ny; ~ni
łazien·ka; ~ce
łazien·kow·ski (od
   Łazienki)
łazikostwo
łaź·nia; ~ni
łącze
łą|cz·ka; ~cz·ce
łącz·liwość
łącz·nik
łącz·nościo/wiec;
  ~w·ców
łą/czyć; ~cz·cie
łą/ka; ~ce
łąko|t·ka lub łęko|t·ka;
  ~t·ce
łą|t·ka; ~t·ce
łeb; łbie
Łeba
łe/bek; ~b·ków – też
  łe/pek; ~p·ków
łeb·ski lub łep·ski;
  ~scy
Łeb·sko
łeb w łeb
łech·ta|cz·ka; ~cz·ce
łe|ch·tać; ~chtaj·cie
  lub ~chcz·cie
łe/pek; ~p·ków – też
  łe/bek; ~b·ków
łepetyna
łep·ski lub łeb·ski; ~scy
łe|z·ka; ~z·ce

Łęczyca
łęczy·cki; ~c/cy
łęg (nadrzeczny)
łęk (u siodła)
łęko|t·ka lub łąko|t·ka;
  ~t·ce
łgać; łże, łżyj·cie
łgarz
łkać
łobuz
łobuze/ria; ~rii
łochy/nia; ~ni
łody/ga; ~dze
łody|ż·ka; ~ż·ce
łoić; łoję, łoi, łój, łoił
łojotok
łojó|w·ka; ~w·ce
ło/kieć; ~k·cia
łok·tusza
łom
łomot·nąć; ~nął, ~nęli
Łom·ża
łom·żyń·ski; ~scy
łono
łonowy
łopa|t·ka; ~t·ce
łopatolo/gia; ~gii
łopian
łopo/tać; ~cz·cie
łopuch
łoskot; łoskocie
łosoś
łoszak
łoś
łotr; łotrzy
łotrostwo
łotrow·ski
łotrzyk
łotrzykow·ski
Łotwa
Łotysz

ło|w·ca; ~w·ców
łow·czy
łowi·cki; ~c/cy (od
  Łowicz)
łowić; łów·cie
łowie·cki; ~c/cy
łowiectwo
łowisko
łoza; łóz
łoże; łóż
łoż·nica
łożyć; łóż·cie
łożysko
łó|d·ka; ~d·ce
łó|dz·ki; ~dz·cy (od
  Łódź)
łódź; łodzie
łój
łów
łóż·ko
łu/bek; ~b·ków
łubian·ka; ~ce
łubin
łubu-du
Łu·cja; ~cji
łu·cki; ~c/cy (od Łuck)
łu/czek; ~cz·ków
łucz·nictwo
łuczywo
łudząco
łu/dzić; ~dzę, ~dź·cie
ług (ług sodowy)
łu/gować; ~guje
łuk (łuk tęczy)
Łukasz
Łuków
łuna
łup
łu/pać; ~p·cie
łu/pek; ~p·ków
łu/pić; ~p·cie

łu/pień; ~p·nia (dać
  komuś łupnia)
łupieski
łupiestwo
łupież
łupie|ż·ca; ~ż·ców
łupież·czy
łupina
łup·nąć; ~nął, ~nęli
łupu-cupu
łuska; łusce
łuskać

łuskwina
łuszczyć; łuszcz·cie
łut; łucie
łużyc·czyzna; ~czyźnie
Łużyce
łuży·cki; ~c/cy
ły/cha; ~sze
ły/czek; ~cz·ków
ły|d·ka; ~d·ce
łyk·nąć; ~nął, ~nęli
łykowa/cieć; ~cieje
łyp·nąć; ~nął, ~nęli

ły/sek; ~s·ków
ły/sieć; ~sieje, ~sieli
ły|s·nąć; ~ś·nie, ~ś·nij,
  ~s·nął, ~s·nęli
Łysogóry
ły/sy; ~si
łyżecz/kować; ~kuje
ły|ż·ka; ~ż·ce
łyż·wa; łyżew *lub* łyżw
łyż·wiarz
łza; łez
łza/wić; ~w·cie

M

Macedo/nia; ~nii
macedoń·ski; ~scy
macera·cja; ~cji
Machabe/usz
machać
ma/cher; ~cherze
machina
machina·cja; ~cji
machinal·nie
machloj·ka; ~ce
mach·nąć; ~nął, ~nęli
mach·nięcie
machor·ka; ~ce
macica
Maciej
maciej·ka; ~ce
maciejó|w·ka; ~w·ce
macierz
macierzan·ka; ~ce
macierzyń·stwo
macierzysty
macio/ra; ~rze
maciu|p·ki; ~p·cy
Maciuś
macka; mac/ce
mac·nąć; ~nął, ~nęli
maco/cha; ~sze
macze/ta; ~cie
maczu/ga; ~dze
ma/da; ~dzie
Madagas·kar; ~karze

Madon/na; Madon/nie
madry·cki; ~c/cy (od
  Madryt)
madrygał
Ma/dziar; ~dziarzy lub
  ~dziarowie
maes·tria; ~trii
maes·tro; ~trze
ma/fia; ~fii
mafij·ny
ma/fios lub ma/fioso;
  ~fiosi
mag; magów
magazy/nier; ~nierzy
magazy/nować; ~nuje
Mag·da; ~dzie
magdebur·ski; ~scy
  (od Magdeburg)
Magdusia
Magel/lan
mag/gi
Magh·reb
ma/gia; ~gii
magicz·ny
magiel
magie/ra; ~rze
  (czapka)
magik
magi·ster; ~strze
  (skrót: mgr)
magisterium

magistra·cki; ~c/cy
magistrala
magistran·cki
magi·strant; ~stran·ci
magi·strat; ~stracie
mag·lować; ~luje
magma
magna·cki; ~c/cy
magnate/ria; ~rii
magnes (przyciągający
  żelazo)
magnetofon
magneto/wid; ~widzie
magnetycz·ny
magne/tyt; ~tycie
magne/tyzm; ~tyzmie
magnety/zować; ~zuje
magnez (pierwiastek
  chemiczny)
magne·zja; ~zji
magne/zyt; ~zycie
magni/ficen·cja; ~cji
magno/lia; ~lii
maharadża
mahat·ma
mah·di
mahometa/nizm; ~nizmie
mahoń
ma/ić; maję, ma/i,
  maj·cie, ma/ił
ma/ik

147

maj
Maja; Ma/i
maja/czyć; ~cz·cie
mają/tek; ~t·ku
maj·cher; ~chrze
maj·dan
Maj·danek
majeranek
majes·tat; ~tacie
majestatycz·ny
majęt·ność
majolikowy
majonez
ma/jor; ~jorze (skrót:
  mjr)
major·domus
Major·ka; ~ce
majó|w·ka; ~w·ce
maj·ster; ~strze
maj·ster-klep·ka;
  maj·ster-klep·ce
maj·ster·sztyk
maj·strostwo
maj·strow·ski; ~scy
maj·tek; ~t·ków
majt·ki
majt·nąć; ~nął, ~nęli
majuskuła
mak; maku
maka·bra; ~brze
makabre·ska; ~sce
makabrycz·ny
makak
makao
makaroniarz
makaro/nizm; ~nizmie
maka|t·ka; ~t·ce
Mak·bet; ~becie
makiawe/lizm; ~lizmie
makie/ta; ~cie
makijaż

mak·ler; ~lerzy
makolągwa
mako/wiec; ~w·ców
makó|w·ka; ~w·ce
makrela
makrocząste|cz·ka;
  ~cz·ce
makro/ekono/mia;
  ~mii
makro/kli/mat;
  ~macie
makroregion
makro/skopij·ny
makro/struktu/ra;
  ~rze
maksi lub maxi
maksimum
maksyma
maksymaliza·cja; ~cji
maksyma/lizm;
  ~lizmie
maksymal·nie
Maksymilian
makuch
makulatu/ra; ~rze
maku·tra; ~trze
mala/chit; ~chicie
malaj·ski; ~scy
mala/ria; ~rii
malar·nia; ~ni
malarz
Mal·bork
malec
ma/leć; ~leje, ~leli
maleń·ki; ~cy
maleń·stwo
Male·zja; ~zji
maligna
maliniak
malinó|w·ka; ~w·ce
mal·kon·ten·cki; ~c/cy

mal·kon·ten·ctwo
mal·kon·tent; ~ten·ci
ma/lować; ~luje
mal·tań·ski; ~scy
mal·tre/tować; ~tuje
maluch
malu|cz·ki; ~cz·cy
malunek
malu|t·ki; ~t·cy
mal·wer·sa·cja; ~cji
mal·wer·sant; ~san·ci
Mał·gorza/ta; ~cie
mał·ma·zja; ~zji
mało; mniej
małodusz·ny
małodziet·ny
mało gdzie
mało/lat; ~lacie
małolet·niość
małolitrażowy
małomów·ny
mało/obraz·kowy
mało od/por·ny
Małopol·ska; ~sce
małopol·ski; ~scy
małorol·ny
małosol·ny
małost·kowość
mało ważny
mał·piat·ka
mał·piąt·ko
mał·piszon
mał|p·ka; ~p·ce
mał·po/lud; ~ludzie
mały; mali, mniej·szy
małż
mał·żeń·stwo
mał·żon·ka; ~ce
mał·żowina
mamały/ga; ~dze
mameluk

ma/mić; ~mię, ~mi,
~m/my
mamin/synek
mam/mo·grafia;
~grafii
mamro/tać; ~cz·cie
mamu/nia; ~ni
mamu|ś·ka; ~ś·ce
ma/mut; ~mucie
manager – *rzadziej*
menedżer
manat·ki
man·daryn
man·daryn·ka; ~ce
man·datariusz
man·dolini·sta; ~ści
Man·dżu/ria; ~rii
manekin
ma/newr; ~newrze
maneż
Man·fred; ~fredzie
man·ganian
man·go
Ma/nia; ~ni
ma/nia; ~nii
mania·cki; ~c/cy
maniak
manicure – *rzadziej*
mani/kiur; ~kiurze
manie/ra; ~rze
manier·ka; ~ce
manie/ryzm; ~ryzmie
mani/fest; ~feście
manifesta·cja; ~cji
manife·stant; ~stan·ci
manikiurzys|t·ka *lub*
manicurzys|t·ka;
~t·ce
maniok
manipula·cja; ~cji
Maniusia

man·ka/ment;
~men·cie
man·kiet; ~kiecie
man·ko
man/na
mano/metr; ~metrze
manowce
man·sar·da; ~dzie
man·to; man·cie
man·ty/ka; ~ce
man·tysa
manu/al·ny
manufaktu/ra; ~rze
manu·skrypt;
~skryp·cie
mań·kuctwo
mań·kut; ~kucie
ma/o/izm; ~izmie
mapet *lub* mupet
ma|p·ka; ~p·ce
ma/ra; ~rze
mara/but; ~bucie
maratoń·czyk; ~czycy
ma/razm; ~razmie
mar·cepan
mar·chew; ~chwi
mar·chia; ~chii
Mar·chołt; ~choł·cie
mar·chwiany
Mar·cjan/na
maren·go
mar·garyna
mar·gery|t·ka; ~t·ce
mar·giel; ~g·li
mar·gines
mar·gra/bia; ~biego
lub ~bi
Ma/ria; ~rii
maria·cki
Marian
Marian/na

mariasz (*w kartach*)
mariawi·cki; ~c/cy
mariawi/tyzm;
~tyzmie
mariaż (*małżeństwo*)
marihuana
Mariola
marione|t·ka; ~t·ce
Mariusz
mar·ke/ting
mar·kietan·ka; ~ce
markiz
markiza
mar·ko/cić się; ~ć·cie
mar·kot·nieć; ~nieje,
~nieli
mar·kować; ~kuje
mar·ksi·sta; ~ści
mar·ksizm; ~ksizmie
mar·mola|d·ka; ~d·ce
mar·mur; ~murze
mar·nieć; ~nieje, ~nieli
mar·niu|t·ki; ~t·cy
mar·no/tra/wić;
~w·cie
mar·no/traw·stwo
Maroko
Mars
Mar·sjanin
mar·skość
Mar·sy/lia; ~lii
marsz
mar·szałek (*skrót:*
marsz.)
mar·szałkostwo
mar·szałkow·ski; ~scy
mar·szand; ~szan·dzie
mar·szczyć; ~szcz·cie
mar·szobieg
marsz/ru/ta; ~cie
martenow·ski

mar·twica
mar·twić; ~tw·cie
mar·twy
martyrolo/gia; ~gii
maru/der; ~derzy
marud·ny
maru/dzić; ~dzę,
  ~dź·cie
Marych·na
Ma|ry/ja; ~ry/i
  (Matka Boska)
maryj·ny
marynarz
Mary/nia; ~ni
maryni·sta; ~ści
mary/nizm; ~nizmie
mary/nować; ~nuje
Marzan/na
marzec
Marzena
marzenie
mar·znąć; marzł lub
  mar·znął, mar·zli
marzyciel·stwo
ma/rzyć; ~rz·cie
mar·ża; marż
masa
Masaj
masa·kra; ~krze
masar·nia; ~ni
masarz (pracownik
  masarni)
masaż (masowanie)
masaży·sta; ~ści
maska; masce
maskara/da; ~dzie
masko|t·ka; ~t·ce
ma·skować; ~skuje
masło; maśle
maso/chizm; ~chizmie
masone/ria; ~rii

masoń·ski; ~scy
ma/sować; ~suje
maso/wiec; ~w·ców
masó|w·ka; ~w·ce
mass media; mass
  mediów
mastur·ba·cja; ~cji
masyw
masze/rować; ~ruje
maszka/ra; ~rze
maszkaron lub
  maskaron
maszt; masz·cie
masztalerz
maszyne/ria; ~rii
maszyni·sta; ~ści
maszynopis
maszynopisanie
maszynow·nia; ~ni
maszyno/znaw·stwo
maść; maści
maślak
maślan·ka; ~ce
mat; macie
matactwo
mata/dor; ~dorzy
mat·czysko
matecz·nik
matematycz·no-fizy-
  cz·ny
matema/tyk; ~tycy
materac
mate/ria; ~rii
materiali·sta; ~ści
materializa·cja; ~cji
materia/lizm; ~lizmie
materiał
materiało/chłon/ny
materiało/zna|w·ca;
  ~w·ców
materiało/znaw·stwo

Mate/usz
matkobój·ca
matkobój·stwo
mat·ma
mat·nia; ~ni
matołectwo
matowobiały
mató|w·ka; ~w·ce
matriar·chat; ~chacie
matryca
matrymonial·ny
matuch·na
matu/nia; ~ni
matu/ra; ~rze
maturzy·sta; ~ści
matuś
matuzalem
Matyl·da; ~dzie
Ma<u>u</u>r; M<u>au</u>/rze
M<u>au</u>/reta/nia; ~nii
M<u>au</u>/rycy
m<u>au</u>/zer; ~zerze
m<u>au</u>/zoleum
ma/zać; ~że, ~ż·cie
mazak
maz|ga/ić się; ~gaję,
  ~ga/i, ~gaj·cie,
  ~ga/ił
mazgaj·stwo
mazidło
mazisty
ma|z·nąć; ~ź·nie,
  ~ź·nij, ~z·nął, ~z·nęli
mazowie·cki; ~c/cy
Mazowsze
Ma/zur; ~zurze
mazurek
mazur·szczyzna;
  ~szczyźnie
mazu/rzyć; ~rz·cie
ma/zut; ~zucie

maź
mą/cić; ~cę, ~ć·cie
mąciwo/da; ~dzie
mą|cz·ka; ~cz·ce
mącz·no-ziem·niaczany
mącz·ny
mądry; mądrzy
mądrze
mądrzyć się; mądrz·cie
 lub mądrzyj·cie
mą/ka; ~ce
mątwa
mąż
mdleć; mdleje, mdleli
mdlić
mdły
mean·der; ~drze
mebel
meblar·stwo
meblo/ścian·ka; ~ce
meb·lować; ~luje
meblowóz
mecenas
mecenasostwo
mecenasow·ski; ~scy
mece/nat; ~nacie
mech; mchu
mecha/cić; ~cę, ~ć·cie
mechanicz·ny
mecha/nik; ~nicy
mechaniza·cja; ~cji
mecha/nizm; ~nizmie
mechaty
mecho/wiec; ~w·ców
me/cyje; ~cyi
mecz
mecz·bol
me/czet; ~czecie
medalier·stwo
medalion
medali·sta; ~ści

Me/dea; ~dei, ~deę
me/dia; ~diów
media·cja; ~cji
media/tor; ~torzy
mediewi·sta; ~ści
Mediolan
medium
meduza
medycyna
medycz·ny
medyka/ment;
 ~men·cie
medyta·cja; ~cji
Mefistofeles
mega/bajt; ~baj·cie
 (*skrót:* MB)
mega/dżul
megafon
megaherc (*skrót:*
 MHz)
megakalo/ria; ~rii
megaloma/nia; ~nii
megalomań·ski; ~scy
mega/wat; ~wacie
 (*skrót:* MW)
mega/wolt; ~wolcie
 (*skrót:* MV)
megie/ra; ~rze
 (*kłótliwa kobieta*)
Mek/ka; ~ce
meksykań·ski; ~scy
melan·cho/lia; ~lii
melan·cholij·ny
Melane·zja; ~zji
Mela/nia; ~nii
melanż
melasa
Mel·chior; ~chiorze
mel·dunek
meleks *lub* melex
meliniarz

meliora·cja; ~cji
melio/rant; ~ran·ci
melisa
melode·klama·cja; ~cji
melo/dia; ~dii
melo/dra/mat; ~macie
melodycz·ny
meloma/nia; ~nii
melomań·stwo
melorecyta·cja; ~cji
mem·brana
memen·to
memłać
memoran·dum
memoriał
menażer (*agent*)
menaże/ria; ~rii
mena|ż·ka; ~ż·ce
me|n·da; ~n·dzie
men·del
mene/dżer; ~dżerzy
 – *częściej* manager
Menela/os
menisk
men/nica
men·sa
men·stru/acja; ~acji
men·tal·ność
men·tolowy
men·tor; ~torze
men·tor·ski
menu
menu/et; ~ecie
men·zur·ka; ~ce
mer; merze
merd·nąć; ~nął, ~nęła
mere|ż·ka; ~ż·ce
meritum
mer·kan·tyliza·cja; ~cji
mer·kan·ty/lizm; ~liz-
 mie

Mer·kuriusz
Mer·kury
merostwo
merynos
merytorycz·ny
mesa
me·sjanistycz·ny
me·sja/nizm; ~nizmie
Me·sjasz
me/szek; ~sz·ku
me|sz·ka; ~sz·ce
metabo/lizm; ~lizmie
metafizy/ka; ~ce
metafo/ra; ~rze
metaforyza·cja; ~cji
metajęzyk
metalo/plasty/ka; ~ce
metalo/wiec; ~w·ców
metalo/zna|w·ca;
  ~w·ców
metalo/znaw·stwo
metalur·gia; ~gii
metamorfoza
metateza
metem·psychoza
me/teor; ~teorze
meteorolo/gia; ~gii
meteoropa/tia; ~tii
meteo/ryt; ~rycie
me|t·ka; ~t·ce
metodolo/gia; ~gii
metodycz·ny
metody·sta; ~ści
metoni/mia; ~mii
metr; metrze (skrót:
  m)
metram·paż
metraż
metresa
metro; metrze
metropo/lia; ~lii

metropoli/ta; ~cie
metró|w·ka; ~w·ce
metrum
metrycz·ny
metry/ka; ~ce
metyloben·zen
Metys
me|w·ka; ~w·ce
meza/lians; ~lian·sie
mezoder·ma
Mezopota/mia; ~mii
mezozo/icz·ny
mez/zosopran
męczar·nia; ~ni
męczący
męczen/nik
męczeń·stwo
mę/czyć; ~cz·cie
męczydusza
mędrek
mędr·kować; ~kuje
mędrzec; mędr·ców
męka; mąk
mę·ski; ~scy
męsko-dam·ski
męsko/osobowy
męstwo
męt; męcie
męt·lik
męt·nia·cki; ~c/cy
męt·nieć; ~nieje
męt·ny
męty
męża|t·ka; ~t·ce
męż·czyzna; ~czyźnie
męż·nieć; ~nieje, ~nieli
męż·ny
mężobój·ca
mężobój·stwo
mężow·ski; ~scy
mężulek

mgieł·ka; ~ce
mgliście
mgła; mgieł
mgławica
mgnienie; mgnień
mi – zob. ja
miał; miale
miał·ki
mia/nować; ~nuje
mianowicie
mianow·nik
miara; mierze
miar·kować; ~kuje
miarodaj·ny
miast (zamiast)
miasto; mieście (skrót:
  m.)
miau!
miauk·nąć; ~nął, ~nęła
miazga; miaz·dze
miazmat
miaż·dżyca
miaż·dżyć; miażdż·cie
miąć; mnę, mnie,
  mnij, miął, mięli
miąższ
mi/cha; ~sze
Michał
midi
miech
Mie/cia; ~ci
miecz
Mieczy/sław
mieć; miej·cie, miał,
  mieli
mied·nica
miedza
miedziak
miedziano/bro/dy;
  ~dzi
miedzioryt·nictwo

miedzio/wiec; ~w·ców
miedź
miej·sce
miej·scow·nik
miej·scowość
miej·scó|w·ka; ~w·ce
miej·ski; ~scy
miele·cki; ~c/cy (od
   Mielec)
mielić
mie/lizna; ~liźnie
mielon·ka; ~ce
mie/nić się; ~ń·cie
mienie
mień·sze/wik lub
   mien·sze/wik; ~wicy
mier·nictwo
mier·nik
mier·no/ta; ~cie
mier·ny
mierz|ch·nąć; ~chł
mie/rzeja; ~rzei
mierzenie
mier·zić; ~żę, ~ź·cie
mier·znąć; ~znie lub
   ~źnie, ~zł, ~zli lub
   ~źli
mierz·wa
mierz·wić; mierzw·cie
   lub mierz·wij·cie
mie/rzyć; ~rz·cie
mierzynek
mie/siąc; ~sięcy (skrót:
   mies.)
miesią|cz·ka; ~cz·ce
mie/sić; ~szę, ~ś·cie
miesięcz·nie
mieszać
mieszal·nia; ~ni
miesza/niec; ~ń·ców
mieszan·ka; ~ce

mieszczanin
mieszczań·ski; ~scy
mieszczań·stwo
mieszcz·ka; ~ce
mieszczuch
mie/szek; ~sz·ków
mieszkać
mieszka·niec; ~ń·ców
mieszkanió|w·ka; ~w·ce
Mieszko
mieś·cić się; miesz·czę,
   mieść·cie
mieścina
mieść; miotę, miecie,
   mieć·cie, miótł,
   miet·li
Mie/tek; ~tka
miewać
mię – zob. ja
mięcho
mięciuch·ny
mięciut·ki
mięczak
międlić; międl·cie lub
   międlij·cie
między
międzyczas
między in/nymi (skrót:
   m.in.)
międzykon·tynen·tal·-
   ny
międzyludz·ki
międzymiastowy
międzymorze
międzynarodowy
międzynarodó|w·ka;
   ~w·ce
między/o/kręgowy
międzypań·stwowy
międzypar·lamen·tar·-
   ny

międzyrządowy
międzyrzecze
między/szkol·ny
między/uczel·niany
międzywojen/ny
międzywojewódz·ki
międzywoj·nie
Między/zdroje
międzyżebrowy
międzyżebrze
mięk·czyć; miękcz·cie
miękisz
mięk/ki; mięk·szy
mięk/ko; mięk·cej
mięk/kotematowy
mię|k·nąć; ~kł lub
   ~k·nął, ~k·ła
mięsak
mięsień
mięsisty
mięso
mięso/pust; ~puście
mięsożer·ny
mięś·niak
mięś·niowy
mię/ta; ~cie
mięto/sić; ~szę, ~ś·cie
miętó|w·ka; ~w·ce
miętus
mig
miga|w·ka; ~w·ce
migdało/wiec; ~w·ców
mig·nąć; ~nął, ~nęli
migo/tać; ~cz·cie
migot·liwy
migowy
migra·cja; ~cji
mi·grant; ~gran·ci
migrena
mijać
mi/ka; ~ce

Mikołaj
mikrob
mikrobiolo/gia; ~gii
mikrobus
mikrochirur·gia; ~gii
mikrozą|s·tka; ~st·ce
mikro/ekono/mia; ~mii
mikro/ele/ment;
~men·cie
mikrofaló|w·ka; ~w·ce
mikrofau/na
mikrofilm
mikrofon
mikro·kli/mat; ~macie
mikrokom·pu/ter;
~terze
mikro/metr; ~metrze
mikron
mikro/or·ga/nizm;
~nizmie
mikropaleon·tolo/gia;
~gii
mikroregion
mikro·skop
mikro·skopij·ny
mikrus
mikry
mik·ser; ~serze
mik·sować; ~suje
mikst; mik·ście
miks·tu/ra; ~rze
Milanó/wek; ~w·ka
mil·czeć; ~cz·cie, ~czeli
mil·czek; ~cz·kiem
milenij·ny
milenium *lub*
mil/len/nium
mili/am·per; ~perze
mi/liard; ~liar·dzie
(*skrót:* mld)
miliar·der; ~derzy

mili·cja; ~cji
mili·cjant; ~cjan·ci
mili/gram (*skrót:* mg)
mili/litr; ~litrze (*skrót:*
ml)
mili/metr; ~metrze
(*skrót:* mm)
milion (*skrót:* mln)
milio/ner; ~nerzy
militaria
militaryza·cja; ~cji
milita/ryzm; ~ryzmie
mil|k·nąć; ~kł *lub*
~k·nął, ~k·li
mil/len/nium *lub*
milenium
mi/lord; ~lor·dzie
miluch·ny
milusiń·ski; ~scy
milu|t·ki; ~t·cy
miłosier·dzie
miłos·ny
miłos|t·ka; ~t·ce
miłości/wy; ~w·szy
miłość
miłośnictwo
mim; mimie
mime/tyzm; ~tyzmie
mimicz·ny
mimi/ka; ~ce
mimi·kra; ~krze
mimochodem
mimo/śród; ~środzie
mimo woli
mimowol·nie
mimoza
mimo że
mina
mina/ret; ~recie
mi/nąć; ~ń·cie, ~nął,
~nęli

mi/ner; ~nerzy *lub*
mi/nier; ~nierzy
mineraliza·cja; ~cji
mineralo/gia; ~gii
mini
mi/nia; ~nii
mini/aparat
miniatu/ra; ~rze
miniaturyza·cja; ~cji
miniaturzy·sta; ~ści
minikom·pu/ter;
~terze
minimaliza·cja; ~cji
minima/lizm; ~lizmie
minimum
miniony
minireportaż
mini/spód·ni|cz·ka;
~cz·ce
mini·ster; ~strze
(*skrót:* min.)
ministerial·ny
minister·stwo
ministran·cki
mini·strant; ~stran·ci
ministran·tu/ra; ~rze
minisukien·ka; ~ce
min·ka; ~ce
minode/ria; ~rii
minorowy
Mino/taur; ~tau/rze
mi/nować; ~nuje
minóg
min·strel
minus
minuskuła
minu/ta; ~cie (*skrót:*
min)
Mińsk
miocen
mio/dek; ~d·ku

miododaj·ny
miodosyt·nia; ~ni
miodun·ka; ~ce
miot; miocie
miota|cz·ka; ~cz·ce
miotać
miot·ła
miód; miodzie
mirabel·ka; ~ce
miraż
Miriam
mir/ra *lub* mi/ra; ~rze
(*kadzidło*)
mirt; mir·cie
mir·za *lub* mur·za
mise|cz·ka; ~cz·ce
misiu/ra; ~rze
mi·sja; ~sji
mi·sjonarz
mi|s·ka; ~s·ce
miss
misterium
mister·ny
mistrz
mistrzostwo
mistrzow·ski; ~scy
misty/cyzm; ~cyzmie
mistycz·ny
mistyfika·cja; ~cji
mistyfika/tor; ~torzy
misty/ka; ~ce
misyj·ny
misz·masz
miś
mit; micie
mitochondria
mitolo/gia; ~gii
mitologiza·cja; ~cji
mitoma/nia; ~nii
mito/twór·stwo
mito/zna|w·ca; ~w·ców

mitra; mitrze
mitrę/ga; ~dze
mitrę/żyć; ~ż·cie
mitycz·ny
mity/gować; ~guje
mi/tyng; ~tyn·giem
mizan·tro/pia; ~pii
mizdrzyć się;
mizdrz·cie
mizeractwo
mize/ria; ~rii
mizer·nieć; ~nieje,
~nieli
mizer·niuch·ny
mizer·niu|t·ki; ~t·cy
mizerykor·dia; ~dii
mknąć; mknij·cie,
mknął, mknęli
mlaskać; mlaskaj·cie
lub mlaszcz·cie
mla|s·nąć; ~ś·nie,
~ś·nij·cie, ~s·nął,
~s·nęli
mleczar·nia; ~ni
mleczarz
mlecz·nobiały
mleć; miel·cie, mełł,
meł/ła, meł/li
mlekodaj·ny
młocar·nia; ~ni
młociarz
mło|c·ka *lub* młó|c·ka;
~c/ce
młoc·kar·nia; ~ni
młod·nieć; ~nieje,
~nieli
młodociany
młodopol·ski; ~scy
młodopol·szczyzna;
~szczyźnie
młodoże/niec; ~ń·ców

mło/dy; ~dzi, ~d·szy,
~d·si
młodzienia/szek;
~sz·ków
młodzie/niec; ~ń·ców
młodzień·czy
młodzież
młodzieżó|w·ka; ~w·ce
młodziu|t·ki; ~t·cy
młokos
mło/tek; ~t·ków
młó/cić; ~cę, ~ć·cie
młó·cka *lub* mło·cka;
~c/ce
młó|d·ka; ~d·ce
młódź; młodzi
młynarz
mły/niec; ~ń·ców
młyń·ski
mnemotech·nicz·ny
mniam!
mnich; mnisi
mnie – *zob.* ja
mniej
mniej·sza o to
mniej więcej
mniemać
mnisi *lub* mniszy
mnisz/ek; ~sz·ków
mni|sz·ka; ~sz·ce
mnożyć; mnóż·cie
mnóstwo
mobiliza·cja; ~cji
mocar·stwo
mocarz
mocoda|w·ca; ~w·ców
mo/cować się; ~cuje
mocz
moczopęd·ny
moczo/płciowy
moczowo-płciowy

moczo/wód; ~wodzie
mo/czyć; ~cz·cie
moczygęba
moczymor·da; ~dzie
moda; mód
modelar·nia; ~ni
modelarz
moder·ni·sta; ~ści
moder·niza·cja; ~cji
moder·nizm; ~nizmie
modlić się; módl·cie
modli|sz·ka; ~sz·ce
modlitwa
mod·niar·stwo
mod·nisia; ~niś
modro/oki; ~ocy
mo/drzew; ~drzewi
modula·cja; ~cji
modula/tor; ~torze
moduł
modus
modyfika·cja; ~cji
modyfika/tor; ~torze
modys|t·ka; ~t·ce
Mogun·cja; ~cji
mo/hair *lub* mo/her;
 ~herze
Mohikanin
moj·ra; ~rze
Moj·żesz
mokasyn
mok/ka; mok·ce
mok·nąć; mókł *lub*
 mok·nął, mok·li
mokry; mokrzy
mokrzuteń·ki; ~cy
mol (*gramocząsteczka*)
molekular·ny
mole·stować; ~stuje
molibden
Mo/lier; ~lierze

moll (koncert f-moll)
moloch
molo/od/por·ny
Moł·da/wia; ~wii
momen·cik
mo/ment; ~men·cie
monachij·ski; ~scy
Monachium
Monachoma/chia;
 ~chii
monar·cha; ~sze
monar·chia; ~chii
monar·chi·sta; ~ści
monar·szy
mona·ster; ~sterze
moneta/ryzm; ~ryzmie
Mon·go/lia; ~lii
mon·go/lizm; ~lizmie
mon·golo/idalny
mon·gołowatość
moniak
moni/tor; ~torze
moni/tować; ~tuje
mo/nizm; ~nizmie
mono·chroma/tyzm;
 ~tyzmie
mono/dram
monofo/nia; ~nii
monoga/mia; ~mii
mono·gra/fia; ~fii
mono·gram
monokl
monokul·tu/ra; ~rze
mono/lit; ~licie
monolog
monopoli·sta; ~ści
monopoliza·cja; ~cji
monopoló|w·ka; ~w·ce
monosylabicz·ny
monote/ista; ~iści
monote/izm; ~izmie

monotematycz·ny
monoto/nia; ~nii
monoton/ny
monoty/pia; ~pii
mon·stran·cja; ~cji
mon·strual·ny
mon·strum
mon·sun
mon·tażow·nia; ~ni
mon·taży·sta; ~ści
Monte Cas/sino
mon·ter; ~terzy
mon·tować; ~tuje
mon·tow·nia; ~ni
monu/ment; ~men·cie
monumen·ta/lizm;
 ~lizmie
mo/ped; ~pedzie
mops
morali·sta; ~ści
morali/tet; ~tecie
moralizator·stwo
moral·ność
moratorium
Morąg
mord; mor·dzie
morda; mor·dzie
morder·stwo
mordę/ga; ~dze
mor|d·ka; ~d·ce
mordobicie
mor·dować; ~duje
mordow·nia; ~ni
mores
mor·fem
Mor·fe/usz
mor·fini·sta; ~ści
mor·fi/nizm; ~nizmie
mor·fini/zować się;
 ~zuje
mor·folo/gia; ~gii

mor·ga; mor·dze, mórg
mor·ganatycz·ny
mor·mo/nizm; ~nizmie
mor·moran·do *lub*
  mur·muran·do
mors
mor·ski
mor·szczuk
mor·szczyn
mor/świn
mor·tadela
morus
mor·wa
morze; mórz
morzyć; mórz·cie
mosiądz
mosięż·ny
moskitie/ra; ~rze
Moskwa
mos/pan
most; mościе
moszcz
mosz·na
mościć; moszczę,
  mość·cie
mość; mości
mo/tek; ~t·ków
motłoch
motocykli·sta; ~ści
moto·kros *lub*
  moto·cross
motopom·pa
mo/tor; ~torze
motoro/wer; ~werze
motoro/wiec; ~w·ców
motorowod·niak;
  ~niacy
motorowóz
motoró|w·ka; ~w·ce
motorycz·ny
motoryn·ka; ~ce

motoryza·cja; ~cji
moto/sport; ~spor·cie
mot/to; mot·cie, mott
moty|cz·ka; ~cz·ce
motyw
motywa·cja; ~cji
mowa; mów
moza<u>i</u>/ka; ~ce
mozam·bi·cki; ~c/cy
  (*od* Mozambik)
mozół
moździerz
może (*prawdo-*
  podobnie)
może by
moż·li/wy
moż·na by
moż·ność
moż·no/wła|d·ca;
  ~d·ców
moż·no/władz·two
moż·ny
móc; może, mógł,
  mog·li
mój; moim, moi,
  moimi
mól; mola (*owad*)
mór; morze
mórg *lub* morga
mó|w·ca; ~w·ców
mó/wić; ~w·cie
mó|w·ka; ~w·ce (*od*
  mowa)
mózg
mózgocza|sz·ka; ~sz·ce
mózgo/wiec; ~w·ców
mózgowo-rdzeniowy
móżdżek; móżdż·ków
Mrągowo
mrocz·ny
mrowisko

mro/zek; ~z·ku
mro/zić; ~żę, mroź·cie
  lub mróź·cie
mrozo/od/por·ny
mroź·ny
mrożon·ka; ~ce
mrów·czy
mró|w·ka; ~w·ce
mrów·ko/jad; ~jadzie
mrów·ko/wiec; ~w·ców
mróz
mru/czeć; ~cz·cie,
  ~czeli
mrug·nąć; ~nął, ~nęli
mruk·nąć; ~nął, ~nęli
mru-mru
mru/żyć; ~ż·cie
mrzeć; marł
mrzon·ka; ~ce
mrzy/głód; ~głodzie
msza
mszak
mszał
mszczenie się
mszyca
mścić się; mszczę,
  mścij
mu/cha; ~sze
muchoła|p·ka; ~p·ce
mucho/mor *lub*
  mucho/mór; ~morze
muchó|w·ka; ~w·ce
muczeć
mudżahedin
muezin
mu|f·ka; ~f·ce (*z futra*)
muflon
Mu/lat; ~laci
mulina
mulisty
mul·timedial·ny

mul·timilio/ner; ~nerzy
mul·tiwitamina
mul·tum
muł
muł/ła; mul/le, muł/łów
mu/mia; ~mii
mumifika·cja; ~cji
Mun·dek; ~d·ka
mun·dial
mun·dur; ~durze
municypal·ny
munio (kuku na muniu)
munsztuk
mur; murze
murar·ski; ~scy
murarz
murawa
mur-beton (absolutnie pewne)
Mur·mańsk
mur·muran·do lub mor·moran·do
mu·rować; ~ruje
murowa/niec; ~ń·ców
mur·szeć; ~szeje
mur·za lub mir·za
Murzyn
mus
musical (komedia muzyczna)

mu/sieć; ~szę, ~sieli
muskać
muskulatu/ra; ~rze
muskuł
mu|s·nąć; ~ś·nie, ~śnij·cie, ~s·nął, ~s·nęli
mu/sować; ~suje
musowo
mustang
mus·trować; ~truje (marynarzy)
musujący
muszel·ka; ~ce
mu|sz·ka; ~sz·ce
muszkatel
muszkatołowy
muszkiet
muszkie/ter; ~terzy
muszla
musztar·da; ~dzie
musztardó|w·ka; ~w·ce
musztra; musztrze
musz·trować; ~truje (uczyć musztry)
muszysko
muślin
muśnięcie
muta·cja; ~cji
mu/tant; ~tan·cie
muza; muz
muze/a/lia; ~liów
muze/al·nictwo

mu|ze/um; ~ze/a, ~ze/ów
muzuł·manin (wy-znawca islamu)
muzuł·mań·ski; ~scy
muzy/kant; ~kan·ci
muzykolo/gia; ~gii
muzykotera/pia; ~pii
muzykus
my|c·ka; ~c/ce
myć; myje
mydlar·nia; ~ni
mydlić; mydl·cie
mydło
myj·ka; ~ce
myj·nia; ~ni
myl·nie
mysi/królik
my|sz·ka; ~sz·ce
mysz·kować; ~kuje
myszołów
myśl
myśleć; myśl·cie, myśleli
Myślibórz
myślistwo
myśli/wiec; ~w·ców
myśliw·ski
myśliwy
myśl·nik
my/to; ~cie
mża|w·ka; ~w·ce
mżyć

N

nabab
nabaj·du/rzyć; ~rz·cie
na bakier
na barana
nabar·łożyć; ~łóż·cie
nabiał
na/biec *lub* na/-
bieg·nąć; ~biegł
na bieżąco
nabijać
na/błonek
na/błysz·czyć; ~cz·cie
na bok
na bosaka
nabożeń·stwo
naboż·ność
na/bój; ~boi *lub*
~bojów
na/bór; ~borze
na/brać; ~bierze,
~bierz·cie
na/bro/ić; na/broję,
na/bro/i, na/-
brój·cie, na/bro/ił
na brudno
na/brzeże
na/brzęk·nąć; na/-
brzękł
na/brzmiały
Nabuchodono/zor;
~zorze

nabur·mu/szyć się;
~sz·cie
nabuzowany
na/być; ~będzie,
~bądź·cie
naby/tek; ~t·ków
naby|w·ca; ~w·ców
na/bzdurzyć;
~bzdurz·cie
na/bzdy/czyć się;
~cz·cie
na całego
nachal·nie
nacha/pać; ~p·cie
na/chlać się
na/chla/pać; ~p·cie
na/chmu/rzyć się;
~rz·cie
na chodzie
na chyb·cika
na chybił trafił
nachylić
naciągacz
naciąg·nąć; ~nął, ~nęli
na ciemno
nacierać
nacięcie
nacisk
naci|s·nąć; ~ś·nie,
~ś·nij·cie, ~s·nął,
~s·nęli

na·cja; ~cji
na·cjonali·sta; ~ści
na·cjonaliza·cja; ~cji
na·cjona/lizm; ~lizmie
na co?
na co dzień
na cóż by?
naczal·stwo
na czas
na czasie
na czczo
na czele
naczel·nikostwo
naczel·nikow·ski; ~scy
naczepa
naczółek
naczupu/rzyć się;
~rz·cie
naczynió|w·ka; ~w·ce
naczyn·ko *lub*
naczyń·ko
na czysto
nać
na/ćpany
nad
nadaj·nik
nadal
nadarem·nie
na darmo
nadarzyć się
nada|w·ca; ~w·ców

159

nadąć; na/dmę,
  na/dmie, na/dmij,
  nadął, nadęli, nadęty
nadąsany
nadą/żyć; ~ż·cie
nad/bagaż
nad/bałty·cki; ~c/cy
nad/biec *lub* nad/-
  bieg·nąć; ~bieg·nij·-
  cie, ~biegł
nad/bi|t·ka; ~t·ce
nad/brzeż·ny
nad/brzusze
nad/budó|w·ka; ~w·ce
nad/bur·mistrz
nad/bużań·ski; ~scy
  (*od* nad Bugiem)
nad/cho/dzić; ~dzę,
  ~dź·cie
nad/ciąg·nąć; ~nął,
  ~nęli
nad/cinać
nad/ciśnienio/wiec;
  ~w·ców
nad/człowiek; nad/-
  ludzie, nad/ludź·mi
nad/czułość
nad/czyn/ność
nad/da/tek; ~t·ków
nad/dnieprzań·ski;
  ~scy
Nad/dnieprze
nad/dunaj·ski; ~scy
nad/dzierać
nad/dźwiękowy
nade dniem
nade/drzeć; nad/darł
nadejść; nadej·dzie,
  nadejdź·cie, nad/-
  szedłem, nade/szła
nade mną

nade mnie
nadeń (nad niego)
nadep·nąć; ~nął, ~nęli
nader
nade/rznąć; ~rznął,
  ~rznęli, ~rznięty
nade/rżnąć; ~rżnął,
  ~rżnęli, ~rżnięty
nade/słać; ~ślę, ~ślij
nade wszystko
nade/żreć; nad/żarł,
  nad/żarty
nadę/ty; ~ci
nad/fi/oł·kowy
nad/garstek;
  ~garst·ków
nad/gniły
nad/godzina
nad/gorli/wiec;
  ~w·ców
nad/granicz·ny
nad/gryźć; ~gryzę,
  ~gryź·cie, ~gryzł,
  ~gryź·li
nad/in·spek·tor;
  ~torzy
nad/jeść; ~jem,
  ~jedz·cie, ~jadł,
  ~jedzony
nad/jeżdżać
nad/komisarz
nad/kom·plet
nad/kro/ić; nad/kroję,
  nad/kro/i, nad/-
  krój·cie, nad/kro/ił
nad/kwaso/ta; ~cie
nad/kwaś·ność
nad/leś·nictwo
nad/licz·bó|w·ka;
  ~w·ce
nad/ludzie; ~ludź·mi

nad/lu|dz·ki; ~dz·cy
nad/łożyć; ~łóż·cie
na długo
nad/man·ganian
nad/mar·znięty
nad/metraż
nad/miar; ~miarze
nad miarę
nad/mienić; ~mień·cie
nad/mier·ny
nad/mistrz
nad/mor·ski; ~scy
na/dmuchać
nad/mur·szały
nad/nar·wiań·ski; ~scy
nad/ner·cze
nad/niemeń·ski; ~scy
nad/note·cki; ~c/cy
na dobitek *lub* na
  dobitkę
nad/obowiązkowo
na dobre
na dodatek
nad/odrzań·ski; ~scy
Nad/odrze
nad/okien/ny
na dole
na domiar
nad/opiekuń·czość
na dół
nad/pęk·nięty
nad/pić; ~pije
nad/planowy
nad/pleśniały
nad/pła/ta; ~cie
nad/pły/nąć; ~ń·cie,
  ~nął, ~nęli
nad/pobud·liwość
nad/podaż
nad podziw
nad/produk·cja; ~cji

160

nad/programowy
nad/proże
nad/próch·niały
nad/pruć; ~pruje
nad/przewod·nictwo
nad/przyrodzony
nad/psuty
nad/rea/lizm; ~lizmie
Nad/re/nia; ~nii
nad/robić; ~rób·cie
(uzupełnić)
na/drobić; ~drób·cie
(nakruszyć)
na/druk
nad/rzecz·ny
na/drzew·ny
nad/rzęd·ny
nad/rzynać
nad/ska/kiwać; ~kuje
nad/słu/chiwać; ~chuje
nad/spodziewanie
nad/sta/wić; ~w·cie
nad/sta|w·ka; ~w·ce
nad/syłać
nad/szarp·nąć; ~nął,
   ~nęli
nad/sztu/kować; ~kuje
nad/szty/gar; ~garzy
nad/szy/bie; ~bi
nad/tlenek
nad/tłuc; ~tłucze,
   ~tłucz·cie, ~tłukł
nad/to (oprócz tego)
nad to (nic lepszego
   nad to)
nad/użycie
nad/wa/ga; ~dze
nad/wa/żyć; ~ż·cie
nad/wątlić; ~wątl·cie
nad/wieczor·ny
nad/więd·ły

nad/wiślań·ski; ~scy
nad/wod·ny
nad/woł·żań·ski; ~scy
   (od nad Wołgą)
na/dwor·ny
nad/wozie
na dwór
nad/wrażliwość
nad wyraz
nad/wyrę/żyć lub
   nad/werę/żyć; ~ż·cie
nad/wy|ż·ka; ~ż·ce
na/dziać; ~dzieje,
   ~dziali lub ~dzieli
na/dzieja; ~dziei
nad/ziem·ny
nad/ziem·ski; ~scy
na dziś
nad/zmysłowy
nad/zo/rować; ~ruje
nad/zór; ~zorze
nad/zwyczaj
nad/zwyczaj·ny
nad/żerać
nad/żer·ka; ~ce
nafaj·dać
nafasze/rować; ~ruje
naf·ciarz
naf·ta; naf·cie
naf·talen
naf·talina
naf·to/che/mia; ~mii
naf·tociąg
naf·topochod·ny
nagab·nąć; ~nął, ~nęli
nagan/ny
na/gar; ~garze
nagar·nąć; ~nął, ~nęli
na/gi; ~dzy
nagiąć; na/gnie,
   nagiął, nagięli

nagie/tek; ~t·ków
na glanc lub na glans
naglący
nag·lić; ~lij·cie
na/głaś·niać lub
   na/głoś·niać
na głodnego
na/głos (początek
   wyrazu)
na głos (głośno)
na/głoś·nić
na/głó/wek; ~w·ków
na głucho
na/gmin/ny
na/gnio/tek; ~t·ków
nagolen/nik
nagonasien/ny
nagon·ka; ~ce
na gotowe
nagozaląż·kowy
na/granie
na/gro/bek; ~b·ków
na/groda; ~grodzie,
   ~gród
na/grodzić; ~grodzę,
   ~grodź·cie lub
   ~gródź·cie
na/grzewać
nagu/sek; ~s·ków
nagusień·ki; ~cy
na gwałt
nahaj·ka; ~ce
na/igrawać się
na/in·dy/czyć się;
   ~cz·cie
Nairobi
na/iwniactwo
na/iwność
naja/da; ~dzie
na jaw
na jawie

na/jazd; ~jeź·dzie
nająć; naj·mę,
naj·mie, naj·mij,
najął, najęli
naj/bar·dziej
naj/bliż·szy
najedzony
najem·ca
najem·nik
na/jeść się; ~jedz·cie,
~jadł, ~jed·li
najeź|dź·ca; ~dź·ców
najeźdź·czy
najeż·dżać
naje/żyć; ~ż·cie
naję/ty; ~ci
naj/gor·szy; ~si
naj/istot·niej·szy
naj/lep·szy; ~si
naj/mi/ta; ~ci
naj/mniej·szy
naj·mować; ~muje
naj/nie/szczęśliw·szy
naj·niż·szy
naj/pierw
naj/prościej
naj/sam·pierw
naj·ście
najść; naj·dę, naj·dzie,
najdź·cie, naszedł,
na/szli
naj/święt·szy
naj/ukocha|ń·szy;
~ń·si
na jutro
naj/więk·szy
naj/wyżej
naj/wy|ż·szy; ~ż·si
na karb
nakar·mić; ~mię, ~mi,
~m/my

nakaz
na/kleić; ~kleję, ~klei,
~klej·cie, ~kleił
na/klej·ka; ~ce
na/kład; ~kładzie
na/kła|d·ca; ~d·ców
na/kład·czy
na/kła|d·ka; ~d·ce
na/kłaść; ~kładzie,
~kładź·cie, ~kładł
nakolan/nik
na koniec
na koń!
na kredyt
na/krę/cić; ~cę, ~ć·cie
na/krę|t·ka; ~t·ce
na krok
na krót·ko
na/krycie
na/kry|w·ka; ~w·ce
na krzyż
na kształt
naleciałość
nale|p·ka; ~p·ce
naleśnik
nale|w·ka; ~w·ce
nale/żeć; ~ży, ~ż·cie,
~żeli, ~żałoby
naleź·ność
należycie
na/lot; ~locie
na luzie
na łapu-capu
na łeb na szyję
Nałęczów
Nałkow·ska
nałogo/wiec; ~w·ców
nałokiet·nik
nałoż·nica
na/łożyć; ~łóż·cie
nałóg

na marne
namar·szczenie
namaszczenie
na/maścić; ~maszczę,
~maść·cie
namawiać
na/miar; ~miarze
namias|t·ka; ~t·ce
Nami/bia; ~bii
namie/rzyć; ~rz·cie
namiest·nictwo
namiest·nikostwo
namiest·nikow·ski;
~scy
na/mieść; ~mieć·cie,
~miótł, ~miet·li
na mięk/ko
namięk·ły
namię|k·nąć; ~kł lub
~k·nął, ~k·ła
namiętność
na migi
na/miot; ~miocie
na/mok·nąć; na/mókł
lub na/mok·nął, na/-
mok·li
namó/wić; ~w·cie
namuł
na/mysł; ~myśle
na/myślić się;
~myśl·cie
na niby
na nic
na niekorzyść
nani/zać; ~że, ~ż·cie
na nowo
nań (na niego)
na/ocz·ny
na od/chod·nym
na od/czep·nego
na od/lew

162

na od/wrót
na ogół
na o/klep
na oko
na/okolut·ko
na/około
na/okół
na o/krągło
na o/krętkę
na/on/czas
na opak
na o/statek
na/ostrzyć; ~ostrz·cie
na oścież
na o/ślep
naów/czas (*wówczas*)
na/pad; ~padzie
napalm
na pamięć
na/paprać; ~paprz·cie
na/par; ~parze
napar·stek; ~st·ków
naparst·nica
napa/rzyć; ~rz·cie
napasku/dzić; ~dzę,
  ~dź·cie
napast·li/wy; ~w·szy
napast·nik; ~nicy
napa·stować; ~stuje
na/paść; ~paści
na/paść; ~pasę,
  ~pasie, ~paś·cie,
  ~pasł, ~paś·li
na/paść; ~pad·nie,
  ~pad·nij·cie, ~padł
na patataj
napato/czyć się;
  ~cz·cie
na/patrzyć się *lub*
  na/patrzeć się;
  ~patrz·cie

na/peł·nić
na pewniaka
na pewno
napęcz·niały
na/pęd; ~pędzie
napę/dzić; ~dzę,
  ~dź·cie
na/piąć; ~p·nie,
  ~pnij·cie, ~piął,
  ~pięli
na piechotę
napieprzać
napięcie
napię/tek; ~t·ków
napięt·nować; ~nuje
napię/ty; ~ci
napi/tek; ~t·ków
napi/wek; ~w·ków
na płask
na/pływ
na/począć; ~po/cznie,
  ~po/cznij·cie, ~po-
  czął, ~poczęli
na początek
na poczekaniu
na po domu
na podoprzędziu
na pod/stawie
na podziw
na pogotowiu
na pohybel
na/poić; ~poję, ~poi,
  ~pój·cie, ~poił
na pojutrze
na pokaz
Napoleon
napoleon·ka; ~ce
na poły
napominać
napo/mknąć; ~mknął,
  ~mknęli

napo/mnieć; ~mnę,
  ~mni, ~mnij·cie,
  ~mniał, ~mnieli
na po obiedzie
na popołudnie
na po/przek
na potem
napo/tkać
napot·ny
napowietrz·ny
napowie/trzyć;
  ~trz·cie
na po/wrót
na pozór
na/pój; ~pojów *lub* poi
na pół/krót·ko
  (*ostrzyc*)
na pół martwy
na pół Polak
na pół przytom·ny
na/pór; ~porze
na później
na/praszać się
na/praw·czy
na/prawdę
na/pra/wić; ~w·cie
na/pręd·ce
na/pręż·żyć; ~ż·cie
na/promie/niować;
  ~niuje
na/promien/nik
na/prowa/dzić; ~dzę,
  ~dź·cie
na próżno
na przebój
na/przeciw
na/przeciw·ko
na/przeciw/leg·ły
na/przeć; ~parł,
  ~par·li
na przedzie

na przekór
na przełaj
na przemian
na/przemian/leg·ły
na prze/strzał
na przodzie
na/przód (najpierw;
    do przodu)
na przód (czegoś)
na przy/kład (skrót:
    np.)
na/przy·krzyć się;
    ~krz·cie
na/pstrzyć
napuch·nię/ty; ~ci
napu/szyć; ~sz·cie
na/puścić; ~puszczę,
    ~puść·cie
napychać
nara/dzić się; ~dzę,
    ~dź·cie
na/raić; ~raję, ~rai,
    ~raj·cie, ~raił
naramien/nik
na rau/szu
naraz (nagle; jedno-
    cześnie)
na raz (na jeden raz)
nara/zić; ~żę, ~ź·cie
na razie
narażać
nar·ciarz
nar·cyz
nar·cyzm; ~cyzmie
naresz·cie
Na/rew; ~r·wi
naręcze
nar·koma/nia; ~nii
nar·kotyk
nar·koty/zować; ~zuje
nar·koza

narodo/wiec; ~w·ców
narodowość
narodowowy/zwoleń·-
    czy
narodzenie
na/rodzić; ~rodzę,
    ~rodź·cie lub
    ~ródź·cie
na roścież lub na
    roz·cież
narośl
narowi/sty; ~ści
naroz/rabiać
na roz/staju
naroż·nik
naroż·ny
na/ród; ~rodzie
narów
na równi
nar/ra·cja; ~cji
nar/ra/tor; ~torzy
nartorol·ka; ~ce
narto/stra/da; ~dzie
naru/szyć; ~sz·cie
na/rwa/niec; ~ń·ców
nary/bek; ~b·ku
na/rząd; ~rządzie
narzecze
narzeczeń·stwo
narzeczony
narzekać
narzęd·nik
narzędzie
narzędziow·nia; ~ni
na/rznąć; ~rznął,
    ~rznęli (nożem)
narzu/cić; ~cę, ~ć·cie
narzu|t·ka; ~t·ce
na/rżnąć; ~rżnął,
    ~rżnęli (nożem)
nasa|d·ka; ~d·ce

nasam/przód
    (najpierw)
na sam przód (np.
    pomostu)
na schwał
nasen/ny
naser·cowy
na serio
nasiadó|w·ka; ~w·ce
nasią|k·nąć; ~k·nął lub
    ~kł, ~k·nęła lub ~k·ła
na/siec; ~siecze,
    ~siecz·cie, ~siekł
nasienio/wód; ~wodzie
nasien/nictwo
nasien/ny
nasier·dzie
nasion·ko
nasiusiać
na skos
na/skórek
na skraju
na skręcie
na skroś lub na wskroś
na skutek
na/słonecz·nienie
na słowo
na/słuch (radiowy)
na/słu/chiwać; ~chuje
na spód
na stałe
na/star·czyć; ~cz·cie
na/staw·czy
na/sta|w·ka; ~w·ce
na/staw·nia; ~ni
na/stą/pić; ~p·cie
na/stę|p·ca; ~p·ców
na/stęp·nie
na/stęp·stwo
na/stępujący
na stojaka

na/stola/tek; ~t·ków
na/strę/czyć; ~cz·cie
na/stro/ić; na/stroję,
  na/stro/i, na/-
  strój·cie, na/stro/ił
na/strojowość
na/stro/szyć; ~sz·cie
na/strój
nastur·cja; ~cji
na styk
nasu/nąć; ~ń·cie, ~nął,
  ~nęli
nasy/cić; ~cę, ~ć·cie
nasyp
nasz; nasi
na szczęście
naszej ery (skrót: n.e.)
na/szpi/kować; ~kuje
na sztorc
naszyj·nik
naszy|w·ka; ~w·ce
na/ściągać
na ścieżaj
na/ścinać
na/ślado|w·ca; ~w·ców
na/śladow·nictwo
na ślepo
na/śmiewać się
na środku
na/świet·lić; ~l·cie
na świeżo
na/świ/nić; ~ń·cie
Nata/lia; ~lii
natar·cie
natar·czy/wy; ~w·szy
na/tchnąć; ~tchnij·cie,
  ~tchnął, ~tchnęli
na/tchnienie
naten/czas (wtedy)
na ten czas (przypada
  rata)

na teraz
natężenie
natę/żyć; ~ż·cie
na|t·ka; ~t·ce (od nać)
na/tknąć się; ~tknął,
  ~tknęli
na/tłok
na/tłuścić; ~tłuszczę,
  ~tłuść·cie
na to
natomiast
natow·ski lub
  NATO-wski
na/tra/fić; ~f·cie
na/tręciuch
na/tręctwo
na/tręt; ~tręci
na trwałe
na/trysk
na/trząsać się
na trzeźwo
natu/ra; ~rze
natura/lia; ~liów
naturali·sta; ~ści
naturaliza·cja; ~cji
natura/lizm; ~lizmie
natural·ność
natur·szczyk
natury·sta; ~ści
natu/ryzm; ~ryzmie
na twardo
natych/miast
na tyle
na tym/czasem
natyrać się
naty/wizm; ~wizmie
na/u/bliżać
na uboczu
na ubój
na/ucz·ka; na/ucz·ce
na/uczyciel·stwo

na/uczyć; ~ucz·cie
na udry
na/ujadać się
na/uka; ~uce
na ukos
na/uko/wiec; ~w·ców
na/ukowo-dydaktycz·-
  ny
na/uko/zna|w·ca;
  ~w·ców
na/uko/znaw·stwo
na/umieć się; ~umiem,
  ~umie, ~umieli
na umór
na/umyśl·nie
na upartego
na/urągać
na/usz·nik
nau/tolo/gia; ~gii
nau/tyka (wiedza
  żeglarska)
na/utykać
na uwięzi
na/użerać się
na wabia
nawad·niać lub
  nawod·niać
nawał·nica
nawar·stwienie
nawa/rzyć; ~rz·cie
  (nagotować)
nawa/żyć; ~ż·cie (za
  pomocą wagi)
na wczoraj
nawet by
nawias
na wiatr
nawią/zać; ~że, ~ż·cie
nawią|z·ka; ~z·ce
nawie/dzić; ~dzę,
  ~dź·cie

nawiedzony
na wierzch
nawierzch·nia; ~ni
na wierz·chu
nawietrz·ny
nawiew
nawiga·cja; ~cji
nawiga/tor; ~torzy
nawijać
nawil|g·nąć; ~g·nął *lub*
~gł
nawil·go/cić; ~ć·cie
nawil·żacz
nawil·żyć; ~ż·cie
na/winąć; ~wiń·cie,
~wi·nął, ~wi·nęli
nawi|s·nąć; ~ś·nie,
~s·nął *lub* ~sł
na/wlec; ~wlecze,
~wlecz·cie, ~wlókł
lub ~wlekł, ~wlek·li
na/włó/czyć; ~cz·cie
nawod·niać *lub*
nawad·niać
na/wozić; ~wożę,
~woź·cie *lub* ~wóź·cie
nawóz
na wpół
na wprost
na/wró/cić; ~cę, ~ć·cie
na/wrót; ~wrocie
na wskroś *lub* na skroś
na wspak
na/wtykać
nawy|k·nąć; ~kł *lub*
~k·nął, ~k·li
na wylot
na wynos
na wyrost
na/wy/przód·ki
na wyrost
na/wzajem

na wznak
na zabój
nazad (tam i nazad)
nazajutrz
na zapas
Nazarej·czyk (*Chry-
stus*)
na zawsze
na/zbyt (*zbytnio*)
na ze/wnątrz
nazew·nictwo
nazęb·ny
naziem·ny
nazi·sta; ~ści
nazistow·ski; ~scy
na/zizm; ~zizmie
na złość
na/zna/czyć; ~cz·cie
na zrąb
na/zwać; ~zwij·cie
na/zwisko
nażar·ty; ~ci (*naje-
dzony*)
na żarty (*żartem*)
nażąć; na/żnie, nażął,
nażęli (*zboża*)
na żywo
n.e. (naszej ery)
nean·dertal·czyk;
~czycy
neapolitań·ski; ~scy
(*od* Neapol)
ne/fryt; ~frycie
nega·cja; ~cji
negatyw
negliż
nego·cja·cja; ~cji
nego·cja/tor; ~torzy
nego·cjować; ~cjuje
ne/gować; ~guje
Negr; Negrzy

negro/idal·ny
nekrofi/lia; ~lii
nekrolog
nekropo/lia; ~lii
nek·tar; ~tarze
nel·son
nemezis *lub* nemezys
(*sprawiedliwość*)
ne/nia; ~nii
nenu/far; ~farze
neofa/szyzm; ~szyzmie
neofi/lolo/gia; ~gii
neofi/ta; ~cie
neogotycki
neo/klasy/cyzm; ~cyz-
mie
neo/klasycz·ny
neokolonia/lizm; ~liz-
mie
neolo/gizm; ~gizmie
neonó|w·ka; ~w·ce
neoroman·tyzm; ~tyz-
mie
neoseman·tyzm; ~tyz-
mie
neozo/icz·ny
nepo/tyzm; ~tyzmie
neptun (*pierwiastek*)
ner<u>ei</u>/da; ~dzie
ner·ka; ~ce
nerw
nerwico/wiec; ~w·ców
nerwoból
nerwus
nese/ser; ~serze
nes·tor; ~torzy
net; necie
net/to; net·cie
n<u>eu</u>/ral·gia; ~gii
n<u>eu</u>/raste/nia; ~nii
n<u>eu</u>/rochirur·gia; ~gii

neu/rolo/gia; ~gii
neu/ron
neu/ropa/tia; ~tii
neu/ropatolo/gia; ~gii
neu/ro/psychiat·ria;
~rii
neu/ro/psycholo/gia;
~gii
neu/roza
neu/ryt; neu/rycie
neu·traliza·cja; ~cji
neu·tralizować
neu·tral·ny
neu·tron
Newa
Newa/da; ~dzie
newral·gia; ~gii
newral·gicz·ny
nęcący
nę/cić; ~cę, ~ć·cie
nędzarz
nękać
nia/nia; ~ni
niań·czyć; ~cz·cie
niań·ka
ni be, ni me
niby nic
nibynó|ż·ka; ~ż·ce
niby to
nic a nic
Ni/cea; ~cei, ~ceę
nicość
ni/cować; ~cuje
nic/poń
ni/czyj; ~czyim, ~czyi,
~czyje
niczym (np. niczym
książę)
nić; nici, nić·mi
Nider·landy
nider·lan|dz·ki; ~dz·cy

nidz·ki; nidz·cy (od
Nida)
nie/adekwat·ny
nie/agre·sja; ~sji
nie/ak·cen·towany
nie/aktual·ny
nie/ar·tykułowany
nie/atrakcyj·ny
nie/au/ten·tycz·ny
niebagatel·ny
nie bardzo
niebawem
nie bez kozery
niebez/pieczeń·stwo
niebez/piecz·ny
niebez/po/śred·ni
niebiań·ski; ~scy
niebiesko/oki
niebieściuch·ny
niebiosa
nie/błahy
niebo/ga; ~dze
niebora/czek; ~cz·ków
niebosięż·ny
nieboski (nieboskie
stworzenie)
niebo/skłon
niebosz|cz·ka; ~cz·ce
nieboszczyk
niebotycz·ny
niebożą|t·ko; ~t·ka,
~tek
niebo/żę; ~żęcia, ~żąt
nie brak
nie/brzy|d·ki; ~d·cy
nie byle co
niebyły (uznał ten
fakt za niebyły)
nie/byt; ~bycie
niebywały (niebywała
okazja)

nie całkiem
niecen·zural·ny
niech
niechaj
niechaj/by; ~bym,
~byś, ~by·śmy,
~by·ście
niech/by; ~bym, ~byś,
~by·śmy, ~by·ście
nie/chcący
nie/chcenie (od
niechcenia)
nie/chęć; ~chęci
niechęt·ny
nie/chluj·ny
nie/chluj·stwo
niechyb·nie
niech/że
niech/żeż
nieciąg·ły
nie/cić; ~cę, ~ć·cie
niecierp·li/wić się;
~w·cie
niecka; niec/ce,
nie/cnota
nie/cny
nieco
niecodzien/ny
nie co dzień
niecoś (coś niecoś)
nie czas (coś robić)
nieczyn/ny
nieczystość
nieczytel·ny
nie dalej
niedaleko
nie dar·mo
niedawno
nie/dbal·stwo
nie/dbaluch
nie/dbały

nie dlatego
nie/długo
nie dłużej
niedobi/tek; ~t·ków
niedo/bór; ~borze
niedo/brany
niedociąg·nięcie
niedociś·nienie
niedoczas
niedoczekanie (czyje)
niedoczyn/ność
niedogod·ność
niedo/in·for·mowany
niedo/in·westowany
nie dojadać
niedoj·da; ~dzie
niedoj·rzały
niedo/kład·ność
niedokonany
niedo/krwienie
niedo/krwistość
niedo/kształcony
niedo/kwaso/ta; ~cie
niedola
niedołę/ga; ~dze
niedołęstwo
niedołęż·nieć; ~nieje,
  ~nieli
nie domagać się
niedomagać
  (chorować)
niedo/miar; ~miarze
niedo/mknięty
niedomówienie
niedonoszony
nie do od/par·cia
niedo/o/kreśloność
niedopa/łek; ~ł·ków
niedopasowany
niedopatrzenie
niedopeł·nienie

nie do picia
niedopieszczony
niedo/pła/ta; ~cie
niedopowiedzenie
nie do po/znania
niedopuszczal·ny
niedoraj·da; ~dzie
niedoro·stek; ~st·ków
niedoroz/winię/ty; ~ci
niedoroz/wój
niedoró|b·ka; ~b·ce
niedorzecz·ny
niedosięg·ły
niedosięż·ny
niedo/słuch
niedo/słyszal·ny
niedo/słyszący
niedo/sły/szeć; ~szeli
  (słabo słyszeć)
nie do/sły/szeć; ~szeli
  (np. pytania)
niedo/statecz·ny
niedo/sta/tek; ~t·ku
nie dosyć
nie dosypiać
niedo/syt; ~sycie
niedo/szły (np. mąż)
niedo/ścig·ły
nie dość
niedotar·ty
niedo/tleniony
niedotykal·ski; ~scy
niedo/uczony
niedo/uk
niedowa/ga; ~dze
niedowarzony (nie-
  dojrzały)
niedoważony (towar)
niedowiarek
nie do wiary
niedowidzący

niedowi/dzieć; ~dzę,
  ~dzieli
nie dowierzać
niedo/wład; ~władzie
niedo/zwolony
niedożywiony
nie/drogi
niedu/ży; ~zi
niedyskre·cja; ~cji
niedysponowany
niedyspozy·cja; ~cji
niedziela
nie dzisiaj
niedzisiej·szy; ~si
nie dziw
niedźwia/dek; ~d·ków
niedźwiedź
nie/efektyw·ny
nie fair
nie/fart; ~far·cie
niefortun/ny
nie/gdysiej·szy
nie/gdyś
niegod·ny lub niego-
  dzien
niegodzi/wiec; ~w·ców
niegotowy lub
  niegotów
niehonorowy
niehumanitarny
nie inaczej
nie/in·geren·cja; ~cji
nie in/ny
nie/in·ter·wen·cja; ~cji
nieja/dek; ~d·ków
nieja/ki; ~cy (np.
  Nowak)
niejako
niejeden (wielu)
nie jeden (ale np.
  dwóch)

niejedno/krot·ny
niejednomyśl·ny
niejedno/stron/ny
niekaral·ność
niekarany
nie każ·dy
niekiedy
nie/klasyfikowany
niekoleżeń·ski; ~scy
niekom·peten·cja; ~cji
niekom·petent·ny
nie koniec
niekon·sekwen·cja; ~cji
niekon·sekwent·ny
niekon·wen·cjonal·ny
nie/krępujący
nie/który; ~którzy
niekul·tural·ny
nie lada co
nie lada jaki
nieledwie
nielet·ność
nielicz·ny
nie/lot; ~locie
nielu|dz·ki; ~dz·cy
nie/ład; ~ładzie
nieład·ny
nieła·ska; ~sce
nie ma (brak)
niemal
niemalejący
niemal/że
niemało
Niem·cy; w Niemczech
niem·czyć; ~cz·cie
niem·czyzna; ~czyźnie
niemetal
niemęsko/osobowy
niemianowany
Niemiec
niemie·cki; ~c/cy

niemiec·kojęzycz·ny
niemiecko-pol·ski
nie miejsce
niemiłosier·nie
nie/mniej (mimo to)
nie mniej (niż np. rok)
nie mniej·szy
niemoc
niemod·ny
niemo/ta; ~cie
niemowa
niemow·lę; ~lęcia, ~lę-
  ta, ~ląt
niemow·lęctwo
niemożeb·ny
nie moż·na by
niemoż·ność
nie mój
niemra/wiec; ~w·ców
niemy (niemowa)
nie my (to zrobiliśmy)
nienadarem·nie
nie na dar·mo
nienagan/ny
nie naj/bar·dziej
nie naj/lep·szy; ~si
nienależ·ny
nie nale/ży; ~żałoby
nienasycony
nie nasz
nienawi/dzić; ~dzę,
  ~dź·cie
nienawist·ny
nienawiść
nie na zawsze
nie na/zbyt (niezbyt)
nie na żarty (na-
  prawdę)
nienażar·ty (żar-
  łoczny)
nie/obcy

nie/ob/liczal·ny
nie/oczekiwany
nie/od/gadniony
nie/od/łącz·ny
nie/od/par·cie
nie/od/powied·ni
nie od razu
nie/od/rod·ny
nie/od/stęp·ny
nie/od/zow·ny
nie/od/żałowany
nie/o/kreślony
nie/o/krzesany
nie/omal
nie omieszkać
nie/opanowany
nie/opatrz·nie
nie/opisany
nie/opodal lub nie
  opodal
nie/o/procen·towany
nie/o/siągal·ny
nie/osobowy
nie/o/stroż·ny
nie/o/świecony
niepalący
niepalenie
niepamięć
niepamięt·ny
niepar·lamen·tar·ny
nieparzystokopyt·ny
nieparzysty
niepełnolet·ni
niepeł·nolet·ność lub
  niepeł·nolet·ność
niepeł·no/spraw·ny
niepewien lub
  niepew·ny
nie pierw·szy
niepijący
niepisany

niepo/chleb·ny
niepod·leg·łość
niepodob·na (*nie spo-sób, niemożliwe*)
niepodob·ny; ~na
niepogo/da; ~dzie
niepohamowany
niepojęty
niepokalany
niepo/koić; ~koję,
~koi, ~kój·cie, ~koił
niepokojąco
niepo/kój; ~kojów *lub*
~koi
nie-Polak
niepoliczony
niepomier·nie
niepo/mny; ~mni
niepo/praw·nie
nie pora (*np.* na
dyskusję)
nieporozu/mienie;
~mień
nieporów·nanie
nieporuszenie
nieporzą/dek; ~d·ków
nie posiadać się (z
radości)
nieposiadanie
niepo/skromiony
niepo/słuszeń·stwo
niepo/strzeżenie *lub*
nie/spo/strzeżenie
nieposzanowanie
niepo/szlakowany
nie po/trzeba
niepo/trzeb·ny
niepo/twier·dzenie
niepowetowany
nie powinien by; nie
powin/na by

niepowodzenie
niepowołany
niepo/wrót; ~wrocie
niepo/wściąg·liwy
niepo/znaka (dla nie-poznaki)
niepozor·ny
niepożądany
niepracujący
nie/prawdaż?
nie/prawomyśl·ność
nie/promowany
nie/proszony
nie/prze/brany
nie/przebyty
nie/przechod·ni
nie/przedawnienie
nie/przejednany
nie/przejezd·ny
nie przelew·ki
nie/przemijający
nie/przekonujący *lub*
nie/przekonywający
nie/przepar·ty
nie/prze/rwanie
nie/prze/strzeganie
nie/prześcig·niony
nie/przewidziany
nie/przyja/ciel; ~ciół
nie/przyjaciół·ka; ~ce
nie/przyjęcie
nie/przymuszony
nie przypadkiem
nie/przypadkowo
nie przy/stoi
nie/przy/stosowany
niepysz·ny
nierad by
nieraz (*często*)
nie raz (nie raz, nie
dwa)

nierosnący
nieroz/gar·nię/ty; ~ci
nieroz/łą|cz·ka; ~cz·ce
nieroz/prze/-strzenianie
nieroz/strzygal·ny
nierób·stwo
nierów·no
nierów·ność
nierów·nowa/ga; ~dze
nieruchawy
nierucho/mieć; ~mieli
nieruchomość
nierychliwy
nierzadko
nie/rząd; ~rządzie
nierząd·nica
nierzeczywisty
nierzetel·ny
niesamowi/ty; ~ci
nie/sfor·ny
nie/skalany
nie/skazitel·ny
nie/skażony
nie/skom·plikowany
nie/skoń·czenie
nie/skoń·czoność
nie/skoń·czony
nie/sława
nie słychać
nie/słychanie
nie/słyszący
nie/smak
nie·snaski
nie/speł·na
nie/spiesz·ny *lub*
nie/śpiesz·ny
nie/spodzian·ka; ~ce
nie/spodziany
nie/spodziewany
nie/sporo

nie sposób (*nie można*)
nie/spo/strzeżenie *lub*
niepo/strzeżenie
nie/spotykany
nie/spożyty
nie/sprawiedli/wy;
~w·szy
nie/sprzeciwianie się
nie stać
nie/stawienie się
niestety
nie strach (*np.* nie
strach umierać)
nie/strasz·ny
nie/strudzenie
nie/strudzony
nie/strzeżony
nie/stworzony
niesub·ordyna·cja; ~cji
nie/swój; ~swoi (*zmie-*
szany)
nie swój (*cudzy*)
nie/szczegól·nie
nie/szczęście
nie/szczęś·nik; ~nicy
nie szkoda (*np.* pracy)
nieszpory
nie sztuka (to nie
sztuka)
nie/ścisłość
nieść; niosę, nieś·cie,
niósł, nieś·li
nie/ślub·ny
nie/śmiecenie
nie śmieć; nie śmiem
nie/śmiertel·nik
nie/śpiesz·ny *lub*
nie/spiesz·ny
nie/świadomy
nieświe·ski; ~scy (*od*
Nieśwież)

nie taki
nie/takt; ~takcie
nie/tknię/ty; ~ci
nie/tłukący
nietoleran·cja; ~cji
nietoperz
nie/trud·no
nie/trujący
nie trzeba
nietutej·szy; ~si
nietuzin·kowy
nietykal·ny
nie tyl·ko
nie/u/błaganie
nie/u/chron/ny
nie/u/chwyt·ny
nie/uctwo
nie/uczony
nie/udacz·nik; ~nicy
nie/udany
nie/udol·ny
nie/udzielenie
nie/uf·ność
nie/ugię/ty; ~ci
nie/ujarzmiony
nie/ujeż·dżony
nie/uk
nie/ukojony
nie/ulęk·ły
nie/umiar·kowany
nie/unik·niony
nie/u/przedzony
nie/uro/dzaj; ~dzajów
lub ~dzai
nie/u/sprawiedliwiony
nie/u/stabilizowany
nie/u/stający
nie/u/stan/ny
nie/u/straszony
nie/utulony
nie/uwa·ga; ~dze

nie/uzasad·niony
nie/uży/tek; ~t·ków
nie/użyty
nie/wart; ~war·ci
nie warto by
nieważ·ki
nieważ·kość
niewątp·liwy
nie/wczas (po nie-
wczasie – *też*
poniewczasie)
nie/wczes·ny
nie wczoraj
nie/wdzięcz·nik; ~nicy
niewiadoma
nie wiadomo
nie/wiasta; ~wieście
niewiązany
nie widać
niewi|d·ka; ~d·ce
niewidomy
niewidzący
niewidzial·ny
niewie/le; ~lu
niewierzący
niewieści
niewieściuch
nie więcej
nie więk·szy
niewiniąt·ko
nie winien; nie win/na
(*np.* przestępstwa)
niewin/ny; ~na
niewola
nie wolno (*nie można*)
niewol·ny; ~ni
nie/wód; ~wodzie
nie/wpraw·ny
nie wprost
nie/wskazany
nie w smak

nie wstyd (*np.* wam)
nie wszędzie
nie wszyscy
niewybuch (*pocisk*)
niewychowany
niewyczer·pany
niewydarzony
niewygórowany
niewy/kluczony
niewykonanie
niewy/kształ·cony
niewy/kwalifikowany
niewymagający
niewymuszony
niewypał
niewyparzony
niewypeł·nienie
niewypowiedziany
niewyraźnie
niewyrażony
niewyrobiony
niewyrzucanie
niewy/słowiony
niewy/spany
niewy/starczający
niewy/szkolony
niewyszukany
niewy/tłumaczony
nie/wzruszony
nieza/angażowany
niezabu|d·ka; ~d·ce
niezachowanie
nieza/chwiany
nieza/długo (*wkrótce*)
nie za długo (*niezbyt
  długo*)
niezadowalający
niezadowolony
nieza/kłócony
niezależ·ność
niezamęż·na

niezamierzony
nie zanad/to
nieza/płacenie
niezapominaj·ka; ~ce
niezapomniany
nieza/przeczony
niezarad·ny
nie zaraz
nieza/służony
nieza/stąpiony
niezatar·ty
niezawiniony
niezawod·ny
niezawodo/wiec;
  ~w·ców
nie za/wsze
nie/zbadany
nie/zbęd·ny
nie/zbicie
nie/zbity
nie/zbyt
nie/zda/ra; ~rze
nie/zdat·ny
nie/zdecydowany
nie/zdobyty
nie/zdyscyplinowany
nie/zgłębiony
nie/zgłosko/twór·czy
nie/zgor·szy
nie/zgorzej
nie/zgraba
nie/zgul·stwo
nie/zguła
nie/ziszczal·ny
nie/zliczony
nie/złom·ny
nie/złożony
nie/zmącony
nie/zmien/ny
nie/zmier·ny
nie/zmierzony

nie/zmordowany
nie/zmotoryzowany
nie/zmożony
nie/znacz·ny
nie/znajomy
nie/znany
nie/zniszczal·ny
niezor·ganizowany
nie/zręcz·ny
nie/zrów·nany
nie/zrów·noważony
niezupeł·nie
nie/zwal·czony
nie/zwłocz·nie
nie/zwyciężony
nie/zwykle
nie/źle
nie żal (*np.* wam)
nieżonaty
nieżyjący
nie/żyt; ~życie
nieżywot·ny
nieżywy
ni/gdzie in/dziej
Nige/ria; ~rii
nihi/lizm; ~lizmie
nijak
nija/ki; ~cy
Nikara/gua; ~gui,
  ~guę
nikczem·ny
nikiel
nik·ły
nik·nąć; nik·nął *lub*
  nikł, nik·nęli *lub*
  nik·li
nikogusień·ko
nikoty/nizm; ~nizmie
nikotyni/zować się;
  ~zuje
nimb; nim·bie

nim·fa; ~fie\
nim·foma/nia; ~nii\
niniej·szy\
Niobe\
nios·ka; ~ce\
nir·wana\
niski; niż·szy, niż·si\
niskociś·nienio/wiec;\
~w·ców\
nisko/oktanowy\
niskopien/ny\
nisko położony\
nisko/pręż·ny\
nisko/procen·towy\
ni stąd, ni zowąd\
nisza; nisz\
niszczyciel·stwo\
niszczyć; niszcz·cie\
nit; nicie\
ni to, ni owo\
ni to, ni sio\
nitro·gliceryna\
nit·rować; ~ruje\
niuans; niuan·sie\
niuchać\
niuton (*skrót:* N)\
niwa; niw\
niwe/czyć; ~cz·cie\
niwela·cja; ~cji\
ni/zać; ~żę, ~ż·cie\
nizin/ny\
niziu|t·ki; ~t·cy\
ni z tego, ni z owego\
niźliby\
niż; niżu\
niż/by\
niżej\
niżeliby\
niż·szy; niż·si\
no (*np.* rusz no się)\
nobilita·cja; ~cji

nobili/tować; ~tuje\
nobli·sta; ~ści\
nobliwie\
nochal\
no|c·ka; ~c/ce\
noc/legow·nia; ~ni\
no/cować; ~cuje\
noc w noc\
noga; nodze, nóg\
noga|w·ka; ~w·ce\
nok/aut (*skrót:* k.o.)\
nok·au/tować; ~tuje\
nok·daun\
noktowi/zor; ~zorze\
nokturn\
noma/da; ~dzi\
nomen·klatu/ra; ~rze\
nomen omen\
nomina·cja; ~cji\
non·ajron *lub* non-iron\
non·kon·for·mi·sta; ~ści\
non·kon·for·mizm;\
~mizmie\
non·sens; ~sen·sie\
non stop\
non·szalan·cja; ~cji\
non·szalan·cki; ~c/cy\
nora; norze\
Nor·bert; ~ber·cie\
nor·dy·cki; ~c/cy\
nor·maliza·cja; ~cji\
nor·mal·ka; ~ce\
nor·mal·nieć; ~nieje,\
~nieli\
Nor·man·dia; ~dii\
nor·man|dz·ki; ~dz·cy\
nor·matywiza·cja; ~cji\
nor·matywny\
nor·mo/twór·czy\
nor·mować; ~muje\
Nor·we/gia; ~gii

nor·we·ski; ~scy\
Nor·we|ż·ka; ~ż·ce\
nosa/cizna; ~ciźnie\
no/sek; ~s·ków\
nosiciel·stwo\
no/sić; ~szę, ~ś·cie\
nosoro/żec; ~ż·ców\
nosó|w·ka; ~w·ce\
nostal·gia; ~gii\
nostryfika·cja; ~cji\
nosze\
notabene (*skrót:* nb.)\
no/tabl; ~tablów\
nota·cja; ~cji\
nota/riat; ~riacie\
notariusz\
nota|t·ka; ~t·ce\
note·cki; ~c/cy (*od*\
Noteć)\
notes\
no|t·ka; ~t·ce\
notorycz·ny\
no/tować; ~tuje\
novum\
nowalij·ka; ~ce\
nowa/tor; ~torzy\
nowator·ski; ~scy\
Nowa Zelan·dia; ~dii\
noweli·sta; ~ści\
noweliza·cja; ~cji\
nowe|n/na; ~n/nie\
nowi·cjat; ~cjacie\
nowi·cjuszostwo\
nowi·cjuszowski\
nowin·karz\
nowiut·ki\
nowoboga·cki; ~c/cy\
nowocze|s·ny; ~ś·ni\
nowofalowy\
nowofund·land·czyk\
(*pies*)

173

nowofund·lan|dz·ki;
~dz·cy (*od* Nowa
Fundlandia)
nowogar|dz·ki; ~dz·cy
(*od* Nowogard)
nowo/gro|dz·ki; ~dz·cy
(*od* Nowogród)
nowo/gró|dz·ki; ~dz·cy
(*od* Nowogródek)
nowo/gwinej·ski; ~scy
(*od* Nowa Gwinea)
nowohebraj·ski; ~scy
nowohu·cki; ~c/cy (*od*
Nowa Huta)
nowojor·ski; ~scy (*od*
Nowy Jork)
nowomiej·ski; ~scy (*od*
Nowe Miasto)
nowomod·ny
nowomowa
nowo narodzony *lub*
nowonarodzony
nowo otwarty
noworocz·ny
noworo/dek; ~d·ków
Nowosądec·czyzna;
~czyźnie
nowosąde·cki; ~c/cy
(*od* Nowy Sącz)

nowosądeczanin
nowotestamen·towy
nowo/twór; ~tworze
nowozelan|dz·ki;
~dz·cy
nowoże/niec; ~ń·ców
nowożyt·ny
no/wy; ~w·szy
Nowy Jork *lub* New
York
Nowy Sącz
Nowy Testament
nozdrze
noż·ny
nożow·nik
nożycz·ki
nożyk
nożyna
nów; nowiu
nó|w·ka; ~w·ce
nó|zia; ~zi
nóż; noża
nó/żęta *lub* no/żęta;
~żąt
nó|ż·ka; ~ż·ce
nu/cić; ~cę; ~ć·cie
nu/da; ~dzie
nud·ny
nudy·sta; ~ści

nudziarz
nu/dzić; ~dzę, ~dź·cie
nu/gat; ~gacie
nukle/ar·ny
nukle/inowy
nu/mer; ~merze
(*skrót:* nr)
numera·cja; ~cji
numiz·mat; ~macie
nun·cjusz
nurek
nur·kować; ~kuje
nurt; nur·cie
nur·tować; ~tuje
nurzać
nu/ta; ~cie
nut·ria; ~rii
nuworysz
nuworyszostwo
nuworyszow·ski; ~scy
nużący
nuż/by; ~bym, ~byś,
~by·śmy, ~by·ście
nuże!
nu/żyć; ~ż·cie
nygusostwo
nygusow·ski; ~scy
Nysa

O

oaza; oaz
obałamu/cić; ~cę,
  ~ć·cie
oban·da/żować; ~żuje
obar·czyć; ~cz·cie
obarzanek *lub* ob/wa-
  rzanek
obato/żyć; ~ż·cie
ob·cas
ob/cą|ż·ki; ~ż·ków
ob·cesowy
ob/cęgi
ob/cho/dzić; ~dzę,
  ~dź·cie
ob/chód; ~chodzie
ob/ciach
ob/ciąć; obe/tnie,
  obe/tnij·cie, ob/ciął,
  ob/cięli, ob/cięty
ob/ciąg·nąć; ~nął,
  ~nęli, ~nięty
ob/ćią/żyć; ~ż·cie
ob/ciec; ~ciek·nie *lub*
  ~ciecze, ~ciek·nij·cie
  lub ~ciecz·cie, ~ciekł
ob/ciek·nąć – *zob.* ob/-
  ciec
ob/cierać
ob/cinać
ob/ciosać
ob/cisły; ~ciślej·szy

ob/ci|s·nąć; ~ś·nie,
  ~śnij·cie, ~s·nął,
  ~s·nęli
ob·cojęzycz·ny
ob·co/krajo/wiec;
  ~w·ców
ob·co/plemie/niec;
  ~ń·ców
ob·co/plemien/ny
ob·cować; ~cuje
ob·cy
ob·czyzna; ~czyźnie
ob/dar·tus
ob/da/rzyć; ~rz·cie
ob/dłu/bać; ~b·cie
ob/dłu/żyć; ~ż·cie
ob/drapa/niec; ~ń·ców
ob/duk·cja; ~cji
ob/dzielić
obec·ność
obe/drzeć; ob/darł
obej·mować; ~muje
obej·rzeć; ~rzeli
obejść; obej·dzie,
  obejdź·cie, ob/szedł,
  obe/szli
obe/lga; ~ldze
obelisk
obe/lżywy
obe/łgać; ~łże, ~łżyj·-
  cie

obere/czek; ~cz·ków
ober·luft; ~luf·cie
obertas
obe/rwać; ~rwij·cie
obe/rwa/niec; ~ń·ców
obe/rznąć; ~rznął,
  ~rznęli
oberża
obe/rżnąć; ~rżnął,
  ~rżnęli
obe/schnąć;
  obe/schnął *lub*
  ob/sechł, obe/schli
obe/trzeć; ob/tarł
obe/znany
obez/wład·nić; ~nij·cie
obe/żreć się; ob/żarł
ob·fi/ty; ~t·szy
ob/ga/dywać; ~duje
ob/gar·nąć; ~nął, ~nęli
ob/gryźć; ~gryzę,
  ~gryź·cie, ~gryzł,
  ~gryź·li
obiad; obiedzie
obia/dek; ~d·ków
obiadokola·cja; ~cji
obia/ta; ~cie
obibok
obició|w·ka; ~w·ce
obiecan·ki cacan·ki
obieg

obiegó|w·ka; ~w·ce
obiek·cja; ~cji
obiekt; obiek·cie
obiektyw
obiektywiza·cja; ~cji
obiekty/wizm; ~wiz-
mie
obieral·ność
obierzyna
obiet·nica
obieży/świat; ~świacie
obijać
obiór; obiorze
ob/jadać się
ob/jaś·nić; ~nij·cie
ob/jaw
ob/ja/wić; ~w·cie
ob/jazd; ~jeź·dzie
ob/jąć; obej·mie,
obej·mij·cie; ob/jął,
ob/jęli
ob/je/chać; ~dź·cie
ob/jedzony
ob/jeść; ~jedz·cie,
~jadł, ~jed·li,
~jedzony
ob/jeździć; ~jeż·dżę,
~jeźdź·cie
ob/jeż·dżać
ob/jęcie
ob/jętość (*skrót:* obj.)
ob/ju/czyć; ~cz·cie
ob/kleić; ~kleję, ~klei,
~klej·cie, ~kleił
ob/kładać
ob/kopać; ~kop·cie
ob/krajać
ob/kroić; ~kroję,
~kroi, ~krój·cie,
~kroił
ob/kuć się; ~kuje

ob/ku/pić się; ~p·cie
ob/lać; ~leje, ~lali *lub*
~leli
ob/lec; ob/leg·nie,
ob/leg·nij·cie,
ob/legł, ob/lężony
(*np.* miasto)
ob/lec; ob/lecze,
ob/lecz·cie, ob/lókł
lub ob/lekł, ob/lek·li
(*np.* koszulę)
ob/le/cieć; ~cę, ~ć·cie,
~cieli
ob/leg·nąć – *zob.*
ob/lec (*np.* miasto)
ob·leniec; ~leń·ce
ob·leś·ny
ob/lewać
ob/leźć; ~lezę, ~leź·cie,
~lazł, ~leź·li
Ob·lęgorek
ob/lężenie
ob/licze
ob/li/czyć; ~cz·cie
ob·liga·cja; ~cji
ob·ligatoryj·ność
ob/li/zać; ~że, ~ż·cie
ob/lodzenie
ob/lubie/niec; ~ń·ców
o/bluzgać
ob/lu/zować; ~zuje
ob/luź·nić
ob/łaska/wić; ~w·cie
ob/ława
ob/ła/zić; ~żę, ~ź·cie
o/błąka/niec; ~ń·ców
o/błąkań·czy
o/błęd; o/błędzie
ob·ło/czek; ~cz·ków
ob·łok
ob/łowić się; ~łów·cie

ob/łoż·nie
ob/łożyć; ~łóż·cie
ob·łó/czyć; ~cz·cie
ob·łóczyny
ob/łu/da; ~dzie
ob/łu/pać; ~p·cie
ob/łu/pić; ~p·cie
ob/łu·skiwać; ~skuje
ob·ły
ob/ma/cywać; ~cuje
ob/mar·znięty
ob/miatać
ob/mierzać (*mierzyć*)
ob/mier·zić; ~żę, ~ź·cie
ob/mier·zły
ob/mier·znąć; ~znie
lub ~źnie, ~zł, ~zli
lub ~źli
ob/mier·źle
ob/mieść; ~mieć·cie;
~miótł, ~miet·li
ob/mó/wić; ~w·cie
ob/myślić; ~myśl·cie
ob/na/żyć; ~ż·cie
ob/ni|ż·ka; ~ż·ce
ob/ni/żyć; ~ż·cie
ob/noś·ny
obocz·ność
obo/ista; ~iści
oboj·czyk
oboje; oboj·ga
obojęt·ność
oboj·nactwo
obok (czegoś)
obopól·ny
obora; oborze, obór
ob/orać; ~orze,
~orz·cie
obor·nik
obosiecz·ny *lub*
obusiecz·ny

ob/ostrzyć; ~ostrz·cie
obowią/zek; ~z·ków
obowiązujący
oboź·ny
obój; obojów *lub* oboi
obór·ka; ~ce
obóz
ob/rabiar·ka; ~ce
ob/ra/bować; ~buje
ob/rachunek
o/brać; ~bierze,
~bierz·cie
ob/ra/dować; ~duje
ob/radzać
ob/ramienie
ob/ramowanie
ob/rastać
ob·raz
ob·raza
ob·ra/zek; ~z·ków
ob·ra/zić; ~żę, ~ź·cie
ob·raz·kowy
ob·razobur·stwo
ob·razowość
ob·raź·li/wy; ~w·szy
ob·rażać
ob·rażal·ski; ~scy
ob·rażenie
ob/rą/bać; ~b·cie
ob/rą|cz·ka; ~cz·ce
ob/rę/bek *lub* ob/-
rą/bek; ~b·ków
ob/rę/bić; ~b·cie
ob/ręcz
ob/rodzić
o/brona
o/bron/ność
o/bro|ń·ca; ~ń·ców
ob/ro|s·ły; ~ś·li
ob/ros·nąć; ob/roś·nie,
ob/rósł, ob/roś·li

ob·rośnię/ty; ~ci
ob·rot·ny
ob·rotomierz
ob·roża
ob/ró|b·ka; ~b·ce
ob·ró/cić; ~cę, ~ć·cie
ob/róść; ob/roś·nie,
ob/rósł, ob/roś·li
ob·rót; ~rocie
ob/rów·nywać; ~nuje
ob·ró|ż·ka; ~ż·ce
ob/rugać
ob/rumie/nić; ~ń·cie
ob·ru/sek; ~s·ków
ob/ru/szyć; ~sz·cie
ob/rys
ob/rywać
o/bryzgać
ob/rzą/dek; ~d·ków
ob/rzą/dzić; ~dź·cie
ob/rzezać
o/brzeże
ob/rzęd; ~rzędzie
o/brzę|k·nąć; ~k·nij,
~kł
o/brzmiały
ob/rzu/cić; ~cę, ~ć·cie
o/brzusz·na
ob/rzu|t·ka; ~t·ce
o/brzyd·li·stwo
o/brzyd·li/wiec;
~w·ców
o/brzyd·li/wy; ~w·szy
o/brzy|d·nąć; ~dł *lub*
~d·nął, ~d·li
o/brzy/dzić; ~dzę,
~dź·cie
ob/rzynać
ob/rzynek
ob/sa/da; ~dzie
ob/sa|d·ka; ~d·ce

ob/sa/dzić; ~dzę,
~dź·cie
ob/scenicz·ny
ob/serwa·cja; ~cji
ob/serwa/tor; ~torzy
ob/serwatorium
ob/ser·wować; ~wuje
ob/se·sja; ~sji
ob/siać; ~sieje, ~siali
lub sieli
ob/siąść; ~siądzie,
~siądź·cie, ~sied·li
ob/siusiać
ob/sko/czyć; ~cz·cie
ob/sku/bywać; ~buje
ob·skuran·cki; ~c/cy
ob·sku/rant; ~ran·ci
ob·skuran·tyzm; ~tyz-
mie
ob·skur·ny
ob/słon·ka; ~ce
ob/słu/chiwać; ~chuje
ob/słu/ga; ~dze
ob/słu/żyć; ~ż·cie
ob/sma/rować; ~ruje
ob/sma/żyć; ~ż·cie
ob/stalunek
ob/stawać
ob/sta/wić; ~w·cie
ob/stą/pić; ~p·cie
ob/stę/pować; ~puje
ob/struk·cja; ~cji
ob/strzał
ob/strzę/pić; ~p·cie
ob/strzyc; ~strzyże,
~strzyż·cie, ~strzygł,
~strzyżony
ob/stu/kiwać; ~kuje
ob/su/nąć się; ~ń·cie,
~nął, ~nęli
ob/su/szyć; ~sz·cie

177

ob/sychać
ob/sy/pywać; ~puje
ob·szar; ob·szarze
ob·szar·nik
ob/szar·pa/niec;
~ń·ców
ob/szcze/kiwać; ~kuje
ob·szer·ny
ob/sztor·cować; ~cuje
ob/szu/kiwać; ~kuje
ob/szyć; ~szyje
ob/śli/nić; ~ń·cie
ob/ślizg·ły
ob/ślizg·nąć się; ~nął,
~nęli
ob/śli|z·nąć się; ~ź·nie,
~ź·nij, ~z·nął, ~z·nęli
ob/tar·cie
ob/tłuc; ~tłucz·cie,
~tłukł
ob/to/czyć; ~cz·cie
ob/trą/cić; ~cę, ~ć·cie
ob/trzą|s·nąć; ~s·nę,
~ś·nie, ~ś·nij, ~s·nął,
~s·nęli, ~ś·nięty
ob/tulić
ob/tykać
obuch
obuć; obuje
obudó|w·ka; ~w·ce
obu/dzić; ~dzę, ~dź·cie
ob/u/mrzeć; ~marł
obunóż
obu/płciowość
oburącz
oburęcz·ny
oburk·nąć; ~nął, ~nęli
oburzający
obu/rzyć; ~rz·cie
obusiecz·ny lub obo-
siecz·ny

obu/stron/ny
obu/szek; ~sz·ków
obuwie
ob/wa/ływać; ~łuje
ob/wa/rować; ~ruje
ob/warzanek lub oba-
rzanek
ob/wą/chiwać; ~chuje
ob/wią/zać; ~że, ~ż·cie
ob/wie/sić; ~szę, ~ś·cie
ob/wieszczenie
ob/wieś; ~wiesi lub
~wiesiów
ob/wieścić; ~wieszczę,
~wieść·cie
ob/wieść; ~wiedzie,
~wiedź·cie, ~wiódł,
~wied·li
ob/wieźć; ~wiozę,
~wieź·cie, ~wiózł,
~wieź·li
ob/wijać
ob/wi/nąć; ~ń·cie,
~nął, ~nęli
ob/wi/nić; ~ń·cie
ob/wis·ły
ob/wi|s·nąć; ~ś·nie,
~s·nął lub ~sł
ob/wod·nica
ob/wodó|w·ka; ~w·ce
ob/wodzić; ~wodzę,
~wódź·cie
ob/wolu/ta; ~cie
ob/wozić; ~wożę,
~woź·cie lub ~wóź·cie
ob/woź·ny
ob/wód; ~wodzie
ob/wó|d·ka; ~d·ce
oby; obym, obyś,
oby·śmy, oby·ście
obycie

obyczajó|w·ka; ~w·ce
obyć się; obędzie,
obądź·cie
oby/dwa; ~dwóch lub
~dwu, ~dwom lub
~dwóm
oby/dwoje; ~dwoj·ga
oby/ty; ~ci
obywatel (skrót: ob.)
obywatel·ski; ~scy
obywatel·stwo
ob/żar·stwo
ob/żar·tuch; ~tuchy
ob/żar·tus
ob/żerać się
ob/żynać (zboże)
oca/leć; ~leje
ocean
Ocea/nia; ~nii
oceano·gra/fia; ~fii
oceanolo/gia; ~gii
oce/lot; ~locie
ocem·browanie
oce/nić; ~ń·cie
ocen·zu/rować; ~ruje
ocet; octu, oc·cie
och!
ochajt·nąć się; ~nął,
~nęli
ochędo/żyć; ~ż·cie
ochędó·stwo
o/chlaj
o/chla/pać; ~p·cie
o/chładzać
och·łap
o/chłod·nąć; o/chłódł
o/chłodzić; o/chłodzę,
o/chłodź·cie lub
o/chłódź·cie
o/chło/nąć; ~ń·cie,
~nął, ~nęli

och/mistrz
ochoczy
ocho/ta; ~cie
ochot·nik; ~nicy
och·ra; och·rze
o/chraniać
o/chroniarz
o/chron·ka; ~ce
o/chron/ny
o/chry|p·nąć; ~p·nął
 lub ~pł, ~p·nęli lub
 ~p·li
o/chrza/nić; ~ń·cie
o/chrzcić; o/chrzczę,
 o/chrzcij·cie
o/chrzczony
o/chwa/cić; ~cę, ~ć·cie
ociec; oć·ca
ociec; ociek·nę lub
 ociekę, ociek·nie lub
 ociecze, ociecz·cie,
 ociekł lub ociek·nął
ociek·nąć – zob. ociec
ociem·niały
ocie/nić; ~ń·cie
ocieplić; ociepl·cie
ocierać
ociężałość
ocio/sać; ~sa lub ~sze,
 ~saj·cie lub ~sz·cie
ociupin·ka; ~ce
o·cknąć się; ~cknął,
 ~cknęli
o/clić
ocu/cić; ~cę, ~ć·cie
ocukrzyć; ocukrz·cie
ocyga/nić; ~ń·cie
ocza/dzieć; ~dzieje,
 ~dzieli
oczaj/dusza
oczar; oczarze

ocze/kiwać; ~kuje
oczepiny
ocze/ret; ~recie
oczer·nić; oczerń·cie
 lub oczer·nij·cie
oczęta; ocząt
oczodół
oczo/pląs
oczyn·szować; ~szuje
oczyszczal·nia; ~ni
oczyścić; oczyszczę,
 oczyść·cie
oczywi·sty; ~st·szy
oczywiście
o/ćma
o/ćwi/czyć; ~cz·cie
oda; odzie, ód
od/au/tor·ski
odąć; o/dmę, o/dmie,
 odął, odęli, odęty
od/bąk·nąć; ~nął,
 ~nęli
od/bez/pie/czyć;
 ~cz·cie
od/bęb·nić; ~nij·cie
od/bić; ~bije, ~bij·cie
od/biec; ~biegł,
 ~bieg·li
od/bieg·nąć – zob.
 od/biec
od/bierać
od/bijać
od/bior·ca
od/biór; ~biorze
od/bi|t·ka; ~t·ce
od/blask
od/blo/kować; ~kuje
od/błysk
od/brą/zowić;
 ~zów·cie
od/bryzg

od/bu/dować; ~duje
od/burk·nąć; ~nął,
 ~nęli
od/być; ~będzie,
 ~bądź·cie
od/byt; ~bycie
od/byt·nica
od/ce/dzić; ~dzę,
 ~dź·cie
od/chark·nąć; ~nął,
 ~nęli
od/chod·ne
od/chody
od/cho/dzić; ~dzę,
 ~dź·cie
od/cho/rować; ~ruje
od/chować
od/chów
od/chrza/nić się;
 ~ń·cie
od/chrząk·nąć; ~nął,
 ~nęli
od/chuchać
od/chudzanie
od/chu/dzić; ~dzę,
 ~dź·cie
od/chwaścić; ~chwa-
 szczę, ~chwaść·cie
od/chylić
od/ciąć; ode/tnie,
 ode/tnij·cie, od/ciął,
 od/cięli, od/cięty
od/ciąg·nąć; ~nął,
 ~nęli
od/cią/żyć; ~ż·cie
od/cień
od/cier·pieć; ~p·cie,
 ~pieli
od/cięty
od/cinać
od/cinek

od/cisk
od/ci|s·nąć; ~ś·nie,
  ~ś·nij·cie, ~s·nął,
  ~s·nęli
od/cu/mować; ~muje
od/cyf·rować; ~ruje
od/cza/rować; ~ruje
od/czasow·nikowy
od czasu do czasu
od/czekać
od/cze/pić; ~p·cie
od/czep·ne
od/człowieczony
od/czuć; ~czuje
od/czulić
od/czuwal·ny
od/czyn/nik
od/czyścić; ~czyszczę,
  ~czyść·cie
od/czyt; ~czycie
od/dać; ~dadzą
od/dalić
od/da|w·ca; ~w·ców
od dawien dawna
od dawna
od/dech
od/dele/gować; ~guje
od/depe/szować;
  ~szuje
od/dłu/bać; ~b·cie
od/dłu/żyć; ~ż·cie
od/dol·ny
od dołu
od/dychać
od/dział
od/dzia/ływać; ~łuje
  lub ~ływa
od/dzielić
od/dziel·ny
od/dzierać
od dzisiaj

od dziś
od/dzwo/nić; ~ń·cie
od/dźwięk
ode/brać; od/bierze,
  od/bierz·cie
ode/chcieć się; ~chce
ode/drzeć; od/darł
ode/gnać
odej·mować; ~muje
odejść; odej·dzie,
  odejdź·cie, od/szedł,
  ode/szli
ode/mknąć; ~mknął,
  ~mknęli
ode mnie
odeń (od niego)
ode/pchnąć; ~pchnął,
  ~pchnęli, ~pchnięty
ode/przeć; od/parł
ode/rwać; ~rwę,
  ~rwij·cie
ode/rznąć; ~rznął,
  ~rznęli
ode/rżnąć; ~rżnął,
  ~rżnęli
ode·ski; ~scy (od
  Odessa)
ode/słać; ~śle, ~ślij·cie
ode/tchnąć; ~tchnął,
  ~tchnęli
ode/tkać
ode/zwa; odezw
ode/zwać się; ~zwę,
  ~zwij·cie
odę/ty; ~ci
od/faj·kować; ~kuje
od/fil·trować; ~truje
od/fru/nąć; ~ń·cie,
  ~nął, ~nęła
od/fuk·nąć; ~nął, ~nęli
od/gad·nąć; od/gadł

od/gałę/zienie; ~zień
od/gar·nąć; ~nął, ~nęli
od/giąć; ode/gnie,
  od/giął, od/gięli,
  od/gięty
od/głos
od/gnieść; ~gnieć·cie,
  ~gniótł, ~gniet·li
od/gór·ny
od góry
od/gradzać
od/grani/czyć; ~cz·cie
od/grażać się
od/grodzić; ~grodzę,
  ~grodź·cie lub
  ~gródźcie
od/grom·nik
od/gru/zować; ~zuje
od/gryźć; ~gryzę,
  ~gryź·cie, ~gryzł,
  ~gryź·li
od/grzać; ~grzeje,
  ~grzali lub grzeli
od/grze/bać; ~b·cie
od/gważ·dżać
od/gwizdać; ~gwiż·-
  dże, ~gwiżdż·cie
od|gwoź·dzić; ~gwoż·-
  dżę, ~gwoź·dź·cie lub
  ~gwóź·dź·cie
od/ho/dować; ~duje
od/ho/lować; ~luje
od/huknąć
od/humani/zować;
  ~zuje
od/ideo·logi/zować;
  ~zuje
od/imien/ny
odium
od/izo/lować; ~luje
od/jazd; ~jeździe

180

od/jąć; odej·mę,
odej·mie, od/jął,
od/jęli
od/je/chać; ~dź·cie
od/jem·na
od/jem·nik
od/jezd·ne (na odjezd-
nym)
od/jeżdżać
od jutra
od/kar·miać
od/kar·mić; ~mię, ~mi,
~m/my
od/kaszl·nąć; ~nął,
~nęli
od/każać
od/kąd
od/kle/ić; ~ję, ~i,
~j·cie, ~ił
od/kle/pać; ~p·cie
od/kładać
od/kło/nić się; ~ń·cie
od/kochiwać się;
~kochuje
od/komen·de/rować;
~ruje
od/ko/pać; ~p·cie
od/kor·kować; ~kuje
od/kotwi/czyć; ~cz·cie
od/krajać
od/krę/cić; ~cę, ~ć·cie
od/kroić; ~kroję, ~kro/i,
~krój·cie, ~kro/ił
od/kryć
od/kry|w·ca; ~w·ców
od/kryw·czy
od/kry|w·ka; ~w·ce
od/krztu/sić; ~szę,
~ś·cie
od/krzyk·nąć; ~nął,
~nęli

od/kształ·cić; ~cę,
~ć·cie
od/kupiciel
od/ku/pić; ~p·cie
od/kurzacz
od/ku/rzyć; ~rz·cie
od/kuwać
od/kwaszać
od/le/cieć; ~cę, ~ć·cie
od/ległościomierz
od/ległość
od/lew·nia; ~ni
od/lew·nictwo
od/leźć; ~lezę, ~leź·cie,
~lazł, ~leź·li
od/leżyna
od/lot; ~locie
od/lu/dek; ~d·ków
od/lud·ny
od/ludzie
od/łamek
od/ławiać
od/ła/zić; ~żę, ~ź·cie
od/łą/czyć; ~cz·cie
od/łożyć; ~łóż·cie
od/łóg
od/łów
od/łu/pać; ~p·cie
o/dma
od/marsz
od/mar·znąć; ~zł lub
~znął
od/mawiać
od/męt; ~męcie
od/miana
od/mie/nić; ~ń·cie
od/mie/niec; ~ń·ców
od/mien/ny
od/mie/rzyć; ~rz·cie
od/mieść; ~mieć·cie,
~miótł, ~miet·li

od/mię|k·nąć; ~kł lub
~k·nął
od/mitologi/zować;
~zuje
od/młodzać
od/młod·nieć; ~nieje,
~nieli
od/młodzić; ~młodzę,
~młódź·cie
od/mok·nąć; od/mókł
lub od/mok·nął
od/mó/wić; ~w·cie
od/móżdżenie
od/mrażać
od/mrozić; ~mrożę,
~mróź·cie lub
~mroź·cie
od/mrożenie
od/mruk·nąć; ~nął,
~nęli
od/mulić
od/nająć; ~naj·mę,
~naj·mie,
~naj·mij·cie, ~najął,
~najęli
od/najmować
od/naleźć; ~naj·dzie,
~najdź·cie, ~nalazł,
~naleź·li
od niech·cenia
od niedawna
od/nieść; ~nieś·cie,
~niósł, ~nieś·li
od/noga; ~nodze, ~nóg
od/noś·nie do (czegoś)
od/nowa (odnawianie)
od nowa (na nowo))
od/nowiciel
od/nowić; ~nów·cie
od/nóże
od/nó|ż·ka; ~ż·ce

od/ole/ić; ~ję, ~i,
~j·cie, ~ił
od/osob·nienie
odór; odorze
od/padać
od/pad·ki
od/pa/kować; ~kuje
od/palan·tować się;
~tuje
od/palić
od/par·cie
od/pa/rować; ~ruje
od/pa/rzyć; ~rz·cie
od/pa/sać; ~sze, ~sz·-
cie (*np.* miecz)
od/pa/sać; ~sa, ~saj·-
cie (*np.* świnie)
od/paść; ~pad·nie,
~padł
od/paść; ~pasę,
~paś·cie, ~pasł,
~paś·li
od/per·sonali/zować;
~zuje
od/pę/dzić; ~dzę,
~dź·cie
od/piąć; ode/pnie,
ode/pnij·cie, od/-
piął, od/pięli
od/pieczę/tować; ~tuje
od/pierać
od/pi/łować; ~łuje
od/pinać
od/pis
od/plamiacz
od/plusk·wić
od/pła/cić; ~cę, ~ć·cie
od/płat·ność
od/pły/nąć; ~ń·cie,
~nął, ~nęli
od/pływ

od/po/cząć; ~czął,
~częli
od począt·ku
od/poczynek
od/podob·nienie
od/poku/tować; ~tuje
od/politycz·nić
od/pol·szczyć
od/pom·pować; ~puje
od/por·ność
od/powiadać
od/powied·ni
od/powiedzial·ność
od/powie/dzieć;
~dz·cie, ~dzieli
od/powiedź
od/po/wietrzyć
od/pór; ~porze
od/pra/cować; ~cuje
od pradawna
od/pra/sować; ~suje
od/pra/wić; ~w·cie
od/prę/żyć; ~ż·cie
od/prowa/dzić; ~dzę,
~dź·cie
od/pruć; ~pruje
od/prysk
od/pry|s·nąć; ~ś·nie,
~s·nął *lub* ~sł,
~s·nęła *lub* ~s·ła
od/prząc; ~przęże,
~prząż·cie *lub*
~przęż·cie, ~przą, gł,
~przęg·li
od/przedaż *lub*
od/sprzedaż
od przed/wczoraj
od/przęg·nąć; ~nie,
~nął, ~nęli
od/przymiot·nikowy
od/przysiężenie

odpu/cować; ~cuje
od/pukać
od/pust; ~puście
od/puścić; ~puszczę,
~puść·cie
od/pychać
od/pylacz
od/pysk·nąć; ~nął,
~nęli
od/py/tywać; ~tuje
odra; odrze
od/rabiać
od/ra/dzić; ~dzę,
~dź·cie
od rana
o/drapa/niec; ~ń·ców
od/rastać
od/raza; ~razie
od razu
od/rażający
od/rą/bać; ~b·cie
od/rest<u>au</u>/rować;
~ruje
od/ręb·ność
od/ręcz·nie
od ręki
o/drętwienie
od/robić; ~rób·cie
o/drobina
od/ro/czyć; ~cz·cie
od/ro/dek; ~d·ków
od/rodzenie
od/rodzić się; ~rodzę,
~rodź·cie *lub*
~ródź·cie
od/roman·tycz·nić
od/ros·nąć; od/roś·nie,
od/roś·nij·cie,
od/rósł, od/roś·li
od/rost; ~roście
od/ros·tek; ~t·ków

182

od/rośl
od/ró|b·ka; ~b·ce
od/róść – *zob.*
  od/ros·nąć
od/róż·nić; ~nij·cie
od/ruch
od/rys
od·rzań·ski; ~scy (*od*
  Odra)
od/rzec; ~rzekł, ~rzek·li
od/rzeczow·nikowy
od rzeczy
od/rzeczywist·nić
o/drzeć; odarł
od/rzekać się
od/rzu/cić; ~cę, ~ć·cie
od/rzut; ~rzucie
od/rzuto/wiec; ~w·ców
o/drzwia; ~drzwi
od/rzynać (*piłą*)
od/sa/dzić; ~dzę,
  ~dź·cie
od/salać
od/salu/tować; ~tuje
od/sap·nąć; ~nął, ~nęli
od/są/czyć; ~cz·cie
od/są/dzić; ~dzę,
  ~dź·cie
od/sepa/rować; ~ruje
od/se/tek; ~t·ków
od/se|t·ka; ~t·ce, ~tek
od/sia|d·ka; ~d·ce
od/siecz
od/sie/dzieć; ~dzę,
  ~dź·cie, ~dzieli
od/siew
od/ska/kiwać; ~kuje
od/skocz·nia; ~ni
od/słona
od/sło/nić; ~ń·cie,
  ~nięty, ~nięci

od/słu/żyć; ~ż·cie
od/sma/żyć; ~ż·cie
od spodu
od/sprzedaż *lub*
  od/przedaż
od/stać; ~stanie,
  ~stań·cie (*od czegoś*)
od/stać; ~stoję, ~sto/i,
  ~stój·cie (*jakiś czas*)
od/stający
od/sta/wić; ~w·cie
od/stą/pić; ~p·cie
od/stęp
od/stęp·ne
od/stęp·stwo
od stóp do głów
od/stra/szyć; ~sz·cie
od/strę/czyć; ~cz·cie
od/strzał
od/su/nąć; ~ń·cie,
  ~nął, ~nęli
od/supłać
od/suwać
od/syłacz
od/syłać
od/sy/pać; ~p·cie
od/sypiać
od/szczek·nąć; ~nął,
  ~nęli
od/szczepie/niec;
  ~ń·ców
od/szczepień·stwo
od/szczu/rzyć; ~rz·cie
od/szep·nąć; ~nął,
  ~nęli
od/szkodowanie
od/szukać
od/szu/mować; ~muje
od/szyf·rować; ~ruje
od/śnie/żyć; ~ż·cie
od/śpiewać

od/środ·kowy
od/świe/żyć; ~ż·cie
od święta
od/święt·ny
od/tajać
od/taj·nić
od/tań·czyć; ~cz·cie
od/tąd dotąd
od/ten·te/gować się;
  ~guje
od teraz
od/tle/nić; ~ń·cie
od/tłuc; ~tłucze,
  ~tłucz·cie, ~tłukł
od/tłuścić; ~tłuszczę,
  ~tłuść·cie
od/trans·por·tować;
  ~tuje
od/trą/bić; ~b·cie
od/trą/cić; ~cę, ~ć·cie
od/tru|t·ka; ~t·ce
od/tworzyć; ~twórz·cie
od/twór·ca
od/twór·stwo
od/tykać
od tyłu
od/uczyć; ~ucz·cie
od/u/mrzeć; ~marł
odurzający
odu/rzyć; ~rz·cie
od/wach
od/wad·niać *lub*
  od/wod·niać
od/wa/ga; ~dze
od/walić
od/wap·nienie
od/war; ~warze
od/waż·nik
od/waż·ny
od/wa/żyć; ~ż·cie (na
  wadze)

od/wa/żyć się; ~ż·cie
(na coś)
od wczoraj
od/wdzię/czyć się;
~cz·cie
od/wet; ~wecie
od/wią/zać; ~że, ~ż·cie
od/wieczerz
od/wiecz·ny (prastary)
od/wie/dzić; ~dzę,
~dź·cie
od wieków
od/wiert; ~wier·cie
od/wie/sić; ~szę, ~ś·cie
od/wieść; ~wiedzie,
~wiedź·cie, ~wiódł,
~wied·li
od/wietrz·ny (strona)
od/wieźć; ~wiozę,
~wieź·cie, ~wiózł,
~wieź·li
od/wilż
od/wilżacz
od/wi/nąć; ~ń·cie,
~nął, ~nęli
od/wlec; ~wlecz·cie,
~wlókł lub ~wlekł,
~wlek·li
od/włok
od/włó/czyć; ~cz·cie
od/wod·nić
od/wodzić; ~wodzę,
~wódź·cie
od/wolaw·czy
od/wozić; ~wożę,
~woź·cie lub ~wóź·cie
od/wód; ~wodzie
od/wracal·ność
od/wrot·ność
od/wró/cić; ~cę, ~ć·cie
od/wrót; ~wrocie

od/wszyć
od/wyk·nąć; od/wykł
lub od/wyk·nął
od/wykó|w·ka; ~w·ce
od/wyrt·ka (na
odwyrtkę)
od/wzajem·nić; ~nię,
~ni
Ody/seja; ~se/i
Odyse/usz
od zaraz
od/zew
odziać; odzieje, odziali
lub odzieli
odziedzi/czyć; ~cz·cie
odzież
odzieżó|w·ka; ~w·ce
od/ziomek lub od/zie-
mek
od/zip·nąć; ~nął, ~nęli
od/zna/czyć; ~cz·cie
od/zna/ka; ~ce
od/zwier·ciedlić lub
od/zwier·ciadlić
od/zwierzęcy
od/zwy/czaić; ~czaję,
~czai, ~czaił
od/zyskać
od/zy|w·ka; ~w·ce
odźwier·ny
od/ża/łować; ~łuje
od/żeg·nywać się;
~nuje
od/żela/zić; ~żę, ~ź·cie
od/żuż·lować; ~luje
od/żyć; ~żyje
od/ży/łować; ~łuje
od/żynać (sierpem)
od/żyw·czy
od/żywiać
od/ży|w·ka; ~w·ce

o/en/zetow·ski lub
ONZ-ow·ski; ~scy
Ofe/lia; ~lii
ofen·sywa
ofe/rent; ~ren·ci
ofer·ma
ofe/rować; ~ruje
ofer·ta; ~cie
off·set; off·secie
ofiara; ofierze
ofiaroda|w·ca; ~w·ców
ofiarodaw·stwo
oficer·ski; ~scy
oficerzyna
ofi·cjali·sta; ~ści
ofi·cjal·ny
oficyna
of·lag
o/fla/gować; ~guje
of·sajd; of·sajdzie
– rzadziej off·side
ofuk·nąć; ~nął, ~nęli
ogałacać lub ogołacać
ogar; ogarze
ogar·nąć; ~nął, ~nęli
ogie/nek; ~n·ka
ogie/niek; ~ń·ka
ogień; ognia
ogier; ogierze
o/glądać
o/gięd·ność
o/gędziny
o/gła/da; ~dzie
o/gło/sić; ~szę, ~ś·cie
o/głoszenioda|w·ca;
~w·ców
o/głu|ch·nąć; ~ch·nął
lub ~chł
o/głu/pić; ~p·cie
o/głu/szyć; ~sz·cie
og·ni/cha; ~sze

og·nio/chron/ny
og·niomistrz
og·nio/od/por·ność
og·nio/szczel·ność
og·nio/trwałość
og·niskowa
og·nistoru/dy; ~dzi
og·niście
og·niw·ko
ogolić; ogol·cie *lub*
  ogól·cie
ogołacać *lub* ogałacać
ogoło/cić; ~cę, ~ć·cie
ogoniasty
ogorzały
ogól·niak
ogól·nie znany
ogól·nikowość
ogól·nobudow·lany
ogól·nodo/stęp·ny
ogól·no/eu/ropej·ski;
  ~scy
ogól·no/kształ·cący
ogól·noludz·ki
ogól·nonarodowy
ogól·nopol·ski
ogól·no/światowy
ogół
ogórek
ogra/bić; ~b·cie
o/granicz·nik
o/grani/czyć; ~cz·cie
o/grod·nictwo
o/grod·niczo-sadow·-
  niczy
o/grodzić; o/grodzę,
  o/grodź·cie *lub*
  o/gródź·cie
o/grom·nia·sty; ~ści
o/grom·nieć; ~nieje,
  ~nieli

o/gród; o/grodzie
o/gró/dek; ~d·ków
o/grójec *lub* o/grojec
o/gryzać
o/gry/zek; ~z·ków
o/gryźć; o/gryzę,
  o/gryź·cie, o/gryzł,
  o/gryź·li
o/grzewać
o/grzew·czy
ogumienie
oho!
ohy/da; ~dzie
ohydz·two
oj·ciec; oj·ca
oj·cobój·ca
oj·cobój·stwo
oj·costwo
oj·co/wizna; ~wiźnie
oj·cow·ski; ~scy
oj·czulek
oj·czysty
oj·czyzna; ~czyźnie
oj·czyźniany
okale/czyć; ~cz·cic
oka/mgnienie
okan·tować; ~tuje
okap
okaryna
okay *lub* okej (*skrót:*
  O̲K̲)
okaz
oka/zać; ~że, ~ż·cie
okaziciel
oka·zja; ~zji
oka·zjonal·ny
okazyj·ny
ok·cyden·tal·ny
okej *lub* okay (*skrót:*
  OK̲)
okiełz·nać

okien·ko
okien/nica
okien/ny
okiść
o/kla|p·nąć; ~p·nął *lub*
  ~pł, ~p·nęli *lub* ~p·li
o/klaski
o/kle/ić; ~ję, ~i, ~j·cie,
  ~ił
o/kle/ina
o/klejać
o/klep (na oklep)
o/kład; o/kładzie
o/kła|d·ka; ~d·ce
o/kładzina
o/kłamać; o/kłamię,
  o/kłamie,
  o/kłam/my
ok·nó|w·ka; ~w·ce
okolica
okolicz·nik
okolicz·ność
około (*skrót:* ok.)
okołobiegunowy
około/księżycowy
okołoziem·ski
okoń
okop·cić; ~cę, ~ć·cie
oko/pywać; ~puje
okost·na
oko w oko
okól·nik
o/kpić
o/krakiem
o/krasa
o/kra/sić; ~szę, ~ś·cie
o/kraść; o/krad·nij·cie,
  o/kradł, o/krad·li,
  o/kradziony,
  o/kradzeni
o/kra/wek; ~w·ków

o/krąg; o/kręgiem
  (*koła*)
o/krąg·lut·ki
o/krąg·ły
o/krą/żyć; ~ż·cie
o/kres
o/kreślający
o/kreślić; o/kreśl·cie
o/kreśl·nik
o/krę/cić; ~cę, ~ć·cie
okręcik
o/kręg (*np.* wyborczy)
okręt; okręcie
o/kręt·ka (na okrętkę)
o/kręż·ny
o/kroić; ~kroję, ~kroi,
  ~krój·cie, ~kroił
okropień·stwo
o/kruch
ok·rucień·stwo
o/kru/szek; ~sz·ków
o/kruszyn·ka; ~ce
ok·rutny
o/krwawiony
o/krycie
o/kryj/bie/da *lub*
  o/kryj/bi/da; ~dzie
o/krytonasien/ny
o/krytozaląż·kowy
o/krzem·ka
o/krze|p·nąć; ~p·nął
  lub ~pł, ~p·li
o/krze/sać; ~szę,
  ~sz·cie
o/krzyk
o/krzyk·nąć; ~nął,
  ~nęli
oks·for|dz·ki; ~dz·cy
  (*od* Oksford)
ok·syda·cja; ~cji
ok·symoron

Ok·sy/wie; ~wia
ok·tawa
Ok·ta/wia; ~wii
Ok·tawiusz
ok·tet; ok·tecie
ok·to·stych
okucie
okuć; okuje
okulary
okula/wić; ~w·cie
okul·ba/czyć; ~cz·cie
oku/leć; ~leje, ~leli
okuli·sta; ~ści
okul·tystycz·ny
okul·tyzm; ~tyzmie
okup
okupa·cja; ~cji
oku/pant; ~pan·ci
oku/pić; ~p·cie
okurek
oku/rzyć; ~rz·cie
okutać
okuwać
o/kwiat; o/kwiecie
o/kwi|t·nąć; ~tł *lub*
  ~t·nął, ~t·ła
olaboga!
Olaf
Ol·bracht; ~brachcie
ol·brzym
ol·brzy/mieć; ~mieje,
  ~miał, ~mieli
ol·cha; ol·sze
ol·chó|w·ka; ~w·ce
old·boj *lub* old·boy
olean·der; ~drze
ole·cki; ~c/cy (*od*
  Olecko)
oleić; oleję, olei,
  olej·cie, oleił
ole/inowy

ole/isty
olej; ole/i *lub* olejów
olejar·nia; ~ni
oleo/druk
Ol·ga; ~dze
Ol·gierd; Ol·gier·dzie
oligar·cha; ~sze
oligar·chia; ~chii
oligocen
oligoceń·ski
Olim·pia; ~pii
olim·pia/da; ~dzie
olim·pij·czyk; ~czycy
olim·pij·ski; ~scy
oli/wić; ~w·cie
oli|w·ka; ~w·ce
ol·ku·ski; ~scy (*od*
  Olkusz)
ol·stro; ol·strze
ol·sza
ol·szó|w·ka; ~w·ce
Ol·sztyn
ol·sztyń·ski; ~scy
o/lśnić
o/lśniewająco
ol·ziań·ski; ~scy (*od*
  Olza)
Ołomu/niec; ~ń·ca
ołowianoszary
ołów
ołó/wek; ~w·ków
oł·tarz
omacek (po omacku)
omal/że
o mało co
omam
oma/mić; ~mię, ~mi,
  ~m/my
omaścić; omaszczę,
  omaści, omaść·cie
omą/czyć; ~cz·cie

o/mdleć; o/mdleje,
   o/mdleli
omen
omie|r·zły; ~r·źli
omier·znąć; ~znie *lub*
   ~źnie, ~zł, ~zli *lub*
   ~źli
omieszkać
omieść; omieć·cie,
   omiótł, omiot·ła,
   omiet·li
omijać
omi/nąć; ~ń·cie, ~nął,
   ~nęli
omlet; omlecie
o/młot; o/młocie
o/młó/cić; ~cę, ~ć·cie
om·nibus
om·nipoten·cja; ~cji
omomierz
omoseku|n·da; ~n·dzie
omó/wić; ~w·cie
o/msknąć się; o/msk-
   nął, o/msknęli
o/mszały
omułek
omu|s·nąć; ~ś·nie,
   ~ś·nij·cie, ~s·nął,
   ~s·nęli
omył·ka; ~ce
ona/nizm; ~nizmie
on·dula·cja; ~cji
on·du/lować; ~luje
One/ga; ~dze
onegdaj
ongi *lub* ongiś
oniemiały
onie/mieć; ~mieje,
   ~mieli
onie/śmielić
on·kolo/gia; ~gii

onomasty/ka; ~ce
onomatope/icz·ny
onomato/peja; ~pe/i
on·tolo/gia; ~gii
onu|c·ka; ~c/ce
Onufry
onyks
ONZ-ow·ski *lub* o/en-
   zetow·ski; ~scy
on/że
oń (*o niego*)
opac·two
opacz·ność (*błędność*)
opacz·ny
opad; opadzie
opa/kować; ~kuje
opale/nizna; ~niźnie
opaliza·cja; ~cji
opali/zować; ~zuje
opał
opamiętać się
opan·ce/rzyć; ~rz·cie
opar; oparze
op-art; op-ar·cie
oparzc/lizna; ~liźnie
opa/rzyć; ~rz·cie
opa|s·ka; ~s·ce
opa|s·ły; ~ś·li
opaść; opasę, opaś·cie,
   opasł, opaś·li
opaść; opad·nie, opadł
opat; opacie
opaten·tować; ~tuje
opatrunek
opatrz·nościowy
opatrz·ność (*boska*)
opa·trzyć; ~trz·cie
opatulić
o/pchnąć; o/pchnął,
   o/pchnęli
op·cja; ~cji

ope/ra; ~rze
opera·cja; ~cji
operator·nia; ~ni
operatyw·ność
opere|t·ka; ~t·ce
opę/dzić; ~dzę, ~dź·cie
opędz·lować; ~luje
opętać
opęta/niec; ~ń·ców
opętań·czy
opiąć; o/pnie, opiął,
   opięli
opieczę/tować; ~tuje
opie/ka; ~ce
opiekacz
opiekun
opiekuń·czość
opień·ka; ~ce
opieprzyć; opieprz·cie
opierunek
opierz|ch·nąć; ~ch·nął
   lub ~chł
opierzony
opieszałość
opiewać
opięty
opijać
opilstwo
opiłek
opi/nia; ~nii
opinioda|w·ca; ~w·ców
opinio/twór·czy
opi/niować; ~niuje
opi/sać; ~sze, ~sz·cie
opium
o/plą/tać; ~cze,
   ~cz·cie
o/pleć; opełł, opeł/ła,
   opeł·li
o/pleść; o/pleć·cie,
   o/plótł, o/plet·li

o/pluć; o/pluje,
  o/pluj·cie
o/plwać
o/płacal·ność
o/pła/kiwać; ~kuje
o/pła/ta; ~cie
o/pła/tek; ~t·ków
o/pło|t·ki; ~t·ków
o/płuc·na
o/płu/kać; ~cze,
  ~cz·cie
o/pły/nąć; ~ń·cie,
  ~nął, ~nęli
o/pływowy
opoczyń·ski; ~scy (od
  Opoczno)
opodal
opodat·kować; ~kuje
Opol·szczyzna; ~szczy-
  źnie
opo/nent; ~nen·ci
opoń·cza
opor·ność
oportu/nizm; ~nizmie
oporzą/dzić; ~dzę,
  ~dź·cie
opowias|t·ka; ~t·ce
opowie/dzieć; ~dz·cie,
  ~dzieli
opowieść
opozy·cja; ~cji
opozy·cjoni·sta; ~ści
opój
opór; oporze
opóź·nić
o/pra/cować; ~cuje
o/prać; o/pierze,
  o/pierz·cie
o/pra|w·ca; ~w·ców
o/pra/wić; ~w·cie
o/pra|w·ka; ~w·ce

o/pre·sja; ~sji
o/procen·tować; ~tuje
o/programowanie
o/promie/nić; ~ń·cie
o/pro/sić się; ~szą
o/prote·stować; ~stuje
o/prowa/dzić; ~dzę,
  ~dź·cie
o/prócz
o/pró/szyć; ~sz·cie
o/próż·nić
op·rych
op·rychó|w·ka; ~w·ce
o/prys·kiwać; ~kuje
o/prysk·li/wy; ~w·szy
o/prysz|cz·ka; ~cz·ce
op·ry/szek; ~sz·ków
o/przeć; o/prę, o/prze,
  oparł
o/przęd; o/przędzie
o/przyrządowanie
o/przy/tom·nieć;
  ~nieje, ~niał, ~nieli
o/pstrzyć
op·timum
op·tować; ~tuje
op·ty/ka; ~ce
op·tymaliza·cja; ~cji
op·ty/mizm; ~mizmie
opubli/kować; ~kuje
opuch·lizna; ~liźnie
opu|ch·nąć; ~chł lub
  ~ch·nął, ~ch·li
opu/kiwać; ~kuje
opun·cja; ~cji
opus (skrót: op.)
opust; opuście
opustoszały
opu|sz·ka; ~sz·ce
opuścić; opuszczę,
  opuść·cie

opychać
ora·cja; ~cji
orać; orze, orz·cie
oran·gutan
oranż
oran·ża/da; ~dzie
oran·że/ria; ~rii
ora/tor; ~torzy
oratorium
orator·stwo
oratoryj·no-kan·-
  tatowy
oraz
or·bi/ta; ~cie
or·che·stra; ~strze
or·chi/dea; ~de/i,
  ~de/ę, ~de/e
or·da; or·dzie
or·der; ~derze
or·dyna·cja; ~cji
or·dyna·cki; ~c/cy
or·dy/nans; ~nan·sie
or·dynariusz
or·dy/nat; ~naci
or·dyna/tor; ~torzy
or·dy/niec; ~ń·ców
or·dynus
orędow·nictwo
orędzie
oręż
Or·fe/usz
or·fi·cki; ~c/cy
or·fizm; or·fizmie
or·ganel/le
or·ganicz·ny
or·gani·sta; ~ści
or·ganiścina
or·ganiza·cja; ~cji
or·ganiza/tor; ~torzy
or·ga/nizm; ~nizmie
or·gan·ki

or·ganoleptycz·ny
or·gazm; ~gazmie
or·gia; ~gii
or·gie|t·ka; ~t·ce
orien·ta·cja; ~cji
orien·tali·sta; ~ści
orien·ta/lizm; ~lizmie
orien·tować się; ~tuje
Orion
or·ka; ~ce
or·kie·stra; ~strze
or·ląt·ko
or·miań·ski; ~scy
or·na/ment; ~men·cie
or·namen·ta·cja; ~cji
or·nat; ~nacie
or·nitolo/gia; ~gii
oro/sić; ~szą, ~ś·cie
or·szak
or·talion
or·todok·sja; ~sji
or·todo|n·ta; ~n·ci
or·to·epia; ~epii
or·tofo/nia; ~nii
or·to·gra/fia; ~fii
or·tope/dia; ~dii
oryginal·ność
oryginał
orzec; orzekł, orzek·li
orzech
orzeczenie
orzecz·nictwo
orzecz·nik
orzekający
orzeł
orze/szek; ~sz·ków
orzeźwiający
orzeź·wić; ~wij·cie
orzę/sek; ~s·ków
o/rznąć; o/rznął,
    o/rznęli

orzy·ski; ~scy (od
    Orzysz)
o/rżnąć; o/rżnął,
    o/rżnęli
osa; os lub ós
osa/czyć; ~cz·cie
osad
osad·nictwo
osa/dzić; ~dzę, ~dź·cie
osa|dź·ca; ~dź·ców
osą/czyć; ~cz·cie
osąd; osądzie
osą/dzić; ~dzę, ~dź·cie
o/schłość
os·cyla·cja; ~cji
os·cyla/tor; ~torze
os·cylo·skop
o/scy/pek lub o/-
    szczy/pek; ~p·ków
oseł·ka; ~ce
ose/sek; ~s·ków
oset; oście
Ose/tia; ~tii
osę/ka; ~ce
osępiały
osiad·ły
osiąg·nąć; ~nął, ~nęli
osiąg·nięcie
osiąść; osiądzie,
    osiądź·cie, osiadł
osiczyna
osiedle/niec; ~ń·ców
osiedleń·czy
osiedlić; osiedl·cie
osiem; ośmiu
osiem/dziesiąt dwa;
    osiem/dziesięciu dwu
osiem/dziesią|t·ka;
    ~t·ce
osiem dziesiątych
osiem/dziesiąty drugi

osiem/dziesięciopięcio-
    let·ni
osiem/dziesięcio/ro;
    ~r·ga
osiem/nas|t·ka; ~t·ce
osiem/nastola/tek;
    ~t·ków
osiem/nastolet·ni
osiem/nastowiecz·ny
osiem/nasty
osiem/naście
osiem/naścio/ro; ~r·ga
osiem/set; ośmiuset
osiem/set dziewięć/-
    dziesiąt; ośmiuset
    dziewięć/dziesięciu
osiem/set dziewięć/-
    dziesiąty siódmy
osiem/set/let·ni
osier·dzie
osiero/cić; ~cę, ~ć·cie
osiłek
osinobus
osiodłać
osioł; ośle, osłów
osi/wieć; ~wieje, ~wieli
Osjan
o/skal·pować; ~puje
oskard; oskar·dzie
o/skarżony
o/skarżyć; o/skarż·cie
oskoma
o/skórek
o/skó/rować; ~ruje
o/skro/bać; ~b·cie
o/skrzele
o/skrzydlić
o/sku/bać; ~b·cie
o/sła|b·nąć; ~bł, ~b·li
o/sławiony
o/sło/da; ~dzie

189

o/słodzić; o/słodzę,
   o/słodź·cie *lub*
   o/słódź·cie
osłomuł
o/sło/nić; ~ń·cie,
   ~nięty
o/słon·ka; ~ce
o/słuchiwać;
   o/słuchuje
osłu/pieć; ~pieje,
   ~pieli
osm
osmań·ski; ~scy
osmoza
o/snowa; o/snów
o/snó|w·ka; ~w·ce
o/snuć; o/snuje
o/snuja; o/snui
o/snuwać
osoba; osób
osobi·sty; ~ści
osobliwos|t·ka; ~t·ce
osobli/wy; ~w·szy
osob·nik
osob·ny
osobowo-towarowy
osobó|w·ka; ~w·ce
osocze
osolić; osól·cie
oso/wieć; ~wieje,
   ~wieli
osó|b·ka; ~b·ce
o/spa
o/spaluch
o/spały
o/spowa/ty; ~ci
o/sprzęt; o/sprzęcie
o/srebrzyć;
   o/srebrz·cie
o/stać się; o/stoi,
   o/stoją, o/stój·cie

o/sta/tek; ~t·ka
o/sta|t·ki; ~t·ków
   (*zapusty*)
o/stem·plować; ~pluje
os·ten·ta·cja; ~cji
o/stęb·nować *lub* o/-
   steb·nować; ~nuje
ostęp
o/stoja; o/sto/i
ostra/cyzm; ~cyzmie
ostrężyna
ostro; ostrzej
ostrobok
ostro/bram·ski; ~scy
   (*od* Ostra Brama)
ostrodziób
ostroga; ostrodze,
   ostróg
ostrokan·ciasty
ostro/kąt; ~kącie
ostrokąt·ny
ostrokół
ostro/krzew
ostrołę·cki; ~c/cy
Ostrołę/ka; ~ce
ostrołuk
ostro/słup
o/strożniutko
o/strożność
ostrów
ostró|ż·ka; ~ż·ce
o/strugać
o/strużyny
ostry; ostrzej·szy
ostry/ga; ~dze
o/strzał
ostrzał·ka; ~ce
ostrze
o/strzec; o/strzeże,
   o/strzeż·cie, o/-
   strzegł, o/strzeg·li

o/strzegaw·czy
o/strzeli/wać; ~wuje
ostrzenie
o/strzeżenie
o/strzyc; o/strzyże,
   o/- strzyż·cie,
   o/strzygł,
   o/strzyżony
ostrzyć; ostrz·cie
o/stu/dzić; ~dzę,
   ~dź·cie
o/sty|g·nąć; ~gł *lub*
   ~g·nął
osu/nąć się; ~ń·cie,
   ~nął, ~nęli
osu/szyć; ~sz·cie
osu|t·ka; ~t·ce
osuwać
o/swabadzać *lub*
   o/swobadzać
o/swajać
Oswald; Oswal·dzie
o/swo/bodzić; ~bodzę,
   ~bódź·cie *lub*
   ~bodź·cie
o/swo/ić; o/swoję,
   o/swo/i, o/swój·cie,
   o/swo/ił
o/swojony
osypisko
osy|p·ka; ~p·ce
oszach·rować; ~ruje
osza/cować; ~cuje
osza/leć; ~leje, ~leli
oszałamiający *lub*
   oszołamiający
oszań·cować; ~cuje
o/szcze/kiwać; ~kuje
o/szczenić się
oszczep
oszczer·stwo

o/szczęd·nościowo-
-roz/liczeniowy
o/szczęd·ność
o/szczę/dzić; ~dzę,
~dź·cie
o/szczy/pek *lub*
o/scy/pek; ~p·ków
o/szka/lować; ~luje
o/szka/pić; ~p·cie
o/szklić; o/szklij·cie
o/szli/fować; ~fuje
oszołamiający *lub*
oszałamiający
oszoło/mić; ~mię, ~mi,
~m/my, ~miony
o/szpe/cić; ~cę, ~ć·cie
o/szroniały
oszuka/niec; ~ń·ców
oszukań·stwo
oszust; oszuści
oszustwo
o/szwa/bić; ~b·cie
oś; osi
o/ścien/ny
o/ścież (na oścież)
o/ścież·nica
ościsty
ość; ości
oś·ka; oś·ce
o/śle|p·nąć; ~pł *lub*
~p·nął, ~p·li
oślę; oślęcia, ośląt
o/śli/nić; ~ń·cie
o/ślizg·ły *lub* oślizły
o/ślizg·nąć się; ~nął,
~nęli
o/śli|z·nąć się; ~z·nę,
~ź·nie, ~z·nął,
~z·nęli
o/śmielić
o/śmie/szyć; ~sz·cie

ośmiobok
ośmiogodzin/ny
ośmio/kąt; ~kącie
ośmio/klasi·sta; ~ści
– *częściej*
ósmo/klasi·sta; ~ści
ośmio/klasó|w·ka;
~w·ce
ośmio/krot·ny
ośmiola/tek; ~t·ków
ośmiopiętrowy
ośmior·nica
ośmio/ro; ~r·ga
ośmio/ścian
ośmio/zgłosko/wiec;
~w·ców
ośmiuset
o/śnieżyć
o/śro/dek; ~d·ków
o/środ·kowy
o/świa|d·czyć; ~dcz·cie
o/świad·czyny
o/świa/ta; ~cie
o/światowo-kulturalny
o/świecenie
o/świe/cić; ~cę, ~ć·cie
o/świet·lić; oświetl·cie
Oświę/cim; ~cimia
olak·sować; ~suje
ot/chłan/ny
ot/chłań
ot co!
Otel/lo
otępiałość
otę/pieć; ~pieje, ~pieli
o/tłuczenie
o/tłuszczenie
Ot·muchów
oto (oto dom)
o to (chodzi o to)
oto|cz·ka; ~cz·ce

otocz·nia; ~ni
oto/czyć; ~cz·cie
otok
otolaryn·golo/gia; ~gii
otomań·ski; ~scy
otóż to
ot·rą/bić; ~b·cie
ot·rąb·ki
ot·ręby; ot·rąb *lub*
ot·rębów
o/truć; o/truje
o/trzaskać się
o/trzą|s·nąć; ~s·nę,
~ś·nie, ~ś·nij·cie,
~s·nął, ~s·nęli,
~ś·nięty
o/trząść; o/trzęsę,
o/trząś·cie *lub*
o/trzęś·cie, o/trząsł,
o/trzęś·li
o/trzeć; otarł
o/trze/pać; ~p·cie
o/trzew·na
o/trzeźwić;
o/trzeźwij·cie *lub*
o/trzeźw·cie
o/trzęsiny
o/trzymać
Ot/to *lub* Ot/ton
otu/cha; ~sze
otulić
otuma/nić; ~ń·cie
ot·warcie
ot·wartość
ot·wierać
Otwock
ot·worzyć; ~wórz·cie,
~worzył *lub* ~warł
ot·wór; ~worze
o tyle (o tyle ..., o ile)
otyłość

otyn·kować; ~kuje
owa·cja; ~cji
owadobój·czy
owadopyl·ny
owadożer·ny
owadzi
owca
owczar·nia; ~ni
owczarz
o/wdo/wieć; ~wieje,
~wieli
ow·dzie *lub* ów·dzie
owędy (tędy i owędy)
owiać; owieje
Owidiusz
owie|cz·ka; ~cz·ce
owies; owsa
owiewać
owijać
owi/nąć; ~ń·cie, ~nął,
~nęli
owio/nąć; ~nął
o/wład·nąć; ~nął,
~nęli, ~nięty
o/włosienie

owocar·nia; ~ni
owo/cek; ~c·ków
owoc·nia; ~ni
owoc·ny
owoco/branie
owocoli·stek; ~st·ków
owocowo-warzyw·ny
owocożerny
owocó|w·ka; ~w·ce
owóż *lub* owoż
o/wrzodzenie
owsian·ka; ~ce
owsik
owszem
owula·cja; ~cji
o/zdobić; o/zdób·cie
o/zdó|b·ka; ~b·ce
o/zdro/wieć; ~wieje,
~wieli
o/zdrowie/niec;
~ń·ców
o/zdrowień·czy
ozęb·na
ozię/bić; ~b·cie
ozięb·łość

ozięb·nąć; ozięb·nął
lub oziąbł, ozięb·li
ozimina
o/zło/cić; ~cę, ~ć·cie
o/zna/czyć; ~cz·cie
o/znaj·mić; ~mię, ~mi,
~mij·cie
o/znaj·mienie
o/znaj·mujący
o/zna/kować; ~kuje
ozoniza·cja; ~cji
ozono/sfe/ra; ~rze
ozo/rek; ~r·ków
ozór; ozorze
ozuć; ozuje, ozuj·cie
o/zwać się; o/zwij·cie
o/źrebić się
ożaglowanie
ożebrowanie
oże/nić się; ~ń·cie
ożóg
ożyć; ożyje
ożyna
ożyw·czy
oży/wić; ~w·cie

ósem·ka; ~ce
ósem·kowy
ósmak; ósmacy

ósmo/klasi·sta; ~ści
ósmy
ów; owi

ów/czes·ny; ów/cześ·ni
ów/cześ·nie
ówdzie *lub* owdzie

P

pach!
pa/cha; ~sze
pachciarz
pach·nąć; ~nął, ~nęli
pach·nidło
pacho/lę; ~lęcia, ~lęta,
~ląt
pacholęctwo
pachołek
pacht; pachcie
pachwina
pacierz
pacior·ko/wiec;
~w·ców
pa·cjent; ~cjen·ci
pa·cjen|t·ka; ~t·ce
pac·nąć; ~nął, ~nęli
Pacyfik
pacyfika·cja; ~cji
pacy/fizm; ~fizmie
pacykarz
pacyn·ka; ~ce
pa|cz·ka; ~cz·ce
paczu|sz·ka; ~sz·ce
pa/czyć (wykrzywiać)
pać·kać
pad; padzie
pada|cz·ka; ~cz·ce
padalec
pad·linożer·ny
padół

padyszach
paf!
pagaj
pagina·cja; ~cji
pa/goda; ~godzie,
~gód
pagórek
paja/cować; ~cuje
pają/czek; ~cz·ków
pająk
paj|d·ka; ~d·ce
paj·do·kra·cja; ~cji
pajęczar·stwo
pajęczarz
pajęczyna
pa/juk; ~jucy
pakame/ra; ~rze
pa/kiet; ~kiecie
pakowa|cz·ka; ~cz·ce
pa/kować; ~kuje
pakowal·nia; ~ni
pakt; pakcie
pakuły
pakunek
pala|cz·ka; ~cz·ce
pa/lant; ~lan·cie
palar·nia; ~ni
palataliza·cja; ~cji
pal·ba
pal·có|w·ka; ~w·ce
palem·ka; ~ce

paleo·gra/fia; ~fii
paleo/lit; ~licie
paleolo/gia; ~gii
paleon·tolo/gia; ~gii
paleozo/ik
pale·stra; ~strze
pales·trant; ~tran·ci
palestyń·ski; ~scy
pale/ta; ~ecie
pale|t·ko; ~t·ka
pali/kować; ~kuje
palin·drom
palino/dia; ~dii
palisa/da; ~dzie
palisan·der; ~drze
paliwo/da; ~dzie
paliwowo-ener·getycz·-
ny
paliwo/wskaz
paliwożer·ny
Pal/lada lub Pal/las
pal·miar·nia; ~ni
pal·nąć; ~nął, ~nęli
pa/lować; ~luje
pal·pita·cja; ~cji
palt·ko
paluch
palu/szek; ~sz·ków
pałac
pałasz
pała/szować; ~szuje

pała|t·ka; ~t·ce
pałąk
pałe|cz·ka; ~cz·ce
pałętać się
pał·ka; ~ce
pałuba
pam·fleci·sta; ~ści
pam·flet; ~flecie
pamią|t·ka; ~t·ce
pamiąt·kar·stwo
pamięć
pamięt·liwy
pamięt·nikarz
pamięt·ny
pam·pasy
pam·pers
pam·puch
pam·pu/szek; ~sz·ków
pana/ce/um; ~a, ~ów
pancer·faust; ~fauście
pancerz
pan·chromatycz·ny
pan·czeni·sta; ~ści
pan·czen·lama
pan·da; ~dzie
pan·de/mia; ~mii
Pan·do/ra; ~rze
panegiryk
panegi/ryzm; ~ryzmie
pan/eu/rope/izm;
 ~izmie
pane|w·ka; ~w·ce
paniąt·ko
panicz
panicz·ny
panien·ka; ~ce
panień·ski
panień·stwo
panie/rować; ~ruje
panikarz
paniuch·na

paniusia
pank – częściej punk
Pan·kracy
pan/na (skrót: p.)
pan/nisko
panoptikum
panoramicz·ny
pano/szyć się; ~sz·cie
pa/nować; ~nuje
PAN-ow·ski lub
 panow·ski; ~scy
pan·sla·wizm; ~wizmie
pantalony
pan·tałyk (zbić z
 pantałyku)
pan·te/izm; ~izmie
pan·teon
pan·te/ra; ~rze
pan·tofel
pan·toflarz
pan·tomima lub
 pan·tomina
pan·tomimicz·ny
panujący
pań·ski; ~scy
pań·stew·ko
pań·stwo (np. Kowal-
 scy, skrót: pp.)
pań·stwowość
pań·stwowo/twór·czy
pań·szczyzna; ~szczyź-
 nie
pań·szczyźniany
papa/cha; ~sze
papete/ria; ~rii
pa/pier; ~pierze
papier·koma/nia; ~nii
papier·nia; ~ni
papier·nictwo
papiero/plasty/ka; ~ce
papieros

papieroś·nica
papieró|w·ka; ~w·ce
papierzysko
papie·ski; ~scy
papiestwo
papież
papilar·ny
papi/lot; ~locie
papirus
pa/pizm; ~pizmie
pa|p·ka; ~p·ce
PAP-ow·ski lub
 papow·ski; ~scy
paprać; paprze,
 paprz·cie
paproch
paproć
papro/szek; ~sz·ków
papro|t·ka; ~t·ce
paprykarz
Pa/pua; ~pui
papua·ski; ~scy
papuć
papu/ga; ~dze
papuzi
papu|ż·ka; ~ż·ce
pa/ra; ~rze
parabel/lum
parabola
paraden·toza lub
 paradon·toza
parad·ny
paradoks
para/dować; ~duje
paradyg·mat; ~macie
para/fia; ~fii
parafiań·szczyzna;
 ~szczyźnie
parafina
parafinotera/pia; ~pii
para/fować; ~fuje

para·fra/zować; ~zuje
paragon
para·graf
Paragwaj
par·al·de/hyd; ~hydzie
parale/lizm; ~lizmie
paralitera·cki
paralityk
paraliż
parali/żować; ~żuje
para/metr; ~metrze
paramilitar·ny
parano/icz·ny
para/noja; ~noi
paran·tela
para/pet; ~pecie
parapetó|w·ka; ~w·ce
para/psycholo/gia;
~gii
para·scenium
parasol·ka; ~ce
parataksa
parawan
parazytolo/gia; ~gii
par·cela·cja; ~cji
par·ce/lować; ~luje
parch
par·ciany
par·cie
par·cieć; ~cieje
par·don
paremio·gra/fia; ~fii
paremiolo/gia; ~gii
parę
parędziesiąt; paru-
dziesięciu
parę/kroć
paręnaście
paręset
parias
park

par·kieciar·nia; ~ni
par·kiet; ~kiecie
par·king
par·kin·so/nizm;
~nizmie
par·ko/tać lub per·-
ko/tać; ~cz·cie
par·kować; ~kuje
par·la/ment; ~men·cie
par·lamen·tariusz
par·lamen·ta/ryzm;
~ryzmie
par·lamen·tarzy·sta;
~ści
par·na/sizm; ~sizmie
par·nik
parob·czak
paro/bek; ~b·ków
paro/dia; ~dii
paro/diować; ~diuje
paro/dniowy lub
paru/dniowy
parody·sta; ~ści
parogodzin/ny
paro/kon/ny
paro/krot·ny
paroksytonicz·ny
paro·ksyznı; ~ksyzmie
parola/tek; ~t·ków
parometrowy
paromiesięcz·ny
paroni/mia; ~mii
parosta/tek; ~t·ków
paro/szczel·ny
parotysięcz·ny lub
parutysięcz·ny
paro/wiec; ~w·ców
parowo-wodny
parowozow·nia; ~ni
parowóz
parów

paró|w·ka; ~w·ce
par·sek
parsk·nąć; ~nął, ~nęli
par·szy/wiec; ~w·ców
par·szy/wieć; ~wieje,
~wieli
parta·cki; ~c/cy
partactwo
parta/czyć; ~cz·cie
par·ter; ~terze
par·tia; ~tii
parti/ta; ~cie
part·ner; ~nerzy
part·ner·stwo
partolić
partycypa·cja; ~cji
partyj·ny
partykula/ryzm;
~ryzmie
partykuła
partytu/ra; ~rze
partytywny
partyzan·cki; ~c/cy
party/zant; ~zan·ci
paruset/letni
parweniusz
parweniuszostwo
parweniuszow·ski;
~scy
Parys
pary·ski; ~scy
Paryż
parzenica
parzy/bro/da; ~dzie
pa/rzyć; ~rz·cie
parzydeł·ko
parzystokopyt·ny
parzyście
pas
pa/sat; ~sacie
pasaż

pasa/żer; ~żerze
pasażer·ski; ~scy
Pas·cha; Pas/sze
  (święto)
pa/sek; ~s·ków
pa/ser; ~serzy
paser·stwo
pasiasty
pasi/brzuch
pasiecz·nictwo
pasierb
pasier·bica
pasikonik
pasiwum *lub*
  pas/sivum
pa·sja; ~sji
pa·sjans; ~sjan·sie
pa·sjo/nat; ~naci
pa·sjo/nować; ~nuje
paskar·stwo
paskarz
paskud·ny
paskudziarz
pasku/dzić; ~dzę,
  ~dź·cie
paskudz·two
Pasłęk
pasman·te/ria; ~rii
pasmo; pasmie *lub*
  paśmie
pa/sować; ~suje
pasożyt·nictwo
pas/sa
pas/sionato
pas/sus
pasta; paście
pastelowy
paster·stwo
pasteryza·cja; ~cji
pastery/zować; ~zuje
pasterz

pastew·ny
pastisz
pas·tor; ~torzy
pastorał·ka; ~ce
pastuch
pastu/szek; ~sz·ków
pastwa
pastwić się; pastw·cie
  się
pastwisko
pasyj·ka; ~ce
pasywa
pasy/wizm; ~wizmie
pasza; pasz
paszcza
pa/szczę/ka; ~ce
paszkwil
paszkwilan·cki
paszkwi/lant; ~lan·ci
pasz·port; ~por·cie
paszteciar·nia; ~ni
pasztetó|w·ka; ~w·ce
paść; pasę, paś·cie,
  pasł, paś·li
paść; pad·nie, padł
paśnik
pat; pacie
Patago/nia; ~nii
patałach
pa/tat; ~tacie
patataj (na patataj)
patch·work
patelen·ka; ~ce
patel·nia; ~ni
pa/tent; ~ten·cie
pate/ra; ~rze
pater·noster
patetycz·ność
pa/tio; ~tiów
pa|t·ka; ~t·ce
patolo/gia; ~gii

patos
patriar·cha; ~sze
patriar·cha/lizm;
  ~lizmie
patriar·chat; ~chacie
patriar·szy
patrio/ta; ~cie
patrio/tyzm; ~tyzmie
patro/lować; ~luje
patronacki
patronimicz·ny
patron·ka; ~ce
patro/nować; ~nuje
patro/szyć; ~sz·cie
Patry·cja; ~cji
patry·cjusz
Patryk
patrymonium
patrzeć; patrz·cie,
  patrzeli
patrzyć; patrz·cie,
  patrzyli
paty/czek; ~cz·ków
patycz·kować się;
  ~kuje się
pau/lin
Pau/lina
pau/peryza·cja; ~cji
pau/pe/ryzm; ~ryzmie
pau/za
pau/zować; ~zuje
paw; pawi
pawęż *lub* pawęża
Pawiak
pawian
pawilon
pawio/oki
pawlacz
pazer·ność
pazno/kieć; ~kcia
paznokie/tek; ~t·ków

pazu/cha; ~sze
pa/zur; ~zurze
pazurzasty
paź
paździer·nik
paździerz
pą/czek; ~cz·ków
pączu/szek; ~sz·ków
pąk
pąso/wieć; ~wieje,
~wieli
pąt·nictwo
pąt·nik; ~nicy
PC (pecet)
pchać
pcheł·ka; ~ce
pchlarz
pchli (np. targ)
pchła
pchnąć; pchnął,
pchnęli
PCW (polichlorek
winylu)
pean
pe/cet; ~cecie (PC)
pech
pecho/wiec; ~w·ców
peda/gog; ~godzy
pedago/gia; ~gii
pedagogiza·cja; ~cji
peda·łować; ~łuje
pe/dant; ~dan·ci
pedan·te/ria; ~rii
pedan·tyzm; ~tyzmie
pedera·sta; ~ści
pedia·tra; ~trze
pedia·tria; ~trii
pedicure lub pedikiur
pedikiurzys|t·ka; ~t·ce
pedofi/lia; ~lii
pedzio

Pegaz
pe/ge/erow·ski lub
PGR-ow·ski; ~scy
pejcz
pejoratyw·ny
pejs
pejzaż
pekaes (autobus PKS)
pekiń·czyk
pek·lować; ~luje
pektyna
Pela/gia; ~gii
pelar·go/nia; ~nii
peleryn·ka; ~ce
peleton
pelisa
pelopone·ski; ~scy
Peloponez
peł·nia; ~ni
peł·nić; pełń lub
peł·nij
peł·niuch·ny
peł·niut·ki
peł·no/krwisty
peł·nolet·ność lub
peł·nolet·ność
peł·nometrażowy
peł·nomoc·nictwo
peł·no/płat·ny
peł·no/praw·ny
peł·no/spraw·ny
peł·no/wartościowy
peł·ny; ~niej·szy
peł|z·nąć; ~z·nie lub
~ź·nie, ~z·nął lub
~zł, ~z·li lub ~ź·li
penaliza·cja; ~cji
Pen·dżab
penetra·cja; ~cji
penicylina
penis

peniten·cja/ryzm;
~ryzmie
peni/tent; ~tenci
peniu/ar; ~arze
pens; pen·sie
pen·sja; ~sji
pen·sjonariusz
pen·sjonar·ka; ~ce
pen·sjo/nat; ~nacie
pen·sum
Pen·sylwa/nia; ~nii
pen·tagon (pięciobok)
pen·tliczek (entliczek
pentliczek)
peon
peo/nia; ~nii
pepesza
pepi|t·ka; ~t·ce
pepsi-cola
pepsyna
per·cep·cja; ~cji
per·cy/pować; ~puje
perć; per·ci
peregryna·cja; ~cji
per·fek·cja; ~cji
per·fek·cjo/nizm;
~nizmie
per·fekt
per·fektum lub
per·fectum
per·fi/dia; ~dii
per·fora·cja; ~cji
per·fo/rować; ~ruje
per·fume/ria; ~rii
per·gamin
per·hydrol
perige/um lub pery-
ge/um
per·in·tegra·cja; ~cji
pe/riod; ~riodzie
periodyk

197

periodyza·cja; ~cji
per·katy
per·koz
per·ku·sja; ~sji
per·li|cz·ka; ~cz·ce
per·liście
per·ło/pław
per·ło/wiec; ~w·ców
per·łoworóżowy
per·manent·ny
perm·ski
per·muta·cja; ~cji
pero/ra; ~rze
pero/rować; ~ruje
per·petu/um mobile
Per·sefona
Per·se/usz
Per·sja; ~sji
per·sona/lia; ~liów
per·sonaliza·cja; ~cji
per·sona/lizm; ~lizmie
per·sonel
per·sonifika·cja; ~cji
per·spektywa
per·spektywicz·ny
per·swa/dować; ~duje
per·swa·zja; ~zji
per·syflaż
per·trakta·cja; ~cji
per·tur·ba·cja; ~cji
peru|cz·ka; ~cz·ce
perukar·nia; ~ni
perukarz
peruwiań·ski; ~scy
per·wer·sja; ~sji
peryfe/ria; ~rii
peryferyj·ny
pery·frastycz·ny
pery·fraza
peryge/um *lub*
  perige/um

perypatetyk
perype/tia; ~tii
pery·skop
pery·stal·ty/ka; ~ce
perz
perzyna
peso *lub* pesos
pes|t·ka; ~t·ce
pest·ko/wiec; ~w·ców
pestycydy
pesy/mizm; ~mizmie
pe/szyć; ~sz·cie
pet; pecie
petar·da; ~dzie
pe/tent; ~ten·ci
Peters·burg
peters·bur·ski; ~scy
peters·burżanin
pe/tit; ~ticie
petroche/mia; ~mii
petrodo/lar; ~larze
petro·gra/fia; ~fii
Petroniusz
petryfika·cja; ~cji
petu/nia; ~nii
pety·cja; ~cji
pewnia/cha; ~sze
pewnik
pewniu|t·ki; ~t·cy
pewność
pęcherz
pęcina
pęczak *lub* pęcak
pę/czek; ~cz·ków
pęcz·nieć; ~nieje
pęd; pędzie
pęd·ny
pędrak
pędzel
pę/dzić; ~dzę, ~dź·cie
pędzi/wiatr; ~wietrze

pędz·lak
pędz·lować; ~luje
pęk
pęka/ty; ~ci
pę|k·nąć; ~kł, ~k·li,
  ~k·nięty
pę/pek; ~p·ków
pęp·kó|w·ka; ~w·ce
pępowina
pępu/szek; ~sz·ków
pęse|t·ka *lub* pin·-
  ce|t·ka; ~t·ce
pętać
pętak
pęt·la
pę/to; ~cie
pfe!
PGR-ow·ski *lub* pege/-
  erow·ski; ~scy
phi!
piach
piać; pieje, piali *lub*
  pieli
pianino
pianis/simo
pianobeton
piarg
piar·żysko
pia/sek; ~s·ków
piaskarz
piasko/wiec; ~w·ców
piaskow·nica
Piast; Piaście
piasta; piaście
pia·stować; ~stuje
piastr; piastrze
piastun·ka; ~ce
piaszczysto-gliniasty
pią/cha; ~sze
piąć się; pnie, piął,
  pięli

piąs|t·ka; ~t·ce
pią/tek; ~t·ku
pią|t·ka; ~t·ce
piąt·kowicz
piąto/klasi·sta; ~ści
piąty
pic
pich·cić; ~cę, ~ć·cie
pić; pije, pij·cie
pidżama *lub* piżama
pidżin *lub* pidgin
piec; piecz·cie, piekł
piecho/ta; ~cie
pie/chur; ~churze
piecuch
piecza/ra; ~rze
pieczar·kar·nia; ~ni
piecząt|t·ka; ~t·ce
pieczeniarz
pie/częć; ~częci
pieczę/tować; ~tuje
pieczołowitość
pieczywo
piedestał
piegus
pieg·ża (*ptak*)
piekar·nia; ~ni
piekarz
piekący
piekiel·ny
pieklić się; piekl·cie
pielesze
pielęgna·cja; ~cji
pielęgniar·stwo
pielęgniarz
piel·grzym
piel·grzym·stwo
pielić
pielu/cha; ~sze
pielu|sz·ka; ~sz·ce
pieniactwo

pieniąch
pie/niądz; ~niędz·mi
pienią/żek; ~ż·ków
pie/nić się; ~ń·cie
pienie; pień
pie/niek; ~ń·ków
pienięż·ny
pienińs·ki; ~scy (*od*
  Pieniny)
pienisty
pien/ny
pień; pnia
pieprz
pieprz·nąć; ~nął, ~nęli
pieprz·ny
pieprzó|w·ka; ~w·ce
pieprzyć; pieprz·cie
pieprzyk
pierd·nąć; ~nął, ~nęli
pierdyk·nąć; ~nął, ~nęli
pier·dzieć; ~dzę,
  ~dź·cie
pier·ni/czek; ~cz·ków
piero/żek; ~ż·ków
pieróg *lub* pierog
pier/rot; ~rocie
pier·sió|w·ka; ~w·ce
pierś; piersi
pier·ścienica
pier·ścień
pier·ścionek
pierw
pierwia·stek; ~st·ków
pierwiast·kować; ~kuje
pier·wiosnek
pierwocina
pierwo/druk
pierwokup
pierworó|d·ka; ~d·ce
pierworódz·two *lub*
  pierworodz·two

pierwot·niak
pierwo/wzór
pierw·sza/czek; ~cz·-
  ków
pierw·szak
pierw·szeń·stwo
pierw·szo/klasi·sta;
  ~ści
pierw·szoligo/wiec;
  ~w·ców
pierw·szorzęd·ny
pierw·szy; ~si
pierw·szyzna; ~szyźnie
pierzasty
pierz|ch·nąć; ~ch·nął
  lub ~chł, ~ch·nęli *lub*
  ~ch·li
pierze
pie/rzeja; ~rzei
pierzga (*w ulu*)
pierzyna
pies; psów
piestrzenica
pieszczo/cha; ~sze
pieszczo/szek; ~sz·ków
pieszczot·li/wy; ~w·szy
pie/szy; ~si
pieścić; pieszczę,
  pieść·cie
pieśniarz
pieśń; pieśni
pie/ta; ~cie
pietrać się
pietru|sz·ka; ~sz·ce
pie/tyzm; ~tyzmie
pie|w·ca; ~w·ców
pięciobocz·ny
pięciobo/ista; ~iści
pięciobok
pięciobój
pięciogodzin/ny

199

pięcio/groszó|w·ka;
~w·ce
pięcio/gwiazd·kowy
pięcio/kąt; ~kącie
pięciokąt·ny
pięcio/krot·ny
pięcio/ksiąg;
~księgiem
pięcio/la/tek; ~t·ków
pięcioli/nia; ~nii
pięciopiętrowy
pięcioramien/ny
pięcio/ro; ~r·ga
pięcio/ścian
pięciotysięcz·ny
pięcio/zgłoskowy
pięcio/złotó|w·ka;
~w·ce
pięciuset/złotowy
pięć; pięciu
pięć/dziesiąt jeden;
pięć/dziesięciu jeden
pięć/dziesią|t·ka; ~t·ce
pięć dziesiątych
pięć/dziesiąty
pierwszy
pięć/dziesięcio/-
czterolet·ni
pięć/dziesięciolecie
pięć/dziesięcio/zło-
tó|w·ka; ~w·ce
pięć/set; pięciuset
pięć/se|t·ka; ~t·ce
pięć/set/lecie
pięć/set sześć/dziesiąt
pięć; pięciuset
sześć/dziesięciu
pięciu
pięć/set sześć/-
dziesiąty piąty
piędź (*miara długości*)

pięk·nieć; ~nieje, ~nieli
piękniu|t·ki; ~t·cy
pięknoduch
piękno/oki; ~ocy
piękno|t·ka; ~t·ce
piękny
pięściarz
pięść; pięści
pię/ta; ~cie
pię|t·ka; ~t·ce
pięt/nas|t·ka; ~t·ce
pięt/nastola/tek;
~t·ków
pięt/nastolecie
pięt/nastominutowy
pięt/nastowiecz·ny
pięt/nasty
pięt/naście
pięt/naścio/ro; ~r·ga
piętno
pięt·nować; ~nuje
pię/tro; ~trze
piętrus
pię·trzyć; ~trzy,
~trz·cie
pif-paf!
Pigmej
pig·ment; ~men·cie
pigularz
piguł·ka; ~ce
pigwa (*owoc*)
pigwo/wiec; ~w·ców
pija·cki; ~c/cy
pijaczysko
pijak
pijal·nia; ~ni
pijanica
pijaniusie|ń·ki; ~ń·cy
pijań·stwo
pi/jar; ~jarze
pijaty/ka; ~ce

pija|w·ka; ~w·ce
pijus
pi/ka; ~ce
pika/dor; ~dorze
pikan·te/ria; ~rii
pikant·ny
pikap *lub* pick-up
pikiel·ha̱u/ba
pikie/ta; ~cie
pikling
pik·nąć; ~nął, ~nęli
pik·nik
pikolo *lub* piccolo
pi/kować; ~kuje
pikto·gra/fia; ~fii
pikulina
pilarz
pi/laster *lub* pi/lastr;
~lastrze
pilaw
pilicki (*od* Pilica)
pil·nować; ~nuje
pil·ny
pilotaż
pilo|t·ka; ~t·ce
pilśniowy
pilśń
Pilz·no
Pi/łat; ~łacie
piłe|cz·ka; ~cz·ce
pił·ka; ~ce
piłkarz
pi/łować; ~łuje
pił·sud·czyk; ~czycy
pił·sud·czyzna;
~czyźnie
Pił·su|d·ski; ~d·scy
pince|t·ka *lub*
pęse|t·ka; ~t·ce
pin·czer; ~czerze
pin·drzyć się; ~drz·cie

pinez·ka *lub* pines·ka;
~ce
ping-pong; ping-
-pon·giem
ping·pon·gi·sta; ~ści
ping·win
pi/nia; ~nii
Pino/kio; ~kia
Piń·czów
Pińsk
piołun
pionek
pio/nier; ~nierzy
pionier·ski; ~scy
pionier·stwo
pioruno/chron
piorunująco
piosen·ka *lub* piosn·ka;
~ce
piosen·karz
Piotr; Piotrze
Piotr·ków
Piotruś
piór·ko
piór·nik
pió/ro; ~rzc
pióropusz
pipe|t·ka; ~t·ce
pipidó|w·ka; ~w·ce
pira·cki; ~c/cy
piractwo
pirami|d·ka; ~d·ce
pira/nia; ~nii
pi/rat; ~racie
piro/ga; ~dze
piroma/nia; ~nii
pirotech·ni/ka; ~ce
pirs
piru/et; ~ecie
pi/ryt; ~rycie
pi/sać; ~sze, ~sz·cie

pisak
pisarz
pisem·nie
pisk
piski (*od* Pisz)
piskląt·ko
pisk·lę; ~lęcia, ~ląt
pisk·liwy
piskorz
pi|s·mo; ~ś·mie
pi|s·nąć; ~snę, ~ś·nie,
~ś·nij·cie, ~s·nął,
~s·nęli
pisow·nia; ~ni
pista·cja; ~cji
pisto/let; ~lecie
pisu/ar; ~arze
piszczeć; piszcz·cie,
piszczeli
piszczel
piśmidło
piśmien/nictwo
piśmien/niczy
piśmien/ny
PIT; PIT-u, Picie
(*formularz podat.*)
Pitagoras
pitagore/izm; ~izmie
pitagorej·ski; ~scy
pitek·an·trop *lub*
pitek·an·tropus
pit·ny
pitra/sić; ~szę, ~ś·cie
piure *lub* purée
Pius
piu|s·ka; ~s·ce
piwiar·nia; ~ni
piw·ko
piw·nica
piw·ni|cz·ka; ~cz·ce
piwo/nia; ~nii

piwosz
piwowar·stwo
piw·sko
piz/za; pizz
piz/ze/ria; ~rii
piżama *lub* pidżama
piż·mak
piż·mo/wiec; ~w·ców
plac (*skrót:* pl.)
placó|w·ka; ~w·ce
placu/szek; ~sz·ków
plafon
pla/ga; ~dze
plagia/tor; ~torzy
plaj·ta; ~cie
plakaci·sta; ~ści
pla/kat; ~kacie
plakató|w·ka; ~w·ce
plakie|t·ka; ~t·ce
pla/ma; ~mie
pla/mić; ~mię, ~mi,
~m/my
plan·de/ka; ~ce
plane/ta; ~cie
planetarium
planet<u>oi</u>/da; ~dzie
plani·globy
planime·tria; ~trii
plani·sfe/ra; ~rze
plani·sta; ~ści
plankton
pla/nować; ~nuje
plan·sza
plan·ta·cja; ~cji
plan·ta/tor; ~torzy
plan·tować; ~tuje
plan·ty
plask!
pla|s·nąć; ~snę, ~ś·nie,
~ś·nij·cie, ~s·nął,
~s·nęli

pla/sować; ~suje
plastelina
pla·ster; ~strze
plasto/mer; ~merze
plastycz·ny
pla·styk; ~stycy
  (artysta)
plastyk lub plastik
  (tworzywo)
plastykowy lub
  plastikowy
platan
pla/ter; ~terze
plat·for·ma
plat·fus
platonicz·ny
plato/nizm; ~nizmie
platoń·czyk; ~czycy
platyno/wiec; ~w·ców
platynowo/blond
play·back
play·boy
plazma; plazmie
plazmodium
plaża
plażó|w·ka; ~w·ce
pląd·rować; ~ruje
pląsać
plą/tać; ~cze, ~cz·cie
pleba/nia; ~nii
plebań·ski
plebej·ski; ~scy
plebejuszostwo
plebejuszow·ski; ~scy
plebis·cyt; ~cycie
plebs
ple/cha; ~sze
plecho/wiec; ~w·ców
plecień (kwiecień
  plecień)
plecion·ka; ~ce

ple/ciuch; ~ciuchy
pleciu/ga; ~dze
pleć; pełł, peł/ła,
  peł/li
pled; pledzie
pleja/da; ~dzie
plej·stocen
pleksi·glas
plemien/ny
ple/mię; ~mienia,
  ~mion
plem·nia; ~ni
plem·nik
plem·nikobój·czy
ple/ner; ~nerze
plenipoten·cja; ~cji
plenipo/tent; ~ten·ci
plen/ny
ple/num; ~nów
pleo/nazm; ~nazmie
ple-ple
pleść; pleć·cie, plótł,
  plet·li
pleśnia|w·ka; ~w·ce
pleś·nieć; ~nieje
pleśń
plik
pliocen
pli|s·ka; ~s·ce
pli/sować; ~suje
pli|sz·ka; ~sz·ce
plom·ba
plom·bować; ~buje
plo|t·ka; ~t·ce
plot·karz
plu/cha; ~sze
pluć; pluje, pluj·cie
pludry
plugastwo
pluga/wić; ~w·cie
pluga/wiec; ~w·ców

pluj·ka; ~ce
plu/nąć; ~ń·cie, ~nął,
  ~nęli
plura/lizm; ~lizmie
plus
pluskać; pluszcz·cie
pluskie|w·ka; ~w·ce
pluskwa; pluskiew
pluskwiak
plus minus
plu|s·nąć; ~s·nę,
  ~ś·nie, ~śnij, ~s·nął,
  ~s·nęli
plusz
pluszcz
plutokra·cja; ~cji
pluton
pluwial·ny
plwać
plwocina
pła/cheć; ~chcia lub
  ~chci
płach·ta; ~cie
pła/cić; ~cę, ~ć·cie
pła|cz·ka; ~cz·ce
pła/kać; ~cz·cie
płaksa
płaksiwy
płaski
płaskoden/ny
płaskorzeź·ba
płasko/stopie
płaskowyż
płasko/wzgórze
płastu/ga; ~dze
płaszcz
płasz|cz·ka; ~cz·ce
płaszczyć; płaszcz·cie
płaszczy·zna; ~źnie
płat; płacie
pła/tek; ~t·ków

płatnerz
płat·nik; ~nicy
płat·ność
płato/wiec; ~w·ców
pła/wić się; ~w·cie
płaz
płciowy
płeć; płci
płete|w·ka; ~w·ce
płetwa
płetwonurek
płoch·li/wy; ~w·szy
pło/chy; ~si
pło·cki; ~c/cy (od
  Płock)
płoć; płoci
płod·ność
płodo/zmian
płodzić; płodzę,
  płódź·cie
płomieni·sty; ~ści
płomien/noru/dy; ~dzi
płomien/ny
płomień
płomy/czek; ~cz·ków
płomykó|w·ka; ~w·ce
pło/nąć; ~ń·cie, ~nął,
  ~nęli
płonica
pło/nić się; ~ń·cie
płon/nik
płon/ny
pło/szyć; ~sz·cie
płot; płocie
pło|t·ka; ~t·ce
płot·karz
Płowce
pło/wieć; ~wieje,
  ~wieli
płowo/włosy
płoza; płóz

pło/zić się; ~żą
płócien·ko
płócien/ny
płód; płodzie
płótno; płócien
płuco
płucoser·ce
płuco/tchaw·ka
płu|cz·ka; ~cz·ce
pług
płu/kać; ~cze, ~cz·cie
płu/żek; ~ż·ków (od
  pług)
płyciuch·ny
pły/cizna; ~ciźnie
pły/nąć; ~ń·cie, ~nął,
  ~nęli
płyn/ny
pły|t·ka; ~t·ce
pły|t·ki; ~t·cy, ~t·szy
płyt·ko; płycej
płyt·kowod·ny
płytote/ka; ~ce
pływa·cki; ~c/cy
pływactwo
pływa|cz·ka; ~cz·ce
pływal·nia; ~ni
pnącze
p.n.e. (przed naszą
  erą)
pn<u>eu</u>/matycz·ny
pniak
p.o. (pełniący
  obowiązki)
po angiel·sku
po/bić; ~bije
po/biec; ~biegł,
  ~bieg·li
pobiegnąć – zob.
  pobiec
pobież·ny

po/blad·nąć; po/bladł
  lub po/blad·nął, po/-
  blad·li lub po/bled·li
po/bla|k·nąć; ~kł lub
  ~k·nął
po/bled·nąć; po/bladł
  lub po/bled·nął,
  po/bled·li
po/bli·ski; ~scy
po/bliże
po/błaż·li/wy; ~w·szy
po/błą/dzić; ~dzę,
  ~dź·cie
po/błogosła/wić;
  ~w·cie
po/bły·skiwać; ~skuje
pobocze
pobojowisko
pobor·ca
po bożemu
poboż·ność
po/bór; ~borze
po/brać; ~bierze,
  ~bierz·cie
po brater·sku
po/braty/miec;
  ~m·ców
po/bratym·stwo
po/bru/dzić; ~dzę,
  ~dź·cie
po/bruż·dżony
po/brzask
po/brzą/kiwać lub
  po/brzę/kiwać;
  ~kuje
po/brzeże
po/brzmiewać
pobu|d·ka; ~d·ce
pobud·liwość
pobu/dzić; ~dzę,
  ~dź·cie

pobujać
po/być; ~będzie,
~bądź·cie
pocałunek
po cham·sku
poche|w·ka; ~w·ce
po/chle|b·ca; ~b·ców
po/chleb·stwo
po/chli/pywać; ~puje
po/chłaniacz
po/chło/nąć; ~ń·cie,
~nął, ~nęli
po chłop·sku
po/chmur·nieć; ~nieje
pochod·nia; ~ni
pochod·ność
pochodzenie
pocho/dzić; ~dzę,
~dź·cie
pochop·nie
po/chód; ~chodzie
pochó/wek lub po-
cho/wek; ~w·ków
po/chra/pywać; ~puje
po/chrza/nić; ~ń·cie
po/chrzą/kiwać; ~kuje
po chrześcijań·sku
pochwa
po/chwalić
po/chwy/cić; ~cę,
~ć·cie
pochylić
pochyl·nia; ~ni
pochyłość
pociachać
pociąć; po/tnę, po/-
tnij·cie, pociął,
pocięli
pociąg
pociągający
pociąg·ły

pociąg·nąć; ~nął, ~nęli
pociąg·nięcie
po cichutku
po/cić się; ~cę, ~ć·cie
po/ciec lub po/-
ciek·nąć; ~ciek·nął
lub ~ciekł
pocie/cha; ~sze
po ciem·ku
pociem·nieć; ~nieje
pociesz·ny
po/cie/szyć; ~sz·cie
pocięgiel
pocio/tek; ~t·ków
pocisk
pociśnięcie
pociupać
po co?
po cóż?
po/cukrzyć; ~cukrz·cie
po cywil·nemu
począć; po/cznę, po/-
cznie, po/cznij,
począł, poczęli
począ/tek; ~t·ku
począt·kujący
poczciarz
po/czci/wiec; ~w·ców
po/czci/wy; ~w·szy
pocz·dam·ski; ~scy
poczekal·nia; ~ni
po czemu?
poczerwie/nieć; ~nieje,
~nieli
po/czesny
po/czet; ~cztu, ~czcie
poczęcie
poczęstunek
po części
pocz/mistrz
poczochrać

poczto/wiec; ~w·ców
pocztó|w·ka; ~w·ce
pocztylion
po/czuć; ~czuje
poczuwać się
po/czwa/ra; ~rze
po/czwór·ny
po czym
poczy/nić; ~ń·cie
poczyt·ny
pod (pod ziemią)
po/dać; ~dadzą
poda·gra; ~grze
podarunek
poda/tek; ~t·ków
podatkobior·ca
podat·nik
podat·ność
podaw·czy
po dawnemu
podaż
podą/żyć; ~ż·cie
pod/barwić; ~barw·cie
pod/bech·tać; ~cz·cie
Pod/beskidzie
pod/beski|dz·ki;
~dz·cy
pod/biał
pod/bić
pod/biec lub pod/-
biegnąć; ~biegł
pod/biegunowy
pod/bijać
pod/bi|t·ka; ~t·ce
pod/bój
pod/bró/dek; ~d·ków
pod/brzeż·niak
pod/brzusze
pod/budó|w·ka; ~w·ce
pod/bu/rzyć; ~rz·cie
pod/chmielić

pod/cho/dzić; ~dzę,
~dź·cie
pod/chorążó|w·ka;
~w·ce
pod/chorąży (skrót:
pchor.)
pod/chować
pod/chód; ~chodzie
pod/chwy/cić; ~cę,
~ć·cie
pod/chwyt·li/wy;
~w·szy
pod/ciąć; pode/tnie,
pode/tnij·cie,
pod/ciął, pod/cięli,
pod/cięty
pod/ciąg·nąć; ~nął,
~nęli
pod/cień
pod/cierać
pod/cięcie
pod/cinać
pod/ciśnienie
pod/czas gdy
pod/czaszy
pod/czerwony
pod/czołgać się
pod/dać; ~dadzą
pod/dań·stwo
pod/dasze
pod do/statkiem
pod/do/sta|w·ca;
~w·ców
pod/dusić; ~duszę,
~duś·cie
pod/dział
pod/dzierżawiać
pod/dźwiękowy
pode/brać;
pod/bierze,
pod/bierz·cie

podej·mować; ~muje
podej·rzany
podej·rzeć; ~rzyj·cie,
~rzeli
podej·rzewać
podejrz·li/wy; ~w·szy
podejść; podej·dę,
podej·dzie,
podejdź·cie,
pod/szedł, pode/szli
pod/eks·cytować; ~cy-
tuje
pode mną
podeń (pod niego)
pode/pchnąć;
~pchnął, ~pchnęli
pode/przeć; pod/parł
podep·tać; ~cz·cie
pode/rwać; ~rwę,
~rwij·cie
pode/rznąć; ~rznij·cie,
~rznął, ~rznęli
pode/rżnąć; ~rżnij·cie,
~rżnął, ~rżnęli
pode/schnąć; pode/-
schnął lub pod/-
sechł, pode/schli
pode/schnięcie
pode/słać; pode/śle,
pode/ślij·cie
pode/słać; pod/ściele,
pod/ściel·cie
po/dest; ~deście
pode/szły (np. wiek)
pode/szwa
pod/etap
pode/tknąć; ~tknij·cie,
~tknął, ~tknęli
pode/trzeć; pod/tarł
pod/fruwaj·ka; ~ce
pod/gard·le

pod/gar·nąć; ~nął,
~nęli
pod/gatunek
pod/glądać
pod/głó/wek; ~w·ków
pod/gorącz·kowy
pod górę
pod/gór·ski; ~scy
pod/górze
pod/grodzie
pod/groma/da; ~dzie
pod/gruntowy
pod/grupa
pod/gryzać
pod/grzać; ~grzeje,
~grzali lub ~grzeli
pod/grzy/bek; ~b·ków
pod/gumować
pod/halań·ski; ~scy
Pod/hale
pod/harc/mistrz
pod/hasło; ~haśle
pod/in·spek·tor;
~torzy
podium
pod/ja/dek; ~d·ków
pod/jazd; ~jeź·dzie
pod/jąć; podej·mę,
podej·mie, podej·-
mij·cie, pod/jął,
pod/jęli
pod/jeść; ~jedz·cie,
~jadł, ~jed·li
pod/jeż·dżać
pod/jęcie
pod/ju/dzić; ~dzę,
~dź·cie
pod/kanc·lerzy
pod/karmić; ~kar·mię,
~kar·mi, ~karm/my
Pod/kar·pacie

pod/kar·pa·cki; ~c/cy
pod/ka/sać; ~sze,
~sz·cie
Pod/k<u>au</u>/kazie
pod/klasa
pod/kle/ić; ~ję, ~i,
~j·cie, ~ił
pod/kład; ~kładzie
pod/kła|d·ka; ~d·ce
pod/kochiwać się;
~kochuje
pod/kolanó|w·ka;
~w·ce
pod/komen·dny
pod/komisarz
pod/komi·sja; ~sji
pod/komorzy
pod koniec
pod/ko/pywać; ~puje
pod/koszulek
pod/kowa; ~ków
pod/kó|w·ka; ~w·ce
(mała podkowa)
pod/kpiwać
pod/kradać
pod/krakow·ski; ~scy
pod/kraść; ~kradł,
~krad·li
pod/krążony
pod/kreślić; ~kreśl·cie
pod/kręcać
pod/kształcić;
~kształ·cę,
~kształć·cie
pod/kuć; ~kuje
pod/kulić
pod/kul·tu/ra; ~rze
pod/ku/pić; ~p·cie
pod/kur·czyć; ~cz·cie
pod/ku/sić; ~szę,
~ś·cie

pod/ku/ty; ~ci
pod/lać; ~leje, ~lali
lub ~leli
Pod/lasie
pod/la·ski; ~scy
pod·lec; ~leców
pod/lec; ~legł, ~leg·li
pod/leś·ny
pod/leźć; ~lezę, ~leź-
cie, ~lazł, ~leź·li
pod/lizać się; ~liże,
~liż·cie
pod/lizuch
pod/lo/tek; ~t·ków
pod/ludzie
pod/ła/zić; ~żę, ~ź·cie
pod/łą/czyć; ~cz·cie
pod/łoga; ~łodze, ~łóg
pod/łogó|w·ka; ~w·ce
podłos|t·ka; ~t·ce
podłość
pod/łoże
pod/łożyć; ~łóż·cie
po/dłu/bać; ~b·cie
po/dług
po/długowaty
po/dłuż·ny
po/dłu/żyć; ~ż·cie
pod/ły
pod/miej·ski; ~scy
pod/mieść; ~miotę,
~mieć·cie, ~miótł,
~miet·li
pod/miot; ~miocie
pod/moknąć; ~mókł
lub ~mok·nął
pod/mor·ski
pod/mó/wić; ~w·cie
po/dmuch
pod/muró|w·ka; ~w·ce
pod/myć; ~myje

pod/nająć; ~naj·mę,
~naj·mie, ~naj·mij·-
cie, ~najął, ~najęli
pod/najem·ca
pod/najęcie
pod/niebien/ny
pod/nieb·ny
pod/nie/cić; ~cę,
~ć·cie
pod/nieść; ~nieś·cie,
~niósł, ~nieś·li
pod/nie/ta; ~cie
pod/niosły; ~nioś·li
pod/noś·nik
pod/nóże
pod/nó/żek; ~ż·ków
pod/obia/dek; ~d·ków
podobień·stwo
podo/bizna; ~biźnie
podob·niusień·ki; ~cy
pod/obóz
po dobroci
pod/ocho/cić; ~cę,
~ć·cie
pod/ochocony
pod/od/dział
pod/od/miana
pod/ofi/cer; ~cerze
pod/ogo/nie; ~ni
pod/okien/ny
pod/okres
pod/okręg
Podole
podom·ka; ~ce
po domowemu
pod/opiecz·ny
pod/orędzie (na
podorędziu)
pod/ory|w·ka; ~w·ce
pod/ostry
pod/ostrzać

pod/ów/czas
pod/padać
pod/pad·nięcie
pod/palić
pod/pał·ka; ~ce
pod/par·cie
pod/pasać; ~pasz·cie
pod/pa|s·ka; ~s·ce
pod/paść; ~pad·nie,
~padł, ~pad·li
pod/paść; ~pasę,
~paś·cie, ~pasł,
~paś·li
pod/patrzyć;
~patrz·cie
pod/pełz·nąć; pod/-
pełz·nie lub pod/-
pełź·nie, pod/pełz·-
nął lub pod/pełzł,
pod/pełz·li lub
pod/pełź·li
pod/pę/dzić; ~dzę,
~dź·cie
pod/piąć; pode/pnę,
pode/pnij·cie, pod/-
piął, pod/pięli
pod/pić; ~pije, ~pij·cie
pod/piec; ~piecz·cie,
~piekł, ~piek·li
pod/pieprzyć;
~pieprz·cie
pod/pierwiastkowy
pod/pin·ka; ~ce
pod/pi/sać; ~szę,
~sz·cie
pod/pi/ty; ~ci
pod/pi/wek; ~w·ka lub
~w·ku
pod/piwniczenie
pod/pły/nąć; ~ń·cie,
~nął, ~nęli

pod/po/ra; ~rze
pod/porucz·nik; ~nicy
(skrót: ppor.)
pod/porząd·kować;
~kuje
pod/powie/dzieć; ~m,
~dzą, ~dz·cie, ~dzieli
pod/powiedź
pod pozorem
pod/pór·ka; ~ce
pod/pra/wić; ~w·cie
pod/prowa/dzić; ~dzę,
~dź·cie
pod/proże
pod/puch·nąć; ~nął,
~nęli
pod/pułkow·nik; ~nicy
(skrót: ppłk)
pod/punkt; ~punkcie
pod/pusz|cz·ka; ~cz·ce
pod/puścić; ~puszczę,
~puść·cie
pod/rastać
po/drażać
po/drażnić; ~draż·nij·-
cie lub ~drażń·cie
pod/ręcz·nik
pod/ręcz·ny
pod ręką
pod/robić; ~rób·cie
(sfałszować)
po/drobić; ~drób·cie
(pokruszyć)
po/droby
pod/rodzina
pod/ros·nąć; pod/-
ros·nę, pod/roś·nie,
pod/roś·nij·cie,
pod/rósł, pod/roś·li
pod/rostek; ~rost·ków
pod/roz·dział

po/dro/żeć; ~żeje
po/drożyć; ~droż·cie
lub ~dróż·cie
pod/ró|b·ka; ~b·ce
po/dró·ki (od pod-
roby)
pod/róść – zob.
pod/ros·nąć
pod/równikowy
po/dróż
po/dróż·nik
po/dró/żować; ~żuje
(odbywać podróż)
pod/ró/żować; ~żuje
(zabarwić różem)
pod/rubry/ka; ~ce
pod/rumie/nić; ~ń·cie
po/drwiwać
po/dry/giwać; ~guje
pod/rywać
pod/ry|w·ka; ~w·ce
pod/rząd; ~rzędu
pod rząd (po kolei)
po/drzeć; ~darł
pod/rzęd·nik
pod/rzęd·ny
pod/rzu/cić; ~cę,
~ć·cie
pod/rzut; ~rzucie
pod/rzu/tek; ~t·ków
pod/rzynać (gardło)
pod/sa/dzić; ~dzę,
~dź·cie
pod/sąd·ny
pod/sce/nie; ~ni
pod/sekretarz
pod/siewać
pod/sinia/czyć; ~cz·cie
pod/ska/kiwać; ~kuje
pod/skarbi
pod/sko/czyć; ~cz·cie

pod/skór·ny
pod/słuch
pod/sma/żyć; ~ż·cie
pod spodem
pod/sta·cja; ~cji
pod/starości
pod/starzały
pod/sta|w·ka; ~w·ce
pod/stawó|w·ka; ~w·ce
pod/stem·plować;
~pluje
pod/stęp
pod/stoli
pod/stołecz·ny
pod/stro/ić; pod/-
stroję, pod/stro/i,
pod/strój·cie,
pod/stro/ił
pod/strzyc; ~strzyże,
~strzyż·cie, ~strzygł
~strzyżemy
pod/strzyżony
pod/sude·cki; ~c/cy
pod/sufi|t·ka; ~t·ce
pod/sumowanie
pod/su/nąć; ~ń·cie,
~nął, ~nęli
pod/su/szyć; ~sz·cie
pod/suwać
pod/sychać
pod/sy/cić; ~cę, ~ć·cie
pod/syłać
pod/sy|p·ka; ~p·ce
pod/system
pod/szczuwać
pod/szczyp·nąć; ~nął,
~nęli
pod/szep·nąć; ~nął,
~nęli
pod/szept; ~szep·cie
pod/sze|w·ka; ~w·ce

pod/szkolić; ~szkol·cie
lub ~szkól·cie
pod/szycie
pod/ścielać lub
pod/ścielać
pod/ściół·ka; ~ce
pod/śmiewać się
pod/świadomie
pod/świetlić;
~świetl·cie
pod/taczać
pod/tar·cie
pod/tatrzań·ski; ~scy
Pod/tatrze
pod/tatusiały
pod/tekst; ~tekście
pod/tlenek
pod/to/czyć; ~cz·cie
pod/tre/nować; ~nuje
pod/truwać
pod/trzy/mywać;
~muje
pod/tu/czyć; ~cz·cie
pod/tulić
pod/tykać
pod/typ
pod/tytuł
pod tytułem (skrót:
pt.)
pod/tywać
podu/cha; ~sze
pod/udzie
podumać
pod/upad·ły
pod/upaść; ~upadł,
~upad·li
podu|sz·ka; ~sz·ce
poduszko/wiec;
~w·ców
po/dwajać
pod/wale

pod/walina
pod/war·szaw·ski;
~scy
pod/wawel·ski; ~scy
pod/wa/żyć; ~ż·cie
pod/wę/dzić; ~dzę,
~dź·cie
pod/wią/zać; ~że,
~ż·cie
pod/wią|z·ka; ~z·ce
pod/wieczorek
pod wieczór
pod/wie/sić; ~szę,
~ś·cie
pod/wietrz·ny (od
wiatr)
pod/wiewać
pod/wieźć; ~wiozę,
~wieź·cie, ~wiózł,
~wieź·li
pod/wijać
pod/wi/nąć; ~ń·cie,
~nął, ~nęli, ~nięty
pod/wład·ny
pod/woda; ~wodzie,
~wód
pod/wod·ny
po/dwo/ić; po/dwoję,
po/dwo/i, po/-
dwój·cie, po/dwoił
po·dwoje; ~dwoi lub
~dwojów (drzwi)
po dwoje (po dwie
osoby)
pod/wo/zić; ~żę,
~żony
pod/wozie
po/dwójny
po/dwórze
pod/wykona|w·ca;
~w·ców

pod/wy|ż·ka; ~ż·ce
pod/wy|ż·szyć;
~ższ·cie
podyplomowy
pod/zam·cze
pod/zbiór; ~zbiorze
pod/ze/lować; ~luje
pod/ze/spół
po/dziać się; ~dzieje,
~dziali *lub* ~dzieli
podział·ka; ~ce
po/dziel·ność
pod/zie/mie; ~mi
pod/ziem·ny
podzię/kować; ~kuje
po dziś dzień
podziura/wić; ~w·cie
podziw
po/dzwon/ne
pod/zwrotnikowy
po/dźwig·nąć się;
~nął, ~nęli
po/dźwig·nięcie
pod/żebrze
pod/żegać
pod/żerać
pod/ży/rować; ~ruje
poe/mat; ~macie
poe|t·ka; ~t·ce
poety·cki; ~c/cy
poetyza·cja; ~cji
poe·zja; ~zji
pofaty/gować się;
~guje
pofestiwalowy
po francu·sku
po/fru/nąć; ~ń·cie,
~nął, ~nęli
pogadu|sz·ka; ~sz·ce
pogań·stwo
pogar·da; ~dzie

pogard·liwy
pogar·dzić; ~dzę,
~dź·cie
pogar·szać
pogawę|d·ka; ~d·ce
pogiąć; po/gnie, po/-
gnij·cie, pogiął,
pogięli, pogięty
po/gląd; ~glądzie
po/głębić; ~głęb·cie
po/głos
po/gło|s·ka; ~s·ce
po/gło/wie; ~wia
po/głów·kować; ~kuje
po/główne – *rzadziej*
po/głowne
po/gnicść; ~gnieć·cie,
~gniótł, ~gniet·li
pogod·nieć; ~nieje,
~nieli
pogodyn·ka; ~ce
po/godzić; ~godzę,
~gódź·cie
pogor·szyć; ~sz·cie
pogorzelisko
po gospodar·sku
pogotowie
pogó|d·ka; ~d·ce
pogórze
po/granicze
po/granicz·nik
po/gratu/lować; ~luje
po/grą/żyć; ~ż·cie
po/grobo/wiec;
~w·ców
po/grom·ca
po/gró|ż·ka; ~ż·ce
po/gru/bieć; ~bieje,
~bieli
po/grucho/tać; ~cz·cie
po/gru/pować; ~puje

po/gryźć; ~gryzę,
~gryź·cie, , ~gryzł,
~gryź·li
po/grzeb
po/grzebacz
po/grześć
po/gwał·cić; ~cę,
~ć·cie
po/gwa/rzyć; ~rz·cie
poha/mować; ~muje
pohan·dlować; ~dluje
poha/niec; ~ń·ców
po/hań·bić; ~b·cie
poharatać
pohasać
pohu/kiwać; ~kuje
pohulać
pohuśtać
pohybel (na pohybel)
po/ić; poję, po/i, pój·-
cie, po/ił
po/idło
po ile
po/in·struować;
~stru/uje
pointa *lub* puenta
po jakiemu
poja/wić się; ~w·cie
po/jazd; ~jeździe
pojąć; poj·mę, poj·-
mie, poj·mij·cie,
pojął, pojęli
pojednaw·czy
pojedyn·czy
pojedyn·kować się;
~kuje
pojem·nik
pojezierze
pojęcie
pojędr·nieć; ~nieje,
~nieli

poję/kiwać; ~kuje
pojęt·ny
poj·mać
poj·mować; ~muje
pojutrze
pokan·cerować
pokarm
pokas·ływać; ~łuje
pokasz·liwać; ~luje *lub*
~liwa
po katolicku
poka/zać; ~że, ~ż·cie
pokazó|w·ka; ~w·ce
pokaź·ny
pokąd
pokąt·ny
pokerzy·sta; ~ści
pokić·kać
pokiełba/sić; ~szę,
~ś·cie
pokiere/szować; ~szuje
po/klask
po/klasztor·ny
po/kład; ~kładzie
po/kło/nić się; ~ń·cie
po/kłosie
po/kłó/cić się; ~cę,
~ć·cie
po/kłuć; ~kłuje
po kobiecemu
pokochać
poko/ik
pokojó|w·ka; ~w·ce
po kole/i
pokom·bi/nować;
~nuje
pokon·trol·ny
poko/ra; ~rze
pokorniu|t·ki; ~t·cy
pokos
po/kost; ~koście

pokosz·tować; ~tuje
pokościel·ny
pokotem
po/kój; ~ko/i *lub*
~kojów
po/kpić
po·kra/ka; ~ce
po/krewień·stwo
pokrę/cić; ~ć·cie
pokrę|t·ka; ~t·ce
po/kręt·ny
po/kro/ić; po/kroję,
po/kro/i, po/-
krój·cie, po/kro/ił
po/kro/wiec; ~w·ców
po/krój
po/krótce
po/kru/szyć; ~sz·cie
po/krwawiony
po/kryć; ~kryje
po kryjomu
po/kry|w·ka; ~w·ce
po/krze/pić; ~p·cie
po/krzy/kiwać; ~kuje
pokrzywa
po/krzywdzony
po/krzywiony
pokrzy|w·ka; ~w·ce
po/krzyżacki
po/krzy/żować; ~żuje
pokumać się
pokup·ny
pokurcz
poku/sić się; ~szę,
~ś·cie
poku/ta; ~cie
po/kwa/pić się; ~p·cie
po/kwitanie
po/kwi/tować; ~tuje
Po/lak; ~lacy
polak (*lekcja*)

polakożer·czy
polar·nictwo
polar·nomor·ski
polaro/id; ~idzie
polaryza·cja; ~cji
pol·der; ~derze
pole; pól
po/lec; ~leg·nij·cie,
~legł, ~leg·li
pole/cić; ~cę, ~ć·cie,
~cił
pole/cieć; ~cę, ~ć·cie,
~ciał
pole|cz·ka; ~cz·ce
(taniec)
poleg·nąć – *zob.* polec
polemi·sta; ~ści
polemi/zować; ~zuje
po/lepszyć; ~lepsz·cie
pole·ski; ~scy (*od*
Polesie)
Pole/szuk; ~szucy
polet·ko
polewa|cz·ka; ~cz·ce
pole|w·ka; ~w·ce
po/leźć; ~lezę, ~leź·cie,
~lazł, ~leź·li
pole/żeć; ~ż·cie, ~żeli
polędwica
poli/amid; ~amidzie
policeal·ny
policen·tryzm;
~tryzmie
poli·chlorek
poli·chro/mia; ~mii
poli·cja; ~cji
poli·cjant; ~cjan·ci
policzal·ny
policz·kować; ~kuje
poli/ester; ~estrze
poli/etylen

polifo/nia; ~nii
polifunk·cyj·ny
poliga/mia; ~mii
poli·glo/ta; ~cie
poli·gra/fia; ~fii
Polihym·nia; ~nii
Polikarp
poli·klini/ka; ~ce
polime/ria; ~rii
polimeryza·cja; ~cji
polimor·fizm; ~fizmie
Poline·zja; ~zji
poli/niować; ~niuje
polip
polisa
polise/mia; ~mii
poli·styren
poliszynel
polit/biu/ro; ~rze
politech·ni/ka; ~ce
politech·niza·cja; ~cji
polite/izm; ~izmie
politolo/gia; ~gii
polit·ruk
politu/ra; ~rze
polity/ka; ~ce
politykier·stwo
poli/zać; ~że, ~ż·cie
Pol·ka; ~ce (kobieta)
pol·ka; ~ce (taniec)
Pol/luks
polodow·cowy
polonez
Polo/nia; ~nii
polonij·ny
polonika lub polonica
poloni·sta; ~ści
polonis|t·ka; ~t·ce
poloniza·cja; ~cji
polo/nizm; ~nizmie
polonofil·ski; ~scy

polonus
polo/plast; ~plaście
po/lor; ~lorze
po/lot; ~locie
po/lować; ~luje
poló|w·ka; ~w·ce
Pol·ska; ~sce
pol·ski; ~scy (np.
  język polski)
pol·sko-an·giel·ski
pol·szczyć; ~szcz·cie
pol·szczyzna; ~szczy-
  źnie
polu/bić; ~b·cie
polu·cja; ~cji
po ludz·ku
poluk·rować; ~ruje
polu/zować; ~zuje
poluź·nić; ~nij·cie
poła; pół
połab·ski; ~scy
połako/mić się; ~mię,
  ~mi, ~m/my
połama/niec; ~ń·ców
po/łaszczyć się;
  ~łaszcz·cie
poła/zić; ~żę, ~ź·cie
połą/czyć; ~cz·cie
po/łech·tać; ~taj·cie
  lub ~cz·cie
po łep·kach lub po
  łeb·kach
po/łknąć; ~łknij·cie,
  ~łknął, ~łknęli
po/łowa; ~łów
położenie
położ·nictwo
po/łożyć; ~łóż·cie
połóg
połów
połó|w·ka; ~w·ce

Poł·tawa
połu/dnie (skrót: płd.)
połu/dnik
połu/dnio/wiec;
  ~w·ców
połu/dniowo/eu/-
  ropej·ski; ~scy
połu/dniowokoreań·-
  ski; ~scy
połu/dniowo-wschod·-
  ni (skrót: płd.-wsch.)
połu/dniowo-zachod·-
  ni (skrót: płd.-zach.)
połu/dniowy (skrót:
  płd.)
południowy wschód
połu/pać; ~p·cie
połysk·liwy
pomachać
po macoszemu
poma|d·ka; ~d·ce
poma/gier; ~gierzy
pomagister·ski
pomaleń·ku
pomalut·ku
pomału
pomarań·czar·nia; ~ni
pomarań|cz·ka; ~cz·ce
pomarań·czó|w·ka;
  ~w·ce
pomar·szczony
pomar·znąć; ~zł lub
  ~znął, ~zli
poma/rzyć; ~rz·cie
pomatural·ny
poma/zać; ~że, ~ż·cie
pomaza/niec; ~ń·ców
pomą/cić; ~cę, ~ć·cie
po/miar; ~miarze
pomiatać
pomiau/kiwać; ~kuje

pomiąć; po/mnę; po/-
mnie, po/mnij·cie,
pomiął, pomięli
pomi/dor; ~dorze
pomidoró|w·ka; ~w·ce
pomie/rzyć; ~rz·cie
pomieszać
po/mieścić; ~mieszczę,
~mieść·cie
pomiędzy
pomięty
pomimo woli
pomimo że
pomi/nąć; ~ń·cie,
~nął, ~nęli
po/miot; ~miocie
pomiotło
po mistrzow·sku
po/mknąć; ~mknij·cie,
~mknął, ~mknęli
po/mla·skiwać; ~skuje
po/mnażać
po/mnieć; ~mnij·cie,
~mniał, ~mnieli
po/mniej·szy; ~si
po/mniej·szyć; ~sz·cie
pomnik
po/mnożyć; ~mnóż·cie
pomoc·nik; ~nicy
po/modlić się;
~módl·cie
po mojemu
pomolo/gia; ~gii
Pomorze
po/most; ~moście
po/móc; ~może,
~móż·cie, ~mógł,
~mog·li
po/mór; ~morze
pomó/wić; ~w·cie
pomówienie

pom·pa
pom·patycz·ny
Pom·peja; ~pei, ~peję
pom|p·ka; ~p·ce
pom·pon
pom·pować; ~puje
pom·pow·nia; ~ni
po/mro/ka; ~ce
po/mruk
po/mrzeć
po/msta; ~mście
po/mścić; ~mszczę,
~mścij·cie
po/myć; ~myje
po/mydlić; ~mydl·cie
pomyje
pomyle/niec; ~ń·ców
po/mysł; ~myśle
pomysłoda|w·ca;
~w·ców
po/myśleć; ~myśl·cie,
~myśleli
pomyśl·ność
pomyślunek
ponabijać
ponad
ponad/czasowy
ponad/dźwiękowy
ponad/etatowy
ponad/in·dywidualny
ponad/ludzki
ponad/metrażowy
ponad/obowiązkowy
ponad/planowy
ponad/podstawowy
ponad/to (prócz tego)
ponad to (np. ponad
to nic nie ma)
po/naglić; ~naglij·cie
po naszemu
poncz

pond; pon·dzie
(skrót: p)
ponęt·ny
poniechać
poniekąd
ponie/który; ~którzy
poniemiecki
po niemiecku
po/nieść; ~niósł,
~nieś·cie, ~nieś·li
ponieważ
ponie/wczasie lub po
nie/wczasie
po niewoli
poniżej
poniż·szy
poni/żyć; ~ż·cie
ponoć
po nowemu
po/nowić; ~nów·cie
pon·ton
pon·tyfi/kat; ~kacie
ponuractwo
ponu/ry; ~rzy
poń (po niego)
poń·czo/cha; ~sze
poń·czo|sz·ka; ~sz·ce
po/obied·ni
po obiedzie
po/od/dawać
po omacku
po/operacyj·ny
po/owijać
popaczyć się
(pokrzywić się)
popa/dia; ~dii
popad·nięcie
popamiętać
popapra/niec; ~ń·ców
pop·art lub pop-art
pop·artow·ski; ~scy

poparzenie
popas (*postój*)
po pas (*np.* w wodzie)
po/paść; ~pasę,
  ~paś·cie, ~pasł,
  ~paś·li
po/paść; ~pad·nie,
  ~padł, ~pad·li
po/patrzeć; ~patrz·cie,
  ~patrzał, ~patrzeli
po/patrzyć; ~patrz·cie,
  ~patrzył, ~patrzyli
po/pchnąć; ~pchnął,
  ~pchnęli
po/peł·nić; ~nij·cie *lub*
  ~ń·cie
popers *lub* pop/pers
po/pęd; ~pędzie
popęd·li/wy; ~w·szy
popę/dzić; ~dzę,
  ~dź·cie
popękany
po/pić; ~pije, ~pij·cie
popielaty
popiel·cowy
Popielec
popielisko
popiel·ni|cz·ka; ~cz·ce
popie·przyć; ~prz·cie
popier·sie
po pijanemu
popiół
popis
popi·skiwać; ~skuje
popi|t·ka; ~t·ce
popi/wek; ~w·ku
po/pla/mić; ~mię,
  ~mi, ~m/my
po/plą/tać; ~cze,
  ~cz·cie
po/plecz·nictwo

po/plenerowy
po/plot·kować; ~kuje
po/płacać
po/pła/kiwać; ~kuje
po/płat·ny
po/płoch
po/płuczyny
po/płu/kać; ~cze,
  ~cz·cie
popły·nąć; ~ń·cie,
  ~nął, ~nęli
popod
popod/kreślać
popojutrze
po pol·sku
popołu/dnie
popołu/dnió|w·ka;
  ~w·ce
po połu/dniu
poporodowy
popo/wstaniowy
po północy
po/prać; ~pierze,
  ~pierz·cie
po/praw·czak
po prawdzie
po/pra/wić; ~w·cie
po/pra|w·ka; ~w·ce
po/praw·kowicz
po/praw·ność
po/premierowy
po/pręg
po/promien/ny
po/pro/sić; ~szę, ~ś·cie
po prostu
po/prowa/dzić; ~dzę,
  ~dź·cie
po/pró/bować; ~buje
po/próch·nieć; ~nieją
po/pró/szyć; ~sz·cie
po próżnicy

po/pruć; ~pruje
po/prze|cz·ka; ~cz·ce
po/przecz·ny
po/przeć; ~parł,
  ~par·li
po/przed·ni
po/prze/dzić; ~dzę,
  ~dź·cie
po/prze/inaczać
po/prze/kręcać
po/prze/stać; ~stań·-
  cie
po/prze/trącać
po/przez
po/prztykać się
po przyjaciel·sku
po/przy/kręcać
po/przy/siąc; ~sięg·-
  nie, ~sięg·nij·cie,
  ~siągł, ~sięg·li
poprzysięgać
po/psio/czyć; ~cz·cie
po/pstrykać
po/pstrzyć
po/psuć; ~psuje
popula·cja; ~cji
popular·nona/ukowy
popularyza·cja; ~cji
popularyza/tor; ~torzy
popu/lizm; ~lizmie
po/puścić; ~puszczę,
  ~puść·cie
popychać
popychadło
po/pyt; ~pycie
por; porze
pora; porze, pór
porachunek
pora/da
porad·nia; ~ni
porad·nictwo

pora/dzić; ~dzę,
~dź·cie
pora/nić; ~ń·cie
poran/ny
porastać
pora/zić; ~żę, ~ź·cie
po raz pierwszy
porażenie
pora|ż·ka; ~ż·ce
porą/bać; ~b·cie
Porą|b·ka; ~b·ce
por·celana
por·ce/lit; ~licie
por·cięta; ~ciąt
por·cja; ~cji
porewolucyj·ny
poręba
poręcz
poręcz·ny
porę/czyć; ~cz·cie
porę/ka; ~ce
por·fir; ~firze
por·no·gra/fia; ~fii
porodó|w·ka; ~w·ce
po/roh; ~rohy
poroniony
poros·nąć; poros·nę,
  poroś·nie, porósł lub
  poros·nął, poroś·li
po/rost; ~roście
poroś·la
poroś·nięty
poroz/biorowy
poroz/cho/dzić się;
  ~dź·cie
poroz/ciągać
poroz/cinać
poroz/cze/sywać;
  ~suje
poroz/dzielać
poroz/jeż·dżać się

poroz/kwitać
poroz/ła/zić się; ~żą,
  ~ź·cie
poroz/pędzać
poroz/pożyczać
poroz/rzucać
poroz/siadać się
poroz/suwać
poroz/trząsać
porozu/mieć się;
  ~miem, ~mie, ~mieli
porozumiewaw·czo
poroz/włó/czyć;
  ~cz·cie
poroże
po/ród; ~rodzie
porość – zob.
  poros·nąć
porów·nać (skrót:
  por.)
porów·nanie
porów·naw·czy
po/różnić się
poróżo/wieć; ~wieje
port; por·cie
portal
por·ter; ~terze
port·fel
por·tier; ~tierzy
portie/ra; ~rze
portier·nia; ~ni
portki
port·mone|t·ka; ~t·ce
Portoryko lub Puerto
  Rico
porto/wiec; ~w·ców
por·treci·sta; ~ści
por·tret; ~trecie
Portuga/lia; ~lii
port·wajn lub port·-
  wein

portyk
porubry/kować; ~kuje
porub·stwo
porucz·nik; ~nicy
  (skrót: por.)
poru/czyć; ~cz·cie
poru/szyć; ~sz·cie
po/rwać; ~rwę,
  ~rwij·cie
poryw
poryw·czy
porywi·sty; ~st·szy
porzą/dek; ~d·ku
porząd·kować; ~kuje
porząd·ny
porzą/dzić; ~dzę,
  ~dź·cie
porzecze
porze|cz·ka; ~cz·ce
porzekadło
po/rznąć; ~rznął,
  ~rznęli, ~rznięty
porzu/cić; ~cę, ~ć·cie
po/rżnąć; ~rżnął,
  ~rżnęli, ~rżnięty
posa/da; ~dzie
posa|d·ka; ~d·ce
posa/dzić; ~dzę,
  ~dź·cie
posa|dz·ka; ~dz·ce
posag
posaż·ny
posą/dzić; ~dzę,
  ~dź·cie
posąg
po sąsiedz·ku
posą/żek; ~ż·ków
po/schnąć
po/scho/dzić się; ~dzą,
  ~dź·cie
posel·stwo

poseł; pośle (*skrót:*
pos.)
pose·sja; ~sji
posezonowy
posęp·nieć; ~nieje,
~nieli
posęp·ny
posiada|cz·ka; ~cz·ce
posiad·łość
po/siąść; ~siądź·cie,
~siadł, ~sied·li
po/siec; ~siecz·cie,
~siekł, ~sieczony
posiedzenie
posie/dzieć; ~dzę,
~dź·cie, ~dzieli
posiew
posiłek
posi/wieć; ~wieje,
~wieli
po/skarżyć; ~skarż·cie
po/ską/pić; ~p·cie
po/skro/mić; ~mię,
~mi, ~m/my
po/sku/bywać; ~buje
po/sku/pywać; ~puje
po/skut·kować; ~kuje
po/słać; ~ściele,
~ściel·cie, ~słał
po/słać; ~śle, ~ślij·cie
posła/niec; ~ń·ców
po/słan/nictwo
po/słodzić; ~słodzę,
~słodź·cie *lub*
~słódź·cie
po/sło/wie; ~wi
po/słuch
po/słu/ga; ~dze
po/sługa|cz·ka; ~cz·ce
po/słuszeń·stwo
po/słu/żyć; ~ż·cie

po/smak
po/smut·nieć; ~nieje,
~nieli
po/snąć; ~śniemy,
~śnij·cie, ~snęli
posoborowy
poso/ka; ~ce
po/solić; ~sól·cie
po/spędzać
po/spiesz·ny *lub*
po/śpiesz·ny
po/spoli/ty; ~ci, ~t·szy
po/społu
po/spól·stwo
po/sprzątać
po/sprzeczać się
po/srebrzany
po/ssać; ~ssę, ~ssie,
~ssij·cie
post; poście
po/stać; ~staci
po/stać; ~stoję, ~stoi,
~stój·cie
po/sta/nowić;
~nów·cie
po staremu
po/sta/rzeć się; ~rzeje,
~rzeli
po/sta/wić; ~w·cie
po/staw·ny
po/stą/pić; ~p·cie
po/stem·plować;
~pluje
poste restante
posterunek
po/stę/kiwać; ~kuje
po/stęp
po/stę/pek; ~p·ków
po/stępowość
post·kolonial·ny
post·komunistycz·ny

post·moder·nistycz·ny
post·ny
po/stojowy
po sto/kroć
po/stój; ~stojów *lub*
~sto/i
post·po/nować; ~nuje
post·pozy·cja; ~cji
po/strach
po/stradać
po/stra/szyć; ~sz·cie
po/strącać
po/stro/ić; po/stroję,
po/stro/i, po/-
strój·cie, po/stro/ił
post·roman·tycz·ny
po/stron/ny
po/strzał
po/strząsać
po/strzec; ~strzegę,
~strzeże, ~strzeż·cie
po/strzegal·ny
po/strzele/niec;
~ń·ców
po/strzelić
po/strzeżenie
po/strzę/pić; ~p·cie
po/strzyc; ~strzygę,
~strzyże, ~strzyż·cie,
~strzygł
po/strzyżyny
post·scriptum (*skrót:*
PS)
post·solidar·nościowy
postu/lat; ~lacie
postu/ment; ~men·cie
postu/ra; ~rze
postyl/la
posu/cha; ~sze
posu/nąć; ~ń·cie, ~nął,
~nęli, ~nięty

posunięcie
posuwiście
po/swawolić
po swojemu
posza/rzeć; ~rzeje
po/szczegól·ny
po/szczęścić się
po/szczuć; ~szczuje
po/szczupleć;
~szczupleje,
~szczupleli
po/szczy/cić się; ~cę,
~ć·cie
posze/rzyć; ~rz·cie
posze|w·ka; ~w·ce
po/szka/pić się; ~p·cie
po/szla/ka; ~ce
po/szpital·ny
po/szturchiwać;
~szturchuje
poszuflad·kować; ~kuje
poszukiwaw·czy
poszu/mieć; ~mię,
~mi, ~m/my, ~mieli
po/szwa
po/szycie
po/ściągać
pościć; poszczę,
pość·cie
po/ścieló|w·ka; ~w·ce
po/ścig
po/ślad
po/śla/dek; ~d·ków
po/śled·ni
po/ślizg·nąć się; ~nął,
~nęli
po/śli|z·nąć się; ~z·nę,
~ź·nie, ~ź·nij, ~z·nął,
~z·nęli
po/ślu/bić; ~b·cie
po/ślub·ny

po/śmieciu|sz·ka;
~sz·ce
po/śmiert·nie
po/śmiewisko
po/śnieżyć
po/śpiech – rzadziej
po/spiech
po/śpiesz·ny lub
po/spiesz·ny
po/śred·ni
po/śred·nictwo
po/środ·ku
po/śród
po/świa|d·czyć;
~dcz·cie
po/świa/ta; ~cie
po/świątecz·ny
po/świe/cić; ~cę,
~ć·cie
po/świę/cić; ~cę,
~ć·cie
po świń·sku
po/świ·stywać; ~stuje
pot; pocie
potajemnie
potak·nąć; ~nął, ~nęli
potańcó|w·ka; ~w·ce
potaso/wiec; ~w·ców
potąd
potem (później)
po temu
poten·cja; ~cji
poten·cjal·ny
poten·cjał
poten·cjo/metr;
~metrze
poten·tat; ~taci
potę/ga; ~dze
potę/pić; ~p·cie
potępie/niec; ~ń·ców
potępień·czy

potęż·nieć; ~nieje,
~nieli
potęż·ny
po/tknąć się; ~tknął,
~tknęli
po/tknięcie
pot·liwość
po/tłuc; ~tłucz·cie,
~tłukł
po/tłuścić; ~tłuszczę,
~tłuść·cie
pot·nieć; ~nieje, ~nieli
po to
potoczyście
potom·stwo
potó|w·ka; ~w·ce
po/trafić
po/traw (od trawa)
po/tra|w·ka; ~w·ce
po/trą/cić; ~cę, ~ć·cie
po trochu
po/tro/ić; po/troję,
po/tro/i, po/trój·cie,
po/tro/ił
po trosze
po trosz·ku
po/trój·ny
po/truch·tać
po/trzask
po/trząchać
po/trzą|s·nąć; ~s·nę,
~ś·nie, ~ś·nij·cie,
~s·nął, ~s·nęli
po/trząść; ~trzęsę,
~trzęś·cie, ~trząsł,
~trzęś·li
po/trzeba by
po/trzeb·ny
po/trze/bować; ~buje
po trzy/kroć
potul·ny

potur·bować; ~buje
po turecku
po/twarz
po/twier·dzić; ~dzę,
 ~dź·cie
po/twor·niactwo
po/twor·ny
po/twór; ~tworze
poty|cz·ka; ~cz·ce
potylicz·ny
po tym (np. fakcie)
po/uczający
po/ufałość
po/uf·nie
po·u/prząrać
po/u/właszczeniowy
powab
powacl·lować; ~luje
powa/dzić; ~dzę,
 ~dź·cie
powa/ga; ~dze
po wariac·ku
powa/rzyć; ~rz·cie
 (pogotować;
 zniszczyć mrozem)
po waszemu
po/waśnić; ~waśnij·cie
poważanie
poważ·nieć; ~nieje,
 ~nieli
powa/żyć; ~ż·cie (na
 wadze)
powąchać
powąt·piewać
Powąz·ki
powąz·kow·ski; ~scy
powese/leć; ~leje, ~leli
powe/tować; ~tuje
powęd·rować; ~ruje
powiado/mić; ~mię,
 ~mi, ~m/my

powia|st·ka; ~st·ce
powiat; powiecie
powią/zać; ~że, ~ż·cie
po/wić; ~wije
powidła
powie/dzieć; ~dz·cie,
 ~dzieli
powiedzon·ko
powieka
powielacz
powielar·nia; ~ni
po wiele/kroć
powier·nictwo
powierzać
powierzch·nia; ~ni
powierzchow·ność
po wierzchu
powie/rzyć; ~rz·cie
powie/sić; ~szę, ~ś·cie
powieścidło
powieściopisarz
po/wieść; ~wieści
po/wieść; ~wiedzie,
 ~wiedź·cie, ~wiódł,
 ~wied·li
powietrze
powietrz·nodesan·towy
powiew
po/wieźć; ~wiozę,
 ~wieź·cie, ~wiózł,
 ~wieź·li
powiększal·nik
po/większyć
powijaki
powikłanie
powi/nąć się; ~nął,
 ~nęła
powinien by;
 powin/na bym,
 powin/ni by·śmy,
 powin/ny by·ście

powinienem;
 powin/nam
powin/ność
powinowactwo
powin·szowanie
Powiśle (dzielnica)
po/wklejać
po/wkładać
po/wlec; ~wlecz·cie,
 ~wlókł lub ~wlekł,
 ~wlek·li
po/wło|cz·ka; ~cz·ce
po/wło/czyć; ~cz·cie
po/włóczysty
powodzenie
powodzianin
powojen/ny
powoli
powolutku
po/wozić; ~wożę,
 ~woź·cie lub ~wóź·cie
powozow·nia; ~ni
po/wód; ~wodzie
powó|d·ka; ~d·ce
powódz·two
powódź
po/wój; ~wo/i lub
 ~wojów
powóz
po/wrot·ny
po/wró/cić; ~cę, ~ć·cie
powrósło
po/wrót; ~wrocie
powróz
po/wró/żyć; ~ż·cie
po/wrzucać
po/wscho/dzić; ~dzą,
 ~dź·cie
po/wsino/ga; ~dze
po/wstanie
po/wsta/niec; ~ń·ców

217

po/wstań·czy
po/wstrzymać
po/wszech·ny
po wsze czasy
po/wsze/dni (*co-
dzienny*)
po/wściąg·liwy
po/wściąg·nąć; ~nął,
~nęli
po/wtarzać
po wtóre
po/wtór·nie
po/wtó/rzyć; ~rz·cie
po/wtykać
powybor·czy
powykańczać – *rza-
dziej* powykończać
powyłączać
powypad·kowy
powyżej
powyż·szy
po/wziąć; ~wezmę,
~weźmie, ~weźmij·-
cie, ~wziął, ~wzięli
poza (*np.* poza szkołą)
poza; póz
pozabudżetowy
pozadyskusyj·ny
poza/eu/ropej·ski;
~scy
poza/grobowy
pozajutrze
pozakon·kursowy
pozakon/ny
pozalekcyj·ny
pozamałżeń·ski
poza/obowiązkowy
poza/szkol·ny
poza tym
poza/u/stawowy
pozawałowy

poza/wczoraj
poza·zdrościć; ~zdro-
szczę, ~zdrość·cie
pozaziem·ski
poza/zmysłowy
po/zba/wić; ~w·cie
po/zbyć się; ~zbędzie,
~zbądź·cie
po/zbyt·kować; ~kuje
po/zdrowić;
~zdrów·cie
po/zer; ~zerzy
pozew; po/zwie
po/zgon/ne
pozim·nieć; ~nieje,
~nieli
pozimowy
poziomica – *rzadziej*
poziom·nica
po/zło/cić; ~cę, ~ć·cie
po/złocisty
po/znajo/mić; ~mię,
~mi, ~m/my
Poznań
po/znaw·czy
pozora·cja; ~cji
pozo/rant; ~ran·ci
pozo/stać; ~stań·cie
pozo/stałość
pozo/sta/wić; ~w·cie
po/zować; ~zuje
po/zór; ~zorze
po/zrzynać (*np.*
zadania *lub* deski)
po/zsuwać
po/zszywać
po/zwać
po/zwolić; ~zwól·cie
po/zwozić; ~zwożę,
~zwóź·cie *lub*
~zwoź·cie

pozy·cja; ~cji
pozytyw
pozytywi·sta; ~ści
pozyty/wizm; ~wizmie
pozyty|w·ka; ~w·ce
po/zżerać
poża/łować; ~łuje
po/żar; ~żarze
pożar·cie
pożar·nictwo
pożar·ny
pożąć; po/żnie,
po/żnij·cie, pożął,
pożęli, pożęty (*np.*
zboże, trawę)
pożą·dać; ~dany
pożąd·lić
pożąd·liwość
pożegnać
pożenić
pożerać
po/żniw·ny
po/żoga; ~żodze, ~żóg
pożółk·nąć; pożółkł
lub pożółk·nął
po/żreć; ~żarł
pożuć (*np.* gumę)
pożycie
poży|cz·ka; ~cz·ce
pożyczkoda|w·ca;
~w·ców
poży/czyć; ~cz·cie
po/żyć; ~żyje
pożydow·ski
pożytecz·ny
poży/tek; ~t·ków
pożywienie
poży|w·ka; ~w·ce
pożyw·ny
pój|dź·ka; ~dź·ce
(*ptak*)

pójść; pój·dę, pój·dzie,
 pójdź·cie, poszedł,
 po/szli
póki co
pól·ko
pół/anal·fabe/tyzm;
 ~tyzmie
pół/au/tomatyczny
pół biedy
pół/bóg
pół/but; ~bucie
pół/cień
pół/ciężaró|w·ka;
 ~w·ce
pół/cięż·ki (np. waga)
pół/dar·mo lub pół
 dar·mo
pół/diablę; ~diablęcia,
 ~diabląt
pół/długi (np. włosy)
pół do lub wpół do
 (np. ósmej)
pół/drzem·ka; ~ce
pół/du/pek; ~p·ków
pół/dystans
pół/dźwięk
półe|cz·ka; ~cz·ce
pół/etato/wiec;
 ~w·ców
pół/fabry/kat; ~kacie
pół/finali·sta; ~ści
pół/finał
pół/francu·ski (np.
 ciasto)
pół/gęb·kiem
pół/głosem (mówić)
pół/głoś·no
 (niezupełnie głośno)
pół/głó/wek; ~w·ków
pół/głu/pek; ~p·ków
pół/godzin/ny

pół/golf
pół/idio/ta; ~cie
pół/in·teli/gent;
 ~gen·ci
pół/in·ter·nat; ~nacie
pół·ka; ~ce
pół/kilometrowy
pół/kole
pół/kolisty
pół/kolo/nia; ~nii
półkowy (od półka)
pół/kożu/szek;
 ~sz·ków
pół/krew; ~krwi (np.
 koń półkrwi)
pół/krótki (np. włosy)
pół/kruchy
pół/księżyc
pół/kula
pół/legalnie
pół/litrowy
pół/litró|w·ka; ~w·ce
pół/martwy
pół/mat
pół/me/tek; ~t·ka
pół/metrowy
pół/mięs·ny
pół/milionowy
pół/mi/sek; ~s·ków
pół/mrok
pół/na/gi; ~dzy
pół na pół
pół-Niemiec
pół/niemiecki
pół/noc (skrót: płn.)
pół/noc·no/atlanty·-
 cki; ~c/cy
pół/noc·no/ir·lan|dz·-
 ki; ~dz·cy
pół/noc·nokoreań·ski;
 ~scy

pół/noc·no-wschod·ni
 (skrót: płn.-wsch.)
pół/noc·no-zachod·ni
 (skrót: płn.-zach.)
pół/noc·ny (skrót:
 płn.)
pół/noc·ny zachód
pół/nu/ta; ~cie
pół/o/błąkany
pół/obrót; ~obrocie
pół/oficjal·ny
pół/o/krąg
pół/o/krąg·ły
pół/oś·ka; ~ce
pół/otwarty
pół/pa/siec; ~ś·ca
pół/pełny (np. kąt)
pół/piętro; ~piętrze
pół/płaszczyzna;
 ~płaszczyźnie
pół/płyn/ny
pół-Polak
pół/prawda;
 ~prawdzie
pół/pro/dukt; ~dukcie
pół/prosta
pół/przewod·nik
pół/przy/siad;
 ~siadzie
pół/przytomny
pół/rocze
pół/samo/gło|s·ka;
 ~s·ce
pół/sen; ~śnie
pół/siero/ta; ~cie
pół/słod·ki
pół/słów·ko
pół/spalanie
pół/szlachet·ny (np.
 kamień)
pół/szpil·ka (obcas)

219

pół/śred·ni (np. waga)
pół/śro/dek; ~d·ków
pół/świadomie
pół/świa/tek; ~t·ka
pół/takt; ~takcie
pół/tłusty (np. krem)
pół/ton
pół/to/ra; ~rej
pół/torahektarowy
pół/torarocz·ny
pół/tram·pek
pół/trzecia
pół/tusza
pół/uchem (słuchać)
pół/u/kłon
pół/u/śmie/szek;
  ~sz·ku
pół/wiecze
pół/wy/sep; ~spów
pół/wyścigó|w·ka;
  ~w·ce
pół/wytraw·ny (np.
  wino)
pół/wyż·szy (np.
  szkoła)
pół/zbliżenie
pół/zmrok
pół/zwrot; ~zwrocie
pół/żywy
póty
póź·nogoty·cki; ~c/cy
póź·nojesien/ny
póź·norenesansowy
póź·ny
praba|b·ka; ~b·ce
pra/byt; ~bycie
pracobior·ca
praco/chłon/ny
pracoda|w·ca; ~w·ców
pracoholik
pracowi/ty; ~t·szy

pracow·nia; ~ni
pracuś
pra|cz·ka; ~cz·ce
pra/człowiek;
  praludzie
prać; pierze, pierz·cie
pradaw·ny
pradolina
pradzia/dek; ~d·ków
pradzieje
praforma
Pra/ga; ~dze
pragma/tyzm; ~tyzmie
prag·nąć; ~nął, ~nęli
prahisto/ria; ~rii
prain·do/eu/ropej·ski;
  ~scy
prajęzyk
prakole|b·ka; ~b·ce
prakseo·lo/gia; ~gii
prakty/cyzm; ~cyzmie
praktykan·cki; ~c/cy
prakty/kant; ~kan·ci
prakultu/ra; ~rze
pral·nia; ~ni
pralu|dz·ki; ~dz·cy
prała·cki; ~c/cy
pramate/ria; ~rii
pra/oj·czyzna;
  ~czyźnie
prapoczą/tek; ~t·ku
pra/pradzia/dek;
  ~d·ków
pra/premie/ra; ~rze
pra/przo/dek; ~d·ków
pra/przyczyna
prarodzice
prask!
pra·ski; ~scy (od
  Praga)
pra/słowiań·ski; ~scy

pra/słowiań·szczyzna;
  ~szczyźnie
pra|s·nąć; ~s·nę, ~ś·nie,
  ~s·nął, ~s·nęli
prasowal·nia; ~ni
praso/zna|w·ca;
  ~w·ców
praso/znaw·stwo
prasó|w·ka; ~w·ce
prast!
pra/sta/ry; ~rzy
pra/szczur; ~szczurze
prawdomów·ny
prawdopodobień·stwo
prawdzi/wek; ~w·ków
prawdzi/wy; ~w·szy
prawico/wiec; ~w·ców
prawidłowość
prawie by
praw·nik; ~nicy
praw·no/u/strojowy
pra/wnu/czek;
  ~cz·ków
prawo/brzeż·ny
prawodaw·stwo
prawomoc·ny
prawomyśl·ność
praworęcz·ny
praworząd·ność
prawo/skręt·ny
prawo/skrzydłowy
prawo/sławie
prawo/stron/ny
prawowier·ny
prawo/znaw·stwo
pra/wzór; ~wzorze
pra/źródło
prażal·nia; ~ni
prażanin (mieszkaniec
  Pragi)
pra/żyć; ~ż·cie

prącie
prąd; prądzie
prądnica
prądo/chłon/ny
prądożer·czy
prą/tek; ~t·ków
prąt·kować; ~kuje
prą/żek; ~ż·ków
pre/am·buła
prece/dens; ~den·sie
precel
precjoza
precy·zja; ~zji
precz
predestyna·cja; ~cji
predyka·cja; ~cji
predylek·cja; ~cji
predys·pozy·cja; ~cji
prefabryka·cja; ~cji
prefabry/kat; ~kacie
prefektu/ra; ~rze
prefe/rans; ~ran·sie
preferen·cja; ~cji
prefiksa·cja; ~cji
prehisto/ria; ~rii
prekur·sor; ~sorzy
prekur·sor·stwo
prelegencki
prele/gent; ~gen·ci
prelek·cja; ~cji
preliminarz
preludium
premedyta·cja; ~cji
pre/mia; ~mii
pre/mier; ~mierzy
premie/ra; ~rze
premierostwo
premierow·ski
pre/miować; ~miuje
prenatal·ny
prenumera/tor; ~torzy

pre/orien·ta·cja; ~cji
prepara·cja; ~cji
prepozy·cja; ~cji
pre/ria; ~rii
preroman·tyzm;
~tyzmie
preselek·cja; ~cji
pre/sja; ~sji
pres/sing
prestidigita/tor;
~torzy
prestiż
presto·plast; ~plaście
pre/tekst; ~tekście
preten·dent; ~den·ci
preten·dować; ~duje
pretcn·sja; ~sji
preten·sjonal·ny
pre/tor; ~torzy
pretorianin
prewen·cja; ~cji
prewen·to/rium; ~ria
prezbi/ter; ~terze lub
~trze
prezbite/rium; ~ria
prezen·cja; ~cji
pre/zent; ~zen·cie
prezen·ta·cja; ~cji
prezen·ter; ~terzy
prezerwatywa
prezesostwo
prezesow·ski; ~scy
prezesu/ra; ~rze
prezyden·cki; ~c/cy
prezy/dent; ~den·ci
prezyden·tu/ra; ~rze
prezy/dium; ~dia
pręcik
prę|d·ki; ~d·cy, ~d·szy
pręd·kościomierz
prędziutko

prę/ga; ~dze
pręgierz
pręt; pręcie
pręż·ny
prę/żyć; ~ż·cie
Priam
prima (doskonały,
doskonale)
prima aprilis
prima/aprilisowy
primabalerina
primadon/na
priory/tet; ~tecie
pro/alian·cki; ~c/cy
pro/amerykań·ski;
~scy
probabi/lizm; ~lizmie
probierz
problematycz·ny
problematyza·cja; ~cji
probostwo
proboszcz (skrót:
prob.)
probó|w·ka lub
próbó|w·ka; ~w·ce
proce/der; ~derze
procedu/ra; ~rze
pro/cent; ~cen·cie
(skrót: proc.)
proce·sja; ~sji
proch
procho/wiec; ~w·ców
prochow·nia; ~ni
prochy
pro|c·ka; ~c/ce
prodiż
produ·cent; ~cen·ci
produk·cja; ~cji
produ/kować; ~kuje
pro/dukt; ~dukcie
produktyw·ny

prodziekan
pro/eks·portowy
pro/enzym
profana·cja; ~cji
profanum
profaszystow·ski; ~scy
profe·sja; ~sji
profes·jona·lizm;
~lizmie
profe/sor; ~sorze
(*skrót:* prof.)
profesorostwo
profesu/ra; ~rze
profilaktycz·ny
profi/lować; ~luje
pro/fit; ~ficie
pro forma
pro/fran·cu·ski; ~scy
progenitu/ra; ~rze
progimna·zjum; ~zja
pro·gno·sta; ~ści
pro·gnoza
pro·grami·sta; ~ści
pro·gramo/twór·czy
pro·gre·sja; ~sji
prohibi·cja; ~cji
prohibi·cjo/nizm;
~nizmie
projek·cja; ~cji
projektan·cki; ~c/cy
projek·tant; ~tan·ci
projektoda|w·ca;
~w·ców
projek·tor; ~torze
prokate·dra; ~drze
prokatoli·cki; ~c/cy
pro·klama·cja; ~cji
pro·klity/ka; ~ce
pro·krea·cja; ~cji
prokrustowy (łoże)
prokuratu/ra; ~rze

proku/rent; ~ren·ci
proku/rować; ~ruje
proletaria·cki; ~c/cy
proleta/riat; ~riacie
proletariusz
prolog
prolon·gować; ~guje
promena/da; ~dzie
promete/izm; ~izmie
prometej·ski; ~scy
Promete/usz
promie/nieć; ~nieje,
~nieli
promienioczułość
promienionóż·ka
promienio/twór·czość
promieniście
promien/ny
promień
promil *lub* promil/le
prominen·cki; ~c/cy
promi/nent; ~nen·ci
prominent·ny
promo·cja; ~cji
promo/tor; ~torze
pro/mować; ~muje
promul·ga·cja; ~cji
propa/ga|n·da; ~n·dzie
propaga/tor; ~torzy
propedeu/tycz·ny
propina·cja; ~cji
propolis
propol·ski; ~scy
propo/nować; ~nuje
propor·cja; ~cji
propor·cjonal·ny
proporzec
propozy·cja; ~cji
prorek·tor; ~torzy
proroctwo
prorządowy

pro·sce/nium; ~nia
prosekto/rium; ~ria
proseminarium
prosiąt·ko
pro/sić; ~szę, ~ś·cie
pro/się; ~sięcia, ~sięta,
~siąt
proso
pro·spekt; ~spekcie
prosperity
pro·spe/rować; ~ruje
prosta·cki; ~c/cy
prostactwo
prostodusz·ność
prosto/kąt; ~kącie
prostokąt·ny
prostolinij·ny
prostoliniowy
prostopad·ło/ścien/ny
prostopad·ły
prosto/ta; ~cie
pro·stować; ~stuje
prostra·cja; ~cji
prosty; prości, prost·-
szy
prostytu·cja; ~cji
prosty/tuować się;
~tu/uje
proszącо
pro/szek; ~sz·ków
proś·ba; próśb
prościuch·no
prościu|t·ki; ~t·cy
prote/gować; ~guje
prote/id; ~idzie
protek·cja; ~cji
protek·cjo/nizm;
~nizmie
protek·tor; ~torzy
protektor·stwo
proterozo/icz·ny

pro/test; ~teście
protestan·cki; ~c/cy
prote·stant; ~stan·ci
protestan·tyzm; ~tyz-
  mie
prote·stować; ~stuje
prote/tyk; ~tycy
Prote/usz
protezow·nia; ~ni
protoko/lant lub pro-
  tokó/lant; ~lan·ci
proto/kół; ~kołu lub
  ~kółu
proton
proto·plasta; ~plaści
proto·pla·zma; ~zmie
prototyp
protozo/icz·ny
prowa/dzić; ~dzę,
  ~dź·cie
Prowan·sja; ~sji
prowenien·cja; ~cji
pro/wiant; ~wian·cie
prowin·cja; ~cji
prowin·cjona/lizm;
  ~lizmie
prowin·cju|sz·ka;
  ~sz·ce
prowi·tamina
prowi·zja; ~zji
prowizo/rium; ~ria
prowizorycz·ny
prowo/dyr; ~dyrze
prowoka·cja; ~cji
prowoka/tor; ~torzy
prozachod·ni
proza/ik; ~icy
proza/izm; ~izmie
prozo/dia; ~dii
prozodycz·ny
pro/żek; ~ż·ków

próba
pró|b·ka; ~b·ce
pró/bować; ~buje
próbó|w·ka lub pro-
  bó|w·ka; ~w·ce
próch·nica
próch·nieć; ~nieje
prócz
próg
pró/szyć; ~sz·cie
próż·nia; ~ni
próżniactwo
próżniomierz
próżno by
próż·nować; ~nuje
pruć; pruje
prude/ria; ~rii
prudni·cki; ~c/cy (od
  Prudnik)
prukwa
prunel·ka; ~ce
prusa·cki; ~c/cy
pru·ski; ~scy
prusofil·stwo
prych·nąć; ~nął, ~nęli
prycza
prym (wieść prym)
pryma (w muzyce)
pryma/ria; ~rii
prymasostwo
prymasow·ski; ~scy
prymi·cja; ~cji
prymity/wizm;
  ~wizmie
prymul·ka; ~ce
prymus
pryncypia/lizm;
  ~lizmie
pryncy/pium lub
  princi/pium; ~pia
prysiudy

pry|s·nąć; ~snę,~ś·nie,
  ~ś·nij·cie, ~s·nął lub
  ~sł, ~s·nęli
pryszcza/ty; ~ci
prysznic
prywaciarz
prywa|t·ka; ~t·ce
prywatyza·cja; ~cji
pryzma
pryz·mat; ~macie
przasny·ski; ~scy (od
  Przasnysz)
przaśny
przą|d·ka; ~d·ce
prząść; przędzie,
  przędź·cie lub
  prządź·cie, prządł,
  przęd·li
prząśni|cz·ka; ~cz·ce
przeba/czyć; ~cz·cie
przebą/kiwać; ~kuje
prze/bić; ~bije,
  ~bij·cie
przebieg
przebieg·ły
przebieral·nia; ~ni
przebiera/niec; ~ń·ców
przebie|ż·ka; ~ż·ce
przebi/śnieg
przebi|t·ka; ~t·ce
prze/bły|s·nąć; ~ś·nie,
  ~s·nął, ~s·nęła lub
  ~s·ła
przebo/leć; ~leje, ~leli
przebom·blować;
  ~bluje
przebóg!
przebój
prze/brać; ~bierze,
  ~bierz·cie
prze/bran·żowić

223

prze/brnąć; ~brnął,
  ~brnęli
prze/brzmiały
prze/brzyd·ły
przebudowa
przebu/dzić; ~dzę,
  ~dź·cie
prze/być; ~będę,
  ~będzie, ~bądź·cie
przece/dzić; ~dzę,
  ~dź·cie
przecha|dz·ka; ~dz·ce
przeche/ra; ~rze
prze/chlać
przechod·niość
przecho/dzić; ~dzę,
  ~dź·cie
przecho/dzień;
  ~d·niów
przechowal·nia; ~ni
prze/chrzcić; ~chrzczę,
  ~chrzcij·cie
prze/chrzta; ~chrzcie,
  ~chrztów
prze/chwalać się
prze/chwy/cić; ~cę,
  ~ć·cie
przechylić
przechyłomierz
prze/chytrzyć;
  ~chytrz·cie
przeciąć; prze/tnę,
  prze/tnie, przeciął,
  przecięli, przecięty
przeciąg
przeciąg·ły
przeciąg·nąć; ~nął,
  ~nęli
przecią/żyć; ~ż·cie
prze/ciec; ~ciek·nie,
  ~ciekł, ~ciek·ła

prze/cie|k·nąć; ~k·nie,
  ~kł *lub* ~k·nął, ~k·ła
prze/cier; ~cierze
przecież
przecięcie
przecięt·na
przecięt·niak
przeci/nek; ~n·ków
przecin·ko/wiec;
  ~w·ców
prze/ci|s·nąć; ~s·nę,
  ~ś·nie, ~ś·nij·cie,
  ~s·nął, ~s·nęli
przeciw
przeciw/aler·gicz·ny
przeciw/al·koholowy
przeciw/artyleryj·ski
przeciw/bież·ny
przeciw/bodziec;
  ~bodź·ców
przeciw/bólowy
przeciw/ciało
przeciw/czołgowy
przeciw/deszczowy
przeciw/działać
przeciw/gazowy
przeciw/gnilny
przeciw/gorączkowy
przeciw/gruźliczy
przeciw/grypowy
przeciwień·stwo
przeciw/jad; ~jadzie
przeciw·ko
przeciw/krwotocz·ny
przeciw/kur·czowy
przeciw/leg·ły
przeciw/lot·niczy
przeciw/miaż·dżycowy
przeciw/natar·cie
przeciw·nie
przeciw·ny

przeciw/od/blaskowy
przeciw/pan·cer·ny
przeciw/po/ślizgowy
przeciw/pot·ny
przeciw/powodziowy
przeciw/pożarowy
przeciw/prostokąt·na
przeciw/pyłowy
przeciw/rdzew·ny
przeciw/rządowy
przeciw/skur·czowy
przeciw/słonecz·ny
przeciw/stawić się;
  ~staw·cie
przeciw/sztor·mowy
przeciw/tęż·cowy
przeciw/uczuleniowy
przeciw/uderzenie
przeciw/ważyć
przeciw/wskazanie
przeciw/wstrząsowy
przeciw/wymiot·ny
przeciw/wyważeniowy
przeciw/zapal·ny
przecud·ny
przeczący
przeczenie
przecz·nica
prze/czuć; ~czuje
przeczulony
prze/czyć; ~cz·cie
przeczysty
przeczyszczający
prze/czyścić; ~czysz-
  czę, ~czyść·cie
przeć; parł, par·li
przed
przed/ak·cja; ~cji
przedaw·kować; ~kuje
przed/bieg
przed/burzowy

przed/chrześcijań·ski;
~scy
przed/deszczowy
przed/dzień; w
przede/dniu
przede dniem
przedefi/lować; ~luje
przed/egzaminacyj·ny
przed/emerytal·ny
przede mną
przede mnie
przedeń (przed niego)
przede wszystkim
przedęcie
przed/feudalny
przed/finałowy
przed/górze
przed/granicz·ny
przed/gro/dzie; ~dzi
przed/historycz·ny
przed/imek
przed jutrem
przed/kładać
przed laty
przed/lodow·cowy
przed/ludz·ki
przed/łożyć; ~łóż·cie
prze/dłużacz
prze/dłu/żyć; ~ż·cie
przed/małżeń·ski
przed/matural·ny
przed/mecz
przed/miej·ski; ~scy
przed/mieście
przed/miot; ~miocie
przed/morze
przed/mowa; ~mów
przed/mó|w·ca;
~w·ców
przed/mózgo/wie; ~wi
przed/móżdże

prze/dmuchiwać;
~dmuchuje
przed/murze
przed·ni
przed·niojęzykowo-
-dziąsłowy
przed·niojęzykowo-
-zębowy
przed/nó/wek; ~w·ka
przed/obied·ni
przedobrzyć
przed/olim·pij·ski
przedo/stać się;
~stań·cie
przed/o/stat·ni
przed/piekle
przed/piś·mien/ny
przed/plon
przed/pła/ta; ~cie
przed/poborowy
przed/pokoik
przed/pokój
przed/pole
przed/połu/dnie
przed połu/dniem
przed/połu/dniowy
przed/porodowy
przed/potopowy
przed/po/wstaniowy
przed/proże
przed/ramieniowy
przed/ramię
przed/ran/ny
przed/romań·ski; ~scy
przed/rostek; ~rost·-
ków
przed/roz/biorowy
prze/druk
prze/drzeć; ~darł
prze/drze/mać; ~mię,
~mie, ~m/my

prze/drzeź·niać
przed/scenie
przed siebie
przed/siębior·stwo
przed/się/brać; ~bie-
rze, ~bierz·cie
przed/się/wziąć;
~wez·mę, ~weź·mie,
~weź·mij·cie, ~wziął,
~wzięli
przed/się/wzięcie
przed/sionek
przed/słowie; ~słowi
przed/smak
przed/sprzedaż
przed/stawiciel·stwo
przed/sta/wić; ~w·cie
przed/szkola/czek;
~cz·ków
przed/ślub·ny
przed/śmiert·ny
przed/śpiew
przed/świątecz·ny
przed/świt
przed/tem (dawniej)
przed tym (np. ulem)
przed/tytuł
przed/udzie
przed/wcze|s·ny; ~ś·ni
przed/wcześ·nie
przed/wczoraj
przed/wczoraj·szy; ~si
przed/wiośnie
przed/wojen/ny
przed wojną
przed/wojnie
przed/wrześniowy
przed/wstęp·nie
przed/wybor·czy
przedysku/tować;
~tuje

przed/zam·cze
przed/zawałowy
przedział
przedzielić
przedzierać
przedzierzg·nąć się;
~nął, ~nęli
przed/zimie
przedziura/wić; ~w·cie
przedziw·ny
przed/zjazdowy
prze/dzwo/nić; ~ń·cie
przed/żniw·ny
prze/egzami/nować;
~nuje
przefaso/nować; ~nuje
przefilt·rować; ~ruje
przefiukać
prze/flan·cować; ~cuje
przefor·mu/łować;
~łuje
przefor·sować; ~suje
prze/fru/nąć; ~ń·cie,
~nął, ~nęli
przega/pić; ~p·cie
przegar·nąć; ~nął,
~nęli
przegiąć; prze/gnij·cie,
przegiął, przegięli
prze/gląd; ~glądzie
prze/głodzić; ~głodzę,
~głodź·cie lub
~głódź·cie
prze/gło/sować; ~suje
prze/gniły
przego/nić; ~ń·cie
prze/gro/dzić; ~dzę,
~dź·cie
przegró|d·ka; ~d·ce
prze/grupowanie
prze/gry|z·ka; ~z·ce

prze/gryźć; ~gryzę,
~gryź·cie, ~gryzł,
~gryź·li
przegub
przegubo/wiec;
~w·ców
przeho/lować; ~luje
przehulać
prze/ina/czyć; ~cz·cie
prze/isto/czyć; ~cz·cie
przejaskra/wić; ~w·cie
przejaw
prze/jazd; ~jeździe
przeja|żdż·ka; ~żdż·ce
przejąć; przej·mę,
przej·mie, przej·mij·-
cie, przejął, przejęli
przejedzenie
prze/jeść; ~jem,
~jedz·cie, ~jadł,
~jed·li
przejezd·ność
prze/jeździć; ~jeż·dżę,
~jeźdź·cie, ~jeż·dżony
przejeż·dżać
przejęcie
przejęzy/czyć się;
~cz·cie
przej·mować; ~muje
przej·rzały
przej·rzeć; ~rzy, ~rzeli
przej·rzeć; ~rzeje
przej·rzy·sty; ~ści,
~st·szy
przej·ście
przej·ściowy
przejść; przej·dzie,
przejdź·cie, prze-
szedł, prze/szli
przekaba/cić; ~cę,
~ć·cie

prze/kar·mić; ~mię,
~mi , ~m/my
przekart·kować; ~kuje
przeka/zać; ~że, ~ż·cie
przekaź·nik
przeką/sić; ~szę, ~ś·cie
przeką|s·ka; ~s·ce
przekąt·na
prze/ki|s·nąć; ~ś·nie,
~s·nął lub ~sł, ~s·ła
prze/kląć; ~klnę,
~klnie, ~klnij·cie,
~klął, ~klęli
prze/kleń·stwo
prze/klę/ty; ~ci
prze/kład; ~kładzie
prze/kłada/niec;
~ń·ców
prze/kła|d·ka; ~d·ce
prze/kład·nia; ~ni
prze/kłuwać
przekomarzać się
przekom·po/nować;
~nuje
przekon·sul·tować;
~tuje
przekonujący lub
przekonywający
przeko/ra; ~rze
prze/kraść się;
~krad·li, ~kradł
prze/kreślić; ~kreśl·cie
prze/krę/cić; ~cę,
~ć·cie
prze/kręt; ~kręcie
prze/kro/czyć; ~cz·cie
prze|kro/ić; ~kroję,
~kro/i, ~krój·cie,
~kro/ił
prze/krój; ~krojów lub
~kro/i

prze/krwiony
prze/krzy/kiwać;
~kuje
prze/krzy/wić; ~w·cie
prze/kształ·cić; ~cę,
~ć·cie
przekuć
przeku|p·ka; ~p·ce
przekup·stwo
przekuwać
prze/kwalifi/kować;
~kuje
prze/kwate/rować;
~ruje
prze/kwi|t·nąć; ~tł *lub*
~t·nął, ~t·ła
przeląc się – *zob.*
przelęknąć się
przclew
przelew·ki
prze/leźć; ~lezę,
~leź·cie, ~lazł, ~leź·li
prze/lęk·nąć się;
prze/ląkł, prze/lęk·li
prze/lot; ~locie
prze/lot·ny
przelud·nicnie
przeładow·nia; ~ni
przeładunek
przełaj·da/czyć;
~cz·cie
przełajo/wiec; ~w·ców
przeła/mać; ~mię,
~mie, ~m/my
przeła/zić; ~żę, ~ź·cie
przełą/czyć; ~cz·cie
przełęcz
prze/łknąć; ~łknął,
~łknęli, ~łknięty
przełożony
prze/łożyć; ~łóż·cie

przełyk
przemarsz
przemaru/dzić; ~dzę,
~dź·cie
prze/mar·znąć; ~znie,
~zł *lub* ~znął, ~zli,
~znięty
przemądrzały
przemeb·lować; ~luje
przemel·dować; ~duje
przemę/czyć się;
~cz·cie
przemiał
przemiana
przemia/nować; ~nuje
przemie/nić; ~ń·cie
przemien/ność
przemie/rzyć; ~rz·cie
prze/mieścić; ~miesz-
czę, ~mieść·cie
prze/mię|k·nąć; ~kł
lub ~k·nął, ~k·ła
przemijać
prze/mil·czeć; ~cz·cie,
~czeli
przemiły
przemi/nąć; ~nął,
~nęli
prze/mknąć; ~mknij,
~mknął, ~mknęli
prze/mnożyć;
~mnóż·cie
przemoc
prze/moknąć; ~mókł
lub ~mok·nął,
~mok·li, ~mok·nięty
prze/mowa; ~mów
przemoż·ny
prze/móc; ~może,
~móż·cie, ~mógł,
~mog·li

przemówienie
prze/mrozić; ~mrożę,
~mróź·cie *lub*
~mroź·cie
przemy/cić; ~cę, ~ć·cie
przemy·ski; ~scy (*od*
Przemyśl)
Przemysław
przemysło/wiec;
~w·ców
prze/myśleć; ~myśl·-
cie, ~myśleli
przemyśl·ny
przemyt·nictwo
przemywać
przenaj/święt·szy
przeni/cować; ~cuje
prze/nieść; ~nieś·cie,
~niósł, ~nieś·li
przeniewier·stwo
przeni/gdy
przenik·li/wy; ~w·szy
przenik·nąć; ~nął,
~nęli, ~nięty
przeno/cować; ~cuje
przeno/sić; ~szę, ~ś·cie
przenoś·nia; ~ni
przenoś·ny
przeobra/zić; ~żę,
~ź·cie
prze/oczyć; ~ocz·cie
prze/or; ~orze
prze/orien·tować;
~tuje
przeorysza
przepa/dek; ~d·ku
przepa/sać; ~szę, ~sz·-
cie (*np.* wstęgą)
przepa|s·ka; ~s·ce
przepast·ny
przepaści·sty; ~st·szy

prze/paść; ~paści
prze/paść; ~pad·nie,
~padł, ~pad·li
prze/paść; ~pasę,
~pasie, ~paś·cie,
~pasł, ~paś·li
prze/pchnąć; ~pchnął,
~pchnęli
prze/peł·nić; ~ń·cie
przepę/dzić; ~dzę,
~dź·cie
prze/piąć; ~piął, ~pięli
prze/pić; ~pije,
~pij·cie, ~pity
przepierzenie
przepiękny
przepióre|cz·ka; ~cz·ce
przepi/sać; ~sze,
~sz·cie
prze/pła/cić; ~cę,
~ć·cie
prze/pło/szyć; ~sz·cie
prze/płu/kać; ~cz·cie
prze/pły/nąć; ~ń·cie,
~nął, ~nęli, ~nięty
prze/pływ
przepo/cić; ~cę, ~ć·cie
przepo/czwarzyć się
prze|po/ić; ~poję,
~po/i, ~pój·cie,
~po/ił
przepo/łowić; ~łów·cie
przepom·pow·nia; ~ni
przepona
prze/pościć; ~poszczę,
~pość·cie
przepotęż·ny
przepowied·nia; ~ni
przepowie/dzieć;
~dz·cie, ~dzieli
prze/prać; ~pierz·cie

przepraszać
prze/pra/wić się;
~w·cie
prze/profi/lować; ~luje
prze/pro/sić; ~szę,
~ś·cie
prze/prowa/dzić; ~dzę,
~dź·cie
prze/prowa|dz·ka;
~dz·ce
prze/próż·nia/czyć;
~cz·cie
prze/prząc; ~przęże,
~prząż·cie lub
~przęż·cie, ~przągł,
~przęg·li
prze/przęg·nąć; prze/-
przęg·nął lub prze/-
przągł, prze/przęg·li
przepuklina
przepus|t·ka; ~t·ce
prze/puścić; ~puszczę,
~puść·cie
przeputać
przepych
przepychać
przepysz·ny
przerastać
przera/zić; ~żę, ~ź·cie
przeraź·liwy
prze/rdzewiały
przerębel lub przerębla
prze/robić; ~rób·cie
prze/rodzić się; ~rodzę,
~rodź·cie lub
~ródź·cie
prze/rosnąć; ~ros·nę,
~roś·nie, ~rósł,
~roś·li
prze/rost; ~rośnie
przerośnięty

przeró|b·ka; ~b·ce
przeróść – zob.
przerosnąć
przeróżny
prze/rwać
przeryw·nik
przerze/dzić; ~dzę,
~dź·cie
prze/rznąć; ~rznie,
~rznął, ~rznęli
przerzu/cić; ~cę, ~ć·cie
przerzu|t·ka; ~t·ce
przerzut·nia; ~ni
przerzynać (np. piłą)
prze/rżnąć; ~rżnie,
~rżnął, ~rżnęli
przesa/da; ~dzie
przesa/dzić; ~dzę,
~dź·cie
przesą/czyć; ~cz·cie
prze/sąd; ~sądzie
przesą/dzić; ~dzę,
~dź·cie
prze/schnąć; ~schnął
lub sechł, ~schli
prze/siać; ~sieje, ~siali
lub ~sieli
przesia|d·ka; ~d·ce
przesią|k·nąć; ~k·nął
lub ~kł, ~k·nęli lub
~k·li
prze/siąść się;
~siądź·cie, ~siadł,
~sied·li
przesiedle/niec;
~ń·ców
przesie/dzieć; ~dzę,
~dź·cie, ~dzieli
przesie/ka; ~ce
przesięk
przesilenie

prze/sko/czyć; ~cz·cie
prze/skro/bać; ~b·cie
prze/słać; ~śle,
~ślij·cie
prze/słać; ~ściele,
~ściel·cie
prze/słan·ka; ~ce
prze/sław·ny
prze/słodzić; ~słodzę,
~słodź·cie *lub*
~słódź·cie
prze/sło/nić; ~ń·cie,
~nięty
prze/słuchiwać;
~słuchuje
prze/sły/szeć się;
~sz·cie, ~szeli
prze/smyk
prze/solić; ~sól·cie
prze/spać; ~śpi,
~śpij·cie
prze/stać; ~stanie,
~stań·cie
prze/stać; ~stoję,
~sto/i, ~stój·cie
prze/stan·kowy
prze/starzały
prze/sta/wić; ~w·cie
przesta|w·ka; ~w·ce
prze/stą/pić; ~p·cie
prze/stę|p·ca; ~p·ców
prze/stęp·czy
prze/stęp·ny
prze/stę/pować; ~puje
prze/stęp·stwo
prze/stój
prze/strach
prze/straszony
prze/stra/szyć; ~sz·cie
prze/stroga; ~strodze,
~stróg

prze|stro/ić; ~stroję,
~stro/i, ~strój·cie,
~stro/ił
prze/stron/ny
prze/strzał
prze/strzec; ~strzeże,
~strzeż·cie,
~strzeg·li, ~strzegł
prze/strzelić
prze/strzen/ny
przestrzeń
prze/stu/diować;
~diuje
prze/stu/dzić; ~dzę,
~dź·cie
prze/stworze
prze/stwór; ~stworze
prze/sty|g·nąć; ~gł *lub*
~g·nął
prze/su/nąć; ~ń·cie,
~nął, ~nęli
prze/su/szyć; ~sz·cie
przesychać
przesy/cić; ~cę, ~ć·cie
przesył·ka; ~ce
prze/syt; ~sycie
prze/szar·żować; ~żuje
prze/szcze/pić; ~p·cie
prze/szklony
prze/szkoda;
~szkodzie, ~szkód
prze/szko/dzić; ~dzę,
~dź·cie
prze/szkolić; ~szkol·cie
lub ~szkól·cie
prze/szło (*ponad*)
prze/szłorocz·ny
prze/szłość
prze/szmuglować;
~szmugluje
prze/szpiegi

przeszu/kiwać; ~kuje
prze/ścielać *lub* prze/-
ścielać
prze/ścieradło
prze/ścig·nąć; ~nął,
~nęli
prze/ślado|w·ca;
~w·ców
prze/śle/dzić; ~dzę,
~dź·cie
prze/ślicz·ny
prze/ślizg·nąć się;
~nął, ~nęli
prze/śli|z·nąć się;
~z·nę, ~ź·nie, ~ź·nij,
~z·nął, ~z·nęli
prze/śmiar|d·nąć *lub*
prze/śmier|d·nąć;
~dł *lub* ~d·nął, ~d·li
prze/śmiesz·ki
prze/śmie|w·ca;
~w·ców
prze/śnić
prze/świad·czenie
prze/świecać
prze/świe|t·lić; ~tl·cie
prze/świetny
prze/świę/cić; ~cę,
~ć·cie
prze/świ/tywać; ~tuje
przetak
przetarg
prze/tchlin·ka; ~ce
przeterminowany
prze/tknąć; ~tknął,
~tknęli
prze/tłuma/czyć;
~cz·cie
przetłuszczony
przeto
prze/tra/cić; ~ć·cie

229

prze/trans·for·mować;
~muje
prze/tra/wić; ~w·cie
prze/trą/cić; ~cę,
~ć·cie
prze/trwać
prze/trwo/nić; ~ń·cie
prze/trzą|s·nąć; ~s·nę,
~ś·nie, ~ś·nij·cie,
~s·nął, ~s·nęli
prze/trząść; ~trzęsę,
~trząś lub ~trzęś,
~trząsł, ~trzęś·li
prze/trze/bić; ~b·cie
prze/trzeć; ~trzyj·cie,
~tarł
prze/trzy/mywać;
~muje
prze/tworzyć;
~twórz·cie
prze/twór·nia; ~ni
prze/twór·stwo
prze/uroczy
przewa/ga; ~dze
przewar·to·ściować;
~ściuje
przeważ·nie
przewa/żyć; ~ż·cie
przewą/chiwać; ~chuje
przewężenie
prze/wiać; ~wieje,
~wiali lub ~wieli
prze/wiązać; ~wiąże,
~wiąż·cie
przewią|z·ka; ~z·ce
przewidujący
przewi/dzieć; ~dzę,
~dź·cie, ~dzieli
przewieleb·ność
przewie/sić; ~szę,
~ś·cie

prze/wieść; ~wiodę,
~wiedzie, ~wiedź·cie,
~wiódł, ~wied·li
prze/wietrzyć;
~wietrz·cie
przewiew
prze/wieźć; ~wiozę,
~wieź·cie, ~wiózł,
~wieź·li
przewijal·nia; ~ni
przewina
przewi/nąć; ~ń·cie,
~nął, ~nęli
przewi/nić; ~ń·cie,
~nił, ~nili
przewinienie
prze/wlekły
przewod·nictwo
przewod·niczący
przewod·ni/czyć;
~cz·cie
prze/wodzić; ~wodzę,
~wódź·cie
prze/wozić; ~wożę,
~woź·cie lub ~wóź·cie
przewoź·nictwo
prze/wód; ~wodzie
przewóz
prze/wrażliwiony
prze/wro|t·ka; ~t·ce
prze/wrot·ność
prze/wró/cić; ~cę,
~ć·cie
prze/wrót; ~wrocie
prze/wyż·szyć
przez
przezabaw·ny
przezacny
przez co
przeze mnie
przezeń (przez niego)

przezię/bić się; ~b·cie
prze/zrocze lub
prze/źrocze
prze/zroczyście lub
prze/źroczyście
prze/zwisko
prze/zwoić; ~zwoję,
~zwoi, ~zwój·cie,
~zwoił
prze/zwycię/żyć;
~ż·cie
przezywać
przeżar·ty
przeżegnać się
prze/żreć się; ~żarł
przeżuwać
przeżycie
przeży/tek; ~t·ków
przeżywać
przędzal·nia; ~ni
przędzal·nictwo
przęsło; przęśle
przo/dek; ~d·ków
przodem
przodomózgo/wie; ~wi
przodomóż·dże
przodow·nictwo
przód; przodzie
prtty/czek; ~cz·ków
prztyk·nąć; ~nął, ~nęli
przy
przy/bić; ~bije
przy/biec; ~bieg·nij,
~biegł, ~bieg·li
przybieg·nąć – zob.
przybiec
przybiegunowy
przy/blad·nąć; przy/-
bladł lub przy/blad-·
nął, przy/blad·li lub
przy/bled·li

przy/bla|k·nąć; ~kł *lub*
~k·nął
przy/bled·nąć; przy/-
bladł *lub* przy/bled·-
nął, przy/bled·li
przy/bli/żyć; ~ż·cie
przy/błąkać się
przy/błę/da; ~dzie
przyboś (na przyboś)
przy/bór; ~borze
przy/brać; ~bierze,
~bierz·cie
przy/brzeż·ny
przybudó|w·ka; ~w·ce
przy/być; ~będzie,
~bądź·cie
przybysz
przybyszew·szczyzna;
~szczyźnie
przyby/tek; ~t·ku
przychod·nia; ~ni
przychodowość
przycho/dzić; ~dzę,
~dź·cie
przycho/dzień;
~d·niów
przy/chód; ~chodzie
przychó/wek; ~w·ków
przy/chrza/nić się;
~ń·cie
przy/chwy/cić; ~cę,
~ć·cie
przychylić się
przychyl·ny
przyciasny
przy/ciąć; ~tnie,
~tnij·cie, ~ciął, ~cięli
przyciąg·nąć; ~nął,
~nęli
przyci|ch·nąć; ~ch·nął
lub ~chł, ~ch·li

przyciem·niać
przy/cie|m·nić;
~m·nię, ~m·ni
przycię|ż·ki; ~ż·cy
przyci/nek; ~n·ków
przycisk
przyci|s·nąć; ~s·nę,
~ś·nie, ~ś·nij·cie,
~s·nął, ~s·nęli,
~ś·nięty
przyci/szyć; ~sz·cie
przy/cmen·tar·ny
przycu/mować; ~muje
przycup·nąć; ~nął,
~nęli
przy|cza/ić się; ~czaję,
~cza/i, ~czaj·cie,
~cza/ił
przyczasownikowy
przycze|p·ka; ~p·ce
przyczółek
przy czym
przyczy/nić się; ~ń·cie
przyczyn·kar·stwo
przy/ćmić; ~ćmij·cie
przydarzyć się
przydatność
przyda|w·ka; ~w·ce
przydech
przyden/ny
przy/dep·nąć; ~nął,
~nęli
przydep·tać; ~cz·cie
przy/długi
przydo/mek; ~m·ków
przy/droż·ny
przydu/cha; ~sze
przydu/sić; ~szę,
~ś·cie
przydu/ży; ~zi
przy/dwor·cowy

przydy/bać; ~b·cie
przydymiony
przydziąsłowy
przydzielić
przy/dźwigać
przyfabrycz·ny
przy/fron·towy
przyga/dywać; ~duje
przy/gar·nąć; ~nął,
~nęli
przy/ga|s·nąć; ~ś·nie,
~s·nął *lub* ~sł, ~ś·li
przygaszać
przygiąć; przy/gnie,
przy/gnij·cie, przy-
giął, przygięli, przy·
gięty
przy/glądać się
przy/gła/dzić; ~dzę,
~dź·cie
przy/głu/chy; ~si
przy/głu/pek; ~p·ków
przy/głu/szyć; ~sz·cie
przy/gnębienie
przy/gnieść; ~gnieć·-
cie, ~gniótł, ~gniet·li
przy/goda; ~gód
przygo/tować; ~tuje
przygotowaw·czy
przy/granicz·ny
przy/gruchać
przy/grun·towy
przy/gry|w·ka; ~w·ce
przy/gryźć; ~gryzę,
~gryź·cie, ~gryzł,
gryź·li
przy/grzewać
przy/gważ·dżać
przy/gwoździć; ~gwoż-
dżę, ~gwoźdź·cie *lub*
~gwóźdź·cie

przyho/lować; ~luje
przyho/łubić; ~łub·cie
przy/imek
przyja/ciel; ~ciół·mi
przyjaciel·ski; ~scy
przyjaciół·ka; ~ce
przy/jazd; ~jeździe
przy/jazny; ~jaźni
przyjaź·nić się
przyjaźń
przyjąć; przyj·mę,
   przyj·mie, przyj·-
   mij·cie, przyjął,
   przyjęli
przyje/chać; ~dzie,
   ~dź·cie
przyjemnie
przyjezd·ny
przyjeż·dżać
przyjęcie
przyj·mować; ~muje
przyj·rzeć się; ~rzeli
przyj·ście
przyjść; przyj·dę,
   przyj·dzie, przyjdź·-
   cie, przy/szedł,
   przy/szli
przykara/ulić
przyka/zać; ~że, ~ż·cie
przy/kla|s·nąć; ~s·nę,
   ~ś·nie, ~śnij·cie,
   ~s·nął, ~s·nęli
przy/klasztor·ny
przy/kle/ić; ~ję, ~i,
   ~j·cie, ~ił
przy/klęk·nąć;
   przy/kląkł lub
   przy/klęk·nął,
   przy/klęk·li lub
   przy/klęk·nęli
przy/kład; ~kładzie

przy/kład·ny
przykorzen/ny
przykost·ny
przykościel·ny
przy/krę/cić; ~cę,
   ~ć·cie
przy|kro/ić; ~kroję,
   ~kro/i, ~krój·cie,
   ~kro/ił
przy/kró/cić; ~cę,
   ~ć·cie
przy/krótki
przy·kry; ~krzy
przy/kryć; ~kryje
przy/kry|w·ka; ~w·ce
przykrzyć się
przykuc·nąć; ~nął,
   ~nęli
przy/kuć; ~kuje; ~kuł,
   ~kuty
przy/kur·czyć; ~cz·cie
przykusy
przykuśtykać lub
   przykusztykać
przykuwać
przy/lać; ~leje, ~lali
   lub ~leli
przylaszcz·ka; ~ce
przylą/dek; ~d·ków
przy/lec; ~leg·nij·cie,
   ~legł, ~leg·li
przyle/cieć; ~cę, ~ć·cie
przyleg·ły
przyle|p·ka; ~p·ce
przy/leźć; ~lezę, ~leź·-
   cie, ~lazł, ~leź·li
przy/lgnąć; ~lgnął,
   ~lgnęli
przylis·tek; ~t·ków
przyli/zać; ~że, ~ż·cie
przy/lot; ~locie

przylu/tować; ~tuje
przy/lże/niec; ~ń·ców
przyła/zić; ~żę, ~ź·cie
przyłą/czyć; ~cz·cie
przy/łbica
przy|ło/ić; ~łoję,
   ~ło/i, ~łój·cie, ~ło/ił
przy/łożyć; ~łożę,
   ~łóż·cie
przymało
przymar·szczyć;
   ~szcz·cie
przy/mar·znąć; ~zł lub
   ~znął, ~zli, ~znięty
przy/mglony
przymierzal·nia; ~ni
przymierze
przymie/rzyć; ~rz·cie
przymie|sz·ka; ~sz·ce
przymilić się
przymiot·nik
przy/mknąć; ~mknął,
   ~mknęli
przy/mnożyć;
   ~mnóż·cie
przymorze
przymó|w·ka; ~w·ce
przy/mro/zek; ~z·ków
przy/mru/żyć; ~ż·cie
przymuró|w·ka; ~w·ce
przymus
przymu/sić; ~szę,
   ~ś·cie
przy/naglić; ~naglij·cie
przynaj/mniej
przynależ·ność
przynę/cić; ~cę, ~ć·cie
przynę/ta; ~cie
przy/nieść; ~nieś·cie,
   ~niósł, ~nieś·li
przyno/sić; ~szę, ~ś·cie

przy/oblec; ~oblecz·-
cie, ~oblekł *lub*
~oblókł, ~oblek·li
przy/odzie/wek; ~w·ku
przy/okien/ny
przy/o/zdobić; ~zdób·-
cie
przypa/dek; ~d·ków
przypalan·tować; ~tuje
przypale/nizna;
~niźnie
przypałętać się
przypa/sać; ~szę,
~sz·cie
przy/paść; ~pad·nie,
~padł, ~pad·li
przy/patrzyć się;
~patrz·cie
przypeł|z·nąć; ~z·nie
lub ~ź·nie, ~z·nij·cie
lub ~ź·nij·cie, ~z·nął
lub ~zł, ~z·li *lub* ~ź·li
przypę/dzić; ~dzę,
~dź·cie
przypętać się
przy/piąć; ~pnij·cie,
~piął, ~pięli
przy/piec; ~piecz·cie,
~piekł, ~piek·li
przypie/cck; ~c·ków
przypieczę/tować; ~tuje
przypilić
przypis
przy/plą/tać się; ~cze,
~cz·cie
przy/pła/cić; ~cę,
~ć·cie
przy/płaszczyć;
~płaszcz·cie
przy/pły/nąć; ~ń·cie,
~nął, ~nęli

przy/pływ
przypo/chle/bić się;
~b·cie
przypo/mnieć; ~mnę,
~mni, ~mnieli
przy pomocy
przyporząd·kować;
~kuje
przypowiast·ka; ~ce
przypowierzch·niowy
przypowieść
przy/pra/wić; ~w·cie
przy/prostokąt·na
przy/prowa/dzić;
~dzę, ~dź·cie
przy/pró/szyć; ~sz·cie
przy/prząc; ~przężc,
~prząż·cie *lub*
~przęż·cie, ~prząłł,
~przęg·li
przy/przeć; ~parł
przy/przęg·nąć; przy/-
przęgnął *lub* przy/-
prząłł, przy/przęg·li
przypuszczający
przy/puścić; ~puszczę,
~puść·cie
przyrod·ni
przyrodolecz·nictwo
przyrodo/zna|w·ca;
~w·ców
przyrodo/znaw·stwo
przyrodzony
przy/rosnąć; ~roś·nie,
~roś·nij·cie, ~rósł,
~roś·li
przy/rost; ~roście
przy/rostek; ~rost·ków
przyroś·nię/ty; ~ci
przyrość – *zob.*
przyrosnąć

przyrównać
przyrumie/nić; ~ń·cie
przy/rząd; ~rządzie
przyrzą/dzić; ~dzę,
~dź·cie
przy/rzec; ~rzek·nie,
~rzekł, ~rzek·li
przyrzecze
przyrzeczenie
przy/rznąć; ~rznie,
~rznął, ~rznęli
przyrzynać
przy/rżnąć; ~rżnie,
~rżnął, ~rżnęli
przysa|d·ka; ~d·ce
przysa/dzisty; ~dziści
przysą/dzić; ~dzę,
~dź·cie
przy/sce/nie; ~ni
przy/schnąć; ~schnął
lub ~sechł, ~schła
przy/siad; ~siadzie
przy/siąc; ~sięg·nij,
~siągł, ~sięg·li
przy/siąść; ~siądź·cie,
~siadł, ~sied·li
przysię/ga; ~dze
przysięg·ły
przy|sięg·nąć; ~sięg·-
nij, ~siągł, ~sięg·li
przysiółek – *rzadziej*
przysiołek
przy/skrzy/nić; ~ń·cie
przy/słać; ~śle,
~ślij·cie
przy/sło/nić; ~ń·cie,
~nięty
przy/słowie; ~słów
przy/słó/wek; ~w·ków
przy/słuchiwać się;
~słuchuje

233

przy/słu/ga; ~dze
przy/słu/giwać; ~guje
przy/słu/żyć się;
~ż·cie
przy/sma/czek;
~cz·ków
przy/sma/żyć; ~ż·cie
przy/spie/szyć *lub*
przy/śpie/szyć;
~sz·cie
przy/sporzyć; ~sporz·-
cie *lub* ~spórz·cie
przy/spo/sobić;
~sób·cie
przy/ssa|w·ka; ~w·ce
przy/stać; ~stanie,
~stań·cie, ~stał
przy/stanąć; ~stanie,
~stań·cie, ~stanął,
~stanęli
przy/stań
przy/stawal·ny
przy/sta/wić; ~w·cie
przy/sta|w·ka; ~w·ce
przy/stą/pić; ~p·cie
przy/stę/pować; ~puje
przy/stoi; przy/stało
przy/stoj·nia/czek;
~cz·ków
przy/sto/pować; ~puje
przy/sto/sować; ~suje
przy/stosowaw·czy
przy|stro/ić; ~stroję,
~stro/i, ~strój·cie,
~stroi/ł
przy/strzyc; ~strzygę,
~strzyże, ~strzyż·cie,
~strzygł, ~strzyżony
przysu/nąć; ~ń·cie,
~nął, ~nęli
przy/swajal·ność

przy|swo/ić; ~swoję,
~swo/i, ~swój·cie,
~swo/ił
przysychać
przyszarzały
przy/szkol·ny
przy/szłorocz·ny
przy/szły
przy/szpital·ny
przy/szwa
przyszyć
przy/ścien/ny
przy/śnić się
przy/śpie/szyć *lub*
przy/spie/szyć;
~sz·cie
przy/śpie|w·ka; ~w·ce
przy/środ·kowy
przy/śru/bować; ~buje
przy/świad·czyć;
~cz·cie
przy/świe/cić; ~cę,
~ć·cie
przy|ta/ić się; ~tają,
~ta/i, ~ta/ił
przytak·nąć; ~nął, ~nęli
przytakująco
przy/taszczyć;
~taszcz·cie
przytem·pe/rować;
~ruje
przytę/pić; ~p·cie
przy/tknąć; ~tknął,
~tknęli
przy/tłam·sić; ~szę,
~ś·cie
przy/tłu/mić; ~mię,
~mi, ~m/my
przyto/czyć; ~cz·cie
przy/tom·nieć; ~nieje,
~niał, ~nieli

przytorze
przy/tro/czyć; ~cz·cie
przy/trza|s·nąć; ~s·nę,
~ś·nie, ~śnij·cie,
~s·nął, ~s·nęli
przy/trzeć; ~tarł
przytulić
przytułek
przytup·nąć; ~nął,
~nęli
przy/twardy
przy/twierdzić;
~twierdzę,
~twierdź·cie
przy/tyć; ~tyje
przytyk
przy tym
przy/uczać
przy/usz·nica
przywa/bić; ~b·cie
przywa/ra; ~rze
przywąski
przy/wdziać; ~wdzieje,
~wdziali *lub* ~wdzieli
przywęd·rować; ~ruje
przy/wiać; ~wieje
przywią/zać; ~że,
~ż·cie
przywidzenie
przywierz·chołkowy
przy/wieść; ~wiodę,
~wiedź·cie, ~wiódł,
~wied·li
przy/wieźć; ~wiozę,
~wiezie, ~wieź·cie,
~wiózł, ~wieź·li
przywięd·ły
przywi/lej; ~lejów
przy/wlec; ~wlecze,
~wlecz·cie, ~wlókł
lub ~wlekł, ~wlek·li

przy/właszczyć;
~właszcz·cie
przy/wło/ka; ~ce
przy/wodzić; ~wodzę,
~wódź·cie
przy/wozić; ~wożę,
~woź·cie *lub* ~wóź·cie
przywó|d·ca; ~d·ców
przywód·czy
przywódz·two
przywóz
przy/wró/cić; ~cę,
~ć·cie
przy/wrzeć; ~warł
przy/współ/czul·ny
przy/wtó/rzyć; ~rz·cie
przywy|k·nąć; ~kł *lub*
~k·nął, ~k·li
przyza/grodowy
przyzba; przyzbie
przyzębie
przyzie/mie; ~mi
(*niski parter*)
przyziem·nie
(*prozaicznie*)
przy/zwo/it·ka; ~ce
przy/zwo/ity; ~it·szy
przy/zwolić; ~zwól·cie
przy/zwy/czaić; ~czaję,
~czai, ~czaj·cie, ~czaił
przyżegać
przy/żółcić; ~żółcę,
~żółć·cie
przy/żół|k·nąć; ~kł *lub*
~k·nął
psalm
psalmo/dia; ~dii
psał·terz
ps<u>eu</u>/do
ps<u>eu</u>/doin·teli/gent;
~gen·ci

ps<u>eu</u>/do/klasy/cyzm;
~cyzmie
ps<u>eu</u>/doludowość
ps<u>eu</u>/donim
ps<u>eu</u>/do-Polak
psiadusza
psiaju/cha; ~sze
psiak
psiakość!
psia/krew!
psiamać!
psiar·nia; ~ni
psiąt·ko
psik!
psikus
psio/czyć; ~cz·cie
psisko
pso/cić; ~cę, ~ć·cie
psot·ny
pst!
pstrąg
pstrą/żek; ~ż·ków
pstroka/cizna; ~ciźnie
pstry
pstry/czek; ~cz·ków
pstryk·nąć; ~nął, ~nęli
pstrzyć
psu/brat; ~bracie
psuć; psuje
psuj (*ten, kto psuje*)
psyche (*dusza, duch*)
psychia·tra; ~trzy
psychia·tria; ~trii
psychicz·ny
psychi/ka; ~ce
psycho/anali/tyk;
~tycy
psycho/analiza
psycho/drama
psychofizycz·ny
psychogen/ny

psycholing·wisty/ka;
~ce
psycholo/gia; ~gii
psychologiza·cja; ~cji
psycholo/gizm;
~gizmie
psychonerwica
psychon<u>eu</u>/ro/log;
~lodzy
psychopa/tia; ~tii
psychoso·cjolo/gia;
~gii
psychoterap<u>eu</u>/ta; ~ci
psychotera/pia; ~pii
psycho/troni·ka; ~ce
psycho/tropowy
psychoza
psychozabawa
psyk·nąć; ~nął, ~nęli
psyt!
pszczelar·stwo
pszczelarz
pszczeli
pszczoła; pszczół
pszczół·ka; ~ce
Pszczyna
pszczyń·ski; ~scy
pszenica
pszen/no-buraczany
pszen/ny
pszen/żyto
ptactwo
ptasi
ptaszar·nia; ~ni
ptaszęt·ko
pta/szek; ~sz·ków
pta/szę; ~szęcia, ~sząt
pterodaktyl
ptero/z<u>au</u>r; ~zau/rze
ptialina
Ptolome/usz

pub
publicy·sta; ~ści
publicz·ność
publi/ka; ~ce
publika·cja; ~cji
puc (dla pucu)
puch
pucha (puszka)
puchacz
pu/char; ~charze
puch·nąć; puchł lub
  puch·nął, puch·li
pu·cki; ~c/cy (od
  Puck)
pucołowaty
pu·cować; ~cuje
pucy/but; ~bucie
pucz
pud; pudzie
pud/ding
pudel
pudełko
pu/der; ~drze
puder·ni|cz·ka; ~cz·ce
pudło
pud·łować; ~łuje
puen·ta lub poin·ta
puf (taboret)
pugilares
puginał
pukać
puka|w·ka; ~w·ce
pukiel
puklerz
puk·nąć; ~nął, ~nęli
pula
pulch·niu|t·ki; ~t·cy
pul·man
pulo/wer; ~werze
pul·pa
pul·pet; ~pecie

pul·pit; ~picie
puls
pulsa·cja; ~cji
pul·sować; ~suje
pułap
puła|p·ka; ~p·ce
puław·ski; ~scy (od
  Puławy)
pułk
pułkow·nik; ~nicy
  (skrót: płk)
pułkow·nikostwo
pułkow·nikow·ski; ~scy
pułkowy (od pułk)
Puł·tusk
puł·tu·ski; ~scy
puma
pumeks
pumper·nikiel
pum·py
puni·cki; ~c/cy
punk – rzadziej pank
punkcik
punk·cja; ~cji
punkt; punkcie (skrót:
  p. lub pkt)
punkta·cja; ~cji
punkto/wiec; ~w·ców
punktual·nie
pupa
pupilek
pur·cha|w·ka; ~w·ce
purée lub piure
pur·non·sens; ~sen·sie
pur·pu/ra; ~rze
pur·pu/rat; ~racie
pury·sta; ~ści
puryta/nizm; ~nizmie
purytań·ski; ~scy
pu/ryzm; ~ryzmie
pustak

pustel·nia; ~ni
pustel·nictwo
pust·ka; pust·ce
pust·ko/wie; ~wi
pusto; puściej
pusto/głowy
pusto/słowie
pusto/stan
pusto/szeć; ~szeje,
  ~szeli
pusto/szyć; ~sz·cie
pusto/ta; ~cie
pustuł·ka; ~ce
pusty; puści
pusty/nia; ~ni
pusty|n/nieć; ~n/nieje
pustyn/ny
puszcza; puszcz
puszczać
puszczań·ski; ~scy
puszczyk
pu/szek; ~sz·ków
pu|sz·ka; ~sz·ce
pusz·karz
puszta (step)
pu/szyć się; ~sz·cie
puszyście
puścić; puszczę,
  puść·cie
puściutki
puści·zna; ~źnie
puzder·ko
puzon
puz/zle
pych (na pych)
py/cha; ~sze
pyk·nąć; ~nął, ~nęli
pyknicz·ny
pylić
pyl·nik
pyło/chłon/ny

pyłopo/chłaniacz
pyło/szczel·ny
py/peć; ~p·cia
pyr/rusowy
 (zwycięstwo)
pysio
pysk

pyskacz
pys·kować; ~kuje
pyskó|w·ka; ~w·ce
pyszałek
pyszczek; pyszcz·ków
pysz·nić się; ~nij·cie
pysz·ny

pytać
pytaj·nik
Py/tia; ~tii – *rzadziej*
 Pi/tia
pyt·lować; ~luje
pyza; pyz

Q

quasi

quiz *lub* kwiz

quorum *lub* kworum

R

rab
rabar·bar; ~barze
ra/bat; ~bacie
raba|t·ka; ~t·ce
rab/bi
rabina·cki; ~c/cy
Ra|b·ka; ~b·ce
ra/bować; ~buje
rabunek
rabuś
raca
rach-ciach
Rachela
rachitycz·ny
rach/mistrz
rachuba
rachunek
racią·ski; ~scy (*od*
   Raciąż)
Racibórz
raci|cz·ka; ~cz·ce
ra·cja; ~cji
ra·cjonaliza·cja; ~cji
ra·cjonaliza/tor;
   ~torzy
ra·cjona/lizm; ~lizmie
ra·cjo/nować; ~nuje
racławi·cki; ~c/cy
racuch
racu/szek; ~sz·ków
raczej

ra/czek; ~cz·ków
racz·kować; ~kuje
ra/czyć; ~cz·cie
rad; radzie
ra/da; ~dzie
ra/dar; ~darze
rad by; rada by, radzi
   byśmy (*np.* przyjść)
ra|d·ca; ~d·ców
rad·costwo
rad·cow·ski
rad·czyni
radia·cja; ~cji
radian (*skrót:* rad)
radia/tor; ~torze
radieste·zja; ~zji
radio
radio/abo/nent;
   ~nen·ci
radio/aktyw·ność
radio/ama/tor; ~torzy
radio/amator·stwo
radio/depesza
radiofo/nia; ~nii
radiofoniza·cja; ~cji
radiolo/gia; ~gii
radioloka·cja; ~cji
radiomagnetofon
radiomon·ter; ~terzy
radionadaj·nik
radionawiga·cja; ~cji

radio/od/bior·nik
radiopajęczarz
radio/słuchacz
radio/sta·cja; ~cji
radiotech·ni/ka; ~ce
radiotelefo/nia; ~nii
radiotele·grafi·sta; ~ści
radiotelekomunika·cja;
   ~cji
radioterap<u>eu</u>/ta; ~cie
radiotera/pia; ~pii
radiotoksycz·ność
radiowęzeł
radio/wiec; ~w·ców
radiowo-telewizyj·ny
radiowóz
radlić; radl·cie *lub*
   radlij·cie
rad nierad
rad·ny
rado/cha; ~sze
Ra/dom; ~domia
rado|s·ny; ~ś·ni
Ra/dost; ~doście
radość
Radu/nia; ~ni
radykaliza·cja; ~cji
radyka/lizm; ~lizmie
ra/dzić; ~dzę, ~dź·cie
radzie·cki; ~c/cy
Radzi/wiłł; ~wił/ła

238

radża
rafa
ra/fia; ~fii
rafina·cja; ~cji
rafine/ria; ~rii
raglan *lub* reglan
ra/ić; raję, ra/i,
   raj·cie, ra/ił
raj
raja; ra/i (*ryba*)
raj·ca; ~ców
raj·cować; ~cuje
rajd; raj·dzie
raj·do/wiec; ~w·ców
raj·fur; ~furze
raj/gro|dz·ki; ~dz·cy
Raj/gród; ~grodzie
Raj·mund; ~mun·dzie
raj·ski
raj/stopy
raj·ta/ria; ~rii
rajt·ki
raj·tuzy
rajz·bret; ~brecie
raj·zować; ~zuje
rakarz
rakie|t·ka; ~t·ce
rakietowo-nuklear·ny
ra/kija; ~ki/i
rako/od/por·ny
rako/twór·czy
rakowa/cieć; ~cieje
Raków
ramiącz·ko
ramien/ny
ra/mię; ~mienia,
   ~mion
ramion·ko
ram·ka; ~ce
ramo/leć; ~leje, ~leli
ramo/ta; ~cie

ramó|w·ka; ~w·ce
ram·pa
ran·czer; ~czerzy
ran·czo *lub* ran·cho
ran|d·ka; ~d·ce
ran·ga; ~dze
ra/nić; ~ń·cie
raniutko
ran·ka; ~ce
ran·king
ran/ny
rap
ra/pier; ~pierze
ra/port; ~por·cie
raportó|w·ka; ~w·ce
rapsod; rapsodzie
rapso/dia; ~dii
rapsodycz·ny
raptem
raptus
raróg
rarytas
rasi·sta; ~ści
rasistow·ski; ~scy
ra/sizm; ~sizmie
rata/fia; ~fii
ra/taj; ~tajów *lub*
   ~ta/i
rat·ler; ~lerze
ra/tować; ~tuje
ratow·nictwo
ratow·nik
ratunek
ratusz
ratyfika·cja; ~cji
ratyfi/kować; ~kuje
r<u>au</u>/cik
r<u>au</u>sz; r<u>au</u>/szu
r<u>au</u>t; r<u>au</u>/tu
raz-dwa (*szybko*)
ra/zić; ~żę, ~ż·cie

raz na zawsze
razo/wiec; ~w·ców
razó|w·ka; ~w·ce
raz po raz
raz w raz
raz za razem
raź·ny
rażąco
rą/bać; ~b·cie
rą/bek; ~b·ków
rąb·nąć; ~nął, ~nęli
rą/częta; ~cząt
rą|cz·ka; ~cz·ce
rączuch·na
rączy
rdest; rdeście
rdza
rdzawy
rdzeniomózgo/wie;
   ~wi
rdzeniowy
rdzen/ny
rdzeń
rdze/wieć; ~wieje,
   ~wieli
rdzo/od/por·ny
Re/a; Re/i, Re/ę
re/adapta·cja; ~cji
rea/gent; ~gen·cie
rea/gować; ~guje
reak·cja; ~cji
reak·cjoni·sta; ~ści
reak·tor; ~torze
reak·tywa·cja; ~cji
reak·tywiza·cja; ~cji
reak·ty/wować; ~wuje
rea/lia; ~liów
reali·sta; ~ści
realiza·cja; ~cji
realiza/tor; ~torzy
rea/lizm; ~lizmie

reali/zować; ~zuje
real·no/znaczeniowy
real·ny
reanima·cja; ~cji
reanima/tor; ~torze
reasu/mować; ~muje
reasump·cja; ~cji
rebe/lia; ~lii
rebelian·cki; ~c/cy
rebe/liant; ~lian·ci
rebus
recen·zen·cki
recen·zent; ~zen·ci
recen·zja; ~zji
recen·zować; ~zuje
recep·cja; ~cji
recep·cjoni·sta; ~ści
re/cepta; ~cepcie
recep·tor; ~torze
receptu/ra; ~rze
rece·sja; ~sji
recho/tać; ~cz·cie
recital
recydywi·sta; ~ści
recyta·cja; ~cji
recyta/tor; ~torzy
recy/tować; ~tuje
re/da; ~dzie
reda/gować; ~guje
redak·cja; ~cji
redak·tor; ~torzy
  (skrót: red.)
redin·got; ~gocie
redisó|w·ka; ~w·ce
redu/cent; ~cen·cie
reduk·cja; ~cji
reduk·cjo/nizm;
  ~nizmie
redu/kować; ~kuje
reduk·tor; ~torze
redun·dan·cja; ~cji

redun·dant·ny
reduplika·cja; ~cji
redu/ta; ~cie
redyk
redys·ko|n·to; ~n·cie
re/eduka·cja; ~cji
re/edy·cja; ~cji
re/elek·cja; ~cji
re/emigra·cja; ~cji
re/emi·grant; ~gran·ci
refektarz
refe/rat; ~racie
referen·cje; ~cji
referen·darz
referen·dum
refe/rent; ~ren·ci
refe/rować; ~ruje
refinan·sować; ~suje
re·fleks
re·flek·sja; ~sji
re·flek·tant; ~tan·cie
re·flek·tor; ~torze
re·flek·tować; ~tuje
refor·ma·cja; ~cji
refor·macki
refor·ma/tor; ~torzy
refor·mator·stwo
refor·mizm; ~mizmie
refor·mować; ~muje
re·freni·sta; ~ści
refun·da·cja; ~cji
rega/lia; ~liów
regał
regato/wiec; ~w·ców
regen·cja; ~cji
regenera·cja; ~cji
re/gent; ~gen·ci
regiel; re/gli
regi/ment; ~men·cie
regimen·tarz
region

regionaliza·cja; ~cji
regiona/lizm; ~lizmie
registratu/ra; ~rze
reglamen·ta·cja; ~cji
reglan lub raglan
re·gres
re·gre·sja; ~sji
regula·cja; ~cji
regulamin
regular·ny
regula/tor; ~torze
regu/lować; ~luje
reguła
rehabilita·cja; ~cji
rehabili/tować; ~tuje
re/ifika·cja; ~cji
re/in·kar·na·cja; ~cji
re/in·ter·preta·cja; ~cji
re/izm; ~izmie
rej (wodzić rej)
reja; rei
rejent; rejen·ci
rejen·tu/ra; ~rze
re/jestr; ~jestrze
rejestra·cja; ~cji
rejestra/tor; ~torzy
rejoniza·cja; ~cji
rejs
Rej·tan
rej·tera/da; ~dzie
rej·wach
rekapitula·cja; ~cji
rek·cja; rek·cji
reke/tier; ~tierzy
rekin
re·klama·cja; ~cji
re·klamiarz
re·klamo/wiec; ~w·ców
re·klamó|w·ka; ~w·ce
rekolek·cje; ~cji
rekomen·da·cja; ~cji

rekom·pen·sa·cja; ~cji
rekom·pen·sa·ta; ~cie
rekomuniza·cja; ~cji
rekone/sans; ~san·sie
rekon·struk·cja; ~cji
rekon·stru/ować; ~uje
rekon·tra; ~trze
rekon·walescen·cja;
  ~cji
rekon·walescencki
rekon·wale/scent;
  ~scen·ci
re/kord; ~kor·dzie
rekor·dzi·sta; ~ści
re·krea·cja; ~cji
re·kreacyj·no-sportowy
rekrucki
re·krut; ~krucie
re·kruta·cja; ~cji
rek·tor; ~torze
rekto/rat; ~racie
rektyfika·cja; ~cji
rekul·tywa·cja; ~cji
rekuren·cyj·ny
rekuza
re·kwiem *lub* requiem
re·kwi/rować; ~ruje
re·kwizy·cja; ~cji
re·kwi/zyt; ~zycie
re·kwizytor·nia; ~ni
rela·cja; ~cji
rela·cjo/nizm; ~nizmie
rela·cjo/nować; ~nuje
relacyj·ny
relaksa·cja; ~cji
relak·sować; ~suje
relanium
relatywiza·cja; ~cji
relaty/wizm; ~wizmie
relega·cja; ~cji
relewan·cja; ~cji

relewant·ność
relief
reli/gia; ~gii
religian·ctwo
religij·no-moral·ny
religio/zna|w·ca;
  ~w·ców
religio/znaw·stwo
relikt; relikcie
relik·wia; ~wii
relikwiarz
rema/nent; ~nen·cie
remedium
remi·brydż
Remigiusz
remilitaryza·cja; ~cji
reminiscen·cja; ~cji
remi·sja; ~sji
remi/sować; ~suje
remiza
re/mont; ~mon·cie
remon·tować; ~tuje
remon·towo-budow·-
  lany
ren·ci·sta; ~ści
ren·dez-vous
renega·cki; ~c/cy
rene/gat; ~gaci
renego·cja·cja; ~cji
rene/sans; ~san·sie
reni/fer; ~ferze
ren·klo/da; ~dzie
renomowany
renowa·cja; ~cji
ren·ta; ren·cie
rent·gen
rent·geno·gra/fia; ~fii
rent·genolo/gia; ~gii
rent·genotera/pia; ~pii
rent·genowski
ren·tier; ~tierzy

ren·towność
re/or·ganiza·cja; ~cji
re/orien·ta·cja; ~cji
repara·cje; ~cji (*od-
  szkodowania*)
reparty·cja; ~cji
repasa·cja; ~cji
repasaż *lub* repesaż
repatria·cja; ~cji
repatrian·cki; ~c/cy
repa/triant; ~trian·ci
repera·cja; ~cji
  (*naprawa*)
reper·ku·sja; ~sji
repe/rować; ~ruje
reper·tuar; ~tuarze
repe/tent; ~ten·ci
repe/tować; ~tuje
repety·cja; ~cji
repetytorium
re·plan·ta·cja; ~cji
re·play; ~layu
re·pli/ka; ~ce
re·pli/kować; ~kuje
repoloniza·cja; ~cji
reportaż
reportaży·sta; ~ści
repor·ter; ~terzy
re·pre·sja; ~sji
re·pre·sjo/nować;
  ~nuje
re·prezen·ta·cja; ~cji
re·prezen·tant; ~tan·ci
re·prezen·tatyw·ny
re·prezen·tować; ~tuje
re·print; ~prin·cie
re·produk·cja; ~cji
re·pro·gra/fia; ~fii
re·pryme|n·da; ~n·dzie
re·prywatyza·cja; ~cji
republi/ka; ~ce

241

republika/nizm;
~nizmie
republikań·ski; ~scy
reputa·cja; ~cji
requiem *lub* rekwiem
resen·ty/ment; ~men·-
cie
reso·cjaliza·cja; ~cji
re/sor; ~sorze
resor·bować; ~buje
resorp·cja; ~cji
re/sort; ~sor·cie
re·spekt; ~spekcie
re·spek·tować; ~tuje
re·spira·cja; ~cji
re·spira/tor; ~torze
re·spon·dent; ~den·ci
re·st<u>au</u>/ra·cja; ~cji
re·st<u>au</u>/rować; ~ruje
re·strukturyza·cja; ~cji
re·stryk·cja; ~cji
re·stytu·cja; ~cji
re·sty/tuować; ~tuuje
résumé
resur·sa
re|sz·ka; ~sz·ce
resz|t·ka; ~t·ce
resztó|w·ka; ~w·ce
retar·da·cja; ~cji
reten·cja; ~cji
re/tor; ~torzy
retor·sja; ~sji
retor·ta; ~cie
reto/ryzm; ~ryzmie
re·trans·mi·sja; ~sji
re·tro·spek·cja; ~cji
return
retu/szować; ~szuje
r<u>eu</u>/matolo/gia; ~gii
r<u>eu</u>/ma/tyzm; ~tyzmie
rewalida·cja; ~cji

rewaloryza·cja; ~cji
rewalua·cja; ~cji
rewan·żować się; ~żuje
rewan·żyzm; ~żyzmie
rewela·cja; ~cji
rewe/lers; ~ler·si
rewers
re/wia; ~wii
rewi/dent; ~den·ci
rewi/dować; ~duje
rewin·dyka·cja; ~cji
rewiowy
re/wir; ~wirze
rewi·zja; ~zji
rewi·zjo/nizm; ~nizmie
rewi/zor; ~zorzy
rewizyj·ny
rewizy/ta; ~cie
rewol·ta; ~cie
rewolu·cja; ~cji
rewolu·cjoni·sta; ~ści
rewolucyj·ny
rewol·wer; ~werze
rewol·wero/wiec;
~w·ców
reze/da; ~dzie
rezerwa·cja; ~cji
rezer·wat; ~wacie
rezerwi·sta; ~ści
rezer·wować; ~wuje
rezer·wuar; ~wuarze
rezolu·cja; ~cji
rezolut·ny
rezo/nans; ~nan·sie
rezona/tor; ~torze
rezo/ner; ~nerzy
rezoner·stwo
rezul·tat; ~tacie
rezurek·cja; ~cji
rezus
rezyden·cja; ~cji

rezy/dent; ~den·ci
rezyden·tu/ra; ~rze
rezy/dować; ~duje
rezygna·cja; ~cji
reżim *lub* reżym
reży/ser; ~serzy
reżyse/ria; ~rii
reżyser·nia; ~ni
rębacz
rębaj·ło
ręcz·nik
ręcz·ny
rę/czyć; ~cz·cie
rędzina
ręka; ręce, rąk
rękaw
rękawi|cz·ka; ~cz·ce
rękoczyn
rękodziel·nictwo
rękodzieło
rękojeść
rękoj·mia; ~mi
rękopis
rękopiśmien/ny
rias
rikszarz *lub* rykszarz
ring; rin·giem
rin·go
ri/posta; ~poście
riso|t/to; ~t·cie
rkm (*ręczny karabin
maszynowy*)
robactwo
robaczy/wieć; ~wieje,
~wieli
ro/ber; ~brze
Ro/bert; ~ber·cie
robić; rób·cie
robi/nia; ~nii (*akacja*)
robin·sona/da; ~dzie
robociarz

robo/cizna; ~ciźnie
roboczo/dnió|w·ka;
~w·ce
roboczo/godzina
ro/bota; ~bocie, ~bót
robot·niczo-chłop·ski
robot·nik; ~nicy
robó|t·ka; ~t·ce
Roch
rock and roll; rock and
rol/la
rock-ope/ra; ~rze
ro/czek; ~cz·ku
rocz·nica
rocz·nie
roda|cz·ka; ~cz·ce
ro/dak; ~dacy
ro/deo; ~dea
Rode·zja; ~zji
rodło
rod·nia; ~ni
rodo/wód; ~wodzie
ro/dzaj; ~dzajów *lub*
~dzai
rodzeń·stwo
rodziciel·ski; ~scy
rodzić; rodzę, rodź·cie
lub ródź·cie
rodzin/ny
ro/dzony; ~dzeni
rodzynek *lub* rodzynka
roga/cizna; ~ciźnie
rogacz
roga|t·ka; ~t·ce
rogaty|w·ka; ~w·ce
rogowa/cieć; ~cieje,
~cieli
ro/goża; ~goży *lub*
~góż
rogó|w·ka; ~w·ce
rohatyna

ro/ić; ro/i, rój·cie,
ro/ił
roja/lizm; ~lizmie
roj·no *lub* roj·nie
rojowisko
rok (*skrót:* r.)
rok·for (*ser*)
rokit·nik
rokoko *lub* rococo
rokosz
ro/kować; ~kuje
rok/rocz·nie
rok w rok
rola; ról
rola/da; ~dzie
Ro/land; ~lan·dzie
rol·mops
rol·nictwo
rol·no-spożyw·czy
ro/lować; ~luje
roman·ca
romani|s·tka; ~st·ce
ro/mans; ~man·sie
roman·sopisarz
roman·sować; ~suje
roman·ty|cz·ka; ~cz·ce
roman·tyzm; ~tyzmie
romań·ski; ~scy
romb; rom·bu
rom·bo/edr; ~edrze
rom·bo/id; ~idzie
Ro/meo; ~mea,
~meem
Romu/ald; ~al·dzie
ron·del
ron·do; ~dzie
ro/nić; ~ń·cie
ront; ron·cie
ro/pieć; ~pieje
rop·niak
ropociąg

ropopochod·ny
ropu/cha; ~sze
ropu|sz·ka; ~sz·ce
rosa
rosa/rium *lub*
roza/rium; ~ria
ro/sić; ~szę, ~ś·cie
Rosja; Rosji
ros·nąć; ros·nę, roś·nie,
roś·nij·cie, rósł, roś·li
rosochaty
rosomak
rosół
rost·bef
rosyj·ski; ~scy
rosza/da; ~dzie
roszar·nia; ~ni
rościć; roszczę, rość·cie
roś·lina
roś·lin/ność
roś·lino/znaw·stwo
roś·linożer·ny
ro/ta; ~cie
rota·cja; ~cji
rota/tor; ~torze
rot/mistrz (*skrót:*
rtm.)
rot/mistrzostwo
rot/mistrzow·ski; ~scy
rotun·da; ~dzie
ro/wek; ~w·ków
ro/wer; ~werze
rowerzy·sta; ~ści
Roza/lia; ~lii
roz/anielony
roza/rium *lub*
rosa/rium; ~ria
roz/babrać; ~babrz·cie
lub ~babraj·cie
roz/bebe/szyć; ~sz·cie
roz/bestwiony

roz/bić; ~bije
roz/biec się; ~biegł,
~bieg·li
roz/bieg
roz/bieral·nia; ~ni
roz/bież·ność
roz/bijactwo
roz/bijać
roz/biór; ~biorze
roz/bisur·ma/nić się;
~ń·cie
roz/bi/tek; ~t·ków
roz/błysk
roz/bły|s·nąć; ~s·nę,
~ś·nie, ~s·nął *lub* ~sł,
~s·nęła *lub* ~s·ła
roz/bój·nictwo
roz/bój·nik
roz/brajający
roz/brat; ~bracie
roz/bratel
roz/broić; ~broję,
~broi, ~brój·cie,
~broił
roz/bryz·giwać; ~guje
roz/bry|z·nąć; ~z·nę,
~ź·nie, ~ź·nij·cie,
~z·nął, ~z·nęli,
~ź·nięty
roz/brzmiewać
roz/buchany
roz/bu/dować; ~duje
roz/bu/dzić; ~dzę,
~dź·cie
roz/capie/rzyć *lub*
roz/czapie/rzyć;
~rz·cie
roz/cheł·stany
roz/chla/pywać; ~puje
roz/chlastać;
~chlaszcz·cie

roz/chmu/rzyć się;
~rz·cie
roz/chod·nik
roz/cho/dować; ~duje
(*np.* pieniądze)
roz/cho/dzić; ~dzę,
~dź·cie
roz/chód; ~chodzie
roz/chwiać; ~chwieje,
~chwiali *lub* ~chwieli
roz/chwy/tywać; ~tuje
roz/chybo/tać; ~cz·cie
lub ~taj·cie
roz/chylić
roz/ciąć; roze/tnij·cie,
roz/ciął, roz/cięli
roz/ciąg·nąć; ~nął,
~nęli, ~nięty
roz/cień·czal·nik
roz/cień·czyć; ~cz·cie
roz/cierać
roz/cięcie
roz/ckli/wić; ~w·cie
roz/czapie/rzyć *lub*
roz/capie/rzyć;
~rz·cie
roz/cza/rować; ~ruje
roz/cze/pić; ~p·cie
(*rozłączyć*)
roz/cze/sać; ~sze,
~sz·cie
roz/człon·kować; ~kuje
roz/czochra/niec;
~ń·ców
roz/czulająco
roz/czy/nić; ~ń·cie
roz/czy/tywać się;
~tuje
roz/dać; ~dadzą
roz/dar·cie
roz/daw·nictwo

roz/dąć; roze/dmie,
roze/dmij·cie,
roz/dął, roz/dęli,
roz/dęty
roz/deptać; ~depcz·cie
roz/dmuchiwać;
~dmuchuje
roz/dół
roz/drab·niać
roz/dra/pywać; ~puje
roz/draż·nić; ~nij·cie
lub ~ń·cie
roz/drobić; ~drób·cie
roz/drob·nić
roz/droże
roz/dwoić; ~dwoję,
~dwoi, ~dwój·cie,
~dwoił
roz/dymać
roz/dyspo/nować;
~nuje
roz/dział (*skrót:* roz.)
roz/dzia/wić; ~w·cie
roz/dziel·nia; ~ni
roz/dziel·nictwo
roz/dziel·no/płciowość
roz/dzierać
roz/dziobać; ~dziob·-
cie *lub* ~dziób·cie
roz/dźwięk
roze/brać; roz/bierze,
roz/bierz·cie
roze/dma
roze/dnieć; ~dnieje
roze/drzeć; roz/darł
roze/gnać
roze/grać
rozejm; rozej·mie
rozej·rzeć się; ~rzeli
rozejść się; rozej·dą,
rozejdź·cie, roz/szedł

roz/emo·cjo/nować;
~nuje
roz/en·tu·zjaz·mować;
~muje
roze/pchnąć; ~pchnął,
~pchnęli
roze/przeć się;
roz/parł
roze/rwać; ~rwę
roze/rznąć; ~rznął,
~rznęli, ~rznięty
roze/rżnąć; ~rżnął,
~rżnęli, ~rżnięty
roze/schnąć się;
roze/schnął *lub*
roz/sechł, roze/schła
roze/schnięty
roze/słać; roz/ściele,
roz/ściel·cie
roze/słać; ~śle,
~ślij·cie
roze/śmiać się;
~śmieje, ~śmiali *lub*
~śmieli
roze|t·ka; ~t·ce
roze/trzeć; roz/tarł
roze/wrzeć; roz/warł
roze/wrzeć; ~wrzał,
~wrzeli
roze/znanie
roze/źlić
roz/fa/lować się; ~luje
roz/fanatyzowany
roz/fig·lować się; ~luje
roz/for·mować; ~muje
roz/ga/dywać; ~duje
roz/gałęziacz
roz/gałęziać się
roz/gałęź·ny
roz/ganiać
roz/gardiasz

roz/gar·nąć; ~nął,
~nęli
roz/gar·nię/ty; ~ci
roz/gaszczać się
roz/gęścić; ~gęszczę,
~gęść·cie
roz/giąć; roze/gnij·cie,
roz/giął, roz/gięli
roz/glądać się
roz/głos
roz/gło/sić; ~szę,
~ś·cie
roz/głoś·nia; ~ni
roz/gnieść; ~gnieć·cie,
~gniótł, ~gniet·li,
~gnieciony
roz/gniewać
roz/go/nić; ~ń·cie
roz/gorącz·kowany
roz/goryczenie
roz/go/rzeć; ~rzeje,
~rzeli
roz/gościć się; ~gosz-
czę, ~gość·cie
roz/gra/bić; ~b·cie
roz/grani/czyć; ~cz·cie
roz/grodzić; ~grodzę,
~grodź·cie *lub*
~gródź·cie
roz/gro/mić; ~mię,
~mi, ~m/my
roz/grucho/tać;
~cz·cie
roz/gry|w·ka; ~w·ce
roz/gryźć; ~gryzę,
~gryź·cie, ~gryzł,
~gryź·li, ~gryziony
roz/grzać; ~grzeje,
~grzali *lub* ~grzeli
roz/grze/bywać; ~buje
roz/grzeszenie

roz/grze|w·ka; ~w·ce
roz/gwar; ~gwarze
roz/gwiazda;
~gwież·dzie
roz/gwież·dzić się
roz/gwież·dżony
roz/haratać
roz/har·tować; ~tuje
roz/hasać się
roz/her·mety·zować;
~zuje
roz/histeryzowany
roz/ho/wor; ~worze
roz/hukany
roz/hulać się
roz/hul·ta/ić się; ~ję,
~j·cie, ~i, ~ił
roz/huśtać
roz/igrać się
roz/iskrzyć się
roz/ja/rzyć; ~rz·cie
roz/jaśnić
roz/jazd; ~jeź·dzie
roz/jazgo/tać się;
~cz·cie
roz/jątrzyć; ~jątrz·cie
roz/je/chać; ~dź·cie
roz/jem·ca; ~ców
roz|jeź·dzić; ~jeż·dżę,
~jeźdź·cie
roz/jeż·dżać
roz/ju/czyć; ~cz·cie
roz/ju/szyć; ~sz·cie
roz/kapryszony
roz/ka/zać; ~że, ~ż·cie
roz/kazoda|w·ca;
~w·ców
roz/kazodaw·stwo
roz/kazujący
roz/kaź·nik
roz/kiełz·nać

roz/kis·ły
roz/kleić; ~kleję, ~kle/i,
　~klej·cie, ~kle/ił
roz/kleko/tać; ~cz·cie
roz/kle/pywać; ~puje
roz/kloszowany
roz/kład
roz/kładów·ka
roz/kochany
roz/ko/dować; ~duje
roz/kojarzenie
roz/kole/bać; ~b·cie
roz/kol·por·tować;
　~tuje
roz/koły/sać; ~sze,
　~sz·cie
roz/ko/pywać; ~puje
roz/kosz·ny
roz/ko/szować się;
　~szuje
roz/kra/czyć; ~cz·cie
roz/kradać
roz/kradzenie
roz/krajać
roz/kraść; ~kradł,
　~krad·li, ~kradziony
roz/krawać
roz/krę/cić; ~cę, ~ć·cie
roz/krocz·ny
roz/kroić; ~kroję,
　~kroi, ~krój·cie,
　~kroił
roz/krok
roz/kru/szyć; ~sz·cie
roz/krwa/wić; ~w·cie
roz/kryć; ~kryje
roz/krze/wić; ~w·cie
roz/krzy/czeć się;
　~cz·cie, ~czeli
roz/krzy/żować; ~żuje
roz/kuć; ~kuje

roz/kudłany
roz/kul·ba/czyć; ~cz·-
　cie
roz/ku/pić; ~p·cie
roz/kur·czyć; ~cz·cie
roz/kurz (na roz-
　kurz)
roz/kuwać
roz/kwa/sić; ~szę,
　~ś·cie
roz/kwate/rować;
　~ruje
roz/kwiecić
roz/kwilić się
roz/kwit; ~kwicie
roz/kwitnąć; ~kwitł
　lub ~kwit·nął,
　~kwit·nięty
roz/lać; ~leje, ~lali *lub*
　~leli
roz/lazły; ~laźli
roz/lec się *lub* roz/leg·-
　nąć się; roz/legł
roz/lecieć się
roz/leg·ły
roz/leni/wić; ~w·cie
roz/leni/wieć; ~wieje,
　~wieli
roz/le/pić; ~p·cie
roz/lewisko
roz/lew·nia; ~ni
roz/leźć się; ~lezą,
　~leź·cie, ~lazł, ~leź·li
roz/licz·ny
roz/li/czyć; ~cz·cie
roz/lo/kować; ~kuje
roz/lo/sować; ~suje
roz/lśniewać
roz/luź·nić
roz/ładow·czy
roz/ładow·nia; ~ni

roz/ładunek
roz/łaj·da/czyć się;
　~cz·cie
roz/ła/mać; ~mię,
　~mie, ~m/my
roz/łamo/wiec;
　~w·ców
roz/ła/zić się; ~żą,
　~ź·cie
roz/łącz·ność
roz/łą/czyć; ~cz·cie
roz/łą/ka; ~ce
roz/łożyć; ~łóż·cie
roz/łożysty;
　~łożyst·szy
roz/łóg; ~łogu
roz/łu/pać; ~p·cie
roz/mach·nąć się;
　~nął, ~nęli
roz/ma/icie
roz/ma/ić się
roz/mai/ty; ~t·szy
roz/maryn
roz/ma/rzać
　(*pobudzać do*
　marzenia)
roz/mar·zać (*tajać*)
roz/mar·znąć; ~zł *lub*
　~znął, ~zli
roz/ma/rzyć; ~rz·cie
roz/mawiać
roz/ma/zać; ~że,
　~ż·cie
roz/maz·ga/ić się; ~ję,
　~i, ~cie, ~ił
roz/mą/cić; ~cę, ~ć·cie
roz/miar; ~miarze
roz/miatać
roz/miaż·dżyć; ~dż·cie
roz/mie/nić; ~ń·cie
roz/mie/rzyć; ~rz·cie

roz/mie/sić; ~szę,
    ~ś·cie
roz/mieszać
roz/mieścić; ~miesz-
    czę, ~mieść·cie
roz/mieść; ~miecie,
    ~mieć·cie, ~miótł,
    ~miet·li
roz/miękać
roz/mięk·czyć;
    roz/miękcz·cie
roz/mięk·nąć;
    roz/miękł *lub*
    roz/mięk·nął
roz/mijać się
roz/mi/nąć się; ~ń·cie,
    ~nął, ~nęli
roz/mi/nować; ~nuje
roz/mnożyć; ~mnóż·-
    cie
roz/mnóż·ka
roz/mo/czyć; ~cz·cie
roz/mok·nąć;
    roz/mókł *lub*
    roz/mok·nął
roz/mon·tować; ~tuje
roz/mowa; ~mów
roz/mó|w·ca; ~w·ców
roz/mó/wić się; ~w·cie
roz/mó|w·ka; ~w·ce
roz/mrażać
roz/mrozić; ~mrożę,
    ~mróź·cie *lub*
    ~mroź·cie
roz/myć; ~myje
roz/mysł; ~myśle
roz/myślać
roz/myślić się;
    ~myśl·cie
roz/myśl·nie
roz/namiętnić

roz/negli/żować; ~żuje
roz/nie/cić; ~cę, ~ć·cie
roz/nieść; ~nieś·cie,
    ~niósł, ~nieś·li
roz/no/sić; ~szę, ~ś·cie
roz/ocho/cić się; ~cę,
    ~ć·cie
roz/ognić
roz/orać; ~orze,
    ~orz·cie
roz/paczać
roz/pacz·liwy
roz/pać·kać
roz/pad
roz/pad·lina
roz/pa/kować; ~kuje
roz/palić
roz/pamię/tywać;
    ~tuje
roz/pano/szyć się;
    ~sz·cie
roz/paprać; ~paprze,
    ~paprz·cie
roz/par·ce/lować;
    ~luje
roz/par·ty; ~ci
roz/pa/rzyć; ~rz·cie
roz/pasanie
roz/pasku/dzić; ~dzę,
    ~dź·cie
roz/paść się; ~pasę,
    ~paś·cie, ~pasł,
    ~paś·li
roz/paść się; ~pad·nie,
    ~padł
roz/patrzyć; ~patrz·cie
roz/peł|z·nąć się;
    ~z·nie *lub* ~ź·nie,
    ~z·nij·cie *lub*
    ~ź·nij·cie, ~z·nął *lub*
    ~zł, ~z·li *lub* ~ź·li

roz/pęcz·nieć; ~nieje
roz/pęd; ~pędzie
roz/pę/dzić; ~dzę,
    ~dź·cie
roz|pęk·nąć się; ~pękł
    lub ~pęk·nął, ~pęk·ła
roz/pętać
roz/piąć; roze/pnij·cie,
    roz/piął, roz/pięli,
    roz/pięty
roz/pieczę/tować;
    ~tuje
roz/pierać się
roz/pierz|ch·nąć się;
    ~ch·nął *lub* ~chł,
    ~ch·nęli *lub* ~ch·li
roz/pieścić; ~pieszczę,
    ~pieść·cie
roz/piętość
roz/pijać
roz/pi/łować; ~łuje
roz/pinać
roz/pi/rzyć; ~rz·cie
roz/pi/sać; ~szę,
    ~sz·cie
roz/pla/nować; ~nuje
roz/plą/tać; ~cze,
    ~cz·cie
roz/ple/nić; ~ń·cie
roz/pleść; ~pleć·cie,
    ~plótł, ~plet·li,
    ~pleciony
roz/plu·skiwać; ~skuje
roz/pła/kać się; ~cze,
    ~cz·cie
roz/płaszczyć;
    ~płaszcz·cie
roz/płatać
roz/płodzić; ~płodzę,
    ~płódź·cie
roz/płomie/nić; ~ń·cie

247

roz/płód; ~płodzie
roz/pły/nąć się; ~ń·cie,
~nął, ~nęli
roz/po/cząć; ~czął,
~częli, ~częty
roz/pogadzać się
roz/po/godzić się;
~godzę, ~gódź·cie
roz/polity/kować się;
~kuje
roz/po/łowić; ~łów·cie
roz/po/ra; ~rze
roz/porek
roz/porządzenie
roz/porzą/dzić; ~dzę,
~dź·cie
roz/po/starcie
roz/po/strzec; ~starł,
~starty
roz/po/ścierać
roz/powie/dzieć;
~dz·cie
roz/po/wszech·nić
roz/po/znać
roz/po/znaw·czy
roz/poży/czyć; ~cz·cie
roz/pór·ka; ~ce
roz/pra/cować; ~cuje
roz/pra/sować; ~suje
roz/praszać
roz/pra/wić się; ~w·cie
roz/pra|w·ka; ~w·ce
roz/prę/żyć; ~ż·cie
roz/promie/nić; ~ń·cie
roz/propa/gować;
~guje
roz/pro·stować; ~stuje
roz/pro/szyć; ~sz·cie
roz/prowa/dzić; ~dzę,
~dź·cie
roz/pró/szyć; ~sz·cie

roz/próżnia/czyć się;
~cz·cie
roz/pruć; ~pruje
roz/pry|s·nąć; ~ś·nie,
~ś·nij·cie, ~s·nął lub
~sł, ~s·nęli
roz/przący; ~przęże,
~przążcie lub
~przęż·cie, ~prząchł,
~przęg·li
roz/przedaż
roz/prze/strzenić;
~strzeń·cie
roz/przęg·nąć; roz/-
przęg·nął lub roz/-
prząchł, roz/przęg·li
roz/przężenie
roz/puk (śmiać się do
rozpuku)
roz/pulchnić; ~pulch-
nij·cie
roz/pusta; ~puście
roz/pust·nik; ~nicy
roz/puszczal·nik
roz/puścić; ~puszczę,
~puść·cie
roz/pychać
roz/pylić
roz/py/tywać; ~tuje
roz/rabiactwo
roz/rachunek
roz/rastać się
roz/rą/bać; ~b·cie
roz/regu/lować; ~luje
roz/re·kla/mować;
~muje
roz/robić; ~rób·cie
roz/rod·czość
roz/rosnąć się; ~ros·nę,
~roś·nij·cie, ~rósł,
~roś·li, ~roś·nięty

roz/rost; ~rościе
roz/ró|b·ka; ~b·ce
roz/ród; ~rodzie
roz/róść się – zob.
roz/rosnąć się
roz/róż·niać
roz/ruch
roz/ruszać
roz/rusz·nik
roz/ry|w·ka; ~w·ce
roz/rząd·czy
roz/rzą/dzić; ~dzę,
~dź·cie
roz/rze/dzić; ~dzę,
~dź·cie
roz/rzew·nić
roz/rzu/cić; ~cę, ~ć·cie
roz/rzut; ~rzucie
roz/rzut·ny
roz/rzynać
roz/sa/da; ~dzie
roz/sad·nik
roz/sa/dowić się;
~dów·cie
roz/sa/dzić; ~dzę,
~dź·cie
roz/są/dek; ~d·ku
roz/są/dzić; ~dzę,
~dź·cie
roz/siać; ~sieje, ~siali
lub ~sieli
roz/siąść się;
~siądź·cie, ~siadł,
~sied·li
roz/siec; ~siecze,
~siecz·cie, ~siekł
roz/siedlić
roz/siekać
roz/sier·dzić; ~dzę,
~dź·cie
roz/siewać

roz/siodłać
roz/sła/wić; ~w·cie
roz/słonecz·niony
roz/sma/kować się;
  ~kuje
roz/sma/rować; ~ruje
roz/snuć; ~snuje
roz/sortować; ~sortuje
roz/sro/żyć; ~ż·cie
roz/stać się; ~stań·cie
roz/staj·ny
roz/staw
roz/stawać się
roz/sta/wić; ~w·cie
roz/stą/pić się; ~p·cie
roz/stę/pować się;
  - pujc
roz/stroić; ~stroję,
  ~stroi, ~strój·cie,
  ~stroił
roz/strój
roz/strzelać
roz/strzę/pić; ~p·cie
roz/strzyg·nąć; ~nął,
  ~nęli, ~nięty
roz/su/nąć; ~ń·cie,
  ~nął, ~nęli
roz/supłać
roz/swa/wolić się;
  ~wol·cie
roz/sychać się
roz/syłać
roz/sy/pać; ~p·cie
roz/sypiać się
roz/sy|p·ka; ~p·ce
roz/szab·rować; ~ruje
roz/szalały
roz/szar·pać; ~p·cie
roz/szczebio/tać się;
  ~cz·cie
roz/szczekać się

roz/szcze/pić; ~p·cie
  (*rozłupać*)
roz/sze/rzyć; ~rz·cie
roz/szlochać się
roz/sznu/rować; ~ruje
roz/szu/mieć się; ~mi,
  ~miał, ~mieli
roz/szy·frować; ~fruje
roz/szywać
roz/ścielać *lub*
  roz/ścielać
roz/śmie/szyć; ~sz·cie
roz/śpiewany
roz/środ·kować; ~kuje
roz/śru/bować; ~buje
roz/świe/cić; ~cę,
  ~ć·cie
roz/świer·gotać się
  – *rzadziej*
  roz/świegotać
roz/świet·lić; ~l·cie
roz/taczać
roz/tajać
roz/tań·czyć się;
  ~cz·cic
roz/tapiać
roz/tar·cie
roz/tar·gać
roz/targ·nienie
roz/tar·ty
roz/ta/sować; ~suje
roz/ter·ka; ~ce
roz/ter·kotać się
roz/tęt·nić się
roz/tkliwić; ~tkliw·cie
roz/tlić się
roz/tłuc; ~tłucz·cie,
  ~tłukł, ~tłuk·li
roz/tocze
roz/to/czyć; ~cz·cie
roz/to/ka; ~ce

roz/to/pić; ~p·cie
roz/topy
roz/traj·ko/tać się;
  ~cz·cie
roz/tra/tować; ~tuje
roz/trą/bić; ~b·cie
roz/trą/cić; ~cę, ~ć·cie
roz/tre/nować się;
  ~nuje
roz/tro/pek; ~p·ków
roz/trop·ny
roz·truchan
roz/trwo/nić; ~ń·cie
roz/trzaskać
roz/trzą|s·nąć; ~s·nę,
  ~ś·nie, ~śnij·cie,
  ~s·nął, ~s·nęli,
  ~ś·nięty
roz/trząść; ~trzęsę,
  ~trząś·cie *lub*
  ~trzęś·cie, ~trząsł,
  ~trzęś·li
roz/trze/pać; ~p·cie
roz/trzepa/niec;
  ~ń·ców
roz/trzepotać się
roz/trzęsiony
roz/tulić
roz/tworzyć;
  ~twórz·cie
roz/twór; ~tworze
roz/tyć się; ~tyje
rozum; rozumie
rozu/mieć; ~miem,
  ~mie, ~mieją, ~miał,
  ~mieli
rozum·nie
roz/wad·niać
roz/wa/ga; ~dze
roz/walić
roz/war·cie

roz/war·stwienie
roz/war·tokąt·ny
roz/waż·ny
roz/wa/żyć; ~ż·cie
roz/weselić
roz/wiać; ~wieje,
~wiali *lub* ~wieli
roz/wią/zać; ~że,
~ż·cie
roz/wiązły; ~wiąź·li
lub ~więź·li
roz/wiąź·le
roz/wichrzyć;
~wichrz·cie
roz/widlenie
roz/wid·niać się
roz/wie/dziony; ~dzeni
roz/wieli|t·ka; ~t·ce
roz/wiel·moż·nić się
roz/wierać
roz/wier·cić; ~cę,
~ć·cie
roz/wiert; ~wier·cie
roz/wie/sić; ~szę,
~ś·cie
roz/wieść; ~wiedź·cie,
~wiódł, ~wied·li,
~wiedziony
roz/wiewać
roz/wieźć; ~wiozę,
~wieź·cie, ~wiózł,
~wieź·li, ~wieziony
roz/wijać
roz/wikłać
roz/wi/nąć; ~ń·cie,
~nął, ~nęli, ~nięty
roz/wlec; ~wlecz·cie,
~wlókł *lub* ~wlekł,
~wlek·li
roz/wlek·ły
roz/włó/czyć; ~cz·cie

roz/wod·nić
roz/wod·nik; ~nicy
roz/wodzić; ~wodzę,
~wódź·cie
roz/wol·nienie
roz/wozić; ~wożę,
~woź·cie *lub* ~wóź·cie
roz/wód; ~wodzie
roz/wó|d·ka; ~d·ce
roz/wój
roz/wó|z·ka; ~z·ce
roz/wrze·szczeć się;
~szcz·cie, ~szczeli
roz/wście/czyć; ~cz·cie
roz/wściek·lić
roz/wydrzony
roz/zbyt·kować się;
~kuje
roz/ziew
roz/zło/cić; ~cę, ~ć·cie
roz/złościć; ~złoszczę,
~złość·cie
roz/zuchwalić
roz/zuć; ~zuje
roz/żagwić
roz/żalić się
roz/żar·ty; ~ci
roz/ża/rzyć; ~rz·cie
ro/żek; ~ż·ków
rożen
roż·ny (rzut)
ród; rodzie
róg
rój
ról·ka; ~ce
róść – *zob.* rosnąć
rów
rówieśni|cz·ka; ~cz·ce
równanie
rów·nia; ~ni
równia/cha; ~sze

również
równik
równin/ny
równiu|t·ki; ~t·cy
równobocz·ny
równoczes·ny
równocześ·nie
równo/imien/ny
równokąt·ny
równo/kształt·ny
równola/tek; ~t·ków
równoległobok
równoległo/ścian
równoległy
równoleż·nik
równomier·ny
równonoc
równo/praw·ny
równoramien/ny
równorzęd·ny
równość
równo/u/praw·nienie
równowa/ga; ~dze
równowartość
równoważ·nia; ~ni
równoważ·nik
równoważyć
równo/zgłoskowy
równo/znacz·ny
równy
róze|cz·ka; ~cz·ce
rózga; rózg *lub* rózeg
Ró/zia; ~zi
róż
róża
różanecz·nik
róża/niec; ~ń·ców
różań·cowy
różdż·ka; ~ce
różdż·karz
różnica

różni/cować; ~cuje
różni|cz·ka; ~cz·ce
różnić się
różnie
różno/imien/ny
różnojęzycz·ny
różno/kształt·ny
różno/plemien/ny
różno/płciowy
różnorod·ny
różny
ró/żować; ~żuje
różo/wieć; ~wieje,
 ~wieli
różowiu|t·ki; ~tcy
różo/wy; ~w·szy
róży|cz·ka; ~cz·cc
rtęció|w·ka; ~w·ce
rtęć
RTV *lub* rtv (*radio i
 telewizja*)
Ru/an·da *lub* Rw|an·-
 da; ~an·dzie
ruba|sz·ka; ~sz·ce
rubasz·ny
rubel
ru/bid; ~bidzie
rubież
rubin
rubló|w·ka; ~w·ce
rubry/ka; ~ce
ruchomy
ruciany (*od* ruta)
ruczaj
ru/da; ~dzie
rud·be/kia; ~kii
rude/ra; ~rze
rudo/bro/dy; ~dzi
Rudolf
rudowęglo/wiec;
 ~w·ców

rudo/włosy
ru/dy; ~dzi
rudzielec
rufa
rugać
rug·bi·sta; ~ści
rug·by
rugi
Ru/gia; ~gii
rug·nąć; ~nął, ~nęli
ru/gować; ~guje
ru/ina
ruja; ru/i
ruj·na·cja; ~cji
ruj·nować; ~nuje
rule|t·ka; ~t·ce
rulon
rum
rumak
rum·ba; ~bie
Ru/mia; ~mi
rumianek
rumiany
rumie/nić; ~ń·cie
rumie/niec; ~ń·ców
ru/mor; ~morze
rumosz (skalny)
rumowisko
rum·pel; ~p·li
rum·sztyk
Rumu/nia; ~nii
rumuń·ski; ~scy
run
ru/nąć; ~ń·cie, ~nął,
 ~nęli
run·da; run·dzie
runo
ruń
ru/pia; ~pii
rupieciar·nia; ~ni
rupieć

ru/ra; ~rze
rurociąg
rusał·ka; ~ce
ruski; ruscy (*od* Ruś)
rusofil·stwo
rustykal·ny
rusycy·s|t·ka; ~t·ce
rusy/cyzm; ~cyzmie
rusyfika·cja; ~cji
rusyfi/kować; ~kuje
ruszać
rusz·cik
ruszczyć; ruszcz·cie
 (*rusyfikować*)
ruszczyzna; ruszczy-
 źnie
rusz·nica
rusz·nikarz
ruszt; rusz·cie
rusztowanie
ru/szyć; ~sz·cie
Ruś
ru/ta; ~cie
ruteniza·cja; ~cji
ru|t·ka; ~t·ce
rutyniarz
rwa; rwie (kulszowa)
rwać; rwę, rwij·cic
Rw|an·da *lub* Ru/an·-
 da; ~an·dzie
rwetes
ryba·cki; ~c/cy
rybactwo
ry/bałt; ~bał·ci
rybitwa
ry|b·ka; ~b·ce
rybo/kształt·ny
rybołów·stwo
rybonukle/inowy
 (*skrót:* RNA)
rybożer·ny

rycer·ski; ~scy
rycerz
rychło w czas
rycina (skrót: ryc.)
rycyna
ry/czałt; ~czał·cie
ry/czeć; ~cz·cie, ~czeli
ryć; ryje
rydwan
rydz
ry/giel; ~gli lub ~głów
ryg·lować; ~luje
ry/gor; ~gorze
rygorystycz·ny
rygo/ryzm; ~ryzmie
ryj; ryjów
ryjó|w·ka; ~w·ce
ryk·nąć; ~nął, ~nęli
ryko/szet; ~szecie
rykowisko
rykszarz lub rikszarz
rylec
rym; rymie
rymarz
rym·nąć; ~nie, ~nął,
   ~nęli
rymopis
rymo/twór·czy
ry/mować; ~muje
ryms·nąć; ~nął, ~nęli
rynek
ryn·graf
rynien·ka; ~ce
ryn·ko/twór·czy
ryn/na
ryn·sztok
ryn·sztunek
ryp·nąć; ~nął, ~nęli
ryps
rysa
rysi (od ryś)

rysik
ryski; ryscy (od Ryga)
rysopis
ry/sować; ~suje
rysunek (skrót: rys.)
Ry/szard; ~szar·dzie
rytm; ryt·mie
rytmiza·cja; ~cji
ryt·mo/twór·czy
rytow·nictwo
rytuał
rywaliza·cja; ~cji
ryza; ryz
ryzykan·cki; ~c/cy
ryzykan·ctwo
ryzy/kant; ~kan·ci
ryzyk-fizyk
ryzy/kować; ~kuje
ryż
ryżawy (od ryży)
ryżowy (od ryż)
ryży
rza|d·ki; ~d·cy, ~d·szy
rzadko; rzadziej
rzadziut·ki
rząd; rządzie (władza)
rząd; rzędzie (szereg)
rzą|d·ca; ~d·ców
rzą/dek; ~d·ków
rząd·ny (gospodarny)
rządowy
rzą/dzić; ~dzę, ~dź·cie
rzec; rzek·nij, rzekł,
   rzek·li
rzecz
rze|cz·ka; ~cz·ce
rzecz·nictwo
rzecz·nik
rzecz·ny (od rzeka)
rzeczow·nik
rzeczowy

rzeczo/zna|w·ca;
   ~w·ców
rzeczo/znaw·stwo
rzecz/po/spolita;
   rzeczypo/spolitej lub
   rzecz/po/spolitej
rzeczuł·ka; ~ce
rzeczywisty
rzeczywiście
rzed·nąć; rzed·nął lub
   rzedł
rzed·nieć; ~nieje, ~nieli
rze/ka; ~ce
rzekomy
rzeko|t·ka; ~t·ce
rzemien/ny
rzemień
rzemieśl·nik; ~nicy
rze/miosło; ~miośle,
   ~miosł
rzemy/czek; ~cz·ków
rzep
rzepa
rzepak
Rzepi/cha; ~sze
rzepik
rze|p·ka; ~p·ce
rzesza
rzeszo/to; ~cie
Rzeszów
rześ·ki; ~cy
rzetel·ny
rzew·ny
Rzewuski
rzezać; rzeza lub rzeże,
   rzezaj·cie lub rzeż·cie
rzeza/niec; ~ń·ców
rzezimie/szek; ~sz·ków
rzeź
rzeź·ba
rzeź·biarz

rzeź·bić; ~b·cie *lub*
~bij·cie
rzeź·nia; ~ni
rzeź·ni·cki; ~c/cy
rzeź·nik; ~nicy
rzeź·ny
rzeź·wiący
rzeź·wy
rzeżą|cz·ka; ~cz·ce
rzeżu/cha; ~sze
rzeżu|sz·ka; ~sz·ce
rzęch (*zużyty me-chanizm*)
rzędna
rzędowy

rzępolić
rzęsa
rzęsi·stek; ~st·ków
rzęsi·sty; ~st·szy
rzę|s·ka; ~s·ce
rzęśl
rzęzić; rzężą, rzęź·cie
rzężeć; rzężą, rzęź·cie
rznąć; rznął, rznęli
(*np.* deski)
rzod·kiew; rzod·kwi
rzod·kie|w·ka; ~w·ce
rzu/cić; ~cę, ~ć·cie
rzucik
rzut; rzucie

rzu|t·ki; ~t·cy
rzut·nia; ~ni
rzut·nik
rzu/tować; ~tuje
rzyg·nąć; ~nął, ~nęli
Rzym
rzym·ski; ~scy
rzym·skokatoli·cki;
~c/cy (*skrót:* rz.-kat.
lub rzym.-kat.)
rżany (*żytni*)
rżeć
rżnąć; rżnął, rżnęli
(*np.* deski)
rżysko

S

sa/bat; ~bacie (*spot-*
    kanie czarownic)
Sab<u>au</u>/dia; ~dii
sab<u>au</u>/dzki; ~dzcy
sabotaży·sta; ~ści
sabo/tować; ~tuje
Sachalin
sacharoza
sacha/ryd; ~rydzie
sacharyna
sacrum
sad; sadzie
sa/dek; ~d·ków
sa/dowić; ~dów·cie
sadow·nictwo
sady·sta; ~ści
sa/dyzm; ~dyzmie
sadza
sadzać
sadza|w·ka; ~w·ce
sa/dzić; ~dzę, ~dź·cie
sadzon·ka; ~ce
sadź *lub* szadź
safan·duła
safari
safian
saficki (*od* Safona)
sa/ga; ~dze
saganek
sahaj·dacz·ny
Saha/ra; ~rze

saj·dacz·ny
Saj·gon
sakie|w·ka; ~w·ce
sakral·ny
sakramen·cki; ~c/cy
sakra/ment; ~men·cie
sakramen·tal·ny
sakramen|t·ka; ~t·ce
saksofoni·sta; ~ści
Sakso/nia; ~nii
saksy
sakwa
sak·wojaż
salama|n·dra; ~n·drze
salater·ka; ~ce
sal·ceson
sal·do; ~dzie
sale·tra; ~trze
saletrzak
sale·zjanin
salicylowy
sal·miak
sal·monel/la
Salo/mea; ~mei, ~meę
salono·wiec; ~w·ców
salo|p·ka; ~p·ce
sal·to; sal·cie
salu/tować; ~tuje
salwa; salw
sal·wować; ~wuje
sała|t·ka; ~t·ce

Sama/ria; ~rii
Samar·ka|n·da; ~n·dzie
samar·kan|dz·ki;
    ~dz·cy
samarytań·ski; ~scy
sam·ba (*taniec*)
sami|cz·ka; ~cz·ce
samiec
samiuch·ny
samiu|t·ki; ~t·cy
sam na sam
samobież·ny
samobij
samobój·ca; ~ców
samobój·stwo
samo/chcąc
samochodziarz
samo/chód; ~chodzie
samo/chwal·stwo
samoczyn/ny
samodoskonalenie się
samodział
samodziel·ny
samodzierżawie
samodzie|rż·ca;
    ~rż·ców
samofinan·sowanie
samo/głos·ka; ~ce
samogon
samo/graj
samo/gwałt; ~gwał·cie

samo/in·duk·cja; ~cji
samo/ist·ny
samo/klejący
samokon·trola
samo/kryty/cyzm;
~cyzmie
samo/kształ·cenie
samolikwida·cja; ~cji
samo/lot; ~locie
samolub·stwo
samonoś·ny
samo/o/bron/ny
samo/ob/słu/ga; ~dze
samo/ocena
samo/okaleczenie
samo/o/kreślenie
samo/o/skarżenie
samopas
samopoczucie
samopomoc
samo/przylep·ny
samoregula·cja; ~cji
samoro/dek; ~d·ków
samorództwo
samo/rząd; ~rządzie
samorzut·nie
samosąd
samosiej·ka; ~ce
samo/stanowienie
samo/świadomość
samot·nia; ~ni
samotność
samo/trzeć (w trzy
osoby)
samo/ubóstwienie
samo/uctwo
samo/unicestwienie
samo/u/spokojenie
samo/uwiel·bienie
samo/war; ~warze
samo/wła|d·ca; ~d·ców

samo/władztwo
samowol·ny
samo/wtór (w dwie
osoby)
samowy/star·czal·ność
samozachowaw·czy
samozadowolenie
samozapar·cie
samo/zwa/niec;
~ń·ców
samo/zwań·czy
samożyw·ność
Samuel
samu/raj; ~rajów lub
~rai
sana·cja; ~cji
sanatorium
san·dacz
San·domierz
sand·wicz
saneczkarz
sane/pid; ~pidzie
(stacja sanitarno-
-epidemiologiczna)
san·gwi/nik; ~nicy
sanie; sań lub sani
sanita/riat; ~riacie
sanitariu|sz·ka; ~sz·ce
sanitar·no-epide-
miologicz·ny
sank·cja; ~cji
sank·cjo/nować; ~nuje
san·ki
san·kiulo/ta; ~ci
Sankt Peters·burg
san·ktuarium
san/na
sano·cki; ~c/cy (od
Sanok)
san·skry·cki
sa/pać; ~p·cie

sa/per; ~perzy
Sapie/ha; ~sze lub ~że
sa|p·ka; ~p·ce
sap·nąć; ~nął, ~nęli
sapro/biont; ~bion·cie
saprofag
sapro/fit; ~ficie
saraba|n·da; ~n·dzie
saraceń·ski; ~scy
sarafan
sarago·ski; ~scy (od
Saragossa)
Sarajewo
sardonicz·ny
Sardy/nia; ~nii
saren·ka; ~ce
sar·gas/sowy lub
sar·gasowy
sari
sar·kastycz·ny
sar·kazm; ~kazmie
sark·nąć; ~nął, ~nęli
sar·kofag
Sar·ma·cja; ~cji
sar·ma·cki; ~c/cy
Sar·ma/ta; ~cie
sar·ma/tyzm; ~tyzmie
sar·niąt·ko
sasan·ka; ~ce
saski; sascy
sasze|t·ka; ~t·ce
sata/nizm; ~nizmie
satelicki
sateli/ta; ~cie
satra/pa; ~pie
satura·cja; ~cji
satura/tor; ~torze
Saturn
sa/tyr; ~tyrze
saty/ra; ~rze
satys·fak·cja; ~cji

satys·fak·cjo/nować;
~nuje
s<u>au</u>/dyj·ski; ~scy
s<u>au</u>/na
sav<u>oir</u>-vivre;
savo<u>ir</u>-vivre'u,
savo<u>ir</u>-vivrze
sawan/na; sawan/nie
sawan|t·ka; ~t·ce
są/czyć; ~cz·cie
sąd; sądzie
Sądec/czyzna;
~czyźnie
sąde·cki; ~c/cy (od
Sącz)
sądeczanin
sąd·ny
sądow·nictwo
są/dzić; ~dzę, ~dź·cie
sąg
są/siad; ~siedzi
sąsiedz·ki
sąsiedz·two
są/żeń; ~żni
sążni·sty; ~st·szy
scalić
sca/pieć; ~pieje, ~pieli
sce/dować; ~duje
sce/dzić; ~dzę, ~dź·cie
scemen·tować; ~tuje
scenariusz
scenarzy·sta; ~ści
scene·ria; ~rii
scenicz·ny
sceno·gra/fia; ~fii
scenopisar·stwo
scen·trali/zować; ~zuje
scen·trować; ~truje
scepty/cyzm; ~cyzmie
sceptyk
sce/rować; ~ruje

schab
scha|dz·ka; ~dz·ce
scha/mieć; ~mieje,
~mieli
scharaktery/zować;
~zuje
sche/da; ~dzie
schematyza·cja; ~cji
schema/tyzm; ~tyzmie
scher·zo
schizma
schizo·fre/nia; ~nii
schlać się
schla/pać; ~p·cie
schlastać; schlaszcz·cie
schlebiać
schlud·ny
schłodzić; schłodzę,
schłodź·cie lub
schłódź·cie
schło/pieć; ~pieje,
~pieli
schło·stać; ~szcz·cie
schmur·nieć
schmurzyć się
schnąć; schnął lub
sechł, schli
scho/dek; ~d·ków
scho/dzić; ~dzę,
~dź·cie
scholasty/ka; ~ce
schorowany
schorzenie
schować
scho/wek; ~w·ków
schron
schro/nić się; ~ń·cie
schronisko
schropowa/cieć; ~cieje
schru/pać; ~p·cie
schrypnię/ty; ~ci

schrystiani/zować;
~zuje
schrza/nić; ~ń·cie
schu|d·nąć; ~dł lub
~d·nął, ~d·li
schwał (na schwał)
schwy/cić; ~cę, ~ć·cie
schylić
schył·kowość
schy·trzeć; ~trzeje,
~trzeli
scien·ce fic·tion
scjen·tyzm; ~tyzmie
scudzoziem·czeć;
~czeje, ~czeli
scukrzyć się
Scyl/la
scy·sja; scy·sji
Scy/tia; ~tii
scyzoryk
scze/pić; ~p·cie (spiąć)
sczer·nieć; ~nieje
sczerst·wieć; ~wieje,
~wieli
sczerwie/nieć; ~nieje,
~nieli
scze/sać; ~sze, ~sz·cie
sczez·nąć; sczeź·nie,
sczezł lub sczez·nął,
sczeź·li
sczochrać
sczyścić; sczyść·cie
seans; sean·sie
Sebastian
sece·sja; ~sji
sece·sjoni·sta; ~ści
sedes
sedno
seg·ment; ~men·cie
segmen·ta·cja; ~cji
segrega·cja; ~cji

segrega/tor; ~torze
sejf; sej·fie
sejm; sej·mie
sejs·miczność
sejs·mo·gra/fia; ~fii
sejs·molo/gia; ~gii
seka/tor; ~torze
sek·ciar·stwo
sek·ciarz
sek·cja; ~cji
sekret; sekrecie
sekreta/riat; ~riacie
sekretarz
sekretarzyk
sekret·ny
seks·apil *lub* sex
  appeal
seks·bom·ba
seksow·ny
seks·tyna *lub* ses·tyna
seksua/lizm; ~lizmie
seksuolo/gia; ~gii
sek·ta; ~cie
sek·tor; ~torze
sekularyza·cja; ~cji
seku|n·da; ~n·dzie
  (*skrót:* s *lub* sek.)
sekun·dant; ~dan·ci
sekun·dar·ny
sekun·dować; ~duje
sekutnica
Sekwana
sekwen·cja; ~cji
sekwestra·cja; ~cji
sekwestra/tor; ~torzy
sek·woja; ~wo/i
selek·cja; ~cji
selek·cjo/ner; ~nerzy
selek·tywność
selenonau/ta; ~ci
se/ler; ~lerze

sema/for; ~forze
seman·ty/ka; ~ce
se/mestr; ~mestrze
semi·cki; ~c/cy
seminarium
seminarzy·sta; ~ści
semiolo/gia; ~gii
semioty/ka; ~ce
semi/tyzm; ~tyzmie
sen; śnie
sena·cki; ~c/cy
sena/tor; ~torzy
se/nior; ~niorzy (*skrót:*
  sen.)
sen/nik
sen/ny
sens; sen·sie
sen·sa·cja; ~cji
sen·sacyj·ny
sen·sa|t·ka; ~t·ce
sen·sow·ny
sensu/alizm; ~alizmie
sen·ten·cja; ~cji
sen·ty/ment; ~men·cie
sen·tymen·ta/lizm;
  ~lizmie
separa·cja; ~cji
separa|t·ka; ~t·ce
separatystycz·ny
separa/tyzm; ~tyzmie
se/pia; ~pii
seple/nić – *rzadziej*
  szeplenić
ser; serze
Ser·bia; ~bii
ser·bołuży·cki; ~c/cy
serb·ski; ~scy
ser·ce
serdecz·ny
serdusz·ko
serena/da; ~dzie

Ser·giusz
se/ria; ~rii
serial
serio
serolo/gia; ~gii
ser·pen·tyna
serum
serw
serwan|t·ka; ~t·ce
serwa|t·ka; ~t·ce
serwe|t·ka; ~t·ce
serwi/lizm; ~lizmie
serwis
serwi/tut; ~tucie
serwola|t·ka; ~t·ce
ser·wować; ~wuje
serwus!
seryj·ność
se·sja; ~sji
ses·tyna *lub* seks·tyna
set; secie
set·bol
se/ter; ~terze
se|t·ka; ~t·ce
setuch·na
Sewil/la
sewil·ski; ~scy
sewr·ski; ~scy (*od*
  Sèvres)
sezam
sezonowy
se/czek; ~cz·ków
se/dzia; ~dziego *lub*
  ~dzi
Sedzi/mir; ~mirze
sędziostwo
sędziow·ski; ~scy
sędziwy
sęk
sękacz
sęp

sfabry/kować; ~kuje
sfabulary/zować; ~zuje
sfaj·czyć; ~cz·cie
sfaj·dać się
sfał·dować; ~duje
sfał·szować; ~szuje
sfanatyzowany
sfastry/gować; ~guje
sfaty/gować; ~guje
sfau/lować; ~luje
sfemini/zować; ~zuje
sfe/ra; ~rze
sfer·men·tować; ~tuje
sfik·sować; ~suje
sfil·cować; ~cuje
sfilistrzeć
sfil·mować; ~muje
sfinali/zować; ~zuje
sfinan·sować; ~suje
sfin·gować; ~guje
sfinks
sfla/czeć; ~czeje, ~czeli
sfol·gować; ~guje
sfora; sforze, sfor lub
    sfór
sfor·mali/zować; ~zuje
sfor·mować; ~muje
sfor·mułować; ~mułuje
sfor·sować; ~suje
sfoto·gra/fować; ~fuje
sfraje/rować się; ~ruje
sfran·cuziały
sfru/nąć; ~ń·cie, ~nął,
    ~nęli
sfrustrowany
sfusze/rować; ~ruje
show-biznes lub
    show-business
show·man
siać; sieje, siali lub sieli
siadać

siaki taki
sianokosy
sia/ra; ~rze
siar·czek; ~cz·ków
siar·czy·sty; ~ści,
    ~st·szy
siar·ka; ~ce
siar·konoś·ny
siar·kowo/dór; ~dorze
sia|t·ka; ~t·ce
siat·karz
siat·kó|w·ka; ~w·ce
siąk·nąć; ~nął, ~nęli
siąpić
siąść; siądź·cie, siadł,
    sied·li
siec; siecze, siecz·cie,
    siekł, siek·li
sie|cz·ka; ~cz·ce
siecz·kar·nia; ~ni
siecz·na
sieć
siedem/dzie/siąt pięć;
    ~sięciu pięciu
siedem/dziesiąty piąty
siedem/dziesięciolet·ni
siedem/dziesięcio/ro;
    ~r·ga
siedem/nas|t·ka; ~t·ce
siedem/nastola/tek;
    ~t·ków
siedem/nastowiecz·ny
siedem/naście; ~nastu
siedem/naścio/ro;
    ~r·ga
siedem/set; siedmiuset
siedem/set/lecie
siedem/set osiem/-
    dziesiąt siedem
siedem/set osiem/-
    dziesiąty siódmy

Siedl·ce; Siedlec
siedle·cki; ~c/cy
siedlisko
siedmiobok
siedmio/dniowy
siedmio/godzinny
siedmio/gro|dz·ki;
    ~dz·cy
Siedmio/gród;
    ~grodzie
siedmio/kąt; ~kącie
siedmiola/tek; ~t·ków
siedmio/ro; ~r·ga
siedmiotysięcz·ny
sie/dzieć; ~dzę,
    ~dź·cie, ~dzieli
sieja; sie/i
siekacz
siekie/ra; ~rze
siekierzysko
sielan·kopisarz
siel·ski; ~scy
sie/mię; ~mienia
sien/nik
sien/ny
sień
siepacz
siera|dz·ki; ~dz·cy (od
    Sieradz)
sier·dzi·sty; ~ści,
    ~st·szy
sier·mię/ga; ~dze
sier·mięż·ny
sieroci/niec; ~ń·ców
sieroctwo
sie/rota; ~rocie, ~rot
siero|t·ka; ~t·ce
sierp
sier·pień
sierść
sierżan·cki; ~c/cy

sierżant; sierżan·ci
(*skrót:* sierż.)
sie|w·ca; ~w·ców
sie|w·ka; ~w·ce
siew·ny
sięg·nąć; ~nął, ~nęli
sika|w·ka; ~w·ce
siklawa
sik·nąć; ~nął, ~nęli
siko/ra; ~rze
siksa
sili/kat *lub* syli/kat;
~kacie
sil·nia; ~ni
sil·nik
silos
siła|cz·ka; ~cz·ce
siłomierz
si/łować się; ~łuje
siłow·nia; ~ni
Sin·ga/pur; ~purze
sin·gel *lub* syn·giel
sinia/czyć; ~cz·cie
si/niec; ~ń·ców
si/nieć; ~nieje, ~nieli
siniu|t·ki; ~t·cy
sinizna; siniźnie
sinolo/gia; ~gii
sinus
sinus<u>oi</u>/da; ~dzie
siodłać
siodło
siogun *lub* szogun
sioło; siół
sion·ka; ~ce
sior·bać; siorb·cie
siorb·nąć; ~nął, ~nęli
siostra; siostrze, sióstr
siostru/nia; ~ni
siostrzany
siostrze/niec; ~ń·ców

siostrzy|cz·ka; ~cz·ce
siódem·ka; ~ce
siódmo/klasi·sta; ~ści
siódmy
sit·ko
sitowie
sitwa
Siuks
siup!
siur·pryza
siusiać
siusiumaj|t·ka *lub*
siuśmaj|t·ka; ~t·ce
si/wek; ~w·ków
si/wieć; ~wieje, ~wieli
siwiu|t·ki; ~t·cy
si/wizna; ~wiźnie
siwo/bro/dy; ~dzi
siwo/głowy
siwosz
siwo/włosy
siwu/cha; ~sze
sizal
sjena (*farba*)
sjesta; sjeście
skacowany
skad·rować; ~ruje
skafan·der; ~drze
skaj
ska/kać; ~cz·cie
skala
ska/lar; ~larze
skald; skal·dzie
skale/czyć; ~cz·cie
skalisty
skal·ku/lować; ~luje
ska/lować; ~luje
skal·pel
skal·pować; ~puje
skała
skało/twór·czy

skaman·dry·cki; ~c/cy
skaman·dry/ta; ~cie
skamielina *lub* ska-
mienielina
skamie/nieć; ~nieje,
~nieli
skamlać; skamlaj·cie
lub skaml·cie
skamleć; skaml·cie,
skamleli
skamłać; skamłaj·cie
lub skaml·cie
skanali/zować; ~zuje
skan·ce/rować; ~ruje
skan·dalicz·ny
skan·dować; ~duje
Skan·dyna/wia; ~wii
skan·dynaw·ski; ~scy
skan·sen
skap·ca/nieć; ~nieje,
~nieli
skape/rować; ~ruje
skapitali/zować; ~zuje
skapitu/lować; ~luje
skap·nąć; ~nął, ~nęła
ska/pować; ~puje
skap·tować; ~tuje
ska/pywać; ~puje
skarabe/usz
skarać; skarz·cie
skarb
skarbczyk
skar·biec; ~b·ców
skarb·nik; ~nicy
skar·bon·ka; ~ce
skar·buś
skar·cić; ~cę, ~ć·cie
skar·ga; skar·dze
skar·leć; ~leje, ~leli
skar·łowa/cieć; ~cieje,
~cieli

skar·mić; ~mię, ~mi,
~m/my
skar·pa – *rzadziej*
szkar·pa
skar·pe|t·ka; ~t·ce
skarykatu/rować;
~ruje
skarżyć; skarż·cie
skarżypy/ta; ~cie
Skarżysko-Kamien/na
ska/sować; ~suje
skatalo/gować; ~guje
ska/tować; ~tuje
sk<u>au</u>t; sk<u>au</u>/ci
sk<u>au</u>/ting
Skawa
skawalić
skaza
ska/zać; ~że, ~ż·cie
skaza/niec; ~ń·ców
ska/zić; ~żę, ~ź·cie
skażenie
skąd bądź
skąd by
skąd/ciś
skąd/inąd
skąd/kolwiek
skąd/siś
skądś
skąd/że
ską/pać się; ~p·cie
ską/pić; ~p·cie
ską/piec; ~p·ców
skąpi/grosz (*skąpiec*)
skąpiradło
skąp·stwo
ską/py; ~p·szy
skecz
skędzierza/wić; ~w·cie
ski|b·ka; ~b·ce
skier·ka; ~ce

skier·niewi·cki; ~c/cy
skie/rować; ~ruje
skif
skin
ski/nąć; ~ń·cie, ~nął,
~nęli
skipieć
ski|s·nąć; ~ś·nie, ~s·nął
lub ~sł
sklasyfi/kować; ~kuje
skląć; sklnie, sklął,
sklęli
skle/cić; ~cę, ~ć·cie
skleić; skleję, sklei,
sklej·cie, skleił
sklej·ka; ~ce
sklep
skle/pać; ~p·cie
sklepienie
sklepikarz
sklero/tyk; ~tycy
skleroza
sklerykali/zować;
~zuje
składać
skła|d·ka; ~d·ce
skład·nia; ~ni
skład·nik
skła/dować; ~duje
składzik
skła/mać; ~mię, ~mie,
~m/my
skłaniać
skłębić się
skło/nić; ~ń·cie
skłon/ność
skłó/cić; ~cę, ~ć·cie
skłuć; skłuje, skłuj·cie
skne/ra; ~rze
skner·stwo
skno/cić; ~cę, ~ć·cie

skobel
sko/czek; ~cz·ków
skocz·nia; ~ni
sko/czyć; ~cz·cie
skodyfi/kować; ~kuje
skoja/rzyć; ~rz·cie
skok
skolek·cjo/nować;
~nuje
skolektywi/zować;
~zuje
skoliga/cić się; ~cę,
~ć·cie
skolioza
skoloni/zować; ~zuje
skołatany
skołowa/cieć; ~cieje,
~cieli
sko/łować; ~łuje
skoł·tu/nić; ~ń·cie
skoma/sować; ~suje
skom·bi/nować; ~nuje
skomen·tować; ~tuje
skomer·cjali/zować;
~zuje
skom·leć; ~leli
skom·pen·sować; ~suje
skom·pi/lować; ~luje
skom·ple/tować; ~tuje
skom·pli/kować; ~kuje
skom·po/nować; ~nuje
skom·promi/tować;
~tuje
skom·putery/zować;
~zuje
skomunali/zować;
~zuje
skomuni/kować; ~kuje
skonać
skon·cen·trować;
~truje

skon·den·sować; ~suje
skon·fede/rować; ~ruje
skon·fi·skować; ~skuje
skon·fron·tować; ~tuje
skon·fun·dować; ~duje
skon·krety/zować;
~zuje
skon·soli/dować; ~duje
skon·sta/tować; ~tuje
skon·ster·nować; ~nuje
skon|stru/ować;
~stru/uje
skon·sul·tować się;
~tuje
skon·su/mować; ~muje
skon·tak·tować; ~tuje
skon·tenery/zować;
~zuje
skonto
skon·tra·stować; ~stuje
skon·tro/lować; ~luje
skon·trować; ~truje
skon·trum
skon·wen·cjonali/-
zować; ~zuje
skoń·czyć; ~cz·cie
sko/ope/rować; ~ruje
sko/ordy/nować; ~nuje
sko/pać; ~p·cie
sko/piować; ~piuje
skor·cić; ~cę, ~ć·cie
skore/lować; ~luje
skor·kowacenie
skoro/dować; ~duje
skoro/szyt; ~szycie
skoro świt
skorowidz
skor·pion
skorum·pować; ~puje
skorupa
skorupiak

skoru|p·ka; ~p·ce
sko/ry; ~rzy
skory/gować; ~guje
skorzone/ra
skorzystać
skos
sko/sić; ~szę, ~ś·cie
skosma/cić; ~cę, ~ć·cie
skost·nieć; ~nieje,
~nieli
skosza/rować; ~ruje
skosz·tować; ~tuje
skoś·no/oki
skoś·ny
skot·łować; ~łuje
skowronek
skowy/czeć; ~czeli
sko/wyt; ~wycie
skozioł·kować; ~kuje
skó/ra; ~rze
skór·ka; ~ce
skóropodob·ny
skó/rować; ~ruje (od
skóra)
skórzany
skra; skrze
skracać
skradać się
skradziony
skraj
skrajać
skraj·ność
skrapiać
skraść; skradł, skrad·li
skrawać
skra/wek; ~w·ków
skredy/tować; ~tuje
skreś·lić; skreśl·cie
skrety/nieć; ~nieje,
~nieli
skre/wić; ~w·cie

skrę/cić; ~cę, ~ć·cie
skrę/pować; ~puje
skręt; skręcie
skręto/skłon
skrnąbr·nieć; ~nieje,
~nieli
skro/bać; ~b·cie
skro/bia; ~bi
skrobio/twór·czy
skrobipiórek
skrob·nąć; ~nął, ~nęli
skroić; skroję, skroi,
skrój·cie, skroił
skromnie
skromniuch·ny
skromniu|t·ki; ~t·cy
skroń
skro/pić; ~p·cie
skrop·lić; skropl·cie
skroś lub wskroś
skró/cić; ~cę, ~ć·cie
skróto/wiec; ~w·ców
skru/cha; ~sze
skrupiać się
skrupu/lant; ~lan·ci
skrupulat·ny
skrupuł
skru/szeć; ~szeje
skru/szyć; ~sz·cie
skrutacyj·ny
skrwa/wić; ~w·cie
skryba
skryć; skryje
skrypt; skryp·cie
skrystali/zować; ~zuje
skry|t·ka; ~t·ce
skrytobój·stwo
skry/ty; ~t·szy
skryty/kować; ~kuje
skrywać
skrzat

skrze/czeć; ~cz·cie,
~czeli
skrzek
skrzek·liwy
skrze/kot; ~kocie
skrzela *lub* skrzele
skrzelodysz·ne
skrzelo/tcha|w·ka;
~w·ce
skrzep
skrze|p·nąć; ~p·nął *lub*
~pł, ~pła
skrzep·nięty
skrze/sać; ~szę, ~sz·cie
skrzętnie
skrzy/czeć; ~cz·cie,
~czeli
skrzyć się
skrzydło
skrzyk·nąć; ~nął, ~nęli
skrzy/nia; ~ni
skrzyp
skrzyp·ce
skrzy/pek; ~p·ków
skrzy/pieć; ~p·cie,
~pieli
skrzyp·nąć; ~nął, ~nęli
skrzyw·dzić; ~dzę,
~dź·cie
skrzy/wić; ~w·cie
skrzyż·ny
skrzy/żować; ~żuje
skrzyżowanie
skse/rować; ~ruje
skuba/niec; ~ń·ców
skub·nąć; ~nął, ~nęli
skuć; skuje, skuj·cie
skudlić
skudła/cić; ~cę, ~ć·cie
skulić się
skumać się

skum·bria; ~brii
skumu/lować; ~luje
skunks; skunk·sie
skup
sku/pić; ~p·cie
skupisko
sku/pować; ~puje
skur·czybyk
skur·czyć się; ~cz·cie
skurwysyn
sku/sić; ~szę, ~ś·cie
skutecz·ność
sku/tek; ~t·ków
sku/ter; ~terze
skuwać
sku|w·ka; ~w·ce
skwap·li/wy; ~w·szy
skwar; skwarze
skwar·ka; ~ce
skwar·ny
skwa/rzyć; ~rz·cie
skwa/sić; ~szę, ~ś·cie
skwaś·nieć; ~nieje
skwer; skwerze
skwier·czeć
skwi/tować; ~tuje
slajd; slaj·dzie
slalom
slang
slawi·sta; ~ści
sli/ping *lub* sl<u>ee</u>/ping;
~pin·giem
slipy
slum·sy
słabe/usz
słabiuch·ny
słabiu|t·ki; ~t·cy
sła/bizna; ~biźnie
sła|b·nąć; ~bł *lub*
~b·nął, ~b·li
słabos|t·ka; ~t·ce

słać; śle, ślij·cie
słać; ściele, ściel·cie
słaniać się
sławet·ny
sła/wić; ~w·cie
sław·ny
sławoj·ka; ~ce
Sławo/mir; ~mirze
sło|d·ki; ~d·cy, ~d·szy
słod·kowod·ny
słodycz
słodzić; słodzę, słodź·-
cie *lub* słódź·cie
słodziuch·ny
słodziu|t·ki; ~t·cy
sło/iczek; ~icz·ków
sło/ik
sło/isty
słomian·ka; ~ce
słomiany
słonecz·ko
słonecz·nik
słoniąt·ko
słonina
słoniowa/cizna;
~ciźnie
słon·ko
słonowod·ny
słony
słoń
słoń·ce
sło/ta; ~cie
Słowac/czyzna;
~czyźnie
Słowa·cja; ~cji
słowa·cki; ~c/cy
Słowe/nia; ~nii
Słowianin
słowianofil·stwo
słowiano/znaw·stwo
słowiań·ski; ~scy

Słowiań·szczyzna;
~szczyźnie
słowik
słow·nictwo
słow·nikarz
słow·ność
słowo; słów
słowolej·stwo
słowo/twór·czy
słowo/twór·stwo
słód; słodzie
słój; słojów *lub* sło/i
słów·ko
Słubice
słuchać
słucha|w·ka; ~w·ce
słuchowisko
słu·cki; ~c/cy (*od*
Słuck)
słu/ga; ~dze
sługusostwo
sługusow·ski
słu/pek; ~p·ków
Słu/pia; ~pi
Słupsk
słuszny
służal·stwo
służąca
służ·ba
służ·bi·sta; ~ści
służ·bó|w·ka; ~w·ce
służeb·ność
słu|ż·ka; ~ż·ce
słu/żyć; ~ż·cie
słychać
sły/nąć; ~ń·cie, ~nął,
~nęli
słyn/ny
sły/szeć; ~sz·cie, ~szeli
sma/czek; ~cz·ku
smacz·ny

smagliczka
smag·ły
smag·nąć; ~nął, ~nęli
smakołyk
smakosz
smakoszostwo
smakoszow·ski
sma/kować; ~kuje
smalec – *rzadziej*
szmalec
smar; smarze
smardz
smar·kacz
smar·kać; ~cz·cie
smar·kate/ria; ~rii
smark·nąć; ~nął, ~nęli
smar·kula
sma/rować; ~ruje
smażal·nia; ~ni
sma/żyć; ~ż·cie
smecz
smerf *lub* smurf
smę/tek; ~t·ków
smęt·nieć; ~nieje,
~nieli
smo/czek; ~cz·ków
smoczy
smog (*brudna mgła*)
smok (*potwór*)
smoking
smoktać; smokcz·cie
smolar·nia; ~ni
smolarz
Smoleńsk
smolić; smól·cie *lub*
smol·cie
smolny
smoluch
smoła; smół
smół·ka; ~ce
smrek

smro/dek; ~d·ku
smro/dzić; ~dzę,
~dź·cie
smród; smrodzie
smu/cić; ~cę, ~ć·cie
smug (*łąka*)
smu/ga; ~dze
smukły
smu/tek; ~t·ku
smut·nieć; ~nieje,
~nieli
smu|ż·ka; ~ż·ce
smycz
smy/czek; ~cz·ków
smyk
smykał·ka; ~ce
smyk·nąć; ~nął, ~nęli
smyrg·nąć *lub*
szmyrg·nąć; ~nął,
~nęli
snadnie
snadź
snaj·per; ~perzy
sno/bizm; ~bizmie
sno|b·ka; ~b·ce
sno/pek; ~p·ków
snopowiązał·ka; ~ce
snuć; snuje, snuj·cie
snycer·stwo
snycerz
so/bek; ~b·ków
sobiepań·stwo
sob·kostwo
sob·kow·ski; ~scy
sobota; sobocie, sobót
sobo/wtór; ~wtórze
so/ból; ~boli
so/bór; ~borze
sobó|t·ka; ~t·ce
so/cha; ~sze
Sochaczew

so·cjal·demo·kra·cja; ~cji
so·cjali·sta; ~ści
so·cjaliza·cja; ~cji
so·cja/lizm; ~lizmie
so·cjal·no-bytowy
so·cje/ta; ~cie
so·cjolo/gia; ~gii
soc·realizm; ~realizmie
soczewica
socze|w·ka; ~w·ce
soczy·sty; ~st·szy
so/da; ~dzie
sodali·cja; ~cji
sodoma i gomora
  (*rozpusta,*
  zamieszanie)
sodó|w·ka; ~w·ce
so/fa; ~fie
So/fia; ~fii
sofi·sta; ~ści
sofiz·mat; ~macie
Sofokles
soja; soi
sojusz·nik; ~nicy
sokol·nictwo
sokowiró|w·ka; ~w·ce
sokół
solan·ka; ~ce
solarium
sold; sol·dzie (*moneta*)
sol·date|s·ka; ~s·ce
soleni/zant; ~zan·ci
solen/ny
sol·feż
solić; sól·cie
solidar·ność
solidarystycz·ny
solida/ryzm; ~ryzmie
solidary/zować się;
  ~zuje

solid·ny
soli·sta; ~ści
soli/ter; ~terze
sol·miza·cja; ~cji
sol·ni|cz·ka; ~cz·ce
soló|w·ka; ~w·ce
soluks
soł·da·cki; ~c/cy
soł·dat; ~daci
sołe·cki; ~c/cy
sołectwo
soł·tysostwo
soł·tysow·ski; ~scy
soł·tysó|w·ka; ~w·ce
Soma/lia; ~lii
som·bre/ro; ~rze
somnam·bu/lizm; ~liz-
  mie
sona/ta; ~cie
son·da; son·dzie
son·daż
son·dować; ~duje
so/net; ~necie
song; son·giem
sopo·cki; ~c/cy (*od*
  Sopot)
sopranis|t·ka; ~t·ce
sor·bent; ~ben·cie
sor·boń·ski; ~scy (*od*
  Sorbona)
sorp·cja; ~cji
sortow·nia; ~ni
sorty/ment; ~men·cie
sosen·ka; ~ce
sos·jer·ka; ~ce
sosna; sośnie
sosnó|w·ka; ~w·ce
sośnina
sot·nia; ~ni
sowa; sów
sow·choz

sowie·cki; ~c/cy
sowietyza·cja; ~cji
sowie/tyzm; ~tyzmie
sowi/ty; ~t·szy
sowi/zdrzal·ski; ~scy
sód; sodzie
sój·ka; ~ce
sól
só|w·ka; ~w·ce
spa/cer; ~cerze
spaceró|w·ka; ~w·ce
spa·cja; ~cji
spacyfi/kować; ~kuje
spa/czyć; ~cz·cie
spać; śpi, śpij·cie
spać·kać
spadać
spa/dek; ~d·ków
spad·kobier·ca
spad·koda|w·ca;
  ~w·ców
spado/chron
spado/chroniarz
spadziowy
spadzisty
spaghet/ti
spajać
spa/kować; ~kuje
spalatali/zować; ~zuje
spale/nizna; ~niźnie
spalić
spalinowóz
spała/szować; ~szuje
spamiętać
spa/nieć; ~nieje, ~nieli
spaniel
spani/kować; ~kuje
spaprać; spaprz·cie
spara·frazować;
  ~frazuje
sparali/żować; ~żuje

spar·ce/lować; ~luje
spar·ciały
spa/ring *lub* spar/ring;
~rin·giem
sparing·part·ner; ~ne-
rze
sparo/diować; ~diuje
spa/rować; ~ruje
spar·szy/wieć; ~wieje,
~wieli
sparta/czyć; ~cz·cie
spartakia/da; ~dzie
spartań·ski; ~scy
spartolić
spa/rzyć; ~rz·cie
spasiony
spasku/dzić; ~dzę,
~dź·cie
spa/sować; ~suje
spaść; spad·nie, spadł
spaść; spasę, spaś·-
cie, spasł, spaś·li
spatała/szyć; ~sz·cie
sp<u>au</u>/pery/zować;
~zuje
sp<u>au</u>/zować; ~zuje
spawać
spazm; spazmie
spazmatycz·ny
spąg (*dno jaskini*)
spąso/wieć; ~wieje,
~wieli
spec
spe·cjali·sta; ~ści
spe·cjaliza·cja; ~cji
spe·cjal·ność
spe·cjał
specyficz·ny
specyfi/ka; ~ce
specyfika·cja; ~cji
spedy·cja; ~cji

spedy/tor; ~torzy
spektakl
spek·takular·ny
spek·tral·ny
spek·tro·gra/fia; ~fii
spek·tro·sko/pia; ~pii
spek·trum
spekula·cja; ~cji
spekulan·cki; ~c/cy
spekulan·ctwo
speku/lant; ~lan·ci
speleolo/gia; ~gii
spelun·ka; ~ce
speł·nić; ~nij·cie *lub*
~ń·cie
speł|z·nąć; ~z·nie *lub*
~ź·nie, ~z·nął *lub* ~zł
spenet·rować; ~ruje
speriody/zować; ~zuje
sper·ma
spe/szyć; ~sz·cie
spęcz·nieć; ~nieje,
~nieli
spęd; spędzie
spę/dzić; ~dzę, ~dź·cie
spękany
spętać
spiąć; ze/pnie, ze/-
pnij·cie, spiął, spięli
spichlerz
spichrz
spiczasty *lub*
szpiczasty
spić; spije, spij·cie
spiec; spiecz·cie,
spiekł, spieczony
spieko/ta; ~cie
spie/nić; ~ń·cie
spienię/żyć; ~ż·cie
spieprzyć; spieprz·cie
spierać się

spier·ni/czeć; ~czeje,
~czeli
spierz|ch·nąć; ~ch·nął
lub ~chł, ~ch·ła,
~ch·nięty *lub* ~ch·ły
spieszczać
spie/szyć się *lub* śpie/-
szyć się; ~sz·cie
spieścić; spieszczę,
spieść·cie
spietrać się
spięcie
spię·trzyć; spiętrz·cie
spięty
spijać
spi/ker *lub* sp<u>ea</u>/ker;
~kerzy
spik·nąć się; ~nął,
~nęli
spilśnić
spi/łować; ~łuje
spinać
spin·ka; ~ce
spin/ning
spioru/nować; ~nuje
spirala
spirytua/lizm; ~lizmie
spirytus
spiry/tyzm; ~tyzmie
spi/sać; ~sze, ~sz·cie
spi/sek; ~s·ków
spi·ski; ~scy (*od* Spisz)
spisko/wiec; ~w·ców
spi/ty; ~ci
spiżar·nia; ~ni
spiżowy
splaj·tować; ~tuje
spla/mić; ~mię, ~mi,
~m/my
splan·tować; ~tuje
splatać

265

spląd·rować; ~ruje
splą/tać; ~cz·cie
splen·dor; ~dorze
spleść; spleć·cie, splótł,
  splet·li, spleciony
spleś·nieć; ~nieje
splin *lub* spleen
spli/sować; ~suje
splot; splocie
spluga/wić; ~w·cie
splu/nąć; ~ń·cie, ~nął,
  ~nęli
spluwa
spła/cheć; ~ch·cia
spła/cić; ~cę, ~ć·cie
spła/kać się; ~cz·cie
spłaszczyć;
  spłaszcz·cie
spła/ta; ~cie
spłatać
spła/wić; ~w·cie
spławik
spław·ny
spłodzić; spłodzę,
  spłódź·cie
spło/nąć; ~ń·cie, ~nął,
  ~nęli
spło/nić się; ~ń·cie
spłon·ka; ~ce
spło/szyć; ~sz·cie
spło/wieć; ~wieje
spłu|cz·ka; ~cz·ce
spłu/kać; ~cze, ~cz·cie
spły/cić; ~cę, ~ć·cie
spły/nąć; ~ń·cie, ~nął,
  ~nęli
spływ
spo/chmur·nieć;
  ~nieje, ~nieli
spo/cić się; ~cę, ~ć·cie
spo/cząć; ~czął, ~częli

spod (czegoś)
spo/dek; ~d·ków
spode łba
spode mnie
spoden·ki – *rzadziej*
  spodeń·ki
spodleć; spodleje,
  spodleli
spod·ni (*dolny*)
spod·nie
spod·nium
spodobać się
spodziewać się
spoglądać
spoić; spoję, spoi,
  spój·cie, spoił
spo/ina
spo/istość
spo/iwo
spojenie
spojó|w·ka; ~w·ce
spoj·rzeć; spójrz·cie
  lub spoj·rzyj·cie,
  spoj·rzeli
spokoj·niu|t·ki; ~t·cy
spokor·nieć; ~nieje,
  ~nieli
spokój
spo/krew·niony
spolary/zować; ~zuje
spolegliwość
spolicz·kować; ~kuje
spoloni/zować; ~zuje
spol·szczyć; ~szcz·cie
społeczeń·stwo
społecz·nikostwo
społecz·nikow·ski; ~scy
społecz·ność
spomiędzy
sponad (*np.* dachu)
spon·dej

sponiewierać
spon·sor; ~sorzy
spon·tanicz·ność
sponurzeć (*stać się*
  ponurym)
spopielić
spopod (czegoś)
spopulary/zować;
  ~zuje
sporadycz·ny
spor·ny
sporo
sporto/wiec; ~w·ców
sport·re/tować; ~tuje
sports/men
spo/ry; ~rzy
sporysz
sporządź·nieć; ~nieje,
  ~nieli
sporzą/dzić; ~dzę,
  ~dź·cie
sposęp·nieć; ~nieje,
  ~nieli
spo/sobić; ~sób·cie
sposob·ność
sposób
spospoli/cieć; ~cieje,
  ~cieli
spost·po/nować; ~nuje
spo/strzec; ~strzeże,
  ~strzeż·cie
spo/strzegaw·czy
spo/strzeżenie
spo/środ·ka (*z samego*
  środka)
spo/śród
spotę/gować; ~guje
spotęż·nieć; ~nieje,
  ~nieli
spotkać
spot·nieć; ~nieje, ~nieli

spo/trze/bować; ~buje
spotul·nieć; ~nieje,
~nieli
spo/twa/rzyć; ~rz·cie
spo/twor·nieć; ~nieje,
~nieli
spo/ufalić
spoważ·nieć; ~nieje,
~nieli
spowiadać
spo/wić
spowied·nik; ~nicy
spowiedź
spowijać
spowi/nąć; ~ń·cie,
~nął, ~nęli
spowinowacony
spowo/dować; ~duje
spo/wsze/dnieć;
~dnieje, ~dnieli
spoza (czegoś)
spozierać
spożycie
spożyt·kować; ~kuje
spożywać
spożyw·czy
spód; spodzie
spód·ni|cz·ka; ~cz·ce
spój·nik
spój·ny
spół/dziel·nia; ~ni
spół/głos·ka; ~ce
spół·ka; ~ce (skrót: ska
lub sp.)
spór; sporze
spóź·nial·ski; ~scy
spóź·nić się
spracowany
sprać; spierze,
spierz·cie
spragniony

sprakty/kować; ~kuje
spraszać
spra|w·ca; ~w·ców
sprawdzian
spraw·dzić; ~dzę,
~dź·cie
spra/wić; ~w·cie
sprawiedli/wy; ~w·szy
spra|w·ka; ~w·ce
spraw·ność
spra/wować; ~wuje
sprawo/zdanie
sprawo/zda|w·ca;
~w·ców
sprawo/zdaw·czo-
-wybor·czy
sprawo/zdaw·stwo
sprawunek
sprecy/zować; ~zuje
sprej lub spray
sprepa/rować; ~ruje
sprezen·tować; ~tuje
sprężar·ka; ~ce
sprężony
sprę/żyć; ~ż·cie
sprężyna
spręży·sty; ~ści,
~st·szy
sprint; sprin·cie
sprin·ter; ~terzy
sproblematy/zować;
~zuje
sprofa/nować; ~nuje
sprofi/lować; ~luje
sproku/rować; ~ruje
sprolon·gować; ~guje
spro/sić; ~szę, ~ś·cie
sprostać
spro·stować; ~stuje
sprosz·kować; ~kuje
sprośność

sprowa/dzić; ~dzę,
~dź·cie
sprowo/kować; ~kuje
spró/bować; ~buje
spróch·nieć; ~nieje
spró/szyć; ~sz·cie
spruć; spruje, spruj·cie
spryciarz
sprymitywi/zować;
~zuje
spry·skiwać; ~skuje
spryt·ny
sprywaty/zować; ~zuje
sprząc; sprzążż·cie lub
sprzęż·cie, sprzągł,
sprzęg·li, sprzężony
sprzą|cz·ka; ~cz·cc
sprząść; sprzędzie,
sprzędź·cie lub
sprządź·cie, sprządł,
sprzęd·li
sprząta|cz·ka; ~cz·ce
sprząt·nąć; ~nął, ~nęli
sprzeci/wić się; ~w·cie
sprzeczać się
sprzecz·ność
sprzed
sprzedać
sprzedaj·ność
sprzeda|w·ca; ~w·ców
sprzedaż
sprzede mnie
sprzeniewie/rzyć;
~rz·cie
sprzęg·ło
sprzęg·nąć; sprzęg·nął
lub sprzągł, sprzęg·li
sprzęt; sprzęcie
sprzężenie
sprzężony
sprzyjać

sprzykrzyć się;
sprzykrz·cie
sprzymierze/niec;
~ń·ców
sprzymie/rzyć się;
~rz·cie
sprzy/siąc się;
~sięg·nij·cie, ~siągł,
~sięg·li
sprzysiężenie
spso/cić; ~cę, ~ć·cie
spuch·nąć; spuchł *lub*
spuch·nął, spuch·li
spud·łować; ~łuje
sp<u>uen</u>·tować *lub*
sp<u>oin</u>·tować; ~tuje
spulch·nić
spur·puro/wieć;
~wieje, ~wieli
spurt; spur·cie
spust; spuście
spusto/szyć; ~sz·cie
spu|ś·cić; ~szczę,
~ść·cie
spuści·zna; ~źnie
sputnik
spychać
spytać
spyt·ki (wziąć kogoś
na spytki)
srebr·nopióry
srebro; srebrze
srebrzy·sty; ~ści,
~st·szy
sro|cz·ka; ~cz·ce
sro/gi; ~dzy, ~ż·szy
sromot·nik
sro/żyć się; ~ż·cie
ssać; ssie, ssę, ssij·cie
ssak
ssa|w·ka; ~w·ce

ssąco-tłoczący
stabiliza·cja; ~cji
stabiliza/tor; ~torze
Sta/cha; ~sze
sta·cja; ~cji
sta·cjonar·ny
sta·cjo/nować; ~nuje
staczać
stać; stoję, stoi,
stój·cie
stać się; stań·cie
stadial·ny
stadion
sta/dium; ~diów
stad·ko
stad·ło
stad·nina
sta/do; ~dzie
stagna·cja; ~cji
stajać
stajen·ka; ~ce
stajen/ny
staj·nia; ~ni
stalag
stalag·mit; ~micie
stalak·tyt; ~tycie
stale
stalin·gra|dz·ki; ~dz·cy
(*od* Stalingrad)
stali/nizm; ~nizmie
stalino/wiec; ~w·ców
stal/le; stal/li *lub* stall
staloryt·nictwo
stalow·nia; ~ni
staló|w·ka; ~w·ce
stałociepl·ność
stały
Stambuł *lub* Istambuł
stam/tąd
sta/nąć; ~ń·cie, ~nął,
~nęli

stan·cja; ~cji
stan·dard; ~dar·dzie
stan·dardowy
stan·daryza·cja; ~cji
stan·gret; ~grecie
stanica
stani/czek; ~cz·ków
sta/nieć; ~nieje
stanik
Stani/sław
stanow·czy
sta/nowić; ~nów·cie
stanowisko
Stany Zjednoczone
stapiać
Starachowice
starachowi·cki; ~c/cy
staranie
staran/nie
stara/nować; ~nuje
star·cie
star·czyć
star·gać
Star·gard Szczeciń·ski
star·gar|dz·ki; ~dz·cy
staro-cer·kiew·no-sło-
wiań·ski (*skrót:* scs.)
starocer·kiew·ny
starodaw·ny
staro/druk
staro/drzew
Starogard Gdań·ski
starogar|dz·ki; ~dz·cy
staro/gre·cki; ~c/cy
staromiej·ski; ~scy
staro/ob/rzędo/wiec;
~w·ców
staropanień·stwo
staropol·szczyzna;
~szczyźnie
starorzecze

268

starosąde·cki; ~c/cy
(*od* Stary Sącz)
staro/słowiań·ski; ~scy
sta/rosta; ~roście
starostwo
staro/szlachecki
starościna
starościń·ski; ~scy
staro/świec/czyzna;
~czyźnie
staro/świe·cki; ~c/cy
starotestamen·towy
starowier·ca
starozakon/ny
starożyt·ność
staró|w·ka; ~w·ce
star·szeń·stwo
star·szyzna; ~szyźnie
start; star·cie
star·ter; ~terze
star·tować; ~tuje
staru/cha; ~sze
staru/szek; ~sz·ków
sta/ry; ~rzy
Stary Testament
sta/rzeć się; ~rzeje,
~rzeli
sta/rzyzna; ~rzyźnie
stasimon
staszczyć; staszcz·cie
Sta/szek; ~sz·ków
statecz·ność
sta/tek; ~t·ków
sta|tu/a; ~tu/y *lub*
~tu/i, ~tu/ę
statue|t·ka; ~t·ce
status
sta/tut; ~tucie
statycz·ność
staty·sta; ~ści
statystycz·ny

statyw
staw
sta/wić się; ~w·cie
stawien/nictwo
sta|w·ka; ~w·ce
stawonóg
staży·sta; ~ści
stąd
stą/giew; ~gwi
stąp·nąć; ~nął, ~nęli
stchó/rzyć; ~rz·cie
stearyna
steb·nó|w·ka *lub*
stęb·nó|w·ka; ~w·ce
stech·nicy/zować;
~zuje
Stefa/nia; ~nii
stek
stelaż
stelefoni/zować; ~zuje
stel·mach
stem·pel
Ste/nia; ~ni
steno·gra/fia; ~fii
stenoty/pia; ~pii
stenotypi·sta; ~ści
sten·torowy (głos)
stepo/wieć; ~wieje
ster; sterze
sterany
ster·burta; ~bur·cie
ster·czeć; ~cz·cie
stereo
stereofo/nia; ~nii
stereo/metria; ~metrii
stereo·sko/pia; ~pii
stereotyp
ster·ling *lub* szter·ling
ste/rować; ~ruje
sterow·nia; ~ni
ster/rory/zować; ~zuje

ster·ta; ~cie
steryliza·cja; ~cji
steryliza/tor; ~torze
steto·skop
stetry/czeć; ~czeje,
~czeli
ste/ward; ~war·dzie
stewardesa
stęb·nó|w·ka *lub*
steb·nó|w·ka; ~w·ce
stęch·lizna; ~liźnie
stęch·nąć; stęchł,
stęch·ła
stęk·nąć; ~nął, ~nęli
stęp (jechać stępa)
stę/pić; ~p·cie
stę/pieć; ~pieje, ~picli
stę|p·ka; ~p·ce
stęsknić się
stę/żeć; ~żeje
stężony
stiuk
stlić się
stłam·sić; ~szę, ~ś·cie
stło/czyć; ~cz·cie
stłuc; stłucz·cie,
stłukł, stłuk·li
stłu|cz·ka; ~cz·ce
stłu/mić; ~mię, ~mi,
~m/my, ~miony
stocz·nia; ~ni
stocz·nio/wiec; ~w·ców
sto/czyć; ~cz·cie
sto/doła; ~dół
stodół·ka; ~ce
sto dwadzieścia dwa;
stu dwudziestu dwu
sto dwudziesty piąty
stoi·cki; ~c/cy
stoi·cyzm; ~cyzmie
sto/ik; sto/icy

sto/isko
stojak
stojący
stok
sto/kroć (*sto razy*)
sto/kro|t·ka; ~t·ce
sto/krot·ny
stolar·nia; ~ni
stolarz
stoli/czek; ~cz·ków
stołecz·ny
stołó|w·ka; ~w·ce
stomatolo/gia; ~gii
ston·ka; ~ce
sto/noga; ~nodze,
  ~nóg
sto/nować; ~nuje
stop
stopa; stóp
sto/per; ~perze
sto/pić; ~p·cie
stopień
sto|p·ka; ~p·ce
stop·nieć; ~nieje
stop·niować; ~niuje
sto/ra; ~rze
stor·czyk
stor·fieć; ~fieje
stor·pe/dować; ~duje
stos
sto/sować; ~suje
stosunek
stowarzyszenie
sto/żek; ~ż·ków
stóg
stój·kowy
stół
stó|p·ka; ~p·ce (*mała
  stopa*)
stówa
stó|w·ka; ~w·ce

strace/niec; ~ń·ców
straceń·czy
strach
stra/cić; ~cę, ~ć·cie
straganiarz
straj·kować; ~kuje
stra/pić się; ~p·cie
stra/szyć; ~sz·cie
stra/ta; ~cie
strate/gia; ~gii
strategicz·ny
strat·ny
strato·sfe/ra; ~rze
stra/tować; ~tuje
stratyfika·cja; ~cji
strawa
stra/wić; ~w·cie
straż
straża·cki; ~c/cy
straż·nik
strą/cić; ~cę, ~ć·cie
strąk
strefa
stre/mować się; ~muje
streptomycyna
stres *lub* stress
stre/sować; ~suje
streszczenie
streścić; streszczę,
  streść·cie
stręczyciel·stwo
strę/czyć; ~cz·cie
strip·tiz *lub* strip-tease
strip·tizer·ka; ~ce
stro|f·ka; ~f·ce
stro/fować; ~fuje
stro/iciel
stro/ić; stroję, stro/i,
  strój·cie, stro/ił
stro/ik
stroj·nisia

stro/mizna; ~miźnie
strona (*skrót:* s. *lub*
  str.)
stronica
stroni|cz·ka; ~cz·ce (*od
  stronica*)
stro/nić; ~ń·cie
stron/nictwo
stron/ni|cz·ka; ~cz·ce
  (*zwolenniczka*)
stron/niczość
stront; stron·cie
strop
stro/pić się; ~p·cie
stroskany
stro/szyć; ~sz·cie
strój
stró|ż·ka; ~ż·ce (*dozor-
  czyni*)
stróżostwo
stróżow·ski; ~scy
stróżó|w·ka; ~w·ce
struch·leć; ~leje, ~leli
strucla
struć; struje, struj·cie
strudel
stru/dzony; ~dzeni
strug (*narzędzie*)
stru/ga; ~dze
  (*strumień*)
stru/gać; ~ga *lub* ~że,
  ~gaj·cie *lub* ~ż·cie
struktu/ra; ~rze
strukturaliza·cja; ~cji
struktura/lizm; ~liz-
  mie
strukturo/twór·czy
strumień
struna
struno/wiec; ~w·ców
stru/pek; ~p·ków

270

strupieszały
strusi
struś
stru/ty; ~ci
stru|ż·ka; ~ż·ce (mała
   struga)
struż·ki (wióry)
strużyny
strwo/nić; ~ń·cie
strwo/żyć się;
   strwóż·cie
strych
strych·nina
strychulec
stry/czek; ~cz·ków
stryja/szek; ~sz·ków
stryjostwo
stryjow·ski; ~scy
stry/szek; ~sz·ków
strywiali/zować; ~zuje
strzał
strzał·ka; ~ce
strzaskać
strzą|s·nąć; ~snę,
  ~ś·nie, ~śnij·cie,
  ~s·nął, ~s·nęli,
  ~ś·nięty
strząść; strzęsę,
  strząś·cie lub
  strzęś·cie, strząsł,
  strzęś·li
strzec; strzeże,
  strzeż·cie, strzegł,
  strzeżony
strze/cha; ~sze
strzelać
strzel·ba
strzele·cki; ~c/cy
strzelectwo
strze/listy; ~liści
strzemiącz·ko

strzemien/ne (toast na
  pożegnanie)
strze/mię; ~mienia,
  ~mion
strzep·nąć; ~nął, ~nęli
strzeżony
strzę/pić; ~p·cie
strzyc; strzyże,
  strzyż·cie, strzygł,
  strzyg·li, strzyżony
strzy/ga; ~dze
strzyka|w·ka; ~w·ce
strzyk·nąć; ~nął, ~nęli
strzyżenie
strzyżyk
stubarw·ny
studen·cki; ~c/cy
stu/dent; ~den·ci
studen·te/ria; ~rii
stu/dia; ~diów
stu/dio; ~diów
stu/diować; ~diuje
stu/dium; ~diów
stud·nia; ~ni
studniarz
stu/dnió|w·ka; ~w·ce
studyj·ny
stu/dzić; ~dzę, ~dź·cie
studzien·ka; ~ce
studzien/ny
stu/głowy
stukart·kowy
stuk·nąć; ~nął, ~nęli,
  ~nięty, ~nięci
stuko/tać; ~cz·cie
stule/cie; ~ci
stulej·ka; ~ce
stulet·ni
stulić
stuła
stuł·bia; ~bi

stuł·bio/pław
stuma/nieć; ~nieje,
  ~nieli
stumetró|w·ka; ~w·ce
stumilowy
stunoż·ny
stupaj·ka; ~ce
stu/procen·towy
stur·czyć; ~cz·cie
stur·lać się
stutysięcz·nik
stuwatowy
stu/złotó|w·ka; ~w·ce
stward·nieć; ~nieje,
  ~nieli
stwarzać
stwier·dzić; ~dzę,
  ~dź·cie
stworzon·ko
stworzyć; stwórz·cie
stwór; stworze
stwór·ca
stychicz·ny
sty/czeń
stycz·na
stygmat; stygmacie
styg·nąć; stygł lub
  styg·nął
stykać się
Styks
styli·sta; ~ści
stylisty/ka; ~ce
styliza·cja; ~cji
stylonowy
stylowość
stymula·cja; ~cji
stymula/tor; ~torze
sty/pa; ~pie
stypen·dium; ~diów
stypen·dy·sta; ~ści
styrani/zować; ~zuje

styropian
suahili (*język*)
sub·an·tar·ktycz·ny
sub·ar·ktycz·ny
subiek·cja; ~cji
su/biekt; ~biekcie
subiekty/wizm; ~wiz-
   mie
sub·katego/ria; ~rii
sub·kod; ~kodzie
sub·ko|n·to; ~n·cie
sub·kon·ty/nent;
   ~nen·cie
sub·kul·tu/ra; ~rze
sub·lima·cja; ~cji
sub·loka/tor; ~torzy
sub·nordycz·ny
sub·ordyna·cja; ~cji
sub·region
subre|t·ka; ~t·ce
sub·skry/bent; ~ben·ci
sub·skryp·cja; ~cji
sub·stan·cja; ~cji
sub·stan·tywiza·cja; ~cji
sub·strat; ~stracie
sub·stytu·cja; ~cji
sub·sy/diować; ~diuje
sub·sy/dium; ~diów
sub·tel·ny
sub·tropikal·ny
sub·wen·cja; ~cji
su/char; ~charze
su/cho; ~szej
sucho/drzew; ~drzewie
suchot·nik
suchu|t·ki; ~t·cy
su/chy; ~si, ~ch·szy
su|cz·ka; ~cz·ce
Sudan
sude·cki; ~c/cy (*od*
   Sudety)

sue·ski; ~scy (*od* Suez)
sufiks
su/fit; ~ficie
sufler; suflerzy
suflet; suflecie
sufragan
sufrażys|t·ka; ~t·ce
suge/rować; ~ruje
suge·stia; ~stii
sugestyw·nie
sui/ta; ~cie
su/ka; ~ce
suk·ces
suk·ce·sja; ~sji
suk·ce/sor; ~sorzy
suk·cesyw·ny
sukien·ka; ~ce
sukien/ny
sukin/syn
suk·mana
suknia; sukni
sukno
suku/lent; ~len·cie
sukurs
sulf·amid; ~amidzie
sul·fon·amid; ~amidzie
suł·tan
suł·tań·ski; ~scy
sum
suma
sumarycz·ny
Suma·tra; ~trze
sumiasty
sumienie
sumien/nie
su/mować; ~muje
sumpt; sump·cie
su/nąć; ~ń·cie, ~nął,
   ~nęli
sun/nita; sun/nici
supeł

super·ar·bi/ter; ~trze
supera/ta; ~cie
super·cięźki
super·eks·pres
super·fosfat; ~fosfacie
super·kom·fortowy
super·latywy
super·man
super·mar·ket
super·mocar·stwo
super·sam
suple/ment; ~men·cie
suplety/wizm; ~wiz-
   mie
suplika·cja; ~cji
supłać
supra·ski; ~scy (*od*
   Supraśl)
suprema·cja; ~cji
surdut; surducie
sur·fing
sur·ma
suro/gat; ~gacie
suroja|d·ka; ~d·ce
surowco/chłon/ny
surowica
suro/wiec; ~w·ców
suro/wizna; ~wiźnie
suro/wy; ~w·szy
suró|w·ka; ~w·ce
sur/realistycz·ny
sur/rea/lizm; ~lizmie
sus
suseł
sus·pe|n·sa; ~n·sie
susz
susza
suszar·nia; ~ni
su/szyć; ~sz·cie
sutan/na
sutasz

su/tek; ~t·ków
sute/ner; ~nerzy
suterena *lub* suteryna
suty; sut·szy
suwać
suwak
suwal·ski; ~scy
Suwal·szczyzna;
~szczyźnie
Suwał·ki
suwe/nir; ~nirze
suweren/ność
suw/miar·ka; ~ce
suw·nica
swa/da; ~dzie
swar·li/wy; ~w·szy
Swarożyc
swarzę|dz·ki; ~dz·cy
(*od* Swarzędz)
swa/rzyć się; ~rz·cie
swasty/ka; ~ce
swa|t·ka; ~t·ce
swawola
swąd; swędzie
swe/ter; ~trze
swę/dzieć *lub* swę/-
dzić; ~dzą
swing; swin·giem
swo/boda; ~bodzie,
~bód
swo/isty; swo/iści
swoja|cz·ka; ~cz·ce
swoj·ski; ~scy
sworzeń
swój; swoim, swoi
sybary/ta; ~ci
sybary/tyzm; ~tyzmie
Sybe/ria; ~rii
syberyj·ski; ~scy
Sybil/la; Sybil/li
Sy/bir; ~birze

sy/cić; ~cę, ~ć·cie
Sycy/lia; ~lii
sycylij·ski; ~scy
sy/czeć; ~cz·cie, ~czeli
syfilis
syfon
sygnaliza·cja; ~cji
sygnaliza/tor; ~torze
sygnatariusz
sygnatu/ra; ~rze
sygnatur·ka; ~ce
syg·net; ~necie
syg·nować; ~nuje
Syjam
syjam·ski; ~scy
Syjon
syjoni·sta; ~ści
syjo/nizm; ~nizmie
syk·nąć; ~nął, ~nęli
syks·tyń·ski
syla/bizm; ~bizmie
sylabi/zować; ~zuje
sylaboto/nizm; ~ni-
zmie
sylabo/twór·czy
sylabo/wiec; ~w·ców
sylen
sylf
syli/kat *lub* sili/kat;
~kacie
sylo/gizm; ~gizmie
sy/lur; ~lurze
sylwe·ster; ~strze (*31.
grudnia*)
sylwe|t·ka; ~t·ce
Syl·wia; ~wii
Sylwiusz
sym·bioza
sym·bo/lizm; ~lizmie
Symeon
symet·ria; ~rii

sym·fo/nia; ~nii
sym·pa/tia; ~tii
sym·paty/zować; ~zuje
sym·po·zjum
sym·ptomatycz·ny
symula·cja; ~cji
symulan·ctwo
symu/lant; ~lan·ci
symul·tana
synago/ga; ~dze
Synaj
syn·chro/nia; ~nii
syn·chroniza·cja; ~cji
syn·drom
syn·dyk
synek·do/cha; ~sze
syneku/ra; ·-rze
syneste·zja; ~zji
syngiel *lub* singel
syn·kre/tyzm; ~tyzmie
sy/nod; ~nodzie
synogar·lica
synoni/mia; ~mii
synoptyk
synostwo
synow·ski; ~scy
syn·taktycz·ny
syn·tetycz·ny
syn·tetyza/tor; ~torze
syn·teza
synuś
sy/pać; ~p·cie
sypial·nia; ~ni
syp·ki
syp·nąć; ~nął, ~nęli
syren·ka; ~ce
Sy/ria; ~rii
Syriusz
syrop
systematyza·cja; ~cji
systemo/twór·czy

sytua·cja; ~cji
sy/tuować; ~tuuje
sy/ty; ~ci, ~t·szy
syzyfowy (praca)
szabas
sza/bat; ~bacie
sza/ber; ~brze
szabli·sta; ~ści
szablonowość
szabrow·nictwo
szach
szachi·sta; ~ści
sza/chować; ~chuje
szachraj·stwo
szachy
sza/cować; ~cuje
szacunek
szadź *lub* sadź
szafarz
sza/fir; ~firze
sza|f·ka; ~f·ce
szaflik
sza/fot; ~focie
sza/fować; ~fuje
szaj·ba
szaj·bus
szaj·ka; ~ce
szal·bierz
sza/leć; ~leje, ~leli
szale/niec; ~ń·ców
szaleń·stwo
sza/let; ~lecie
szaliko/wiec; ~w·ców
szal·ka; ~ce
sza/lować; ~luje
szaló|w·ka; ~w·ce
szalunek
szalupa
szała/put; ~pucie
szałas
szał·wia; ~wii

szama/nizm; ~nizmie
szam·bela/nia; ~nii
szam·belań·ski; ~scy
szam·bo
szamerunek
szamo/tać; ~cz·cie
Szamotuły
szam·pan
Szam·pa/nia; ~nii
szampań·ski; ~scy
szam·pon
Szang·haj
sza/niec; ~ń·ców
sza/nować; ~nuje
szan·sa; szan·sie
szan·sonis|t·ka; ~t·ce
szan·taży·sta; ~ści
szan·trapa
szań·czyk
szapo/klak
szara/da; ~dzie
szarań·cza
szarawobiały
szar·fa
szar·gać
szar·latane/ria; ~rii
szar·latań·stwo
szar·lo|t·ka; ~t·ce
szar·man·cki; ~c/cy
szarobury
szarogę/sić się; ~szę,
   ~ś·cie
szaro|t·ka; ~t·ce
szaró|w·ka; ~w·ce
szar·pie; ~pi (*materiał
   opatrunkowy*)
szarp·nąć; ~nął, ~nęli
szaru/ga; ~dze
szar·wark
sza/ry; ~rzy
szary|t·ka; ~t·ce

sza/rzeć; ~rzeje
sza/rzyzna; ~rzyźnie
szar·żować; ~żuje
szast·nąć; ~nął, ~nęli
szaszłykar·nia; ~ni
sza/ta; ~cie
szatan
szatań·ski; ~scy
szat·kować; ~kuje
szatkow·nica
szat·nia; ~ni
szat·niarz
szatyn·ka; ~ce
szcza|p·ka; ~p·ce
szczaw
Szczawnica
szczawni·cki; ~c/cy
szczą/tek; ~t·ków
szczątkowy
szczebel
szczebio/tać; ~cz·cie
szczebio|t·ka; ~t·ce
Szczebrzeszyn
Szczecin
szczecina
szczeciń·ski; ~scy
szczegól·ny
szczegół
szczeka|cz·ka; ~cz·ce
szczek·nąć; ~nął, ~nęła
szczelinowy
szczelinó|w·ka; ~w·ce
szczel·ny
szczenia·cki; ~c/cy
szczeniactwo
szczeniąt·ko
szcze/nię; ~nięcia,
   ~nięta, ~niąt
szczenięcy
szczen/na (suka)
szczep

Szczepan
szcze/pić; ~p·cie
(uodporniać lub
uszlachetniać)
szczepion·ka; ~ce
szczer·ba/ty; ~ci
szczer·bić; szczerb·cie
szczer·biec; ~b·ca
szczero/złoty
szczerze
szcze/rzyć; ~rz·cie
szcze/żuja; ~żui
szczę/dzić; ~dzę,
   ~dź·cie
szczęk
szczę/ka; ~ce
szczęk·nąć; ~nął, ~nęli
szczęko/ścisk
szczęściarz
szczęście
szczęś·li/wiec; ~w·ców
szczęś·li/wy; ~w·szy
szczodrobli/wy; ~w·szy
szczo·dry; ~drzy
szczote|cz·ka; ~cz·ce
szczo|t·ka; ~t·ce
szczuć; szczuj·cie
szczudło
szczupak
szczuplu|t·ki; ~t·cy
szczupły
szczur; szczurze
szczu/tek; ~t·ka
szczwany
szczy/cić się; ~cę,
   ~ć·cie
szczygieł
szczypa|w·ka; ~w·ce
szczyp·ce
szczypior lub szczypiór
szczypior·ni·sta; ~ści

szczyp·nąć; ~nął, ~nęli
szczyp·ta; szczyp·cie
Szczyrk
szczyt; szczycie
Szczytno
szczyt·ny
szef (zwierzchnik)
szefostwo
szefow·ski; ~scy
Szehereza/da; ~dzie
szejk
Szekspir; Szekspirze
szeląg
szelą/żek; ~ż·ków
sze/lest; ~leście
sze/leścić; ~leszczę,
   ~leść·cie
szelf
szel·mostwo
szel·mow·ski; ~scy
szemrać; szemrze,
   szemrz·cie
szeplenić – częściej
   seplenić
szep·nąć; ~nął, ~nęli
szept; szep·cie
szeptać; szepcz·cie
szereg
szerego/wiec; ~w·ców
   (skrót: szer.)
szer·mierz
szer·mować; ~muje
sze/roko; ~rzej
szerokokąt·ny
szer·szeń
sze/ryf; ~ryfie
sze/rzyć; ~rz·cie
szes/nast·ka; ~ce
szes/nastola/tek;
   ~t·ków
szes/nastowiecz·ny

szes/nasty
szes/naście
szes/naścio/ro; ~r·ga
sześcian
sześcien/ny
sześciobocz·ny
sześciogodzin/ny
sześcio/kąt; ~kącie
sześcio/krot·ny
sześciola/tek; ~t·ków
sześciopiętrowy
sześcioramien/ny
sześcio/ro; ~r·ga
sześciorzędowy
sześciostrzałowy
sześć
sześć/dzie/siąt pięć;
   ~sięciu pięciu
sześć/dziesią|t·ka;
   ~t·ce
sześć/dziesiąty
   pierw·szy
sześć/dziesięciolecie
sześć/dziesięciopięcio-
   letni
sześć/dziesięcio/ro;
   ~r·ga
sześć/set; sześciuset
sześć/set/lecie
sześć/set·ny
sześć/set siedem/dzie-
   siąt sześć
sześć/set siedem/dzie-
   siąty szósty
szet·land; ~lan·dzie
szet·lan|dz·ki; ~dz·cy
szew; szwu
szewc
szew·ski; ~scy
szew·stwo
szezlong

275

szka/lować; ~luje
szkapa
szkaplerz
szkarad·ny
szkaradzień·stwo
szkar·łatnoczerwony
szkar·łu/pień; ~pnie
szkar·pa – *częściej*
    skar·pa
szkatuł·ka; ~ce
szki/cować; ~cuje
szkie/let; ~lecie
szkieł·ko
szklan·ka; ~ce
szklar·nia; ~ni
Szklar·ska Poręba
szklarz
szklić
szklisty
szkło; szkieł
Szko·cja; ~cji
szko·cki; ~c/cy
szkoda; szkodzie,
    szkód
szkod·nictwo
szkod·nikobój·czy
szko/dzić; ~dzę, ~dź·-
    cie
szkolenio/wiec; ~w·-
    ców
szkolić; szkol·cie *lub*
    szkól·cie
szkol·nictwo
szkoła; szkół
szkopuł
szkor·but; ~bucie
Szkot; Szkoci
szkół·ka; ~ce
szkół·karz
szkrab
szku/ner; ~nerze

szku/ta; ~cie
szkut·nictwo
szkwał
szlaban
szlach·cic
szlach·ciu/ra; ~rze
szlache·cki; ~c/cy
szlachectwo
szlachet·czyzna;
    ~czyźnie
szlachet·nieć; ~nieje,
    ~nieli
szlach·ta; ~cie
szlach·tować; ~tuje
szla/czek; ~cz·ków
szlaf·myca
szlaf·rok
szlag (*apopleksja*)
szla/gier; ~gierze
szlak (*droga; motyw
    dekoracyjny*)
szlam
szlauch
szlif
szlifa
szlifier·nia; ~ni
szlifierz
szlochać
szlu|f·ka; ~f·ce
szmaciarz
szmaj·ser; ~serze
szmal
szmalec – *częściej*
    smalec
szma/ragd; ~ragdzie
szmaragdowozielony
szmat (drogi)
szma|t·ka; ~t·ce
szmatła/wiec; ~w·ców
szmelc
szmer; szmerze

szmer·giel
szmin·kować; ~kuje
szmi/ra; ~rze
szmi·zjer·ka; ~ce
szmugiel
szmug·ler; ~lerzy
szmyrg·nąć *lub*
    smyrg·nąć; ~nął,
    ~nęli
sznau/cer; ~cerze
sznur; sznurze
sznurowadło
sznuró|w·ka; ~w·ce
sznycel
szo/fer; ~ferzy
szogun *lub* siogun
szo/kować; ~kuje
szop
szopa
Szopen *lub* Chopin
szopeniana
szo|p·ka; ~p·ce
szop·karz
szo/rować; ~ruje
szors|t·ki; ~t·cy
szorty
szoso/wiec; ~w·ców
szowi/nizm; ~nizmie
szós|t·ka; ~t·ce
szósto/klasi·sta; ~ści
szósty
szpachló|w·ka; ~w·ce
szpa/czek; ~cz·ków
szpa/da; ~dzie
szpadzi·sta; ~ści
szpa/gat; ~gacie
szpak
szpakowa/ty; ~ci
szpa/ler; ~lerze
szpal·ta; ~cie
szpa/nować; ~nuje

276

szpa/ra; ~rze
szparag
szpar·gał
szpar·ko
szpatuł·ka; ~ce
szpe/cić; ~cę, ~ć·cie
szperactwo
szpet·ny
szpeto/ta; ~cie
szpic
Szpic·berg *lub*
 Spits·bergen
szpic·bró|d·ka; ~d·ce
szpiclostwo
szpiclow·ski; ~scy
szpic·ruta; ~rucie
szpiczasty *lub*
 spiczasty
szpieg; szpiedzy
szpiegostwo
szpiegow·ski; ~scy
szpik
szpikulec
szpil·ka; ~ce
szpinak
szpital·nictwo
szpon·der; ~drze
szponiasty
szpotawy
szpro|t·ka; ~t·ce
szpry/cha; ~sze
szpry/cować; ~cuje
szpula
szpunt; szpun·cie
szrama
szran·ki
szrap·nel
szron
sztab
szta|b·ka; ~b·ce
sztabo/wiec; ~w·ców

sztabó|w·ka; ~w·ce
sztache|t·ka; ~t·ce
sztach·nąć się; ~nął,
 ~nęli
sztafaż
sztafe/ta; ~cie
sztafi/rować się; ~ruje
sztalu/ga; ~dze
sztama
sztam·buch
sztam·pa
sztan·ca
sztan·dar; ~darze
sztan·ga; ~dze
sztangi·sta; ~ści
szter·ling *lub* ster·ling
sztok (pijany w sztok)
Sztok·holm
sztol·nia; ~ni
sztor·cem
sztor·cować; ~cuje
sztorm
Sztras·burg *lub*
 Stras·burg
sztruks
sztuba·cki; ~c/cy
sztu/cer; ~cerze
sztu/ciec; ~ć·ców
sztu|cz·ka; ~cz·ce
sztucz·ny
sztu/ka; ~ce
sztukamięs
sztukas
sztukate/ria; ~rii
sztuka/tor; ~torzy
sztuk/mistrz
sztuk/mistrzow·ski;
 ~scy
sztu/kować; ~kuje
sztur·cha/niec; ~ń·ców
szturch·nąć; ~nął, ~nęli

sztur·mować; ~muje
sztur·mó|w·ka; ~w·ce
sztych
sztyft; sztyf·cie
szty/gar; ~garzy
szty/let; ~lecie
sztyw·nieć; ~nieje,
 ~nieli
szuba
szubienica
szu|b·ka; ~b·ce
szubra/wiec; ~w·ców
szubraw·stwo
szufla
szufla/da; ~dzie
szuflad·kować; ~kuje
szuja; szu/i
szukać
szu/ler; ~lerzy
szu/mieć; ~mi, ~mią,
 ~miał, ~mieli
szum·nie
szu/mować; ~muje
szumowina
szurg·nąć; ~nął, ~nęli
szur·nąć; ~nął, ~nęli
szur·nięty
szu/sować; ~suje
szust·nąć; ~nął, ~nęli
szuwaks
szu/war; ~warze
Szwab
szwab·ski; ~scy
szwa|cz·ka; ~cz·ce
szwadron
szwa/gier; ~grze
szwagrostwo
szwagrow·ski; ~scy
szwaj·car; ~carze
 (*portier*)
Szwaj·ca/ria; ~rii

szwaj·car·ski; ~scy
szwal·nia; ~ni
szwan·kować; ~kuje
szwar·go/tać; ~cz·cie
Szwe·cja; ~cji
Szwed; Szwedzi
szwe|dz·ki; ~dz·cy
szwen·dać się
szwin·del
szwole/żer; ~żerze
szyb
szyba; szyb
szybciu|t·ki; ~t·cy
szy/ber; ~brze
szy|b·ka; ~b·ce
szy|b·ki; ~b·cy, ~b·szy
szy|b·ko; ~b·ciej
szyb·kobiegacz
szyb·kobież·ny
szyb·kono/gi; ~dzy
szyb·ko/ob·rotowy

szyb·ko/strzel·ny
szyb·kościomierz
szyb·kościo/wiec;
~w·ców
szyb·ko/war; ~warze
szy/bować; ~buje
szybo/wiec; ~w·ców
szybow·nictwo
szycha; szysze
szych·ta; szych·cie
szyć; szyje, szyj·cie
szydeł·kować; ~kuje
szyder·stwo
szy/dzić; ~dzę, ~dź·cie
szyfon
szyfr; szyfrze
szyf·rant; ~ran·ci
szyfro·gram
szy/i·cki; ~c/cy
szy/ita; ~icie
szy/izm; ~izmie

szyja; szy/i
szyka/nować; ~nuje
szy/kować; ~kuje
szykow·ny
szyld; szyl·dzie
szyld·wach
szy/ling; ~lin·giem
szyl·kret; ~krecie
Szymon
szym·pans; ~pan·sie
szynk
szyn·ka; ~ce
szyn·karz
szynk·was
szyn·szy/la; ~li
szy/per; ~prze
szypuł·ka; ~ce
szyszak
szy|sz·ka; ~sz·ce
szyszyn·ka; ~ce

Ś

ściana
ściąć; ze/tnie, ze/tnij·-
  cie, ściął, ścięli, ścięty
ścią/ga; ~dze
ściągacz
ściąga|cz·ka; ~cz·ce
ściąga|w·ka; ~w·ce
ściąg·nąć; ~nął, ~nęli,
  ~nięty
ścichapęk
ści|ch·nąć; ~ch·nął lub
  ~chł, ~ch·li
ściec; ściekł
ścieg (rodzaj szwu)
ściek (dla cieczy)
ście|k·nąć; ~kł lub
  ~k·nął
ścielić; ściel·cie
ściem·niać; ściem·nia
ściem·nić; ściem·ni
ściem·nieć; ~nieje,
  ~nieli
ście/nieć; ~nieje, ~nieli
ścien/ny
ście/ra; ~rze (ścierka)
ścierać
ścierka
ścier·nisko
ścier·ny
ścierń

ścier·pieć; ~p·cie,
  ~pieli
ścier|p·nąć; ~pł lub
  ~p·nął, ~p·li
ścierp·nięty
ścierwo
ścieśnić
ście/żek; ~ż·kiem (dro-
  bny ścieg)
ście|ż·ka; ~ż·ce
ścieżyna
ścięg·no
ścięty
ścigać
ścinać
ścio/sać; ~saj·cie lub
  ~sz·cie
ściół·ka; ~ce
ścisk
ści|s·ły; ~ś·li, ~ś·lej·szy
ści|s·nąć; ~ś·nie, ~ś·nij,
  ~s·nął, ~s·nęli,
  ~śnięty
ści/szyć; ~sz·cie
ściś·le
ściś·liwość
ściś·nięcie
ślad; śladzie
ślamaza/ra; ~rze
ślaz

Śląsk
ślą·ski; ~scy
śled·czy
śle/dzić; ~dzę, ~dź·cie
śledziona
śledz·two
śledź
śle/pie; ~pi lub ~piów
śle/piec; ~p·ców
śle|p·nąć; ~pł lub
  ~p·nął, ~p·li
ślepo/ta; ~cie
ślę/czeć; ~cz·cie, ~czeli
Ślęza
Ślęża
ślicz·niu|t·ki; ~t·cy
ślima/czyć się; ~cz·cie
ślimak
ślina
ślinia/czek; ~cz·ków
śli/nić; ~ń·cie
ślinotok
śliski
śli|w·ka; ~w·ce
śliwó|w·ka; ~w·ce
ślizgać się
ślizga|w·ka; ~w·ce
ślub
ślu/bować; ~buje
ślusar·nia; ~ni

279

ślusarz
śluz (*wydzielina*)
śluza; śluz (*w kanale*)
śluzó|w·ka; ~w·ce
śmiać się; śmieje,
  śmiali *lub* śmieli
śmiałość
śmichy-chichy
śmiech
śmieciarz
śmie/cić; ~cę, ~ć·cie
śmieciuch
śmieciu|sz·ka; ~sz·ce
śmieć; śmieci
śmieć; śmiem, śmieją
  lub śmią, śmieli
śmier·cionoś·ny
śmierć
śmier·dzący
śmier·dzieć; ~dzę,
  ~dź·cie, ~dzieli
śmier·dziuch
śmiertel·ność
śmie/szek; ~sz·ków
śmiesz·no|st·ka; ~st·ce
śmie/szyć; ~sz·cie
śmietan·ka; ~ce
śmiet·ni|cz·ka; ~cz·ce
śmigło/wiec; ~w·ców
śmig·nąć; ~nął, ~nęli
śmigus-dyn·gus
śniadanie
śniado/skóry; ~skórzy
śnia/dy; ~dzi
Śniardwy
śnić; śnij·cie
śnieć (*grzyb paso-*
  żytniczy)
śnie/dzieć; ~dzieli
śniedź (*patyna*)
śnieg

śniego/wiec; ~w·ców
śnieguli|cz·ka; ~cz·ce
śnie/żek; ~ż·ku
śnie|ż·ka; ~ż·ce
śnież·nopióry
śnieży|cz·ka; ~cz·ce
śnieżysty
śnięty (*ryba*)
śp. *lub* ś.p. (świętej
  pamięci)
śpią|cz·ka; ~cz·ce
śpie/szyć *lub* spie/szyć
  się; ~sz·cie
śpiewa|cz·ka; ~cz·ce
śpiewać
śpie|w·ka; ~w·ce
śpiewo/gra; ~grze
śpioch
śpio/szek; ~sz·ków
śpi/wór; ~worze
śred·nia
śred·niactwo
śred·nica
śred·nicomierz
śred·nik
śred·niodystan·so/-
  wiec; ~w·ców
śred·niolitrażowy
śred·niometrażowy
śred·niowiecze
śred·niowie/czyzna;
  ~czyźnie
śred·nio zaawansowany
śred·nio zamożny
śred·nió|w·ka; ~w·ce
śre|dz·ki; ~dz·cy (*od*
  Środa)
śreżo/ga; ~dze (*mgła*)
środa; środzie, śród
śro/dek; ~d·ków
środ·kowo/eu/ropej·ski

środ·kowo/wschod·ni
środ·kowy
środowisko
śród (*wśród*)
śród/brzusze
śród/lądowy
śród/miej·ski; ~scy
śród/mieście
śród/mięśniowy
śród/mózgo/wie; ~wi
śród/móż·dże
śród/oceanicz·ny
śród/okręcie
śród/piętro; ~piętrze
śród/poście
śród/ręcze
śród/sto/pie; ~pi
śród/tytuł
śród/ziem·nomor·ski;
  ~scy
śród/ziem·ny
śród/żyl·ny
śru|b·ka; ~b·ce
śrubo/kręt; ~kręcie
śrut (*amunicja*)
śruta (*pokruszone*
  ziarno)
św. (święty)
świad·czyć; ~cz·cie
świadectwo
świa/dek; ~d·ków
świadomie
świat; świecie
świat·ło
świat·ło/chłon/ny
świat·łocień
świat·łoczuły
świat·łolub·ny
świat·łomierz
świat·łość
świat·ło/wód; ~wodzie

świat·ło/wstręt;
~wstręcie
świat·ły
światobur·ca; ~ców
światopo/gląd; ~glą-
dzie
Świato/wid; ~widzie
świato/wiec; ~w·ców
świąd; świądzie
świątecz·ny
świą/tek; ~t·ków
świąt·karz
świątobliwość
– rzadziej
świętobliwość
świąty/nia; ~ni
świątyn/ny
świ/der; ~drze
świdni·cki; ~c/cy (od
Świdnik, Świdnica)
świd·rować; ~ruje
świeca
świe/cić; ~cę, ~ć·cie
świe·cki; ~c/cy
świe|cz·ka; ~cz·ce
świegotać – częściej
świergotać
świekra; świekrze
Świeradów
świer·gotać; ~gocze lub
~goce
świerk
świerszcz

świerzb
świerz·bią|cz·ka; ~cz·ce
świerz·bieć lub
świerz·bić; ~bi
świerzop
świet·lany
świet·lica
świet·liście
świetl·ny
świet·ló|w·ka; ~w·ce
świetność
świeżo malowany
świeżuch·ny
świeżut·ki
świe/ży; ~ż·szy
świę/cić; ~cę, ~ć·cie
święcon·ka; ~ce
święto; święcie
świętobliwość
– częściej
świątobliwość
Świętochłowice
świętojań·ski
święto/kra|d·ca;
~d·ców
święto/kra|dz·ki;
~dz·cy
święto/kradz·two
święto/krzy·ski; ~scy
Świętopełk
świętopietrze
świętoszkostwo
świę/tować; ~tuje

Święto/wit; ~wicie
świę/ty; ~ci, ~t·szy
(skrót: św.)
świ/nia; ~ni
świniarz
świ/nić; ~ń·cie
świniobicie
świniopas
świn·ka; ~ce
świno/uj·ski; ~scy
Świno/uj·ście
świntu/cha; ~sze
świn·tu/szyć; ~sz·cie
świń·stwo
świ/rować; ~ruje
świrus
Świsłocz
świ|s·nąć; ~s·nę,
~ś·nie, ~śnij·cie,
~s·nął, ~s·nęli
świst; świście
świstać; świszcz·cie lub
świstaj·cie
świstak
śwista|w·ka; ~w·ce
świ·stek; ~st·ków
świszczeć
świszczypała
świt; świcie
świ/ta; ~cie (orszak)
świtać
świtezian·ka; ~ce
Świteź

T

taba/ka; ~ce
tabakie/ra; ~rze
tabel·ka; ~ce
taber·nakulum
table|t·ka; ~t·ce
tabli|cz·ka; ~cz·ce
ta/bor; ~borze
tabo/ret; ~recie
tabu
tabu/iza·cja; ~cji
tabula rasa
tabun
tachać
ta|c·ka; ~c/ce
ta|cz·ka; ~cz·ce
Tade/usz
tadży·cki; ~c/cy
tafla
taf·ta; taf·cie
Tahiti
taić; taję, tai, taj·cie,
  taił
tajać
tajemnica
tajemnie
taj·fun
taj·ga; ~dze
Taj·lan·dia; ~dii
taj·lan|dz·ki; ~dz·cy
taj·niak; ~niacy
taj·ny

Taj·wan
takielaż
takielunek
tak i siak
takiż; tacyż
takoż
taksa·cja; ~cji
taksi *lub* taxi
taksiarz
taksomierz
tak·sować; ~suje
taksów·karz
takt; tak·cie
taktow·ny
taktycz·ny
taku|ś·ki; ~ś·cy
tak zwany (*skrót:* tzw.)
tak/że (*również*)
tak że (*w taki sposób,
  że*)
ta/lar; ~larze
ta/lent; ~len·cie
talerz
ta/lia; ~lii
talizman
tal·kować; ~kuje
Tal·mud; ~mudzie
tałałaj·stwo *lub*
  tałataj·stwo
Tama/ra; ~rze
tamary/szek; ~sz·ków

tam·buryn
ta/mować; ~muje
tam·pon
tam-tam (bęben)
tam/tej·szy; ~si
tam/ten; ~ta, ~to
tam/tędy
tamto
tam/że
Tanatos
tanc·bu/da; ~dzie
tan·cerz
tanc/mistrz
tan·deciarz
tan·dem
tan·de/ta; ~cie
tan·gens; ~gen·sie
tan·gen·s<u>oi</u>/da; ~dzie
tan·go
ta/ni; ~ń·szy
ta/niec; ~ń·ca
ta/nieć; ~nieje, ~nieli
tanio/cha; ~sze
taniut·ki
tan·kować; ~kuje
tan·ko·wiec; ~w·ców
tan·tiema
Tan·za·nia; ~nii
tań·czyć; ~cz·cie
tao/izm; ~izmie
tap·czan

tapeciarz
tape/ta; ~cie
tapi/cer; ~cerzy
tapicer·nia; ~ni
ta/pir; ~pirze
ta/ra; ~rze
taran·tela (taniec)
taran·tula (pająk)
tarapaty
taras
tara/sować; ~suje
tar|cz·ka; ~cz·ce
tar·czyca
targ
targ·nąć; ~nął, ~nęła,
~nęli
tar·gowi·cki; ~c/cy
tar·gowiczanin
tar·gowisko
tar·ka; ~ce
tar·lisko
tar·mo/sić; ~szę, ~ś·cie
Tar·no/brzeg
tar·no/brze·ski; ~scy
Tar·nów
ta/rot; ~rocie
tar·pan
tar·tak
Tar·tar; ~tarze
taryfika·cja; ~cji
taryfika/tor; ~torze
tarzać się
Tar·zan
tasie/miec; ~m·ców
tasiem·ka; ~ce
taskać
Tasma/nia; ~nii
ta/sować; ~suje
taszczyć; taszcz·cie
Tasz·ke|nt lub
Tasz·kie|nt; ~n·cie

taśmociąg
taśmote/ka; ~ce
taśmo/wiec; ~w·ców
tatar (potrawa)
Tata/ria; ~rii
tatar·szczyzna;
~szczyźnie
Tatarzyn
tater·nictwo
Tatiana
Tatry; Tatr
tatrzań·ski; ~scy
tatuaż
ta/tuować; ~tu/uje
tatuś
tau/tolo/gia; ~gii
taxi lub taksi
tąp·nięcie
Tbilisi
tchawica
tcha|w·ka; ~w·ce
tchaw·ko/wiec; ~w·ców
tchem – zob. dech
tchnąć; tchnął, tchnęli
tchnienie
tchórz
tchórzostwo
tchórzow·ski
tchó/rzyć; ~rz·cie
tchu – zob. dech
Tczew
team
teatr; teatrze
teatraliza·cja; ~cji
teatrolo/gia; ~gii
teatroma/nia; ~nii
teatrzyk
tech·nicyza·cja; ~cji
tech·ni/ka; ~ce
tech·niko/lor lub
tech·nico/lor; ~lorze

tech·nikum
tech·no (muzyka)
tech·no/kra·cja; ~cji
tech·nolo/gia; ~gii
te|cz·ka; ~cz·ce
teczu|sz·ka; ~sz·ce
teflon
tegorocz·ny
Teheran
te/ina
te/ista; ~iści
te/izm; ~izmie
te/ka; ~ce
teksas lub texas
(tkanina)
teksa·ski; ~scy (od
Teksas)
teksasowy (zrobiony
z teksasu)
tekst; tekście
tekstolo/gia; ~gii
teksty/lia; ~liów
tekściarz
tektonicz·ny
tektu/ra; ~rze
Tel Awiw
tele/abo/nent; ~nen·ci
tele/ama/tor; ~torzy
tele/au/dy·cja; ~cji
teledysk
telefaks lub telefax
telefe/rie; ~rii
telefilm
telefon (skrót: tel.)
telefo/nia; ~nii
telefonis|t·ka; ~t·ce
telefoniza·cja; ~cji
telefono·gram
telegaze/ta; ~cie
telegenicz·ny
tele·gra/fia; ~fii

tele·grafi·sta; ~ści
tele·gram
telekame/ra; ~rze
telekino
telekomunika·cja; ~cji
telekon·feren·cja; ~cji
telekon·kurs
teleks *lub* telex
teleolo/gia; ~gii
tele/pać się; ~p·cie
telepajęczar·stwo
telepajęczarz
telepa/tia; ~tii
teleranek
telesateli/ta; ~cie
Tele·sfor; ~sforze
tele·skop
teleso|n·da; ~n·dzie
teletech·ni/ka; ~ce
tele·trans·mi·sja; ~sji
teletur·niej
telewidz
telewi·zja; ~zji (*skrót:*
  TV)
telewi/zor; ~zorze
te/mat; ~macie
tem·blak
tembr; tem·brze
  – *rzadziej* timbre
Temi/da; ~dzie
tem·pe/ra; ~rze
tem·pera/ment;
  ~men·cie
tem·peratu/ra; ~rze
tem·pe/rować; ~ruje
tem·peró|w·ka; ~w·ce
tem·plariusz
tem·po (*stopień*
  szybkości)
ten·den·cja; ~cji
tenis

tenisi·sta; ~ści
tenisó|w·ka; ~w·ce
te/nor; ~norze
ten·te/gować; ~guje
ten/że; taż, toż, ciż,
  tym/że, tej/że
teocen·tryzm; ~tryz-
  mie
Teo/dor; ~dorze
Teodo·zja; ~zji
Teofil
teogo/nia; ~nii
teo·kra·cja; ~cji
teolo/gia; ~gii
teoretycz·noliteracki
teore/tyk; ~tycy
teorety/zować; ~zuje
teo/ria; ~rii
teoriopoznawczy
teozo/fia; ~fii
terako/ta; ~cie
terap<u>eu</u>/ta; ~ci
tera/pia; ~pii
terasa
teraz
teraź·niej·szość
ter·cet; ~cecie
ter·cja; ~cji
ter·cjar·stwo
ter·cjarz
tere-fere
Teren·cjusz
Tere/nia; ~ni
tereno/znaw·stwo
Teresa
Teres/pol
te/rier; ~rierze
ter·ko/tać; ~cz·cie
ter·micz·ny
ter·minarz
ter·mina/tor; ~torzy

ter·minolo/gia; ~gii
ter·mit; ~micie
ter·mitie/ra; ~rze
ter·modynami/ka; ~ce
ter·mo/for; ~forze
ter·mo/izola·cja; ~cji
ter·mojądrowy
ter·mo/metr; ~metrze
ter·monuklear·ny
Ter·mopi/le; ~li
ter·mo/plastycz·ny
ter·moregula·cja; ~cji
ter·moregula/tor; ~to-
  rze
ter·mos
ter·mo·stat; ~stacie
ter·motera·pia; ~pii
ter·pen·tyna
Ter·psycho/ra; ~rze
ter/rarium
ter/ra·zyt; ~zycie
ter/ror; ~rorze
ter/rory·sta; ~ści
ter/ro/ryzm; ~ryzmie
terytorium
Tesa/lia; ~lii
test; teście
testa/ment; ~men·cie
testa/tor; ~torzy
testo·steron
testować; testuje
teść; teścia
tetra; tetrze
tetralo/gia; ~gii
tetry/czeć; ~cz·cie,
  ~czeli
Tety/da; ~dzie
t<u>eu</u>/toń·ski; ~scy
teza
tez<u>au</u>/rus *lub*
  thes<u>au</u>/rus

Teze/usz
też
tęch·nąć; tęchł
tęcza
tęczó|w·ka; ~w·ce
tędy owędy
tę/gi; ~dzy, ~ż·szy,
　~ż·si
tę/go; ~żej
tępak
tę/pić; ~p·cie
tępo (od tępy)
tępo/ta; ~cie
tępy
tęsk·nić
tęsk·no/ta; ~cie
tę/tent; ~tencie
tętnica
tętnić
tętno
tę/żec; ~ż·ca
tę/żeć; ~żeje
tęż·nia; ~ni
tęż·szy
tę/żyzna; ~żyźnie
tfu!
thril/ler; thril/lerze
tiamina
tia/ra; ~rze
tik
Ti/mur; ~murze
tip-top
Tirana
tiul
tiur·niu/ra lub
　tur·niu/ra; ~rze
tkactwo
tka|cz·ka; ~cz·ce
tkal·nia; ~ni
tkaninopodob·ny
tkan·ka; ~ce

tkli/wy; ~w·szy
tknąć; tknął, tknęli,
　tknięty
tkwić; tkwij·cie
tle/nić; ~ń·cie
tleno/wiec; ~w·ców
tlić się
tłam·sić; ~szę, ~ś·cie
tło
tłocz·nia; ~ni
tłocz·no
tło/czyć; ~cz·cie
tłok
tło/ka; ~ce
tłuc; tłucz·cie, tłukł,
　tłuk·li
tłu/czek; ~cz·ków
tłuk·liwy
tłum
tłuma/czyć; ~cz·cie
tłu/mić; ~mię, ~mi,
　~m/my
tłumik
tłum·nie
tłumok
tłusto/czwart·kowy
tłusty; tłuści, tłust·szy
tłuszcz
tłuszcza
tłuścić; tłuszczę,
　tłuść·cie
tłuścio/cha; ~sze
tłuściu|t·ki; ~t·cy
tnący
toale/ta; ~cie
toast; toaście
Tobiasz
tobół
Tobruk
to/czyć; ~cz·cie
tof/fi

toga; todze, tóg
to jest (skrót: tj.)
tok
tokaj
tokar·nia; ~ni
tokarz
tokij·ski; ~scy
Tokio
tokowisko
toksycz·ny
toksykolo/gia; ~gii
toleran·cja; ~cji
toluen
tom; tomie (skrót: t.)
tomahawk
Tomasz
tom·bak
tomiszcze
to/mizm; ~mizmie
tomo·gra/fia; ~fii
tona (skrót: t)
tona·cja; ~cji
tonaż
to/nąć; ~ń·cie, ~nął,
　~nęli
to/nizm; ~nizmie
ton·su/ra; ~rze
toń; toń·mi
topaz
to/pić; ~p·cie
topielec
topielisko
top·le|s lub top·les|s;
　~/sie
top·liwość
top·nieć; ~nieje, ~nieli
topo·gra/fia; ~fii
to/pola; ~poli lub ~pól
toponi/mia; ~mii
toponomasty/ka; ~ce
toporzysko

topos
to/pór; ~porze
tor; torze
tor·ba; ~bie
tor·bacz
tor·biasty
tore/ador *lub*
  tor/re/ador; ~adorzy
tore|b·ka; ~b·ce
tor·fiasty
tor·fowisko
tor·na/do; ~dzie
tor·ni·ster; ~strze
toromistrz
toro/wiec; ~w·ców
tor·pedo/wiec; ~w·ców
tors
tor·sje; ~sji
tort; tor·cie
tortu/ra; ~rze
tortu/rować; ~ruje
Toruń
Toska/nia; ~nii
tost; toście
toster; tosterze
totalita/ryzm; ~ryzmie
totaliza/tor; ~torze
tota/lizm; ~lizmie
to/tek; ~t·ka
totem
toteż (*więc*)
to też (*to także*)
totolo/tek *lub* toto-
  -lo/tek; ~t·ka
totum·fa·cki; ~c/cy
tournée
to/war; ~warze
towaro/znaw·stwo
towarzycho
towarzy·ski; ~scy
towarzystwo

towarzy/szyć; ~sz·cie
towia/nizm; ~nizmie
towiań·szczyzna;
  ~szczyźnie
to/wot; ~wocie
to znaczy (*skrót:* tzn.)
toż
toż/samość
trach!
tra/cić; ~cę, ~ć·cie
Tra·cja; ~cji
tracz
trady·cja; ~cji
trady·cjona/lizm; ~liz-
  mie
traf
tra/fić; ~f·cie
traf·ny
tragarz
trage/dia; ~dii
tragediopisarz
tragifar·sa
tragikome/dia; ~dii
tra/gizm; ~gizmie
trajekto/ria; ~rii
traj·ko/tać; ~cz·cie *lub*
  ~taj·cie
traj·ko|t·ka; ~t·ce
traj·lować; ~luje
trak·cja; ~cji
trakt; trak·cie
trak·tat; ~tacie
trak·tor; ~torze
trak·torzy·sta; ~ści
trak·tować; ~tuje
tralala!
trało/wiec; ~w·ców
tramp
tramp·karz
tram·polina
tram·wajarz

trans; tran·sie
trans·ak·cja; ~cji
trans·atlan·ty·cki; ~c/cy
trans·cen·den·cja; ~cji
trans·cen·den·ta/lizm;
  ~lizmie
trans·cen·dent·ny
trans·<u>eu</u>/ropej·ski;
  ~scy
trans·fer; ~ferze
trans·figura·cja; ~cji
trans·for·ma·cja; ~cji
trans·for·ma/tor; ~to-
  rze
trans·fu·zja; ~zji
trans·kon·tynen·tal·ny
tran·skry/bować; ~buje
tran·skryp·cja; ~cji
trans·litera·cja; ~cji
trans·loka·cja; ~cji
trans·mi·sja; ~sji
trans·mi/tować; ~tuje
trans·oceanicz·ny
trans·pa/rent; ~ren·cie
trans·plan·ta·cja; ~cji
trans·po/nować; ~nuje
trans·port; ~por·cie
trans·porter; ~porterze
trans·pozy·cja; ~cji
trans/seksu/alizm;
  ~alizmie
trans/syberyj·ski
trans·westy/tyzm;
  ~tyzmie
Tran·sylwa/nia; ~nii
tran·szeja; ~szei
tran·zystor; ~zystorze
tran·zyt; ~zycie
trap
tra/per; ~perzy
trapez

trapezo/id; ~idzie
tra/pić; ~p·cie
trasa
trasz·ka; ~ce
tra ta ta!
tra/tować; ~tuje
tratwa
trawesta·cja; ~cji
trawiasty
tra/wić; ~w·cie
trawien/ny
tra|w·ka; ~w·ce
traw·ler *lub* tr<u>au</u>·ler;
~lerze
trawożer·ny
trą/bić; ~b·cie
trą|b·ka; ~b·ce
trą/cić; · cę, · ć·cic
trąd; trądzie
trądzik
Treblin·ka; ~ce
tre/fić; ~f·cie
trefl
tref·niś
tref·ny
trencz
trend; tren·dzie
tre/ner; ~nerzy
trening
trep
trepana·cja; ~cji
tre/pek; ~p·ków
tre/ser; ~serzy
treska; tresce
tresu/ra; ~rze
treści/wy; ~w·szy
treść
tre/zor; ~zorze
trębacz
trędowa/ty; ~ci
tria/da; ~dzie

trian·gula·cja; ~cji
trias
triatlon
trien/nale
trik *lub* trick
trio
trio/da; ~dzie
Tristan
tri/umf *lub* try/umf
tri/um·fa/tor *lub* try/-
um·fa/tor; ~torzy
trium·wi/rat; ~racie
trocheicz·ny
trochej
trochę
trocki·sta; ~ści
tro/czek; ~cz·ków
trofe/um
tro/ić się; troję, tro/i,
trój·cie, troi/ł
troisty
troiście
Troja; Tro/i
trojacz·ki
trojań·ski; ~scy
tro/je; ~j·ga
trok
trolej·bus
trom·bi/ta; ~cie
trom·bo/cyt; ~cycie
tro/pić; ~p·cie
tropik
tropo/sfera; ~sferze
trop w trop
trosk·li/wy; ~w·szy
troszczyć się;
troszcz·cie
trosz·kę
trotu/ar; ~arze
trója; tró/i, trój
trój/barw·ny

trój/bocz·ny
trój/bo/ista; ~iści
trój/bój
trój·ca
trój/członowy
trój/drzwiowy *lub*
trzy/drzwiowy
trój/dziel·ny
trój/dźwięk
trój·ka; ~ce
trój/kąt; ~kącie
trój/kolorowy
trój/kom·bina·cja; ~cji
trój/kowicz
trój/list·ny *lub*
trzylist·ny
trój/mecz
trój/mian
Trój/miasto; ~mieście
(*Gdańsk, Gdynia,
Sopot*)
trój·niak
trój/nóg
trój/pasmowy
trój/poló|w·ka; ~w·ce
trój/porozumienie
trój/przymierze
trój/ramien/ny
trój/skok
trój/stron/ny
trój/ścien/ny
trój/tlenek
trój/wartościowy
trój/wymiarowy
trój/ząb; ~zębu
truba/dur; ~durzy
truchcik
truch·leć; ~leje, ~leli
trucht; truchcie
truciciel·stwo

tru/cizna; ~ciźnie
truć; truje, truj·cie
trud; trudzie
trud·nić się
trud·no pal·ny
tru/dzić; ~dzę, ~dź·cie
trufla
tru/izm; ~izmie
trujący
trumien·ka; ~ce
trumien/ny
trumna; trumnie,
 trumien
trumniak
trunek
trup
trupa (zespół)
trupiar·nia; ~ni
trupio blady
truposz
trusia
truska|w·ka; ~w·ce
trust; truście
truś
truteń
tru|t·ka; ~t·ce
trwać
trwa/ły; ~l·szy
trwoga; trwodze,
 trwóg
trwo/nić; ~ń·cie
trwoż·liwy
trwożyć; trwóż·cie
tryb
trybun
trybuna
trybunał
trychinoza
tryden·cki; ~c/cy
Try/dent; ~den·cie
trygonome·tria; ~trii

tryk·nąć; ~nął, ~nęły
trykotaż
trylion
trylo/gia; ~gii
Tryni/dad; ~dadzie
trynitarz
Trypolis
tryptyk
try|s·nąć; ~s·nę, ~ś·nie,
 ~s·nął, ~s·nęła lub
 ~s·ła
try/umf lub tri/umf
try/um·fa/tor lub
 tri/um·fa/tor; ~torzy
trywializa·cja; ~cji
trzask
trza|s·nąć; ~s·nę, ~ś·-
 nie, ~s·nął, ~s·nęli
trząch·nąć; ~nął, ~nęli
trząść; trzęsę, trząś·cie
 lub trzęś·cie, trząsł,
 trzęś·li
trzcina
trzeba by
trze/bić; ~b·cie
trzebież (drzew)
Trzebi/nia; ~ni
trzech/set/lecie
trzeci
trzeciak
trzecio/klasi·sta; ~ści
trzecioligo/wiec;
 ~w·ców
trzeciomajowy
trzecio/rzęd; ~rzędzie
trzeć; trzyj·cie, tarł
trzej; trzech – zob.
 trzy
trzepa|cz·ka; ~cz·ce
trzep·nąć; ~nął, ~nęli
trzepo/tać; ~cz·cie

trzeszczeć
trześniówka
trze/wia; ~wi
trzewi/czek; ~cz·ków
trzew·ny
trzeź·wić; ~wij·cie lub
 ~w·cie
trzeź·wieć; ~wieje,
 ~wieli
trzęsawisko
trzęsienie
trzmiel
trznadel
trzoda; trzodzie, trzód
trzonek
trzonopłetwe
trzonowy
trzos
trzó|d·ka; ~d·ce
trzpień
trzpiot
trzus|t·ka; ~t·ce
trzy; trzej, trzech
trzy/aktó|w·ka; ~w·ce
trzycyfrowy
trzyczęściowy
trzy/dnió|w·ka; ~w·ce
trzy/drzwiowy
trzydzies|t·ka; ~t·ce
trzydziestolecie
trzydziesty pierwszy
trzydzieści pięć;
 trzydziestu pięciu
trzydzieścio/ro; ~r·ga
trzygodzin/ny
trzy/kroć
trzy/krot·nie
trzyla/tek; ~t·ków
trzylet·ni
trzymać
trzynas|t·ka; ~t·ce

trzynastola/tek;
~t·ków
trzynasto/zgłosko/-
wiec; ~w·ców
trzy/naście; ~nastu
trzynaścio/ro; ~r·ga
trzypiętrowy
trzy po trzy
trzy/sta czter/dzieści
trzy
trzytomowy
tse-tse (mucha)
tuba
tubal·ny
tuberoza
tu|b·ka; ~b·ce
tubylec
Tuchola
tuczar·nia; ~ni
tu/czyć; ~cz·cie
tudzież
tu i ówdzie
tuja; tui
tukan
tu/leja; ~lei
tulić
tulipan
Tulon
Tuluza
Tuła
tułactwo
tuła|cz·ka; ~cz·ce
tu/łów; ~łowia
tułup lub tułub
tuman
tuma/nić; ~ń·cie
tuma/nieć; ~nieje,
~nieli
tumiwi/sizm; ~sizmie
tu/mult; ~mul·cie
tun·dra; ~drze

tunel
Tune·zja; ~zji
tungu·ski; ~scy
Tun·guz
Tun·guz·ka
tuni/ka; ~ce
Tunis
tuń·czyk
tupeciarz
tu/pet; ~pecie
tup·nąć ~nął, ~nęli
tu/pot; ~pocie
tup, tup!
tupu-tupu!
tur; turze
tura; turze
Tur·bacz
tur·ban
tur·bina
tur·bogenera/tor;
~torze
tur·bo/śmigło/wiec;
~w·ców
tur·bować; ~buje
Tur·cja; ~cji
ture|c/czyzna;
~c/czyźnie
ture·cki; ~c/cy
tur·ka|w·ka; ~w·ce
Turk·me/nia; ~nii
tur·kot; ~kocie
tur·kuć; ~kucia
tur·kus
tur·lać
tur·ma
tur·nia; ~ni
tur·niej
tur·niu/ra lub
tiur·niu/ra; ~rze
tur·nus
turoń

tur·pizm; ~pizmie
Turyn·gia; ~gii
tury·sta; ~ści
turystycz·no-krajo/-
znaw·czy
turysty/ka; ~ce
turzyca
tusz (prysznic lub
barwnik)
tusza
tu/szować; ~szuje
tutaj
tutej·szy; ~si
Tuten·chamon lub
Tutan·chamon
tu|t·ka; ~t·ce
tuz
tuzie/miec; ~m·ców
tuzin
tuzin·kowość
tuż (blisko)
tużurek
TV (telewizja)
tward·nieć; ~nieje,
~nieli
twardo/głowy
twar·dy; ~dzi, ~d·szy
twaro/żek; ~ż·ków
twaróg
twarz
twarzocza|sz·ka; ~sz·ce
twierdza
twierdzenie
twier·dzić; ~dzę,
~dź·cie
twist; twiście
tworzyć; twórz·cie
twój; twoim lub twym,
twoi
twór; tworze
twór·ca

289

twór·czość
tybetań·ski; ~scy (od
  Tybet)
Tychy
tyciuch·ny
tyciu|t·ki; ~t·cy
tycz·karz
tyczyć się
tyć; tyje, tyj·cie
tydzień; tygo/dni
tyfus
tygiel
tygo/dnió|w·ka; ~w·ce
tygrysiąt·ko
ty/ka; ~ce
tyk·nąć; ~nął, ~nęła
tykwa
tyle/kroć
tyleż; tyluż, tylomaż
tylko by
tyl·nojęzykowy

tyl·ny
tylo/krot·nie
tylolet·ni lub tylulet·ni
tylży·cki; ~c/cy
tym bardziej
tym/czasem
tym/czasowy
tym gorzej
tymianek
Tymote/usz
tym samym
tym więcej
tynie·cki; ~c/cy (od
  Tyniec)
tynkarz
typiza·cja; ~cji
typo·grafia; ~grafii
typolo/gia; ~gii
tyra/da; ~dzie
tyralie/ra; ~rze
tyra/nia; ~nii

tyrań·stwo
Tyrte/usz
tysiąc (skrót: tys.)
tysiąc dwieście pięć
tysiąc/kroć
tysiąc/lecie
tysiącz·ny lub
  tysięcz·ny
tyski; tyscy (od
  Tychy)
tytanicz·ny
tytłać
tytoń
tytular·ny
tytuł (skrót: tyt.)
tytułoma/nia; ~nii
tytu/łować; ~łuje
tzn. (to znaczy)
tzw. (tak zwany)

U

u/ab·strakcyj·nić
u/aktual·nić; ~nij
u/aktyw·nić; ~nij
u/atrak·cyj·nić
uba·brać; ~brze,
   ~brz·cie
ubar·wić; ~w·cie
ubaw
ube·cja; ~cji
ube·cki; ~c·cy
ubek; ubecy
ubez/dźwięcz·nienie
ubez/pieczal·nia; ~ni
ubez/pie·czyć ~cz·cie
ubez/własnowol·nić
ubić; ubije
ubie·głorocz·ny
ubieg·nąć *lub* ubiec;
   ubiegł, ubieg·li
ubielić
ubieral·nia; ~ni
ubijać
ubika·cja; ~cji
ubiór; ubiorze
ubli/żyć; ~ż·cie
u/bło/cić; ~cę; ~ć·cie
ubod·nąć – *zob.* ubóść
ubo/gi; ~dzy, ~ż·szy
uboj·nia; ~ni
ubo/żeć; ~żeje, ~żeli
ubożuch·ny

ubożu|t·ki; ~t·cy
ubo·żyć; ~ż·cie
ubój; uboi *lub* ubojów
ubóstwiać
ubóstwo
ubóść; ubodzie, u-
   bódź·cie *lub* ubodź-
   cie, ubódł, ubod·li
ubrać; ubierze,
   ubierz·cie
u/brdać
u/bru/dzić; ~dzę,
   ~dź·cie
ubyć; ubędzie, u-
   bądź·cie
uby/tek; ~t·ków
u/bzdurać
uca/pić; ~p·cie
uch*!*
ucha; usze (*zupa*)
u/chlać się
ucho; uszy
ucho/dzić; ~dzę,
   ~dź·cie
ucho|dź·ca; ~dź·ców
uchodź·czy
uchodźstwo
uchować
u/chro/nić; ~ń·cie
u/chwała
u/chwy/cić; ~cę, ~ć·cie

u/chwyt; u/chwycie
uchy/bić; ~b·cie
uchylać
uciąć; u/tnie,
   u/tnij·cie, uciął,
   ucięli
uciąg·nąć; ~nął, ~nęli
uciążli/wy; ~w·szy
uci|ch·nąć; ~ch·nął *lub*
   ~chł, ~ch·li
uciec; uciekł, uciek·li
ucie·cha; ~sze
ucie|cz·ka; ~cz·ce
ucieki/nier; ~nierzy
ucieleśnić
uciemię/żyć; ~ż·cie
ucięty
uci|s·nąć; ~snę, ~ś·nie,
   ~śnij, ~s·nął, ~s·nęli
uci/szyć; ~sz·cie
uciśniony
ucywili/zować; ~zuje
u/czcić; u/czczę,
   u/czcij·cie
u/czci/wy; ~w·szy
uczel·nia; ~ni
uczen/nica
uczeń
ucze/pić; ~p·cie
ucze/sać; ~sze; ~sz·cie
uczest·nictwo

uczest·ni/czyć; ~cz·cie
uczęszczać
ucz·niow·ski; ~scy
u·czta; u·czcie
uczuć; uczuje
uczulenio/wiec;
　~w·ców
uczyć; ucz·cie
uczy/nić; ~ń·cie
　(zrobić)
uczy|n/nić; ~n/ni,
　~n/nią (zaktywi-
　zować)
uczyn/ność
udać; udadzą, udaj·cie
udar; udarze
udarem·nić; ~nię, ~nij
udat·ny
uderzająco
ude/rzyć; ~rz·cie
ud·ko; udek
u/dła/wić się; ~w·cie
udo; udzie, ud
udobruchać
udogod·nić
udoić; udoję, udoi,
　udój, udoił
udokumen·tować;
　~tuje
udomowić
udoskonalić
udo/stęp·nić
udowod·nić
udój; udoju
udrę/ka; ~ce
udroż·nić
udry (iść na udry)
u/drzeć; u/drzyj,
　udarł
uduchowiony
udu/pić; ~p·cie

udu/sić; ~szę, ~ś·cie
udziało/wiec; ~w·ców
udziec; udź·ców
udziobać; udziob·cie
　lub udzióborb·cie
udziw·niony
u/dźwięcz·nić
u/dźwiękowiony
u/dźwig·nąć; ~nął,
　~nęli
u/elastycz·nić
uf! lub uff!
ufać
ufolo/gia; ~gii
ufolu/dek; ~d·ków
ufun·dować; ~duje
ugałęziony
Ugan·da; ~dzie
uganiać się
uga/sić; ~szę, ~ś·cie
ugaszczać
ugiąć; u/gnij, u/giął,
　u/gięli, u/gięty
ugier; ugrze
u/gła/dzić; ~dzę,
　~dź·cie
u/głaskać; u/-
　głaszcz·cie
u/gnieść; u/gnieć·cie,
　u/gniótł, u/gnietli
ugoda; ugodzie, ugód
ugodo/wiec; ~w·ców
ugodzić; ugodzę,
　ugódź·cie
ugościć; ugoszczę,
　ugość·cie
ugo/tować; ~tuje
ugór; ugorze
ugrofiń·ski
u/grun·tować; ~tuje
u/grupowanie

u/gryźć; u/gryzę,
u/gryź·cie, u/gryzł,
u/gryź·li
u/grząźć lub u/grzęz-
　nąć; u/grzęz·nę,
　u/grzęź·nie,
　u/grzązł, u/grzęź·li
uha!
uhierar·chi/zować;
　~zuje
uhono/rować; ~ruje
uhu!
u/in·ten·syw·nić
u/in·tymnić; ~tymni
u/iścić; uiszczę,
　uiść·cie
ujarz·mić; ~mi, ~mij
ujaw·nić
ująć; uj·mę, uj·mie,
　uj·mij, ujął, ujęli
ujechać; ujedź·cie
ujednoli/cić; ~cę,
　~ć·cie
ujedno/staj·nić
ujedno/znacz·nić
ujemnie
ujeść; ujem, uje,
　ujedz·cie, ujadł,
　ujed·li
ujeździć; ujeż·dżę,
　ujeźdź·cie
ujeż·dżal·nia; ~ni
ujęcie; ujęć
uj·ma; uj·mie
uj·mujący
uj·rzeć uj·rzyj, uj·rzeli
uj·ście; ujść
ujść; uj·dzie, ujdź·cie,
　u/szedł, u/szli
uka/rać; ~rze, ~rz·cie
ukar·tować; ~tuje

ukatru·pić; ~p·cie
ukaz (zarządzenie)
uka/zać; ~że, ~ż·cie
uką/sić; ~szę, ~ś·cie
ukierun·kować; ~kuje
uki/sić; ~szę, ~ś·cie
ukleja; uklei
u/klęk·nąć; u/kląkł lub
  u/klęk·nął, u/klęk·li
u/kład; u/kładzie
u/kło/nić się; ~ń·cie
u/kłuć
u/knuć
ukochany
ukoić; ukoję, ukoi,
  ukój, ukoił
ukon·kret·nić
ukon·sty|tu/ować;
  ~tu/uje
ukon·ten·towany
ukoń·czyć; ~cz·cie
ukorzenić się
ukorzyć się; ukórz·cie
  lub ukorz·cie
ukoś·ny
u/krad·kiem
U/kraina
u/krai/nizm; ~nizmie
ukraiń·ski; ~scy
u/kraść; u/kradł,
  u/krad·li
u/krę/cić; ~cę, ~ć·cie
u/kro/ić; u/kroję, u/-
  kro/i, u/krój·cie,
  u/kro/ił
u/kró/cić; ~cę, ~ć·cie
u/krwienie
u/kryć; u/kryje
u/krzy/żować; ~żuje
u/kształ·tować; ~tuje
ukuc·nąć; ~nął, ~nęli

ukuć; ukuje
u/kwa/sić; ~szę, ~ś·cie
u·kwiał
u/kwie/cić; ~cę, ~ć·cie
ul; uli lub ulów
ulać; uleje, ulali lub
  uleli
ulatniać się
ula/tywać; ~tuje
ulący się – zob. ulęgnąć
  się
ulący się – zob. ulęknąć
  się
ulec lub uleg·nąć; uległ
ległość
ule/pek; ~p·ków
ule/pić; ~p·cie
ulep·szyć; ~sz·cie
ulewa
ule/żeć; ~ż·cie
ulęgał·ka; ~ce
ulęg·nąć się; ulęg·nie,
  ulągł lub ulęg·nął,
  ulęg·ła
ulęk·nąć się; uląkł,
  ulęk·li
ulga; uldze
ulica (skrót: ul.)
uli|cz·ka; ~cz·ce
Ulis/ses; Ulis/sesie
ulist·nienie
uli/zać; ~że, ~ż·cie
ulo/kować; ~kuje
ulo|t·ka; ~t·ce
Ul·ster; Ul·sterze
ul·timatum
ul·tra/dźwięk
ul·tra/fioletowy
ul·tra/krót·ki
ul·tramaryna
ul·tymatywny

ulubie/niec; ~ń·ców
ululać
u/lżyć
uła/dzić; ~dzę, ~dź·cie
uła/godzić; ~godzę,
  ~godź·cie lub
  ~gódź·cie
uła/mać; ~mię, ~mie,
  ~m/my
ułamek
ułan
ułań·ski; ~scy
ułaska/wić; ~w·cie
ułat·wić; ~w·cie
ułom·ny
ułowić; ułów·cie
ułożyć; ułóż·cie
ułu/da; ~dzie
ułu/pać; ~p·cie
umac·niać
umai/ć; umaję, uma/i,
  umaj·cie, uma/ił
umajony
umar·ły
umar·twiać się
umarzać
uma/sowić; ~sów·cie
umaszczenie
umawiać się
uma/zać; ~żę, ~ż·cie
umą/czyć; ~cz·cie
umeb/lować; ~luje
umiar; umiarze
umieć; umiem, umieją,
  umiał, umieli
umiejętność
umiej·scowić;
  ~sców·cie
umierający
umieścić; umieszczę,
  umieść·cie

umiędzynaro/dowić;
~dów·cie
umięś·nienie
umil|k·nąć; ~kł *lub*
~k·nął, ~k·li
umizg·nąć się; ~nął,
~nęli
u/mknąć; u/mknął,
u/mknęli
u/mniej·szyć; ~sz·cie
umoc·nienie
umoral·niający
umorusać
umorzyć; umórz·cie
umościć; umoszczę,
umość·cie
umoty/wować; ~wuje
umowa; umów
umoż·li/wić ~w·cie
umór (na umór)
umó/wić się; ~w·cie
u/mrzeć; u/mrę,
u/mrzyj, umarł
u/mrzyk
umun·durowanie
umyć; umyje, umyj
umysł; umyśle
umyśl·nie
umywal/nia; ~ni
una/ocz·nić
unasien/nianie
una/ukowić; ~uków·cie
un·cja; un·cji
unerwienie
unia; unii
unicestwić
uni·cki; ~c/cy
uniemoż·li/wić; ~w·cie
unierucho/mić; ~mię,
~mi, ~m/my
unie/szczęśli/wić; ~w·cie

unie/szkod·li/wić;
~w·cie
unieść; unieś·cie,
uniósł, unieś·li
unie/śmiertel·nić
unieważ/nić
uniewi|n/nić; ~n/nij-·
cie
uniewin/nienie
uniezależ/nić
unifika·cja; ~cji
unifor·miza·cja; ~cji
unij·ny (*od* unia)
uni/kat; ~kacie
unik·nąć; ~nął, ~nęli
unilateral·ny
uni/ta; ~ci
uniwer·sa/lia; ~liów
uniwer·sa/lizm; ~liz-
mie
uniwer·sał
uniwer·sja/da; ~dzie
uniwer·sum
uniwer·syte·cki; ~c·cy
uniwer·sy/tet; ~tecie
uni/żony; ~żeń·szy
uno/sić; ~szę, ~ś·cie
unowocześ·nić
unurzać
u/obec·nić
u/od/por·nić
u/ogól·nić; ~nij
u/ogól·nienie
u/or·ganizowany
u/osobić; uosób·cie
upa/dek; ~d·ków
upad·łość
upał
upamięt/nić
upań·stwowić;
~stwów·cie

upa·prać; ~prze,
~prz·cie
.upar·ciuch; ~ciuchów
upar·ty; ~ci
upaść; upad·nę, upadł,
upad·li
upaść; upasę, upaś·cie,
upasł, upaś·li
upa·trzyć; ~trz·cie
u/pchnąć; u/pchnął,
u/pchnęli
upeł·nomoc·nić
upeł·no/praw·nić
upew·nić
upiąć; u/pnie, upiął,
upięli
upich·cić; ~cę, ~ć·cie
upić; upije, upij·cie
upiec; upiecz·cie,
upiekł, upiek·li
upierzenie
upięcie
upięk·szyć; ~sz·cie
upiór; upiorze
upitra/sić; ~szę, ~ś·cie
u/plastycz·nić
u/pleść; u/pleć·cie,
uplótł, uplet·li
upłaz
u/pły/nąć; ~ń·cie,
~nął, ~nęły
u/płyn/nić
upodlenie
upodob·nienie
upod/rzęd·nić
upoić; upoję, upoi,
upój·cie, upoił
upoj·ny
upokorzenie
upo/korzyć; ~kórz·cie
lub ~korz·cie

upo·mnieć; ~mnij,
~mniał, ~mnieli
upo·mnienie
uporząd·kować; ~kuje
uposażenie
uposa/żyć; ~ż·cie
upo/śledzenie
upoważ·nić
upo·wszech·nić; ~nij
upór; uporze
u/prać; upierze;
upierz·cie
u/praszać
u/praszczać
uprawdopodob·nić
u/prawiać
u/praw·nienie
u/prawomoc·nić
u/pra/żyć; ~ż·cie
u/produktywnić
u/prościć; u/proszczę,
u/prość·cie
u/prowa/dzić; ~dzę,
~dź·cie
u/prząść; u/przędzie,
u/przędź·cie lub
u/prządź·cie,
u/prządł, u/przęd·li,
u/przędziony
u/przut·nąć; ~nął,
~nęli
u/prząż
u/przeć się; uparł
u/przed·ni
u/prze/dzić; ~dzę,
~dź·cie
u/przej·my; ~miej·szy
u/przemysłowienie
u/przyjem·nić
u/przykrzyć się;
u/przykrz·cie

u/przy/stęp·nić
u/przytom·nić
u/przywile/jować;
~juje
u/pstrzyć
upud·rować; ~ruje
upupić
upust; upuście
upuścić; upuszczę,
upuść·cie
upychać
ura/dzić; ~dzę, ~dź·cie
Ural
Ura/nia; ~nii
Uranos
urano/wiec; ~w·ców
urawniło|w·ka; ~w·ce
uraz
uraza
ura/zić; ~żę, ~ź·cie,
~żony
urą/bać; ~b·cie
urągać
urągowisko
ur·baniza·cja; ~cji
ureal·nić
uregu/lować; ~luje
uren·tow·nić
ur·lopowicz
ur·na
uro/bek; ~b·ku
urobić; uniób·cie
uroczy·sty; ~ści,
~st·szy
uro/da; ~dzie
uro/dzaj; ~dzajów lub
~dzai
urodzić; urodzę,
urodź·cie lub
uródź·cie
uro/gra/fia; ~fii

uroić; uroję, uro/i,
urój·cie, uro/ił
urolo/gia; ~gii
uro/nić; ~ń·cie
uros·nąć; uros·nę,
uroś·nie, uroś·nij,
urósł, uroś·li
uroz/mai/cić; ~cę,
~ć·cie
uroz/maicony
uróść – zob. urosnąć
uró/żować; ~żuje
Ur·szula
ur·szulan·ka; ~ce
uruchamiać
urucho/mić; ~mię,
~mi, ~m/my
uruchomienie
Urugwaj
u/rwać; u/rwę,
u/rwij·cie
u/rwipo/łeć; ~ł·ciów
lub ~ł·ci
u/rwisko
u/rwisostwo
u/rwisow·ski; ~scy
uryna
ury/wek; ~w·ków
urząd; urzędzie
urządzenie
urzą/dzić; ~dzę,
~dź·cie
urzec; urzek·nie,
urzekł
urzeczywistnić
urzekać
urzęd·nik
urzę/dować; ~duje
urzęsiony
u/rznąć; u/rznął,
u/rznęli (nożem)

295

urzynać (nożem)
u/rżnąć; u/rżnął,
u/rżnęli (nożem)
usa/dowić; ~dów·cie
usa/dzić; ~dzę, ~dź·cie
usamodziel·nić
usank·cjo/nować;
~nuje
usatysfak·cjo/nować;
~nuje
u/schematy/zować;
~zuje
u/schnąć; u/schnął *lub*
usechł, u/schli
u/schnięty
usiąść; usiądzie,
usiądź·cie, usiadł
usie/dzieć; ~dzę,
~dź·cie, ~dzieli
usi/łować; ~łuje
u/skarżać się
u/skok
u/skrzydlić
u/skub·nąć; ~nął,
~nęli
u/skutecz·niać
u/skwa/rzyć; ~rz·cie
u/słać; u/ściele
u/słojenie
u/słuchać
u/słu/ga; ~dze
u/służ·ny
u/słu/żyć; ~ż·cie
u/sły/szeć; ~sz·cie
u/sma/żyć; ~ż·cie
u/snąć; u/snę, u/śnie,
u/snął, u/snęli
u/spław/nić
u/spo/koić; ~koję,
~koi, ~kój·cie, ~koił
u/społecz·nić

u/sposobienie
u/sprawiedli/wić;
~w·cie
u/spraw·nić
usta; ust
u/stać; u/stanie,
u/stań·cie
u/stać; u/stoję, u/stoi,
u/stój·cie
u/stat·kować się; ~kuje
u/sta/wić; ~w·cie
u/stawoda|w·ca;
~w·ców
u/stawodaw·stwo
u/stą/pić; ~p·cie
u/stęp
u/stęp·li/wy; ~w·szy
u/stę/pować; ~puje
u/stęp·stwo
ust·ny
u/sto/iny
u/stosun·kować się;
~kuje
u/stro/ić; u/stroję,
u/stro/i, u/strój·cie,
u/stro/ił
u/strojo/twór·czy
u/stronie
u/stron/ny
u/strój; u/stroju
u/strugać; u/struga
lub u/struże,
u/strugaj·cie *lub*
u/struż·cie
u/strzec; u/strzeże,
u/strzeż·cie,
u/strzegł
u/strzelić
u/strzyc; u/strzyże,
u/strzyż·cie,
u/strzygł

u/strzy·cki; ~c/cy (*od*
Ustrzyki)
usu/nąć; ~nął, ~nęli,
~nięty
usu/szyć; ~sz·cie
usychać
usypiający
usypisko
usy|tu/ować; ~tu/uje
u/szczegó/łowić;
~łów·cie
u/szczel·ka; ~ce
u/szczer·bek; ~b·ku
u/szczęśli/wić; ~w·cie
u/szczknąć; u/szczknął,
u/szczknęli
u/szczuplić
u/szczyp·nąć; ~nął,
~nęli
usz·ko; uszek
u/szko/dzić; ~dzę,
~dź·cie
u/szlachet·nić
u/ści|s·nąć; ~s·nę, ~ś·-
nij, ~s·nął, ~s·nęli
u/ściślić
u/ściś·nięcie
u/śmiać się; u/śmieje,
u/śmiali *lub* u/śmieli
u/śmiech
u/śmiech·nąć się; ~nął,
~nęli, ~nięty
u/śmier·cić; ~cę, ~ć·cie
u/śmie/rzyć; ~rz·cie
u/śmie/szek; ~sz·ków
u/śnieżony
u/śnięcie
u/śpiony
u/świado/mić; ~mię,
~mi, ~m/my
u/świadomiony

u/świetnić
u/świę/cić; ~cę, ~ć·cie
u/świ/nić; ~ń·cie
uta/ić; utaję, uta/i,
  utaj·cie, uta/ił
utaj·nić
utalen·towany
utar|cz·ka; ~cz·ce
utarg
utem·pe/rować; ~ruje
utęsk·niony
u/tkać
u/tknąć; u/tknął,
  u/tknęli
u/tknięcie
u/tkwić
u/tle/nić; ~ń·cie
u/tłuc; u/tłucz·cie,
  u/tłukł, u/tłuk·li
u/tłuścić; u/tłuszczę,
  u/tłuść·cie
uto/nąć; ~ń·cie, ~nął,
  ~nęli
utonięcie
uto/pia; ~pii
uto/pizm; ~pizmie
uto/rować; ~ruje
utoż/sa/mić; ~mię,
  ~mi, ~m/my
u/tra/cić; ~cę, ~ć·cie
u/tracjuszostwo
u/tracjuszow·ski
u/trapie/niec; ~ń·ców
u/trą/cić; ~cę, ~ć·cie
u/trud·nić
u/tru/dzić; ~dzę,
  ~dź·cie
u/trwalić
u/trzą|s·nąć; ~s·nę,
  ~ś·nie, ~ś·nij, ~s·nął,
  ~s·nęli

u/trząść; u/trząś·cie
  lub u/trzęs·cie, u/-
  trząsł, u/trzęś·li
u/trzeć; u/tarł
u/trzy/mywać; ~muje
utu/czyć; ~cz·cie
utulić
u/twar·dzić; ~dzę,
  ~dź·cie
u/twier·dzić; ~dzę,
  ~dź·cie
u/tworzyć; u/twórz·cie
u/twór; u/tworze
utyć; utyje
utylita/ryzm; ~ryzmie
utyliza·cja; ~cji
utyliza/tor; ~torze
utytłać
utytułowany
uwa/ga; ~dze
uwar·stwienie
uwa/rzyć; ~rz·cie
  (ugotować)
uważać
uważ·nie
uwertu/ra; ~rze
uwę/dzić; ~dzę,
  ~dź·cie, ~dzony
uwiarygod·nić
uwiąd; uwiądzie
uwią/zać; ~że, ~ż·cie
uwić; uwije
uwiecz·nić
uwie/dziony; ~dzeni
uwiel·biać
uwień·czyć; ~cz·cie
uwie/rzyć; ~rz·cie
uwierzytel·nić
uwieść; uwiedzie,
  uwiedź·cie, uwiódł,
  uwied·li

uwieźć; uwiozę,
  uwieź·cie, uwiózł,
  uwieź·li
uwięd·nąć; uwiądł lub
  uwięd·nął, uwięd·li
uwięd·nięty
uwię/zić; ~żę, ~ź·cie,
  ~ziony
uwięz·nąć; uwięź·nie,
  uwięź·nij, uwiązł,
  uwięź·li
uwi/nąć się; ~nął,
  ~nęli
u/właczający
u/właszczyć;
  u/właszcz·cie
uwodzić; uwodzę,
  uwódź·cie
u/wrażli/wić; ~w·cie
u/współ/cześ·nić
u/współ/rzęd·nić
u/wstecz·nić
uwydat·nić
uwypuk·lić
u/względ·nić
u/wziąć się; uwezmę,
  uweź·mie, u/wziął,
  u/wzięli
uzależ·nić
uzasad·nić
uzbe·cki; ~c/cy
u/zbroić; u/zbroję,
  u/zbroi, u/zbrój,
  u/zbroił
uzda; uździe, uzd
u/zdat·nić
u/zdrowić; u/zdrów·cie
u/zdrowisko
uze/wnętrz·nić
uzębienie
u/zgod·nić

uzi (*pistolet
maszynowy*)
uzie/mić; ~mię, ~mi,
~m/my
uziemienie
u/zmysłowić;
u/zmysłów·cie
uzna/wać; ~je
u/znoić się; u/znoję,
u/znoi, u/znój,
u/znoił
uzual·ny
uzupeł·nić

uzur·pa·cja; ~cji
uzur·pa/tor; ~torzy
uzus – *rzadziej* usus
u/zwoić; u/zwoję,
u/zwoi, u/zwój,
u/zwoił
u/zwojenie
uździenica
użaglenie
uża/lić się
użąć; u/żnę, u/żnij,
użął, użęli (zboże)
użądlić

użebrać; użebrze,
użebrz·cie
użerać się
użycie
uży/czyć; ~cz·cie
użyć; użyje
użynać (sierpem)
użytecz·ność
uży/tek; ~t·ku
użyt·kować; ~kuje
używać
uży|w·ka; ~w·ce
użyź·nić

varia
verte (*odwróć*)
veto (liberum veto)
vice versa (*skrót:* v.v.)

vide (*zobacz; skrót:* v)
Viole|t/ta; ~t·cie
– *częściej* Wioleta
Virtuti Militari

vis-à-vis
voto (primo voto)
votum separatum

W

wachlarz
wach·lować; ~luje
wach/mistrz
wach·ta; ~cie
Wacław
wać/pan
wademekum *lub*
vadcmccum
wadium
wad·liwy
wa/dzić; ~dzę, ~dź·cie
wa/fel; ~fli
wagabu|n·da; ~n·dzie
wa/gant; ~gan·ci
wagarowicz
wagonow·nia; ~ni
wahać się
wahadło
wahadło/wiec; ~w·ców
wahanie
wah·nąć się; ~nął,
~nęli
waj·cha; ~sze
waj·delo/ta; ~cie
waka·cje; ~cji
wa/kat; ~kacie
wal·cow·nia; ~ni
wal·có|w·ka; ~w·ce
wal·czyć; ~cz·cie
Wal·de/mar; ~marze
walec

walecz·ność
Walen·cja; ~cji
walen·ro/dyzm *lub*
wal/len·ro/dyzm;
~dyzmie
Walen·ty
walentynki (*dzień*)
Wale/ria; ~rii
Walerian
waleriana
wa/let; ~lecie
Wale·zjusz *lub* Walezy
Wa/lia; ~lii
Wali/góra; ~górze
wali|z·ka; ~z·ce
wal·ka; ~ce
wal·ki/ria; ~rii
walk·man
wal·ko/wer; ~werze
wal/len·ro/dyzm *lub*
walen·ro/dyzm;
~dyzmie
wal·nąć; ~nął, ~nęli
Walo/nia; ~nii
walon·ki
waloryza·cja; ~cji
Wal·pur·gia; ~gii
wal·ter·sko/tyzm;
~tyzmie
wal·tor·nia; ~ni
waluciarz

walu/ta; ~cie
wał
wałach
Wał·brzych
wał·brzy·ski; ~scy
Wałcz
wałęsać się
wałkoń
wałkow·nica
wałó|w·ka; ~w·ce
wamp
wam·pirzyca
wanado/wiec; ~w·ców
wan·da/lizm; ~lizmie
Wa|n·dzia; ~n·dzi
wanien·ka; ~ce
wani/lia; ~lii
wan/na
wa|n·ta; ~n·cie
wapien/ny
wa/pień; ~pienia
(*skała*)
wapń; wapnia
(*pierwiastek*)
war·caby
war·chlak
war·chol·stwo
war·czeć; ~cz·cie,
~czeli
Wa/reg; ~redzy
ware·ski; ~scy

war·ga; ~dze
waria·cja; ~cji
waria·cki; ~c/cy
wariactwo
wa/riant; ~rian·cie
wa/riat; ~riaci
wa/riować; ~riuje
wark·nąć; ~nął, ~nęli
war·kot; ~kocie
War·mia; ~mii
warow·nia; ~ni
war·ste|w·ka; ~w·ce
war·stwa
war·szaw·ski; ~scy
war·sztat; ~sztacie
wart·ki
warto by
wartościo/wy; ~w·szy
wartow·nia; ~ni
warunek
warun·kować; ~kuje
warzą/chew; ~chwi
warzel·nia; ~ni
warzel·nictwo
warzon·ka; ~ce
wa/rzyć; ~rz·cie
  (gotować)
warzyw·nictwo
warzywo
wasal
wasąg
wasz; wasi
wasz/mość; ~mości
Waszyng·ton lub
  Washing·ton
waśń; waśni
wat; wacie (skrót: W)
wa/ta; ~cie
wata/ha; ~sze lub ~że
wata|ż·ka; ~ż·ce
water·polo

wató|w·ka; ~w·ce
watra; watrze
wawrzyn
Wawrzy/niec; ~ń·ca
waza; waz
wazeliniar·stwo
wa|ż·ka; ~ż·ce
waż·ki
waż·niactwo
waż·ny
wa/żyć; ~ż·cie (na
  wadze)
wąchać
wądół
wągier lub wągr;
  wągrze
wąs
wąsa/ty; ~ci
wąski; węż·szy
wąsko; węziej
wąskotoró|w·ka; ~w·ce
wą/tek; ~t·ków
wątły
wąt·pić; ~p·cie
wąt·pliwość
wątroba; wątrób
wątró|b·ka; ~b·ce
wąwóz
wąziuch·ny
wąziutki
wąż; węża
wbić; wbije, wbij·cie
wbiec lub wbieg·nąć;
  wbiegł, wbieg·li
wbijać
w bok
w braku (czegoś)
wbrew (komuś)
w bród
wcale
w celu

wchło/nąć; ~ń·cie,
  ~nął, ~nęli, ~nięty
wcho/dzić; ~dzę, ~dź·-
  cie
wchód; wchodzie
wciąć; we/tnie, wciął,
  wcięli, wcięty
wciąg·nąć; ~nął, ~nęli
w ciągu
wciąż
wciec lub wciek·nąć;
  wciekł lub wciek·nął
wcielić
wcięcie; wcięć
wcię/ty; ~ci
wcinać
wci|s·nąć; ~s·nę,
  ~ś·nie, ~śnij·cie,
  ~s·nął, ~s·nęli
w cwał
w czam·buł
wczas (wcześnie)
w czas (w porę)
wczasowi|cz·ka; ~cz·ce
wczes·no/chrześcijań·-
  ski; ~scy
wcze|s·ny; ~ś·ni,
  ~ś·niejszy
wcześ·niactwo
wcześniutko
w części
wczołgać się
wczoraj·szy
wczuć się; wczuje się
w czwór/nasób
w czym
wczy/tywać się; ~tuje
w dal
w dali
wdech
wdep·nąć; ~nął, ~nęli

300

wdmuch·nąć; ~nął,
   ~nęli
w dodatku
w dole
wdowa; wdów
wdo/wiec; ~w·ców
wdowień·stwo
w dół
wdó|w·ka; ~w·ce
wdrożyć; wdroż·cie *lub*
   wdróż·cie
w dwój/nasób
wdychać
w dyrdy
w dzień
wdzięcz·ność
wdzię/czyć się; ~cz·cie
wdzięk
we/dług (*skrót:* wg)
we dnie i w nocy
we/drzeć się; wdarł
week·end; ~en·dzie
wegeta·cja; ~cji
wegetaria/nizm;
   ~nizmie
wehikuł
Wej·herowo
wej·rzeć; ~rzeli
wej·ście; wejść
wej·śció|w·ka; ~w·ce
wejść; wej·dzie,
   wejdź·cie, wszedł,
   we/szli
weksel
wek·tor; ~torze
we/lur; ~lurze
wel·wet; ~wecie
wełen·ka; ~ce
weł·na; wełen
weł·niany
weł·nopodob·ny

Weł·tawa
we/mknąć się;
   ~mknął, ~mknęli
we mnie
wen·de/ta; ~cie
Wene·cja; ~cji
wenerolo/gia; ~gii
Wenezuela
wen·tyla·cja; ~cji
wen·tyla/tor; ~torze
Wenus *lub* Wenera
weń (*w niego*)
we/pchnąć; ~pchnął,
   ~pchnęli, ~pchnięty
we/przeć; wparł
wera|n·da; ~n·dzie
weran|d·ka; ~d·ce
wer·baliza·cja; ~cji
wer·ba/lizm; ~lizmie
wer·bunek
wer·diu/ra; ~rze
wer·dykt; ~dykcie
Wer·giliusz
wer·macht; ~machcie
wer·miszel
wer·mut; ~mucie
wer·nisaż
Wer·nyho/ra; ~rze
Weron·ka; ~ce
wers
Wer·sal
wer·set; ~secie
wer·sja; ~sji
wer·syfika·cja; ~cji
wertep
wertyka/lizm; ~lizmie
weryfika·cja; ~cji
we/rznąć; ~rznął,
   ~rznęli
we/rżnąć; ~rżnął,
   ~rżnęli

we/słać; wściele,
   wściel·cie
wesolu|t·ki; ~t·cy
wesoły *lub* wesół
we/spół
wes/przeć; wsparł
we/ssać; ~ssę, ~ssie,
   ~ssij·cie
Westa; Weście
westal·ka; ~ce
wes/tchnąć; ~tchnął,
   ~tchnęli
wes/tchnienie
western
Wester·plat/te
West·fa/lia; ~lii
westybul
wesz; wszy
weteryna/ria; ~rii
weterynarz
we/tknąć; ~tknął,
   ~tknęli
we/to; ~cie (*ale*
   liberum veto)
we/trzeć; wtarł
wet za wet
we/wnątrz
we/wnątrz/komór-
   kowy
we/wnątrz/partyj·ny
we/wnętrz·ny
wez/brać; wzbierze
wez/gło/wie – *rzadziej*
   węz/gło/wie; ~wi
we znaki (dać się)
Wezuwiusz
we/zwać
we/zyr; ~zyrze
we/żreć się; wżarł
węch
wę|d·ka; ~d·ce

301

węd·kar·stwo
węd·karz
wędlina
wędliniar·nia; ~ni
wędro/wiec; ~w·ców
wędró|w·ka; ~w·ce
wędzar·nia; ~ni
wę/dzić; ~dzę, ~dź·cie
wędzidło
wędzisko
wędzon·ka; ~ce
węgiel
węgieł
Wę/gier; ~grzy
węgier·ski; ~scy
węglan
węglarz
węglowodan
węglowo/dór; ~dorze
węgorz
Węgry; na Węgrzech
węgrzyn
wę/szyć; ~sz·cie
wę/zeł; ~zła, ~źle
węz/gło/wie – częściej
    wez/gło/wie; ~wi
węziej
węzłowato
węźlasty
wężo/głów
wężowisko
wężow·nica
węż·szy
wgar·nąć; ~nął, ~nęli
wgiąć; we/gnij, wgiął,
    wgięli, wgięty
wgląd; wglądzie
w głąb
w głębi
wgłębić się; wgłęb·cie
w głos

wgniecenie
wgnieść; wgnieć·cie,
    wgniótł, wgniet·li
wgo/nić; ~ń·cie
w górę
w górze
wgramolić się
wgryźć się; wgryzę,
    wgryź·cie, wgryzł,
    wgryź·li
wiać; wieje, wiali *lub*
    wieli
wia·dro; ~drze
wia/dukt; ~dukcie
wial·nia; ~ni
wianu/szek; ~sz·ków
wiara; wierze
wiarogod·ność *lub*
    wiarygod·ność
wiarołom·stwo
wiarus
wia/ta; ~cie
wiatr; wietrze
wiatrołom
wiatromierz
wiatropyl·ny
wiatro/wskaz
wiatró|w·ka; ~w·ce
wią/cha; ~sze
wiąd; wiądzie
wiąz
wią/zać; ~że, ~ż·cie
wiązadło
wią|z·ka; ~z·ce
wiążący
wibra·cja; ~cji
wibra/tor; ~torze
wice/admirał
wicedyrek·tor; ~torzy
wice/hra/bia; ~bi *lub*
    ~biego

wicekanc·lerz
wicekura/tor; ~torzy
wicemini·ster; ~strze
wicemistrzostwo
wicemistrzow·ski
wicepre/mier; ~mierzy
wice/przewodniczący
wicher; wichrze
wichrzyciel·stwo
wichrzyć; wichrz·cie
wichu/ra; ~rze
wicio/krzew
wicionóg
wić; wije, wij
wid (ani widu, ani
    słychu)
widelec
wideo *lub* video
wideokase/ta; ~cie
wideo/klip
wideo/od/twarzacz
wideo/telefon
widłonóg
wid·nieć; ~nieje, ~nieli
wid·no/krąg; ~kręgu
widokó|w·ka; ~w·ce
widow·nia; ~ni
widz
wi/dzieć; ~dzę, ~dzieli
widzimisię (*kaprys*)
wiec
wie/cha; ~sze
wie/cheć; ~ch·cia
wiechowy
wieczerza
wieczny (*od* wiek)
wieczor·nica
wieczoró|w·ka; ~w·ce
wie/czór; ~czorze
wieczy·sty; ~ści
wiedeń·ski; ~scy

wie/dzieć; ~dz·cie,
  ~dzieli
wiedź·ma
wiej·ski; ~scy
wiek (*skrót:* w.)
wiekopo·mny
wieku/i·sty; ~ści
wiel·bić; ~b·cie
wiel·błąd; ~błądzie
wiel·błądzi
wieleb·ny
wiele/kroć
wiele mówiący
wiel·gach·ny
Wiel·ka Brytania;
  Wielkiej Brytanii
Wiel·kanoc; Wiel·kano-
  cy *lub* Wiel·kiej/nocy
wiel·kanoc·ny
wiel·ki; więk·szy
wiel·kodusz·ny
wiel·ko/lud; ~ludzie
wiel·komiej·ski; ~scy
wiel·kopań·ski; ~scy
wiel·ko/piąt·kowy
wiel·ko/płetw
Wiel·kopol·ska; ~sce
wiel·kopol·ski; ~scy
wiel·kopost·ny
wiel·ko/rzą|d·ca;
  ~d·ców
wiel/moża
wiel/moż·ny
wielo/aspektowy
wielobo/i·sta; ~ści
wielobok
wielobój
wielobóstwo
wielo/bran·żowy
wielo/kąt; ~kącie
wielokąt·ny

wielo/krą/żek; ~ż·ków
wielo/kro/pek; ~p·ków
wielo/krot·ny
wielo/kształt·ny
wielo/kwiatowy
wielolet·ni
wielomian
wielonarodowościowy
wielo/owocowy
wielopokoleniowy
wieloró|d·ka; ~d·ce
wieloryb
wielo/słowie
wielo/stron/ny
wielo/ścian
wielo/znacz·ny
wielożeń·stwo
wicluset/tysięcz·ny
wie/niec; ~ń·ców
wień·cowy
wień·czyć; ~cz·cie
Wień·czy/sław
wieprz
wieprzowina
wierch
wier·chu|sz·ka; ~sz·ce
wier·cić; ~cę, ~ć·cie
wier·cipię/ta; ~cie
wier·no/pod/dań·czy
wier·szo/kle/ta; ~cie
wier·szó|w·ka; ~w·ce
wiert·ło
wiert·nia; ~ni
wierutny
wierzący
wierz·ba; wierzb
wierzch
wierzch·ni
wierz·chołek
wierz·cho/wiec;
  ~w·ców

wie/rzeje; ~rzei
wierzenie
wierzg·nąć; ~nął, ~nęli
wierzyciel
wie/rzyć; ~rz·cie
wierzytel·ność
Wie/sław
wieszadło
wieszcz·ba
wieszcz·biarz
wiesz|cz·ka; ~cz·ce
wieś; wsi
wieścić; wieszczę,
  wieść·cie
wieść; wieści
wieść; wiedzie,
  wiedź·cie, wiódł,
  wied·li
wieś·nia|cz·ka; ~cz·ce
Wietnam
wie·trzeć; ~trzeje
wietrzna ospa
wietrz·nik
wietrz·ny (*od* wiatr)
wie·trzyć; ~trz·cie
wiewiór·ka; ~ce
wieźć; wiozę, wieź·cie,
  wiózł, wieź·li
wieża
wieżo/wiec; ~w·ców
wieży|cz·ka; ~cz·ce
więc
więcej
więcierz
więd·nąć; wiądł *lub*
  więd·nął, więd·li
większość
większy; więksi
wię/zić; ~żę, ~ź·cie
więzienie
więzien/nictwo

wię/zień; ~ź·niów
więz·nąć; więź·nie,
  więź·nij, wiązł,
  więź·li
więzy
więź
więź·ba
więź·niar·ka; ~ce
wigi/lia; ~lii
wigilij·ny
wi/gor; ~gorze
wigwam
wihaj·ster; ~strze
wij
wika/riat; ~riacie
wikariusz
wiking
wikliniarz
wikt; wikcie
wikto/ria; ~rii
  (zwycięstwo)
wiktoriań·ski; ~scy
wiktuały
wilczo/mlecz
wil·czur; ~czurze
Wileń·szczyzna;
  ~szczyźnie
wil·ga; wil·dze, wilg
wil·gocio/wskaz
wil·goć
wil·got·nościomierz
wil·got·ny
Wil·helm
wi/lia; ~lii
Wiliam
wil·kołak
wil/la; wil/li
wil·żyć; ~ż·cie
Win·cen·ty
win·da; win·dzie
wind·sur·fing

win·dyka·cja; ~cji
win·dziarz
winiar·nia; ~ni
winiarz
wi/nić; ~ń·cie
winien by; win/na
  bym, win/ni byś·my,
  win/ny byś·cie
winie/ta; ~cie
win·kiel
win/nica
win/ni/czek; ~cz·ków
win/ny
wino/branie
winorośl
winowaj·ca; ~ców
win·szować; ~szuje
wint; win·cie
winyloben·zen
wio!
wio/cha; ~sze
wiodący
wiola
Wioleta – częściej
  Violet/ta
wiolinowy
wiolon·czela
wio/nąć; ~nął, ~nęli
wior·sta; ~ście
wiosen·ka; ~ce
wiosen/ny
wio|s·ka; ~s·ce
wio·sło; ~śle
wio·słować; ~słuje
wiosna; wiośnie
wioszczyna
wioślarz
wiot·czeć; ~czeje,
  ~czeli
wio|t·ki; ~t·cy
wiór; wiórze

wiór·kować; ~kuje
wir; wirze
wiraż
Wir·giliusz
Wir·gi/nia; ~nii
wiró|w·ka; ~w·ce
Wirtem·ber·gia; ~gii
wirtu/al·ny
wirtuoze/ria; ~rii
wirtuo|z·ka; ~z·ce
wirtuozostwo
wirtuozow·ski; ~scy
wirusobójczy
wirusolo/gia; ~gii
wirydarz
wis (typ pistoletu)
wi/sieć; ~szę, ~ś·cie,
  ~sieli
wisien·ka; ~ce
wi/sior; ~siorze
wiskoza
Wisła; Wiśle
Wisława
wist
wisus
wiśnia; wiśni
wiśnió|w·ka; ~w·ce
wiśta!
Witalis
wita/lizm; ~lizmie
witaminiza·cja; ~cji
Witebsk
witeź
wi|t·ka; ~t·ce
Wi/told; ~tol·dzie
witraż
witriol
witryna
wiwarium
wiwa/tować; ~tuje
wiwisek·cja; ~cji

wiza; wiz
wize/runek; ~run·ku
wi·zja; ~zji
wi·zjer; ~zjerze
wi·zjo/ner; ~nerzy
wi·zjotelefo/nia; ~nii
Wizna; Wiźnie
wizual·ny
wizyj·ność
wizyta·cja; ~cji
wizyta/tor; ~torzy
wizytó|w·ka; ~w·ce
wjazd; wjeździe
wje/chać; ~dzie, ~dź·-
    cie
wjeż·dżać
wkal·ku/lować; ~luje
wkleić; wkleję, wklei,
    wklej, wkleił
wklej·ka; ~ce
wklęs·ło/druk
wklęs·ły
wklęs·nąć; wklęś·nie,
    wklęs·nął lub wkląsł
wklęs·nięcie
wkład; wkładzie
wkładać
wkła|d·ka; ~d·ce
w kłąb (zwinąć)
wkłuć; wkłuje
wkoło (np. sali)
w koło (np. w koło to
    samo)
wkom·po/nować;
    ~nuje
w końcu
wko/pać; ~p·cie
w kółko
Wkra; Wkrze
wkraczać
wkradać się

wkrajać
wkrapiać
wkraplać
wkraść się; wkradł
wkrawać
w krąg
wkrę/cić; ~cę, ~ć·cie
wkręt; wkręcie
wkro/czyć; ~cz·cie
wkro/ić; wkroję,
    wkro/i, wkrój,
    wkro/ił
wkro/pić; ~p·cie
wkropl·ić; wkropl·cie
wkrót·ce
wkuć; wkuje
wkulić się
wku/pić się; ~p·cie
wku/rzyć; ~rz·cie
wkuwać
wlać; wleje
wlec; wlecz·cie, wlókł
    lub wlekł, wlek·li
wle/cieć; ~cę, ~ć·cie,
    ~cieli
wle/pić; ~p·cie
wlewać
wle|w·ka; ~w·ce
w lewo
wleźć; wlezę, wlezie,
    wleź·cie, wlazł,
    wleź·li
wli/czyć; ~cz·cie
wlot; wlocie (np. rury)
w lot (np. pojąć)
wła|d·ca; ~d·ców
wład·czy
wła/dować; ~duje
Włady/sław
Władywostok
władza

władz·two
wła/mać się; ~mię,
    ~mie, ~m/my
włamywacz
własnoręcz·ny
własność
własny; właśni
właściciel
właści/wy; ~w·szy
właśnie
właz
wła/zić; ~żę, ~ź·cie
włącz·nie
włącz·nik
włą/czyć; ~cz·cie
Włoch; Włosi
włocha/ty; ~ci
Włochy; we Włoszech
włocław·ski; ~scy (od
    Włocławek)
włodarz
Włodzimierz
włok lub włók (sieć
    rybacka)
włos
włosien/nica
wło/sień; ~ś·nia lub
    ~sienia
wło·ski; ~scy
włoskowatość
wło·szczyzna; ~szczy-
    źnie
Wło|sz·ka; ~sz·ce
włościań·stwo
włość
wło/żyć; włóż·cie
włó/czek; ~cz·ka (sieć)
włóczę/ga; ~dze
włóczęgostwo
włóczęgow·ski; ~scy
włó|cz·ka; ~cz·ce

włócz·nia; ~ni
włócz·nik
włó/czyć; ~cz·cie
włóczykij
włók *lub* włok (*sieć
rybacka*)
włók *lub* włóka (*narzę-
dzie rolnicze*)
włó/ka; ~ce (*miara
powierzchni*)
włókien/nictwo
włók·niarz
włók·nieć; ~nieje
włók·no
włó/kować; ~kuje
wmar·znąć; wmarzł
lub wmar·znął,
wmar·zła
w miarę
wmieść; wmiotę,
wmiecie, wmieć·cie,
wmiótł, wmiet·li
w mig (*bardzo szybko*)
wmon·tować; ~tuje
wmó/wić; ~w·cie
wmu/sić; ~szę, ~ś·cie
wnet
wnę/ka; ~ce
wnętrostwo
wnętrzarz
wnętrze
wnętrz·ności
wniebo/głosy (krzy-
czeć)
Wniebo/wstąpienie
(*święto*)
Wniebo/wzięcie
(*święto*)
wniebo/wzię/ty; ~ci
w niepamięć
w nie/skończoność

wnieść; wniosę,
wnieś·cie, wniósł,
wnieś·li
w nie/znane
wnijść; wnij·dę,
wnij·dzie, wnijdź·cie
wnik·li/wy; ~w·szy
wnik·nąć; ~nął, ~nęli
wnik·nięcie
wnioskoda|w·ca;
~w·ców
wniwecz
wnu/częta; ~cząt
wnuczuś
wnykarz
woal
woal·ka; ~ce
wobec
woda; wodzie, wód
w od/dali
wodewil
wod·niactwo
wod·ni|cz·ka; ~cz·ce
w od/niesieniu
wod·nisty
wodno-kanalizacyj·ny
wodo/chłon/ny
wodociągo/wiec;
~w·ców
wododział
wodo/głowie
wodolecz·nictwo
wodolej·stwo
wodomierz
wodonoś·ny
wodo/od/por·ność
wodo/pój; ~pojów
wodoro/kwas
wodorosól
wodo/rost; ~roście
wodorowęglan

wodo/spad; ~spadzie
wodo/szczel·ność
wodo/wskaz
wodo/wstręt; ~wstrę-
cie
wo/dór; ~dorze
wodzian·ka; ~ce
wodzić; wodzę,
wódź·cie
wodzirej
wodzostwo
wodzow·ski
w ogóle
w ogól·ności
woj; wojów
woja/żer; ~żerze
woja/żować; ~żuje
Woj·ciech
wojen·ka; ~ce
wojen/ny
wojewó|dz·ki; ~dz·cy
wojewódz·two (*skrót:*
woj.)
woj·łok
wojow·niczość
woj·ski
woj·sko; wojsk
Woj·tuś
wokali·sta; ~ści
wokaliza
wokaliza·cja; ~cji
woka/lizm; ~lizmie
wokal·no-in·strumen·-
tal·ny
w oka/mgnieniu
woka|n·da; ~n·dzie
wokoło
wokoło/słonecz·ny
wokoło/ziem·ski
wokół
wokół/księżycowy

wo/lant; ~lan·cie
wolapik *lub* volapük
woleć; woleli
wolej
wol·fram
woli·cjonal·ny
wolie/ra; ~rze
wol·niuch·ny
wol·niut·ki
wol·no/amerykan·ka;
~ce
wol·nobież·ny
wol·no by
wol·no/cłowy
wol·nohan·dlowy
wol·nomular·stwo
wol·nomularz
wol·nomyśliciel·stwo
wol·noryn·kowy
wol·no stojący
wol·nościowy
wol·ność
wol·no żyjący
wol·ny
wolon·ta/riat; ~riacie
wolon·tariusz
wolo/twór·czy
wolt; wol·cie (*skrót:* V)
wol·ta; ~cie
wol·taż
Wol·ter; ~terze
wol·teria/nizm; ~ni-
zmie
wol·tomierz
wol·ty/żer; ~żerze
wolumin *lub* wolumen
wolun·tarystycz·ny
wołać
wołgo·gra|dz·ki; ~dz·cy
woło·ski; ~scy (*od* Wo-
łoch)

Woło·szczyzna;
~szczyźnie
wołżań·ski (*od* Wołga)
won/czas (*wtedy*)
wo/nieć; ~nieje, ~nieli
won/ny
woń
wopi·sta; ~ści
wo/rać się; ~rze,
~rz·cie
woskowożółty
woszczek; woszczku
wotum *lub* votum
w owym czasie
wozić; wożę, wóź·cie
lub woź·cie
wozow·nia; ~ni
woź·na
woź·nica
wó|d·ka; ~d·ce
wódz
wójt; wój·cie
wój·tostwo
wój·tow·ski; ~scy
Wól·ka; ~ce
wół
wór; worze
wów/czas (*w owym
czasie*)
w ów dzień
wóz
wó/zek; ~z·ków
wóz·kar·nia; ~ni
wpadać
wpa|d·ka; ~d·ce
wpajać
wpa/kować; ~kuje
wpa/rować; ~ruje
wpa/sować; ~suje
wpaść; wpad·nij,
wpadł, wpadli

wpa·trywać się; ~truje
wpa·trzyć się; ~trz·cie
w pełni
wpeł|z·nąć; ~z·nie *lub*
~ź·nie, ~z·nij *lub*
~ź·nij, ~z·nął *lub* ~zł,
~z·li *lub* ~ź·li
wpę/dzić; ~dzę, ~dź·-
cie
wpiąć; we/pnie, wpiął,
wpięli
wpić; wpije, wpij
w pień (wyciąć)
wpie·przyć; ~prz·cie
wpierw
wpięcie
wpijać
wpinać
wpi/sać; ~szę, ~sz·cie
wplatać
wplą/tać; ~cz·cie
wplecenie
wpleść; wpleć·cie,
wplótł, wplet·li
wpła/cić; ~cę, ~ć·cie
wpław
wpły/nąć; ~ń·cie,
~nął, ~nęli
wpływ
wpływowy
w po/bliżu
w po/dłuż
wpoić; wpoję, wpoi,
wpój, wpoił
w pojedyn·kę
w połowie
wpom·pować; ~puje
w po/przek
w porę
w po/środ·ku
wpo/śród

307

wpół (*np.* objąć)
w pół (*np.* słowa)
wpół/dar·mo
wpół do *lub* pół do
  (*np.* ósmej)
wpół/drze/mać; ~mię,
  ~mie
w pół godziny (*np.*
  tam doszedł)
wpół/le/żeć; ~ż·cie,
  ~żeli
wpół/o/błąkany
wpół/otwarty
wpół/przytom·nie
wpół/surowy
w pół/śnie
wpół/świadomie
wpół/żywy
wpraszać się
wprawa
wprawdzie (*co
  prawda*)
wpra/wić; ~w·cie
wpra|w·ka; ~w·ce
wpraw·ny
w prawo
wpręd·ce
wpro/sić się; ~szę,
  ~ś·cie
wprost
wprowa/dzić; ~dzę,
  ~dź·cie
wprząc; wprzęże,
  wprząż·cie *lub*
  wprzęż·cie, wprzągł,
  wprzęg·li, wprzężony
wprząść; wprzędzie,
  wprzędź·cie *lub*
  wprządź·cie,
  wprządł, wprzęd·li
w przed/dzień

w przede/dniu
wprzęg·nąć; wprzęg·-
  nął *lub* wprzągł,
  wprzęg·li, wprzęg·-
  nięty
wprzód (*najpierw*)
w przód (*do przodu*)
wpust; wpuście
wpus|t·ka; ~t·ce
wpuszczać
wpuścić; wpuszczę,
  wpuść·cie
wpychać
wrabiać
wra/chować; ~chuje
wrak
wrang·lery
wraz (*razem*)
wra/zić; ~żę, ~ź·cie
w razie (*np.* deszczu)
wrażenie
wraż·li/wy; ~w·szy
wraży
wrąb; wrębu
wrą/bać się; ~b·cie
wred·ny
wresz·cie
w rezul·tacie
wręcz
wrę/czyć; ~cz·cie
wrę/ga; ~dze, ~g
wrobić; wrób·cie
Wrocław
wrodzić się; wrodzę,
  wródź·cie *lub*
  wrodź·cie
wrodzony
wro/gi; ~dzy
wros·nąć; wros·nę,
  wroś·nie, wroś·nij,
  wrósł, wroś·li

wro|s·tek; ~st·ków
wroś·nięty
wrota; wrót
wrot·karz
wróbel
wró/cić; ~cę, ~ć·cie
wróg
wróść – *zob.* wrosnąć
wróż·ba; wróżb
wróż·biarz
wró|ż·ka; ~ż·ce
wró/żyć; ~ż·cie
wrzask
wrzask·li/wy; ~w·szy
wrza|s·nąć; ~s·nę,
  ~ś·nie, ~ś·nij, ~s·nął,
  ~s·nęli
wrzawa
wrzą/tek; ~t·ku
wrzeciądz
wrzeciono
wrzeć; wrzeli, wrzący
wrze/pić; ~p·cie
wrzesień
wrze·szczeć; ~szcz·cie,
  ~szczeli
Wrześ·nia; ~ni
wrzo/dzieć; ~dzieje
wrzos
wrzo/siec; ~ś·ców
wrzód; wrzodzie
wrzu/cić; ~cę, ~ć·cie
wrzut; wrzucie
wrzynać się (*zagłębiać
  w coś*)
wsad; wsadzie
wsa|d·ka; ~d·ce
wsa/dzić; ~dzę, ~dź·cie
w sam czas
w sam raz
wsą/czyć; ~cz·cie

wschod·ni (*skrót:* wsch.)

wschod·nio<u>eu</u>/ropej·- ski; ~scy

wscho/dzić; ~dzą, ~dź·cie

wschód; wschodzie (*skrót:* wsch.)

wsiać; wsieje, wsiali *lub* wsieli

wsią|k·nąć; ~k·nął *lub* ~kł, ~k·nęli *lub* ~k·li

wsiąść; wsiądź·cie, wsiadł, wsied·li

wsier·dzie

wsie|w·ka; ~w·ce

wsiowy

wska/kiwać; ~kuje

wska/zać; ·-że, ~ż·cie

wskazó|w·ka; ~w·ce

wska/zywać; ~zuje

wskaź·nik

wsko/czyć; ~cz·cie

w skos

wskórać

wskroś *lub* skroś

wskrze/sić; ~szę, ~ś·cie

wskutek

wsła/wić; ~w·cie

wsłu/chiwać się; ~chuje

wsolić; wsól·cie

wspak

wspaniałomyśl·ność

wspaniały

wspar·cie

wspiąć się; wes/pnie, wspiął, wspięli

wspierać

wspinać się

wspomagać

wspominać

wspo/mnieć; ~mnę, ~mni, ~mnij, ~mnieli

wspo/móc; ~może, ~móż·cie, ~mógł, ~mog·li

wspor·nik

wspól·nictwo

wspól·nofunk·cyj·ny

wspól·ny

współ/<u>au</u>/tor; ~torzy

współ/brat; ~bracia

współ/brzmieć

współ/cze|s·ny; ~ś·ni

współ/czuć; ~czuje

współ/czyn/nik

współ/decy/dować; ~duje

współ/działać

współ/dziedziczyć

współ/grać

współ/imien/nik

współ/istnienie

współ/liniowy

współ/małżonek

współ/mier·ny

współ/od/powiedzial·- ność

współ/o/skarżony

współ/pasa/żer; ~żerze

współ/po/dróż·ny

współ/pod/rzęd·ny

współ/pracow·nik

współ/przewodniczący

współ/rozmó|w·ca; ~w·ców

współ/roz/strzygać

współ/rzą/dzić; ~dzę, ~dź·cie

współ/rzęd·ny

współ/spra|w·ca; ~w·ców

współ/środ·kowy

współ/towarzy|sz·ka; ~sz·ce

współ/tworzyć; ~twórz·cie

współ/uczest·ni/czyć; ~cz·cie

współ/udział

współ/użyt·kow·nik

współ/wię/zień; ~ź·niów

współ/win/ny

współ/władz·two

współ/zależ·ność

współ/zawod·ni/czyć; ~cz·cie

współ/żyć; ~żyje

wspór·ka; ~ce

wstać; wstań·cie

wstawać

wsta/wić; ~w·cie

wstawien/nictwo

wsta|w·ka; ~w·ce

wstą/pić; ~p·cie

wstąże|cz·ka; ~cz·ce

wstą|ż·ka; ~ż·ce

wstecz

wstecz·nictwo

wstę/ga; ~dze

wstęp

wstęp·ny

wstręt; wstręcie

wstręt·ny

wstrząs

wstrzą|s·nąć; ~s·nę, ~ś·nie, ~ś·nij, ~s·nął, ~s·nęli

wstrząś·nię/ty; ~ci

wstrzelić

wstrzemięźliwy
wstrzyk·nąć; ~nął,
 ~nęli
wstrzymać
wstyd; wstydzie
wsty/dzić się; ~dzę,
 ~dź·cie
wsu/nąć; ~ń·cie, ~nął,
 ~nęli
wsu|w·ka; ~w·ce
wsypa; wsyp
wsy/pać; ~p·cie
wsysać
wszak
wszakoż
wszak/że
wszawica
wszcząć; wszczął,
 wszczęli
w szczegól·ności
wszcze/pić; ~p·cie
wszczepien/ny
wszczęcie
wszczynać
wszech/byt; ~bycie
wszech/ludz·ki
wszech/mogący
wszech·nica
wszech/obecność
wszech/obej·mujący
wszech/pol·ski
wszech/stron/ny
wszech/świat; ~świecie
wszech/wiedzący
wszech/władz·two
wszel·ki; ~cy
wszerz
wszeteczeń·stwo
wszędobyl·ski; ~scy
wszędy
wszędzie in·dziej

w sztok (pijany)
wsztu/kować; ~kuje
wszyć; wszyje
wszystek; wszyst·ka,
 wszyst·ko
wszyst·ko/izm; ~izmie
wszyst·kożer·ny
wszyściuch·no
wszyściu|t·ki; ~t·cy
wszywać
wszy|w·ka; ~w·ce
wści/bić; ~b·cie
wścib·stwo
wściec się; wściekł,
 wściek·li
wściek·lizna; ~liźnie
wściek·ły
wściełać
wściu/bić; ~b·cie
w ślad (za kimś)
wślizg·nąć się; ~nął,
 ~nęli
wśli|z·nąć się; ~z·nę,
 ~ź·nie, ~ź·nij, ~z·nął,
 ~z·nęli
w środ·ku
wśród
wśru/bować; ~buje
wświd·rować ~ruje
wtaczać
wtajemniczenie
wtapiać
wtarg·nąć; ~nął, ~nęli
wtaszczyć; wtaszcz·cie
wtedy
wtem (nagle)
wten/czas (wówczas)
wtło/czyć; ~cz·cie
wto/czyć; ~cz·cie
wto/pić; ~p·cie
wtorek

wtór; wtórze
wtór·ny
wtó/rować; ~ruje
wtóry
wtó/rzyć; ~rz·cie
wtran·żalać
wtrą/cić; ~cę, ~ć·cie
wtręt; wtręcie
w trój/nasób
w try miga (szybko)
wtry/nić; ~ń·cie
wtrysk
wtry|s·nąć; ~s·nę,
 ~ś·nie, ~ś·nij, ~s·nął,
 ~s·nęła lub ~s·ła,
 ~s·nęli
wtulić
wtykać
w tym (np. miejscu)
w tym/że
wuja/szek; ~sz·ków
wujek
wujostwo
wujow·ski; ~scy
wul·garyza·cja; ~cji
wul·ga/ryzm; ~ryzmie
wul·kan
wul·kani/zować; ~zuje
wwalić
wwią/zać; ~że, ~ż·cie
wwier·cić; ~cę, ~ć·cie
wwieść; wwiedzie,
 wwiedź·cie, wwiódł,
 wwied·li
wwieźć; wwiozę,
 wwieź·cie, wwiózł,
 wwieź·li
wwin·dować; ~duje
wwlec; wwlecz·cie,
 wwlókł lub wwlekł,
 wwlek·li

wwozić; wwożę,
wwóź·cie *lub*
wwoź·cie
wwóz
wy/abs·trahować;
~trahuje
wyba/czyć; ~cz·cie
wybału/szyć; ~sz·cie
wybato/żyć; ~ż·cie
wyba|w·ca; ~w·ców
wybąk·nąć; ~nął, ~nęli
wybebe/szyć; ~sz·cie
wybełko/tać; ~cz·cie
wybęb·nić
wy/bić; ~bije
wy/biec; ~bieg·nij,
~biegł, ~bieg·li
wybieg
wy/bieg·nąć – *zob.*
wy/biec
wybiór·czo
wybiór·ka; ~ce
wybi|t·ka; ~t·ce
wybit·ny
wy|blak·nąć; ~blakł
lub ~blak·nął
wy/bled·nąć *lub* wy/-
blad·nąć; wy/bladł,
wy/bled·li
wybo/isty
wy/bój; ~boi *lub*
~bojów
wy/bór; ~borze
wy/brać; ~bierz·cie
wy/bra/niec; ~ń·ców
wy·bredzać
wy/brnąć; ~brnij·cie,
~brnął, ~brnęli
wy/bru/dzić; ~dzę,
~dź·cie
wy/brzeże

wy/brzuszenie
wy/brzydzać
wy/buch·nąć; wy/-
buch·nął *lub* wy/-
buchł, wy/buch·nęli
lub wy/buch·li
wybu/dować; ~duje
wybujały
wybulić
wy/bu/rzyć; ~rz·cie
wybyć; wybędzie,
wybądź·cie
wyca/łować; ~łuje
wyce/chować; ~chuje
wyce/dzić; ~dzę, ~dź-
cie
wyce/nić; ~ń·cie
wychar·czeć; ~cz·cie,
~czeli
wy/chlać
wy/chla/pać; ~p·cie
wy/chli/pać; ~p·cie
wy/chlu|s·nąć; ~s·nę,
~ś·nie, ~ś·nij, ~s·nął,
~s·nęli
wy/chładzać
wy/chłe|p·tać; ~pcz·-
cie
wy/chłod·nąć; wy/-
chłódł, wy/chłod·li
wy/chłodzić; ~chłodzę,
~chłodź·cie *lub*
~chłódź·cie
wy/chłostać; ~chło-
szcze *lub* ~chłosta,
~chłoszcz·cie *lub*
~chłostaj·cie
wycho/dek; ~d·ków
wycho/dzić; ~dzę,
~dź·cie
wycho|dź·ca; ~dź·ców

wychodź·stwo
wychowa|w·ca; ~w·ców
wychowaw·stwo
wycho/wywać; ~wuje
wychów
wy/chry/pieć; ~p·cie,
~pieli
wy/chrzcić; ~chrzczę,
~chrzcij
wy/chrzta; ~chrztów
wychuchać
wy/chu|d·nąć; ~dł *lub*
~d·nął, ~d·li
wy/chwalać
wy/chwy/cić; ~cę,
~ć·cie
wychylić
wychy/nąć; ~ń·cie,
~nął, ~nęli
wyciąć; wy/tnij, wy-
ciął, wycięli
wyciąg
wyciąg·nąć; ~nął, ~nęli
wyciec *lub* wyciek·nąć;
wyciekł *lub* wy-
ciek·nął, wyciek·ła
wycie|cz·ka; ~cz·ce
wyciek
wycień·czyć
wyciera|cz·ka; ~cz·ce
wycieruchy (*spodnie*)
wycięcie
wycinan·ka; ~ce
wy/cior; ~ciorze
wyciskać
wyci|s·nąć; ~s·nę,
~ś·nie, ~ś·nij·cie,
~s·nął, ~s·nęli
wyci/szyć; ~sz·cie
wyco/fywać; ~fuje
wycyga/nić; ~ń·cie

wycze/sać; ~sz·cie
wycz/ha!
wyczołgać się
wy/czuć; ~czuje
wyczulić
wy/czyścić; ~czyść·cie
wyć; wyje
wy/ćwi/czyć; ~cz·cie
wydarzenie
wydarzyć się
wyda/tek; ~t·ków
wydat·kować; ~kuje
wyda|w·ca; ~w·ców
wydaw·nictwo
wydąć; wy/dmę,
   wy/dmie, wydął,
   wydęli, wydęty
wydech
wydedu/kować; ~kuje
wydelikat·nieć; ~nieje,
   ~nieli
wy/deptać; ~depcz·cie
wydę/bić; ~b·cie
wydęty
wy/dłu/bać; ~b·cie
wy/dłu/tować; ~tuje
wy/dłu/żyć; ~ż·cie
wy/dma
wy/dmuch
wy/dmuch·nąć; ~nął,
   ~nęli
wy/dmuchów
wy/dmu|sz·ka; ~sz·ce
wydo·brzeć; ~brzeje,
   ~brzeli
wydo/być; ~będzie,
   ~bądź·cie
wydobyw·czy
wy/doić; ~doję, ~doi,
   ~dój, ~doił
wydoroś·leć

wy/dra; ~drze, ~dr
wy/drą/żyć; ~ż·cie
wy/druk
wy/drwić
wy/drwi/grosz
wy/drzeć; ~darł, ~dar·li
wydukać
wydumany
wydu/sić; ~szę, ~ś·cie
wydychać
wydy/szeć; ~sz·cie,
   ~szeli
wydział
wydziedzi/czyć; ~cz·cie
wydzieran·ka; ~ce
wydzier·gać
wydzier/ża/wić; ~w·cie
wy/dziobać; ~dziob·cie
   lub ~dziób·cie
wy/dzwaniać
wy/dźwięk
wy/dźwig·nąć; ~nął,
   ~nęli, ~nięty
wy/edu/kować; ~kuje
wy/egze·kwować;
   ~kwuje
wy/eks·pe/diować;
   ~diuje
wy/eks·ploa/tować;
   ~tuje
wyfio/kować się; ~kuje
wy/fru/nąć; ~ń·cie,
   ~nął, ~nęli
wy/ga; dze
wygar·nąć; ~nął, ~nęli
wy/ga/sić; ~szę, ~ś·cie
wy/ga|s·nąć; ~ś·nie,
   ~ś·nij, ~sł lub ~s·nął,
wygiąć; wy/gnij, wy-
   giął, wygięli
wygibas

wy/glan·sować; ~suje
wy/gląd; ~glądzie
wy/gładzać
wy/gła/dzić; ~dzę,
   ~dź·cie
wy/głaszać
wy/głod·nieć; ~nieje,
   ~nieli
wy/głodzić; ~głodzę,
   ~głodź·cie lub
   ~głódź·cie
wy/głos
wy/gło/sić; ~szę,
   ~ś·cie
wy/głu/pić się; ~p·cie
wy/głu/szyć; ~sz·cie
wy/gna/niec; ~ń·ców
wy/gnić; ~gnije
wy/gnieść; ~gniecie,
   ~gnieć·cie, ~gniótł,
   ~gniet·li
wy/gnoić; ~gnoję,
   ~gnoi, ~gnój, ~gnoił
wy/goda; ~godzie,
   ~gód
wygod·nictwo
wy/godzić; ~godzę,
   ~gódź·cie
wy/goić; ~goję, ~goi,
   ~gój, ~goił
wygospoda/rzyć;
   ~rz·cie
wygó|d·ka; ~d·ce
wygórowany
wy/grażać
wy/grodzić; ~grodzę,
   ~grodź·cie lub
   ~gródź·cie
wy/gryźć; ~gryzę,
   ~gryź·cie, ~gryzł,
   ~gryź·li

wy/grzać; ~grzeje,
~grzali *lub* ~grzeli
wy/grze/bać; ~b·cie
wy/grzmo/cić; ~cę,
~ć·cie
wy/gwież·dżony
wy/gwizdów
wyhasać się
wyheb·lować; ~luje
wyho/dować; ~duje
wy/iskrzyć się
wy/izo/lować; ~luje
wyjada|cz·ka; ~cz·ce
wyja/łowić; ~łów·cie
wyjało/wieć; ~wieje,
~wieli
wyjaskra/wić; ~w·cie
wyjaśnić
wyja/wić; ~w·cie
wy/jazd; ~jeździe
wyjąć; wyj·mie, wyj·-
mij·cie, wyjął,
wyjęli, wyjęty
wyjąkać
wyją/tek; ~t·ków
wyjąt·kowy
wy/jec; ~j·ców
wyje/chać; ~dzie,
~dź·cie
wy/jeść; ~jem, ~jedz·-
cie, ~jadł, ~jed·li
wyjeż·dzić; wyjeż·dżę,
wyjeźdź·cie
wyjeż·dżać
wyję/czeć; ~cz·cie,
~czeli
wyjęzy/czyć się; ~cz·-
cie
wyj·mować; ~muje
wyj·rzeć; ~rzyj·cie,
~rzeli

wyj·ście; wyjść
wyjść; wyj·dzie,
wyjdź·cie, wyszedł,
wy/szła
wyka/dzić; ~dzę,
~dź·cie
wykal·ku/lować; ~luje
wykała|cz·ka; ~cz·ce
wykan·tować; ~tuje
wykań·czać – *rzadziej*
wykoń·czać
wykań·czal·nia *lub*
wykoń·czal·nia; ~ni
wykaraskać się
wy/kar·mić; ~mię,
~mi, ~m/my
wykasłać się
wykaszlać się *lub*
wykaszleć się
wyka/zać; ~że, ~ż·cie
wyką/pać; ~p·cie
wykichać się
wykidaj·ło
wyki/pieć
wy/klaskać; ~klaszcz·-
cie
wy/kląć; ~klnie,
~klnij, ~kląłł, ~klęli
wy/kle/ić; wy/kleję,
wy/kle/i, wy/klej,
wy/kleił
wy/kle/ina
wy/klej·ka; ~ce
wy/klęcie
wy/klę/czeć; ~cz·cie,
~czeli
wy/klu/czyć; ~cz·cie
wy/kluć się; ~kluje
wy/kład; ~kładzie
wy/kła|d·ka; ~d·ce
wy/kład·nia; ~ni

wy/kłado|w·ca;
~w·ców
wy/kło/sić się; ~szą
wy/kłó/cić się; ~cę,
~ć·cie
wy/kłuć; ~kłuje *lub*
~kole, ~kłuj·cie *lub*
~kol·cie
wyko/le/ić; ~ję, ~i,
~j·cie, ~ił
wykoleje/niec; ~ń·ców
wyko/łować; ~łuje
wykoły/sać; ~szę,
~sz·cie
wykom·bi/nować;
~nuje
wykona|w·ca; ~w·ców
wykonaw·czy
wykonaw·stwo
wykon·cy/pować;
~puje
wykoń·czyć; ~cz·cie
wykopalisko
wykop·nąć; ~nął, ~nęli
wykopyrt·nąć się; ~nął,
~nęli
wykorze/nić; ~ń·cie
wykorzystać
wyko/sić; ~szę, ~ś·cie
wykośla/wić; ~w·cie
wy/kpić
wy/kpi/grosz
wy/kraść; ~krad·nij,
~kradł, ~krad·li
wy/kre/ować; ~uje
wy/kres
wy/kreślić; ~kreśl·cie
wy/kreśl·ny
wy/krę/cić; ~cę, ~ć·cie
wy/kręt; ~kręcie
wy/krętas

313

wy/kręt·ny
wy/krochmalić
wy/kro/czyć; ~cz·cie
wy/kro/ić; wy/kroję,
  wy/kro/i, wy/krój,
  wy/kro/ił
wy/krok
wy/krop·kować; ~kuje
wy/krot; ~krocie
wy/krój; ~krojów
wy/krwa/wić się;
  ~w·cie
wy/krze/sać; ~szę,
  ~sz·cie
wy/krztu/sić; ~szę,
  ~ś·cie
wy/krztuś·ny
wy/krzyk·nąć; ~nął,
  ~nęli
wy/krzyk·nik
wy/krzy/wić; ~w·cie
wy/kształ·cenie
wy/kształ·cić; ~cę,
  ~ć·cie, ~cony
wy/kuć; ~kuje
wykuksać
wyku/pić; ~p·cie
wyku/rować; ~ruje
wyku/rzyć; ~rz·cie
wykusz
wykuwać
wy/kwalifi/kować;
  ~kuje
wy/kwate/rować; ~ruje
wy/kwint; ~kwin·cie
wy/kwint·ny
wy/kwit; ~kwicie
wy/kwit·nąć; wy/kwitł
  lub wy/kwit·nął
wy/lać; ~leje, ~lali lub
  ~leli

wylakie/rować; ~ruje
wylan·sować; ~suje
wy/ląc się – zob.
  wylęgnąć
wylą/dować; ~duje
wyląg lub wylęg
wyleg·nąć lub wylec;
  wyległ, wyleg·ła
wylet·nić się
wylew
wy/leźć; ~lezę,
  ~leź·cie, ~lazł, ~leź·li
wyle/żeć się; ~ż·cie,
  ~żeli
wylęgar·nia; ~ni
wylęg·nąć się; wylągł,
  wylęg·ła
wylęk·nąć się; wyląkł,
  wylęk·li
wylinieć
wy/li·zać; ~że, ~ż·cie
wy/lot; ~locie
wylud·nić
wylu/zować się; ~zuje
wyład·nieć; ~nieje,
  ~nieli
wyładow·czy
wyładunek
wyła/zić; ~żę, ~ź·cie
wyłącz·ny
wyłą/czyć; ~cz·cie
wy/łgać się; ~łżyj
wy/łoić; ~łoję, ~łoi,
  ~łój, ~łoił
wyło/nić; ~ń·cie
wy/łowić; ~łów·cie
wy/łożyć; ~łóż·cie
wyłóg
wyłu/dzić; ~dzę, ~dź·-
  cie
wyłu/pać; ~p·cie

wyłupiasty
wyłu/pić; ~p·cie
wyłu·skiwać; ~skuje
wy/łuszczyć; ~łuszcz·-
  cie
wyły/sieć; ~sieje, ~sieli
wyma/chiwać; ~chuje
wymagający
wy/ma/ić; wy/maję,
  wy/ma/i, wy/maj,
  wy/ma/ił
wyma/mić; ~mię, ~mi,
  ~m/my
wymarsz
wy/mar·znąć; wy/-
  marzł lub
  wy/mar·znął
wymar·znięcie
wyma/rzyć; ~rz·cie
wymaz
wyma/zać; ~że, ~ż·cie
wy/mądrzyć się;
  ~mądrzyj·cie lub
  ~mądrz·cie
wymę/czyć; ~cz·cie
wymiana
wy/miar; ~miarze
wymiatać
wymiąć; wy/mnę,
  wy/mnie, wy/mnij,
  wymiął, wymięli,
  wymięty
wymie/nić; ~ń·cie
wymien/nik
wymien/no/członowy
-wymien/ny
wymierać
wymier·ny
wymie/rzyć; ~rz·cie
wymie/sić; ~szę, ~ś·cie
wymieszać

314

wy/mieść; ~miotę,
~mieć·cie, ~miótł,
~miet·li
wy/mię; ~mienia,
~mion
wy/międlić; ~międl·cie
lub ~międlij·cie
wymięto/sić; ~szę,
~ś·cie
wymię/ty; ~ci
wymijająco
wymi/nąć; ~ń·cie,
~nął, ~nęli
wymio/tować; ~tuje
wymizer·nieć; ~nieje,
~nieli
wy/mknąć się;
~mknął, ~mknęli
wy/mleć; ~mełł,
~meł/ła, ~meł/li
wy/młó/cić; ~cę,
~ć·cie
wy/mnożyć; ~mnóż·cie
wymo/czek; ~cz·ków
wymo/czyć; ~cz·cie
wy/modlić; ~módl·cie
wy/moknąć; ~mok·nął
lub ~mókł, ~mok·li
wymon·tować; ~tuje
wy/morzyć; ~mórz·cie
wy/mościć; ~moszczę,
~mość·cie
wy/móc; ~może,
~móż·cie, ~mógł,
~mog·li
wy/móg; ~mogów
wymó/wić; ~w·cie
wymówienie
wymó|w·ka; ~w·ce
wy/mrozić; ~mrożę,
~mroź·cie

wy/mrzeć; ~marł
wy/msknąć się;
~msknął, ~msknęli
wymu/rować; ~ruje
wymu/sić; ~szę, ~ś·cie
wymuskać
wy/mydlić; ~mydl·cie
wy/mysł; ~myśle
wymyślać
wy/myślić; ~myśl·cie
wymyśl·ny
wyna/grodzić;
~grodzę, ~grodź·cie
lub ~gródź·cie
wy/najać; ~naj·mie,
~naj·mij, ~najął,
~najęli, ~najęty
wynaj·mować; ~muje
wynala|z·ca; ~z·ców
wynalaz·czość
wynala/zek; ~z·ków
wy/naleźć; ~naj·dzie,
~najdź·cie, ~nalazł,
~naleź·li, ~naleziony
wynaro/dowić;
~dów·cie
wynaturzony
wyna/wozić; ~wożę,
~woź·cie lub ~wóź·cie
wynego·cjować; ~cjuje
wynędz·nieć; ~nieje,
~nieli
wynia|ń·czyć; ~ńcz·cie
wy/nieść; ~niosę,
~nieś·cie, ~niósł,
~nieś·li
wyni|k·nąć; ~k·nął lub
~kł, ~k·ła
wynio|s·ły; ~ś·li
wy/niszczyć;
~niszcz·cie

wyniuchać
wynocha!
wynos (na wynos)
wyno/sić; ~szę, ~ś·cie
wynu/dzić; ~dzę,
~dź·cie
wynu/rzyć się; ~rz·cie
wy/obcowany
wy/obra/zić; ~żę,
~ź·cie
wy/obraź·nia; ~ni
wy/obrażenie
wy/od/ręb·nić
wy/o/krąg·leć; ~leje,
~leli
wy/ol·brzy/mić; ~mię,
~mi, ~m/my
wy/on·du/lować; ~luje
wy/orać; ~orz·cie
wy/ostrzyć: ~ostrz·cie
wypa/czyć; ~cz·cie
wy/pad; ~padzie
wypa/dać; ~dałoby
wypa/dek; ~d·ków
wypad·kowa
wypalacz
wypaplać
wypa·prać; ~prz·cie
wyparsk·nąć; ~nął,
~nęli
wypa/rzyć; ~rz·cie
wypas
wy/paść; ~pad·nie,
~padł, ~padli
wy/paść; ~pasę, ~paś·-
cie, ~pasł, ~paś·li
wypatro/szyć; ~sz·cie
wy/patrzyć; ~patrz·cie
wy/pchnąć; ~pchnął,
~pchnęli, ~pchnięty
wy/peł·nić; ~nij lub ~ń

315

wy/pełznąć; ~pełz·nie
lub ~pełź·nie,
~pełz·nij *lub*
~pełź·nij, ~pełz·nął
lub ~pełzł, ~pełz·li
lub ~pełź·li
wyper·fu/mować;
~muje
wyper·swa/dować;
~duje
wypę/dzić; ~dzę,
~dź·cie
wypiąć; wy/pnie,
wypiął, wypięli
wypiąst·kować; ~kuje
wy/pić; ~pije
wy/piec; ~piecz·cie,
~piekł
wypieięg·nować; ~nuje
wypierzyć się
wy/pieścić; ~pieszczę,
~pieść·cie
wypięk·nieć; ~nieje,
~nieli
wypiętrzyć
wypin·drzyć się;
~drz·cie
wypi|t·ka; ~t·ce
wy/plą/tać; ~cz·cie
wy/pleć; ~pełł,
~peł/ła, ~peł/li
wy/ple/nić; ~ń·cie
wy/pleść; ~pleć·cie,
~plótł, ~plet·li
wy/pluć; ~pluje
wy/plu/nąć; ~ń·cie,
~nął, ~nęli
wy/plu|s·nąć; ~s·nę,
~ś·nie, ~ś·nij, ~s·nął,
~s·nęli
wypła/cić; ~cę, ~ć·cie

wy/pła/ta; ~cie
wy/pła/wić; ~w·cie
wy/płosz
wy/płu/kać; ~cz·cie
wy/pły/nąć; ~ń·cie,
~nął, ~nęli
wy/pływ
wypo/cić; ~cę, ~ć·cie
wy/począć; ~po/cznie,
~po/cznij, ~począł,
~poczęli
wypo/częty; ~częci
wypoczwarzyć się
wypogadzać się
wypo/mnieć; ~mnij,
~mnieli
wypom·pować; ~puje
wyporząd·nieć; ~nieje,
~nieli
wyposa/żyć; ~ż·cie
wypo/środ·kować;
~kuje
wypowiedzenie
wypowie/dzieć;
~dz·cie, ~dzieli
wypo/wiedź; ~wiedzi
wypożyczal·nia; ~ni
wy/pór; ~porze
wy/pracowanie
wy/prać; ~pierze,
~pierz·cie
wy/praszać
wy/pra/wić; ~w·cie
wy/pra|w·ka; ~w·ce
wy/pra/żyć; ~ż·cie
wy/prę/żyć; ~ż·cie
wy/prost·ny
wy/prowa/dzić; ~dzę,
~dź·cie
wy/prowa|dz·ka;
~dz·ce

wy/pró/bować; ~buje
wy/próch·niały
wy/próż·nić
wy/pruć; ~pruje
wy/prysk
wy/pry|s·nąć; ~s·nę,
~ś·nie, ~ś·nij, ~s·nął
lub ~sł, ~s·nęli
wy/prząc; ~przęże,
~prząż·cie *lub*
~przęż·cie, ~przągł,
~przęg·li, ~przężony
wy/prząść; ~przędzie,
~przędź·cie *lub*
prządź·cie, ~prządł,
~przęd·li
wy/prząt·nąć; ~nął,
~nęli
wy/przeć; ~prę, ~parł,
~par·li
wy/przedaż *lub*
wy/sprzedaż
wy/przedzać
wy/prze/dzić; ~dzę,
~dź·cie
wy/przęgnąć;
~przęg·nął *lub*
~przągł, ~przęg·li,
~przęgnięty
wy/przód·ki (na
wyprzódki)
wy/prztykać się
wy/przy/stoj·nieć;
~nieje, ~nieli
wy/psnąć się; ~pśnie,
~psnęło
wypu/cować; ~cuje
wypu/czyć; ~cz·cie
wypukły
wypun·ktować; ~ktuje
wy/pust; ~puście

wypus|t·ka; ~t·ce
wy/puścić; ~puszczę,
 ~puść·cie
wypychać
wyrachowanie
wyradzać się
wyrafinowany
wyraj
wyrastać
wyraz
wyra/zić; ~żę, ~ź·cie
wyrazi·sty; ~st·szy
wyraź·ny
wyrażać
wyrażenie
wy/rąb; ~rębu
wyrą/bać; ~b·cie
wyremon·tować; ~tuje
wyrę/czyć; ~cz·cie
wyrę/ka; ~ce
wy/ro; ~rze
wy/robić; ~rób·cie
wyrocz·nia; ~ni
wyro/dek; ~d·ków
wy/rodzić się; ~rodzę,
 ~ródź·cie *lub*
 ~rodź·cie
wy/ro/ić się; ~i, ~ją
wyrok
wyro/lować; ~luje
wyros·nąć; wyros·nę,
 wyroś·nie, wyrośnij,
 wyrósł, wyroś·li
wyrost (na wyrost)
wyro|s·tek; ~st·ków
wyroś·nię/ty; ~ci
wyrozumiały
wyrozumienie
wyrób
wy/rój; ~rojów *lub*
 ~ro/i

wyróść – *zob.* wyros-
 nąć
wyrównać
wyrównaw·czy
wyróż·nik
wyru/gować; ~guje
wyru/szyć; ~sz·cie
wy/rwa; wyrw
wy/rwać; ~rwij·cie
Wy/rwi/dąb; ~dęba
wyrych·tować; ~tuje
wyrywkowo
wyrzą/dzić ~dzę,
 ~dź·cie
wy/rzec; ~rzek·nij,
 ~rzekł, ~rzek·li
wyrzeczenie
wyrzekać
wy/rzezać; ~rzeza *lub*
 ~rzeże, ~rzezaj·cie
 lub ~rzeż·cie
wyrzeź/bić; ~b·cie
wyrzę/zić; ~żę, ~ź·cie
wy/rznąć; ~rznął,
 ~rznęli
wyrzu/cić; ~cę, ~ć·cie
wy/rzut; ~rzucie
wyrzu/tek; ~t·ków
wyrzut·nia; ~ni
wyrzygać
wyrzynać (nożem)
wy/rżnąć; ~rżnął,
 ~rżnęli
wysa/dzić; ~dzę,
 ~dź·cie
wysącz·kować; ~kuje
wysą/czyć; ~cz·cie
wy/schnąć; ~sechł *lub*
 ~schnął, ~schła,
 ~schli
wy/schnięty

wyselek·cjo/nować;
 ~nuje
wyse|p·ka; ~p·ce
wy/sfo/rować się;
 ~ruje
wy/siać; ~sieje, ~siali
 lub ~sieli
wysia|d·ka; ~d·ce
wysiąkać
wy/siąść; ~siądzie,
 ~siądź·cie, ~siadł,
 ~sied·li
wy/siec; ~siecz·cie,
 ~siekł, ~siek·li
wysiedleń·czy
wy/siedlić; ~siedl·cie
wysie/dzieć; ~dzę,
 ~dź·cie, ~dzieli
wysięk
wysiudać
wy/skok
wy/skro/bek; ~b·ków
wy/słać; wy/śle,
 wy/ślij
wy/słać; wy/ściele,
 wy/ściel, wy/słał
wy/sła/niec; ~ń·ców
wy/słan/nictwo
wy/sła/wić; ~w·cie
wy/słod·ki
wy/słowić się;
 ~słów·cie
wy/słuchać
wy/słu/ga; ~dze
wy/słu/żyć; ~ż·cie
wy/sma/żyć; ~ż·cie
wy/smolić; ~smol·cie
 lub ~smól·cie
wy/smukły
wy/smyk·nąć się;
 ~nął, ~nęli

wy/snuć; ~snuje
wyso/czyzna; ~czyźnie
wysoki; wyż·szy
wysoko; wyżej
wysokogór·ski
wysoko kwalifikowany
wysokopien/ny
wysoko/pręż·ny
wysokościomierz
wysokościo/wiec;
  ~w·ców
wyson·dować; ~duje
wy/spać się; ~śpij·cie
wy/spe·cjali/zować;
  ~zuje
wyspiarz
wy/sprzątać
wy/sprzedaż *lub*
  wy/przedaż
wy/srebrzyć
wy/ssać; ~ssę, ~ssie,
  ~ssij
wy/stać się; ~stoję,
  ~stoi, ~stój
wy/star·czająco
wy/sta|w·ca; ~w·ców
wy/stawien/nictwo
wy/stą/pić; ~p·cie
wy/stękać
wy/stęp
wy/stę/pek; ~p·ków
wy/stę/pować; ~puje
wy/stroić; ~stroję,
  ~stroi, ~strój, ~stroił
wy/strój; ~strojów
wy/stru/gać; ~ga *lub*
  że, ~gaj·cie *lub* ~ż·cie
wy/strych·nąć; ~nął,
  ~nęli, ~nięty
wy/strzał
wy/strzegać się

wy/strzelić
wy/strzę/pić; ~p·cie
wy/strzyc; ~strzyż·cie,
  ~strzygł, ~strzyg·li,
  ~strzyżony
wy/stu/dzić; ~dzę,
  ~dź·cie
wy/stu/kiwać; ~kuje
wy/styg·nąć; wy/stygł
  lub wy/styg·nął
wysublimowany
wysu/nąć; ~ń·cie,
  ~nął, ~nęli
wysup·ływać; ~łuje
wysu/szyć; ~sz·cie
wysuwać
wy/swatać
wy/swo/bodzić;
  ~bodzę, ~bódź·cie
  lub ~bodź·cie
wysychać
wysy/czeć; ~cz·cie,
  ~czeli
wysył·ka; ~ce
wysy|p·ka; ~p·ce
wyszarp·nąć; ~nął, ~nęli
wyszarzały
wy/szczegól·nić
wy/szczekany
wy/szcze/rzyć; ~rz·cie
wy/szczuć; ~szczuje
wy/szczup·leć; ~leje,
  ~leli
wyszep·nąć; ~nął,
  ~nęli
wy/sztafi/rować się;
  ~ruje
wy/sztur·chać
wyszukać
wy/szu/mieć się; ~mię,
  ~mi, ~m/my, ~mieli

wyszynk
wy/ścigo/wiec; ~w·ców
wy/ścigó|w·ka; ~w·ce
wy/ściół·ka; ~ce
wy/ślizg·nąć się; ~nął,
  ~nęli
wy/śli|z·nąć się; ~z·nę,
  ~ź·nie, ~ź·nij, ~z·nął,
  ~z·nęli
wy/śru/bować; ~buje
wy/świad·czyć; ~cz·cie
wy/świech·tać
wy/świet·lić; ~l·cie
wy/świe/żyć; ~ż·cie
wy/świę/cić; ~cę,
  ~ć·cie
wytarty
wytarzać
wyta/tuować; ~tu/uje
wy/tchnąć; ~tchnął,
  ~tchnęli
wytę/pić; ~p·cie
wytęsk·niony
wytę/żyć; ~ż·cie
wy/tknąć; ~tknął,
  ~tknęli
wy/tłuc; ~tłucz·cie,
  ~tłukł
wy/tłuma/czyć;
  ~cz·cie
wy/tłu/mić; ~mię,
  ~mi, ~m/my
wy/tłuścić; ~tłuszczę,
  ~tłuść·cie
wy/tra/wić; ~w·cie
wy/trą/bić; ~b·cie
wy/trą/cić; ~cę, ~ć·cie
wy/truć; ~truje
wy/trwać
wy/trwały
wy/trych

wy/trysk
wy/try|s·nąć; ~ś·nie,
~ś·nij, ~s·nął,
~s·nęła *lub* ~s·ła
wy/trza|s·nąć; ~s·nę,
~ś·nie, ~ś·nij, ~s·nął,
~s·nęli
wy/trzą|s·nąć; ~s·nę,
~ś·nie, ~ś·nij, ~s·nął,
~s·nęli
wy/trząść; ~trzę·sę,
~trząś·cie *lub*
~trzę·ście, ~trząsł,
~trzęś·li
wy/trze/bić; ~b·cie
wy/trzeć; ~tarł
wy/trze/pać; ~p·cie
wy/trzeszczyć;
~trzeszcz·cie
wy/trzeź·wieć; ~wieje,
~wieli
wy/trzymać
wy/tu/pać; ~p·cie
wy/twarzać
wy/twor·ny
wy/tworzyć;
~twórz·cie
wy/twór; ~tworze
wy/twór·czość
wy/twór·nia; ~ni
wy/twór·stwo
wyty/czyć; ~cz·cie
wy/uczyć; ~ucz·cie
wy/uzdanie
wywa/bić; ~b·cie
wy/war; ~warze
wywa/rzyć; ~rz·cie
(*wygotować*)
wywa/żyć; ~ż·cie
(*wyłamać; określić
wagę*)

wywąchać
wy/wcza/sować się;
~suje
wy/wdzię/czyć się;
~cz·cie
wywę/szyć; ~sz·cie
wywiado|w·ca; ~w·ców
wywiadow·czy
wywiadó|w·ka; ~w·ce
wywią/zać się; ~że,
~ż·cie
wywich·nąć; ~nął,
~nęli, ~nięty
wywie/dzieć się;
~dz·cie, ~dzieli
wywierzysko
wywie|sz·ka; ~sz·ce
wy/wieść; ~wiedź·cic,
~wiódł, ~wied·li
wywie·trzeć; ~trzeje
wywietrz·nik
wywie·trzyć; ~trz·cie
wy/wieźć; ~wieź·cie,
~wiózł, ~wieź·li
wywi/nąć; ~ń·cie,
~nął, ~nęli
wywin·dować; ~duje
wy/wlec; ~wlecz·cie,
~wlókł *lub* ~wlekł,
~wlek·li
wy/właszczyć;
~właszcz·cie
wy/włó/czyć; ~cz·cie
wy/wnę·trzyć się;
~trz·cie się
wy/wodzić; ~wodzę,
~wódź·cie
wywoław·czy
wywo/ływać; ~łuje
wy/wozić; ~wożę,
~wóź·cie *lub* ~woź·cie

wy/wód; ~wodzie
wywó|z·ka; ~z·ce
wy/wro|t·ka; ~t·ce
wy/wroto/wiec;
~w·ców
wy/wró/cić; ~cę,
~ć·cie
wy/wró/żyć; ~ż·cie
wy/wrzeć; ~warł
wywyż·szać; ~szaj·cie
wy/wzajem·nić się
wy/zbyć się;
~zbądź·cie
wy/zdro/wieć; ~wieje,
~wieli
wyziew
wyzię/bić; ~b·cie
wy/ziębnąć; ~zięb·-
nął *lub* ~ziąbł,
~zięb·li, ~zięb·nięty
wyzio/nąć; ~ń·cie,
~nął, ~nęli
wy/zna/czyć; ~cz·cie
wy/zna|w·ca; ~w·ców
wy/zuć; ~zuje
wy/zwać
wy/zwie/rzyć się;
~rz·cie
wy/zwisko
wy/zwole/niec; ~ń·ców
wy/zwoleń·czy
wyzysk
wyzywająco
wyż
wyżalić się
wyżar·ty
wy/żarzyć; ~żarz·cie
wyżąć; wy/żmie,
wy/żmij, wyżął,
wyżęli, wyżęty
(*bieliznę*)

wyżąć; wy/żnie,
  wy/żnij, wyżął,
  wyżęli, wyżęty
  (zboże)
wy/żebrać; ~żebrze,
  ~żebrz·cie
wyżej wymieniony
  (*skrót:* ww.)
wyżeł
wyżerać
wyżer·ka; ~ce
wyżlica
wy/żłobić; ~żłób·cie
wy/żło/pać; ~p·cie
wy/żół|k·nąć; ~kł *lub*
  ~k·nął. ~k·li
wy/żreć; ~żarł
wyż·szy; ~si
wyżyć
wyży/łować; ~łuje
wyżyma|cz·ka; ~cz·ce
wyżymać
wyżynać (zboże)
wyżyn/ny
wyżywać się
wyży/wić się; ~w·cie
wzajem·nie
w zamian
w zanadrzu
w zasadzie
wzbić się; wzbije
wzbierać
wzboga·cić; ~cę, ~ć·cie
wzbraniać

wzbu/dzić; ~dzę,
  ~dź·cie
wzbu/rzyć; ~rz·cie
wzdąć; wez/dmie,
  wzdął, wzdęli,
  wzdęty
wzdłuż
wzdłu/żyć; ~ż·cie
wzdryg·nąć się; ~nął,
  ~nęli
wzdychać
wzejść; wzej·dzie,
  wzeszedł, wze/szła
wzgar·dzić; ~dzę,
  ~dź·cie
wzgląd; względzie,
  względem
wzgléd·ny
wzgórek
wzgórze; wzgórz
wziąć; wez·mę,
  weź·mie, weź·cie,
  wziął, wzięli, wzięty
wzier·nik
wziewać
wzięcie
wzięty; wzięci
wzio/nąć; ~ń·cie, ~nął,
  ~nęli
wzle/cieć; ~cę, ~ć·cie
wzlot; wzlocie
wzmagać
wzmian·ka; ~ce
wzmoc·nić

wzmóc; wzmoże,
  wzmóż·cie, wzmógł,
  wzmog·li
wznie/cić; ~cę, ~ć·cie
wznieść; wznieś·cie,
  wzniósł, wznieś·li
wznio·sły; ~śli
wzno/sić; ~szę, ~ś·cie
wznowić; wznów·cie
wzor·cow·nia; ~ni
wzor·nictwo
wzorzec
wzorzyście
wzór; wzorze
wzrastać
wzrokowo-słuchowy
wzros·nąć *lub* wzróść;
  wzros·nę, wzroś·nij,
  wzrósł, wzroś·li
wzrost; wzroście
wzru/szyć; ~sz·cie
wzuć; wzuje
w zupełności
w związku
wzwód; wzwodzie
wzwyż
wżar·cie się
wżdy
wże/nić się; ~ń·cie
wżerać się
wżyć się
wżynać (*od* żąć)

Y

yacht club *lub* jacht/klub
yachting *lub* jachting

yale (*zamek*)
Yale (*uniwersytet*)
yard *lub* jard

yeti
Ystad
yup·pie

Z

za/adap·tować; ~tuje
(*np.* książkę)
za/adop·tować; ~tuje
(*np.* dziecko)
za/adre/sować; ~suje
za/aferowany
za/a·klimaty/zować;
~zuje
za/anek·tować; ~tuje
za/an·ga/żować; ~żuje
za/aran·żować; ~żuje
za/aresz·tować; ~tuje
za/ata/kować; ~kuje
za/awan·sowany
zaba·brać; ~brze,
~brz·cie
zabaj·tlować; ~tluje
zabałamu/cić; ~cę,
~ć·cie
zaban·da/żować; ~żuje
zabar·łożyć; ~łóż·cie
zabar·wić; ~w·cie
zaba|w·ka; ~w·ce
zabaw·kar·stwo
za/bazgrać; ~bazgrze,
~bazgrz·cie
zabeczany
za bez/cen
zabez/pie/czyć; ~cz·cie
zabęb·nić; ~nij·cie
za/bić; ~bije

zabie/dzić; ~dzę,
~dź·cie
zabieg
zabijać
zabija/ka; ~ce
za/bliź·nić się
za/błą/dzić; ~dzę,
~dź·cie
za/błąkać się
za/bło/cić; ~cę, ~ć·cie
za/bły|s·nąć; ~s·nę,
~ś·nie, ~ś·nij, ~s·nął
lub ~sł, ~s·nęła *lub*
~s·ła
zabobon/ny
zaborca
zabor·czy
zabój (na zabój)
zabój·ca
zabój·czy
zabój·stwo
za/bór; ~borze
za/bóść; ~bodzie,
~bódź·cie *lub*
~bodz·cie, ~bódł
za/brać; ~bierze,
~bierz·cie
za/brak·nąć; ~ło
za/brnąć; ~brnął,
~brnęli
za/bro/nić; ~ń·cie

za/bru/dzić; ~dzę,
~dź·cie
za/brząkać *lub*
za/brzękać
za/brzdąkać
Zabrze
za/brzę/czeć; ~cz·cie,
~czeli
za/brzmieć
zabu/czeć; ~cz·cie
zabu/dowa; ~dów
zaburzenie
zabu/rzyć; ~rz·cie
zabużań·ski; ~scy (*zza*
Buga)
zaby/tek; ~t·ków
zacen·trować; ~truje
zachachmę/cić; ~cę,
~ć·cie
zachar·czeć; ~cz·cie,
~czeli
Zachariasz
za/chcian·ka; ~ce
za/chcieć się
za/chciewaj·ka; ~ce
zachę/cić; ~cę, ~ć·cie
zachę/ta; ~cie
zachicho/tać; ~cz·cie
za/chlany
za/chla/pać; ~p·cie
za/chłan/ny

za/chłos·tać;
za/chłoszcz·cie
za/chły|s·nąć się;
~s·nę, ~ś·nie, ~ś·nij,
~s·nął, ~s·nęli
za/chmurzenie
zachod·ni (*skrót:*
zach.)
zachod·nio<u>eu</u>/ropej·-
ski; ~scy
zacho/dzić; ~dzę,
~dź·cie
zachomi/kować; ~kuje
zacho/rować; ~ruje
zacho/rzeć; ~rzeje,
~rzeli
zachowanie
zachowaw·czy
zacho/wywać się;
~wuje
za/chód; ~chodzie
(*skrót:* zach.)
za/chrobo/tać; ~cz·cie
za/chry|p·nąć; ~p·nął
lub ~pł, ~p·nęli *lub*
~p·li, ~p·nięty
za/chrzęścić; ~chrzę-
szczę, ~chrzęść·cie
za/chwaścić; ~chwa-
szczę, ~chwaść·cie,
~chwaszczony
za/chwiać; ~chwieje,
~chwiali *lub* ~chwieli
za chwilę
za/chwy/cić; ~cę,
~ć·cie
za/chwyt; ~chwycie
zachybo/tać
za/ciąć; ~tnie, ~tnij,
~ciął, ~cięli
zaciąg

zaciąg·nąć; ~nął,
~nęli, ~nięty
zacią/żyć; ~ż·cie
za/ciec; ~ciekł
zacieka/wić; ~w·cie
zaciekły
za/ciek·nąć; za/ciekł
lub za/ciek·nął
zaciem·nić
zaciem·nienie
za/cier; ~cierze
zacier·ka; ~ce
zacieś·nić
zacietrze/wić się;
~w·cie
zacietrzewie/niec;
~ń·ców
zacięcie
zacię/ty; ~t·szy
zacięż·ny
zacisk
zaci|s·nąć; ~s·nę,
~ś·nie, ~ś·nij, ~s·nął,
~s·nęli, ~ś·nięty
zacisz·ny
zaciukać
za/cny
za co
zacofa/niec; ~ń·ców
za cóż
zacu/mować; ~muje
zacz (kto zacz)
zaczadzenie
zacza/dzieć; ~dzieje,
~dzieli
za/czaić się; ~czaję,
~czai, ~czaj, ~czaił
zacząć; za/cznie,
zaczął, zaczęli,
zaczęty
zaczą/tek; ~t·ków

zaczekać
zacze|p·ka; ~p·ce
zaczerp·nąć; ~nął,
~nęli
zacze/sać; ~sze, ~sz·cie
zaczy/nić; ~ń·cie
za/ćma
za/ćmić
za/ćmienie
za/ćpany
za/ćwier·kać
zad; zadzie
za/dać; ~dadzą
zadar·cie
za dar·mo
zada/tek; ~t·ków
zadąć; za/dmie, zadął,
zadęli
zadąsany
za/dbać
zadebiu/tować; ~tuje
za/dek; ~d·ków
zade/kować; ~kuje
zademon·strować;
~struje
zadenun·cjować; ~cjuje
zadep·tać; ~cz·cie
zadeszczyć się
zadęcie
za/dła/wić; ~w·cie
za/dłu/żyć się; ~ż·cie
za dnia
Za/dnieprze
zado/łować; ~łuje
zado/mowić się;
~mów·cie
zadość (*np.* czynić)
zadość/uczy/nić;
~ń·cie
zadość/uczynienie
zadowalający

zado/wolić; ~wól
za/dra; ~drze
za/drap·nąć; ~nął,
  ~nęli
za/dra|s·nąć; ~s·nę,
  ~ś·nie, ~ś·nij, ~s·nął,
  ~s·nęli
za/draż·nić
za/drę/czyć; ~cz·cie
za/dru/kować; ~kuje
za/drzeć; ~darł
za/drze/wić; ~w·cie
za/drżeć; ~drżeli
zaduch
zadu/fek; ~f·ków
zaduf·kostwo
zadumać się
zadu/pie; ~pi
zadu/rzyć się; ~rz·cie
zadu/sić; ~szę, ~ś·cie
Zaduszki
zady/mić; ~mię, ~mi,
  ~m/my
zadym·ka; ~ce
zadyn·dać
zady|sz·ka; ~sz·ce
zadzierać
zadzierzg·nąć; ~nął,
  ~nęli
zadzierzy·sty; ~ści
za/dziobać; ~dziob-
cie lub ~dziób·cie
za/dziora; ~dziorze
za/dźgać lub za/źgać
za/dźwięczeć
za/dżdżony
za/dżumiony
zafascy/nować; ~nuje
zafa/sować; ~suje
zafik·sować; ~suje
zafun·dować; ~duje

zagab·nąć; ~nął, ~nęli
zaga|d·ka; ~d·ce
zagad·nąć; ~nął, ~nęli
za/ga/ić; za/gaję,
  za/ga/i, za/gaj,
  za/ga/ił
zagaj·nik
zaga/pić się; ~p·cie
zagar·nąć; ~nął, ~nęli
zaga/sić; ~szę, ~ś·cie
zaga|s·nąć; ~ś·nie,
  ~ś·nij, ~sł lub ~s·nął
za/gęścić; ~gęszczę,
  ~gęść·cie
zagiąć; za/gnij, zagiął,
  zagięli, zagięty
zagi/nąć; ~ń·cie, ~nął,
  ~nęli
za/glądać
za/gła/da; ~dzie
za/głę/bić się; ~b·cie
za/głę/bie; ~bi
za/głodzić; ~głodzę,
  ~głodź·cie lub
  ~głódź·cie
za/głó/wek; ~w·ków
za/głu/szyć; ~sz·cie
za/gnę/bić; ~b·cie
za/gnieść; ~gnieć·cie,
  ~gniótł, ~gniet·li
za/gnie|ź·dzić się; ~ż·-
dżę, ~ździ·cie
za/gnież·dżać się
za/gnoić; ~gnoję,
  ~gnoi, ~gnój, ~gnoił
za/goić; ~goję, ~goi,
  ~gój, ~goił
zagoń·czyk
zagorzały
zagospoda/rzyć;
  ~rz·cie

za/gościć; ~goszczę,
  ~gość·cie
zagórze
za/gra|b·ki; ~b·ków
zagra/cić; ~cę, ~ć·cie
za/granica (cudze
  kraje)
za granicą (być)
za granicę (wyjechać)
za/granicz·ny
za/grażać
za/groda; ~grodzie;
  ~gród
za/grodzić; ~grodzę,
  ~gródź·cie
za/grozić; ~grożę,
  ~groź·cie lub
  ~gróź·cie
za/gró|d·ka; ~d·ce
za/grun·tować; ~tuje
za/gry/cha; ~sze
za/gry|w·ka; ~w·ce
za/gry|z·ka; ~z·ce
za/gryźć; ~gryzę,
  ~gryź·cie, ~gryzł,
  ~gryź·li
za/grzać; ~grzeje
Za/grzeb; ~grzebia
za/grze/bać; ~b·cie
za/grzecho/tać; ~cz·cie
za/grzewać
za/grzmieć
za/grzybiony
za/gważ·dżać lub
  za/gwoż·dżać
za/gwizdać; ~gwiż·dżę,
  ~gwiżdż·cie
za/gwo|zd·ka; ~zd·ce
za/gwoździć; ~gwoż·-
dżę, ~gwóźdż·cie lub
  ~gwoźdż·cie

zaha/czyć; ~cz·cie
zaha/mować; ~muje
zahand·lować; ~luje
zaha/rować się; ~ruje
zahar·tować; ~tuje
zahip·noty/zować;
~zuje
zaho/lować; ~luje
zahu/czeć; ~cz·cie
zahukany
zahulać
zahur·kotać
zahuśtać
za/igrać
za/imek
za/in·au/gu/rować;
~ruje
za/in·fe/kować; ~kuje
za/ini·cjować; ~cjuje
za/in·tere/sować;
~suje
za/in·to/nować; ~nuje
za/in·try/gować; ~guje
za/in·we·stować;
~stuje
Za/ir; Za/irze
za/iskrzyć się
za/iste
za/iwaniać
za/jad; ~jadzie
zajadły
zajarzyć się
za/jazd; ~jeździe
zajazgo/tać; ~cz·cie
za/jąc; ~jęcy
zają/czek; ~cz·ków
zając; zaj·mę, zaj·mie,
zajął, zajęli
zają/kiwać się; ~kuje
zająk·nąć się; ~nął,
~nęli

zaje/chać; ~dzie,
~dź·cie
zajezd·nia; ~ni
za/jeździć; ~jeż·dżę,
~jeźdź·cie
zajeż·dżać
zajęcie
zaję/czeć; ~cz·cie,
~czeli
zajęczy
zaj·mujący
zajob
zaj·rzeć; ~rzyj·cie,
~rzeli
zaj·ście; zajść
zajść; zaj·dzie, zajdź·-
cie, zaszedł, za/szli
zaj·za/jer; ~jerze
zaka/dzić; ~dzę,
~dź·cie
zakała
zakałapuć·kać
zakamarek
zakamuf·lować; ~luje
zaka/pior; ~piorze
zakaptu/rzyć; ~rz·cie
zakar·pa·cki; ~c/cy
zaka/sać; ~sze, ~sz·cie
za/kaszlać lub za/ka-
szleć; ~kaszl·cie lub
~kaszlaj·cie, ~ka-
szlali lub ~kaszleli
zakaszl·nąć; ~nął,
~nęli
zakata/rzyć się; ~rz·cie
zakatru/pić; ~p·cie
zakau/ka·ski; ~scy
Zakau/kazie
zaka/zać; ~że, ~ż·cie
zaka/zić; ~żę, ~ź·cie
zakaź·ny

zakażać
zakażenie
zaką/sić; ~szę, ~ś·cie
zaką|s·ka; ~s·ce
zakąszać
zaką/tek; ~t·ków
zakieł·kować; ~kuje
zakiś·nięcie
za/kląć; ~klnij; ~klął,
~klęli
za/kląskać
za/kle/ić; za/kleję,
za/kle/i, za/klej,
za/kle/ił
za/kleszczyć;
~kleszcz·cie
za/klęcie
za/klęs·ły
za/klęs·nąć; za/klęś·-
nie, za/klęs·nął lub
za/kląsł
za/klę/ty; ~ci
za/kład; ~kładzie
za/kła|d·ka; ~d·ce
za/kłębić się
za/kłopo/tać; ~cz·cic
za/kłócenie
za/kłó/cić; ~cę, ~ć·cie
za/kłuć; ~kłuje
za/kneb·lować; ~luje
zakochać się
zakomen·de/rować;
~ruje
zakom·pleksiony
zakom·po·stować;
~stuje
zakomuni/kować;
~kuje
zakon·klu/dować;
~duje
zakon/nica

zakon/ny
zakon·ser·wować;
~wuje
zakon·spi/rować; ~ruje
zakon·trak·tować;
~tuje
zakoń·czenie
za/koń·czyć; ~cz·cie
Zakopa/ne; ~nem
za/kop·cić; ~cę, ~ć·cie
zakop·cować; ~cuje
zakopiań·szczyzna;
~szczyźnie
zakorzenić się
zakot·łować się; ~łuje
zakotwi/czyć; ~cz·cie
za/kraść się; ~kradł
za/krą/żyć; ~ż·cie
za/kres
za/kreślić; ~kreśl·cie
za/krę/cić; ~cę, ~ć·cie
za/kręt; ~kręcie
za/krętas
za/krę|t·ka; ~t·ce
za·krocz·ny
za/kro/ić; za/kroję,
    za/kro/i, za/krój,
    za/kro/ił
za/kroplić; ~kropl·cie
za/krwa/wić; ~w·cie
za/kry·stia; ~stii
za/krystian
za/krząt·nąć się; ~nął,
    ~nęli
za/krze|p·nąć; ~p·nął
    lub ~pł, ~p·ła
za/krze/wić; ~w·cie
za/krztu/sić się; ~szę,
    ~ś·cie
za/krzy/czeć; ~cz·cie,
    ~czeli

za/krzyk·nąć; ~nął,
    ~nęli
za/krzy/wić; ~w·cie
za/księ/gować; ~guje
zaktu/ali/zować; ~zuje
za/kuć; ~kuje
zakukać
zakulisowy
zakum·kać
zakumu/lować; ~luje
zaku/pić; ~p·cie
zaku/rzyć; ~rz·cie
zakusy
zakutać
zakuwać
zaku|w·ka; ~w·ce
za/kwa·kać
za/kwalifi/kować;
    ~kuje
za/kwa/sić; ~szę,
    ~ś·cie
za/kwaś·nieć; ~nieje
za/kwate/rować; ~ruje
za/kwe/fić; ~f·cie
za/kwestio/nować;
    ~nuje
za/kwiczeć
za/kwilić
za/kwi|t·nąć; ~tł lub
    ~t·nął, ~t·ła
za/ląc się – zob. za-
    lęgnąć się
zalą/żek; ~ż·ków
zaląż·kowy
zaląż·nia; ~ni
za/lec lub za/legnąć;
    ~legł, ~leg·li
zale/cić; ~cę, ~ć·cie
zale/cieć; ~cę, ~ć·cie
zaledwie
zaleg·łość

zale/sić; ~się, ~ś·cie
zale·ski; ~scy (od
    Zalesie)
zale/ta; ~cie
zalew
zale|w·ka; ~w·ce
za/leźć; ~lezę, ~leź·cie,
    ~lazł, ~leź·li
zale/żeć; ~żeli
zależ·ność
za|lęg·nąć się; ~lągł,
    ~lęg·ła
za|lęk·nąć się; ~ląkł,
    ~lęk·li
zalężony
zal·gorytmi/zować;
    ~zuje
zali|cz·ka; ~cz·ce
zalot·ny
za/lśnić
zalud·nić
zalu/tować; ~tuje
załadow·czy
załadow·nia; ~ni
załadunek
zała/godzić; ~godzę,
    ~godź·cie lub
    ~gódź·cie
zała/mać; ~mię, ~mie,
    ~m/my
za/łatwić; ~łatw·cie
zała/zić; ~żę, ~ź·cie
załącznik (skrót: zał.)
załech·tać; ~taj·cie lub
    ~cz·cie
za/łgać się; ~łże
za/łkać
za/łoga; ~łodze, ~łóg
załomo/tać; ~cz·cie
załopo/tać; ~cz·cie
załosko/tać; ~cz·cie

założenie
założyć; załóż·cie
za/łzawiony
zamach·nąć się; ~nął,
~nęli
zamacho/wiec; ~w·ców
zamaczać
zamaja/czyć; ~cz·cie
zamalo/wywać; ~wuje
zamar·ły
zamar·twica
zamar·twić się; ~tw·cie
zama/rzać (głodem)
zamar·zać (pokrywać
się lodem)
zamar·znąć; ~zł lub
~znął, ~zli, ~znięty
zama/rzyć; ~rz·cie
zamaszy·sty; ~ści
zama/zać; ~że, ~ż·cie
za mąż (wyjść, wydać)
zamąż/pój·ście
Zam·bia; ~bii
zambij·ski; ~scy
za/mek; ~mków
zamę/czyć; ~cz·cie
zamęście
za/męt; ~męcie
zamęż·na
za/mglenie
za/miar; ~miarze
zamiast
zamiatać
zamiau/czeć
za/mieć; ~mieci
zamiej·scowy
zamiej·ski; ~scy
zamie/nić; ~ń·cie
zamie|n/nia; ~n/ni
zamien/ny
zamierać

zamierzać
zamierz·chły
zamierzenie
zamie/sić; ~szę, ~ś·cie
zamieszać
zamieszczać
zamieszkać
zamiesz·ki
za/mieścić; ~mieszczę,
~mieść·cie
za/mieść; ~miotę,
~mieć·cie, ~miótł,
~miet·li
za/milczeć; ~milcz·cie,
~milczeli
zamil|k·nąć; ~kł lub
~k·nął, ~k·li
za/mknąć; ~mknął,
~mknęli
za młodu
zamoj·ski; ~scy (od
Zamość)
za/mok·nąć; za/mókł
lub za/mok·nął
zamon·tować; ~tuje
zamor·dyzm; ~dyzmie
zamor·ski; ~scy
zamorusać
za/morzyć; ~mórz·cie
zamoż·ny
za/mówić; ~mów·cie
zamówienie
zamózgo/wie; ~wi
zamóż·dże
za/mrażać
za/mrażal·nia; ~ni
za/mro/czyć; ~cz·cie
za/mro/zić; za/mro/-
żę, za/mroż lub
za/mróź
za/mróz (na szybie)

za/mru/czeć; ~cz·cie,
~czeli
za/mrugać
za/mrzeć; ~marł
zamsz
zamuczeć
zamulić
zamu/rować; ~ruje
zamust·rować; ~ruje
za/mysł; ~myśle
zanadrze
zanad/to
zanar·chi/zować; ~zuje
za nic
zaniechać
zanie/czyścić; ~czysz-
czę, ~czyść·cie
zanic/dbywać; ~dbuje
zanie/móc; ~może,
~mógł
zaniemó/wić; ~w·cie
zaniepo/koić; ~koję,
~koi, ~kój, ~koił
za/nieść; ~niosę,
~nieś·cie, ~niósł,
~nieś·li
zani|k·nąć; ~k·nął lub
~kł
zanim (wpierw niż)
za nim (po nim)
zani/żyć; ~ż·cie
zan·tagoni/zować;
~zuje
zanu/cić; ~cę. ~ć·cie
zanu/dzić; ~dzę,
~dź·cie
zanu/rzyć; ~rz·cie
zań (za niego)
za/ob/rę/bić; ~b·cie
za/ob·ser·wować;
~wuje

327

za/ocz·ny
za/odrzań·ski; ~scy
za/oferować
za/okien/ny
za/o/krąg·lić
za/okrę/tować; ~tuje
za/ole/ić; za/oleję,
  za/ole/i, za/olej,
  za/ole/ił
Za/ol·zie;
za/on·du/lować; ~luje
za/opatrzenio/wiec;
  ~w·ców
za/opa/trzyć; ~trz·cie
za/orać; ~orze,
  ~orz·cie
za/ostrzyć; ~ostrz·cie
za/o/szczę/dzić; ~dzę,
  ~dź·cie
zapach·nieć
zapać·kać
zapad·nia; ~ni
zapad·nięty
zapal·czy/wy; ~w·szy
zapale/niec; ~ń·ców
zapal·ni|cz·ka; ~cz·ce
zapał·ka; ~ce
zapamiętać
zapamiętałość
za pan brat
za/paprać; ~paprze,
  ~paprz·cie
zaparza|cz·ka; ~cz·ce
zapa/rzyć; ~rz·cie
zapas (rezerwa)
za pas (wziąć nogi)
za pasem
zapa|s·ka; ~s·ce
zapasku/dzić; ~dzę,
  ~dź·cie
za/paść; ~paści

za/paść; ~pasę,
  ~paś·cie, ~pasł,
  ~paś·li
za/paść; ~pad·nij,
  ~padł, ~pad·li
zapaś·nik
za/patrzyć się;
  ~patrz·cie
za pazuchą
za/pchać
za/pchaj/dziura;
  ~dziurze
za/peł·nić; zapeł·nij
  lub zapełń
zape/rzyć się; ~rz·cie
zape/szyć; ~sz·cie
za pewne (np. coś
  uznać)
zapewne (chyba)
zapewnić
za/pęd; ~pędzie
zapę/dzić; ~dzę,
  ~dź·cie
za/piaszczyć;
  ~piaszcz·cie
zapiąć; za/pnij, zapiął,
  zapięli
zapie/cek; ~c·ków
zapieczę/tować; ~tuje
zapiekan·ka; ~ce
zapiek·ły
zapie/nić się; ~ń·cie
zapieprzać
zapiewaj·ło
zapięcie
zapi/sek; ~s·ków
zapity
za/pla/mić; ~mię,
  ~mi, ~m/my
za/plą/tać; ~cz·cie
za/plecze

za/pleść; ~pleć·cie,
  ~plótł, ~plet·li
za/plom·bować; ~buje
za/pluć; ~pluje
za/pluskać; ~pluskaj·-
  cie lub ~pluszcz·cie
za/pluskwić
za/pluty
za/pła/cić; ~cę, ~ć·cie
za/pła/ta; ~cie
za/płod·nić
za/płon
za/pło/nić się; ~ń·cie
za/pły/nąć; ~nął,
  ~nęli
zapo/biec; ~bieg·nij,
  ~biegł, ~bieg·li
zapobiegaw·czy
zapobieg·li/wy ~w·szy
zapo/bieg·nąć – zob.
  zapobiec
zapobieżenie
zapo/cić; ~cę, ~ć·cie
zapoczą·kować; ~kuje
zapo/dziać; ~dzieje,
  ~dziali lub ~dzieli
zapominać
zapo/mnieć; ~mnij,
  ~mniał, ~mnieli
zapomnienie
za pomocą
zapo/moga; ~modze,
  ~móg
za/pora; ~porze, ~pór
zaporo·ski; ~scy (od
  Zaporoże)
zapot·nieć
zapo/trzebowanie
zapowie/dzieć; ~dz·cie,
  ~dzieli
zapo/wiedź; ~wiedzi

zapowie/trzyć; ~trz·cie
zapo/znaw·czy
zapoży/czyć; ~cz·cie
zapóźniony
za późno
za/prać; ~pierze,
~pierz·cie
za/prag·nąć; ~nął,
~nęli
za/pra|s·ka; ~s·ce
za/prawdę (naprawdę)
za prawdę (np. uznać)
za/pra/wić; ~w·cie
za/pra|w·ka; ~w·ce
za/pra/żyć; ~ż·cie
za/prezen·tować; ~tuje
za/procen·tować; ~tuje
za/pro/sić; ~szę, ~ś·cie
za/protoko/łować lub
za/protokó/łować;
~łuje
za/prowa/dzić; ~dzę,
~dź·cie
za/prowian·tować;
~tuje
za/pró/szyć; ~sz·cie
za/przaństwo
za/prząc; ~przęże,
~prząż·cie lub
~przęż·cie, ~przągł,
~przęg·li
za/prząg lub za/przęg;
~przęgiem
za/prząt·nąć; ~nął,
~nęli
za/prze/czyć; ~cz·cie
za/przeć się; ~parł
za/przedać się
za/prze/paścić; ~pasz-
czę, ~paść·cie
za/prze/stać; ~stań·cie

za/prze/szły
za/przęg lub za/prząg;
~przęgiem
za/przęgnąć; ~przęg·-
nął lub ~prząadł,
~przęg·li,
~przęg·nięty
za/przeżony
za/przyjaź·nić się
za/przy/siąc lub
za/przy/sięg·nąć;
~sięg·nij, ~siągł,
~sięg·li
za/przysiężenie
za/pstrzyć
zapu|ch·nąć ~chł lub
~ch·nął, ~ch·li
zapuch·nięty
zapud·rować; ~ruje
zapukać
zapust·ny
zapusz·kować; ~kuje
za/puścić; ~puszczę,
~puść·cie
zapychać
zara/chować; ~chuje
zarad·czy
zara/dzić; ~dzę,
~dź·cie
zaran/ny
zaraz
zara/zek; ~z·ków
zarazem
zara/zić; ~żę, ~ź·cie
zaraź·liwy
zarażać
zarą/bać; ~b·cie
zar·cha/izować; ~izuje
zarecho/tać; ~cz·cie
zarekomen·dować;
~duje

zarekwi·rować; ~ruje
zarę/czyć; ~cz·cie
zaręczyny
zaręka/wek; ~w·ków
zaro/bek; ~b·ków
za/robić; ~rób·cie
zarob·kować; ~kuje
zaro/dek; ~d·ków
zarod·nia; ~ni
zarod·niko/wiec;
~w·ców
za/ro/ić się; za/ro/i,
za/roją
zaros·nąć; zaroś·nie,
zarósł, zaroś·li
zaroś·la; ~li
zaroś·nięty
za/ród; ~rodzle
zarozumial·stwo
zaróść – zob. zarosnąć
zarówno
zaróżowić
zarumie/nić się; ~ń·cie
zaryg·lować; ~luje
zarys
za/rząd; ~rządzie
zarzą|d·ca; ~d·ców
zarzą/dzić; ~dzę,
~dź·cie
za/rzec się; ~rzek·nij,
~rzekł (zaręczyć)
zarzecze (za rzeką)
zarzekać się
zarze/wie; ~wi
za/rzęzić; ~rzężę,
~rzęź·cie
za/rznąć; ~rznął,
~rznęli
zarzucaj·ka; ~ce
zarzu/cić; ~cę, ~ć·cie
za/rzut; ~rzucie

zarzu|t·ka; ~t·ce
zarzygać
zarzynać
za/rżeć
za/rżnąć; ~rżnął,
  ~rżnęli
zasado/twór·czy
zasa/dzić; ~dzę,
  ~dź·cie
zasa|dz·ka; ~dz·ce
zasa|dź·ca; ~dź·ców
zasą/dzić; ~dzę, ~dź·cie
za/scenie; ~sceni
za/schnąć; ~schnął lub
  ~sechł, ~schły
zasę/pić się; ~p·cie
zasiar·czenie
za/siąść; ~siądź·cie,
  ~siadł, ~sied·li
za/siec; ~siecz·cie,
  ~siekł, ~siek·li
zasiedlić
zasie/dzieć się; ~dzę,
  ~dź·cie, ~dzieli
zasiew
zasięg
zasięg·nąć; ~nął, ~nęli
zasiłek
za/skakująco
za/skar·bić; ~b·cie
za/skarżyć; ~skarż·cie
za/skle/pić; ~p·cie
za/skór·niak
za/skór·ny
za/skro/niec; ~ń·ców
za/skrze/czeć; ~cz·cie,
  ~czeli
za/sła|b·nąć; ~bł lub
  ~b·nął, ~b·li
za/słać; ~ściele,
  ~ściel·cie

za/sło/nić; ~ń·cie,
  ~nięty
za/słon·ka; ~ce
za/słuchać się
za/słu/ga; ~dze
za/słu/żyć; ~ż·cie
za/sły/nąć; ~ń·cie,
  ~nął, ~nęli
za/sły/szeć; ~sz·cie
za/smar·ka/niec;
  ~ń·ców
za/sma|ż·ka; ~ż·ce
za/smro/dzić; ~dzę,
  ~dź·cie
za/smu/cić; ~cę, ~ć·cie
za/snąć; ~snę, ~śnie,
  ~śnij, ~snął, ~snęli
za/snuwać
zasob·nik
zasob·ność
za/solić; ~sól·cie
zasób
zaspa
za/spać; ~śpi, ~śpij·cie
za/spo|ko/ić; ~koję,
  ~ko/i, ~kój·cie,
  ~ko/ił
za/srebrzyć się
za/ssać; ~ssie
za/stać; ~stanie
za/stać się; ~stoi
za/sta/nowić się;
  ~nów·cie
za/starzały
za/staw
za/stawa
za/sta|w·ca; ~w·ców
za/sta/wić; ~w·cie
za/sta|w·ka; ~w·ce
za/stą/pić; ~p·cie
za/stękać

za/stęp
za/stę|p·ca; ~p·ców
  (skrót: z-ca)
za/stęp·czy
za/stę/pować; ~puje
za/stępowy
za/stęp·stwo
za/stoina
za/stój
za/strachany
za/stra/szyć; ~sz·cie
za/strzał
za/strzec; ~strzeże,
  ~strzeż·cie, ~strzegł,
  ~strzeżony
za/strzelić
za/strzeżenie
za/strzyc; ~strzyże,
  ~strzygł
za/strzyk
za/strzyk·nąć; ~nął,
  ~nęli
za/stukać
za/styg·nąć; za/stygł
  lub za/styg·nął,
  za/styg·li
zasu/nąć; ~ń·cie, ~nął,
  ~nęli
zasupłać
zasu/szyć; ~sz·cie
zasuwa
zasuwać
zasu|w·ka; ~w·ce
za/swę/dzieć lub
  za/swę/dzić; ~dzą
zasychać
zasymi/lować; ~luje
zasy|p·ka; ~p·ce
zasza/chować; ~chuje
zaszan·ta/żować; ~żuje
za/szcze|p·ka; ~p·ce

za/szczękać
za/szczuć; ~szczuje
za/szczy/cić; ~cę, ~ć·cie
za/szczyt; ~szczycie
za/szemrać; ~szemrze
za/szeptać; ~szepcz·cie
zasze|w·ka; ~w·ce
za/szklić się
za/szko/dzić; ~dzę,
    ~dź·cie
za/szlochać
za/szłość
za/szmel·cować; ~cuje
za/sznu/rować; ~ruje
za/szpun·tować; ~tuje
zaszuflad·kować; ~kuje
zaszu/mieć; ~mi,
    ~miał, ~mieli
zaszurać
za/szwar·go/tać; ~cz·cie
zaś
za/ścian·kowość
za/ścielić; ~ściel·cie
za/ślepie/niec; ~ń·ców
za/ślu/bić; ~b·cie
za/śmiać się; ~śmieje,
    ~śmiali lub ~śmieli
za/śmiar|d·nąć lub
    za/śmier|d·nąć; ~dł
    lub ~d·nął
za/śmie/cić; ~cę,
    ~ć·cie
za/śnie/dzieć; ~dzieje
za/śnieżyć
za/śnięcie
za/świad·czenie
za/świad·czyć; ~cz·cie
za/światy
za/świe/cić; ~cę, ~ć·cie
za/świerz·bieć lub
    za/świerz·bić; ~bi

za/świ|s·nąć; ~s·nę,
    ~ś·nie, ~ś·nij, ~s·nął,
    ~s·nęli
za/świstać; ~świszcz·-
    cie lub ~świstaj·cie
za/świtać
za/ta/ić; za/taję,
    za/ta/i, za/taj,
    za/ta/ił
zatań·czyć; ~cz·cie
zatarg
zatem (więc)
zatem·pe/rować; ~ruje
za|tęch·nąć; ~tęchł
zatęsk·nić
zatętnić
za/tknąć; ~tknął,
    ~tknęli
za/tłuc; ~tłucz·cie,
    ~tłukł
za/tłuścić; ~tłuszczę,
    ~tłuść·cie
za to
zato|cz·ka; ~cz·ce
zatomi/zować; ~zuje
zato/nąć; ~ń·cie, ~nął,
    ~nęli
za/tor; ~torze
za/tra/cić; ~cę, ~ć·cie
za/trą/bić; ~b·cie
za/trą/cić; ~cę, ~ć·cie
za/tri/um·fować – rza-
    dziej za/try/-
    um·fować; ~fuje
za/troszczyć się;
    ~troszcz·cie
za/truć; ~truje
za/trud·nić
za/trważający
za/trwożyć się;
    ~trwóż·cie

za/try/um·fować – czę-
    ściej za/tri/um·fo-
    wać; ~fuje
za/trzask
za/trza|s·nąć; ~s·nę,
    ~ś·nie, ~ś·nij, ~s·nął,
    ~s·nęli
za/trząść; ~trzęsę,
    ~trząś·cie lub
    ~trzęś·cie, ~trząsł,
    ~trzęś·li
za/trzeć; ~tarł
za/trzeszczeć
za/trzymać
zatu/szować; szuje
za/twardzenie
za/twardziałość
za/twier·dzić; ~dzę,
    ~dź·cie
zaty|cz·ka; ~cz·ce
za tym (np. dzieckiem)
zatytu/łować; ~łuje
za/ufać
za/ułek
za/uro/czyć; ~cz·cie
za/usz·nik
zau/tomaty/zować;
    ~zuje
za/uwa/żyć; ~ż·cie
zawa/da; ~dzie, ~d
zawadia·cki; ~c/cy
zawadia/ka; ~ce
zawa/dzić; ~dzę,
    ~dź·cie
zawahać się
zawali/dro/ga; ~dze
zawało/wiec; ~w·ców
zawartość
zawa/żyć; ~ż·cie
za/wczasu
za/wdzięczać

zawęd·rować; ~ruje
zawę/zić; ~żę, ~ź·cie
zawęźlić
zawężać
za/wiać; ~wieje, ~wiali
  lub ~wieli
zawiadamiać
zawiado/mić; ~mię,
  ~mi, ~m/my
zawiadomienie
zawiado|w·ca; ~w·ców
zawias
zawią/zać; ~że, ~ż·cie
zawią/zek; ~z·ków
zawią/zywać; ~zuje
za widna
za/wieja; ~wiei
zawieru/cha; ~sze
zawieru/szyć; ~sz·cie
zawie/rzyć; ~rz·cie
zawie/sić; ~szę, ~ś·cie
zawiesiście
za/wieść; ~wiedzie,
  ~wiedź·cie, ~wiódł,
  ~wied·li, ~wiedziony
zawietrz·na
za/wieźć; ~wiozę,
  ~wieź·cie, ~wiózł,
  ~wieź·li
zawijas
zawikłany
zawilec
zawil|g·nąć; ~g·nął *lub*
  ~gł
zawil·go/cić; ~cę,
  ~ć·cie
zawi/ły; ~l·szy
zawi/nąć; ~ń·cie, ~nął,
  ~nęli
zawiniąt·ko
zawi/nić; ~ń·cie

zawi|s·nąć; ~s·nę, ~ś·-
  nie, ~ś·nij, ~s·nął *lub*
  ~sł, ~s·nęli *lub* ~ś·li
zawist·ny
zawiść
za/wlec; ~wlecz·cie,
  ~wlókł *lub* ~wlekł,
  ~wlek·li
za/wle|cz·ka; ~cz·ce
za/wład·nąć; ~nął,
  ~nęli
za/właszczyć;
  ~właszcz·cie
za/włóczyć; ~włócz·cie
zawo/a/lować; ~luje
zawodni|cz·ka; ~cz·ce
zawodo/wiec; ~w·ców
zawodow·stwo
zawodó|w·ka; ~w·ce
za/wodzić; ~wodzę,
  ~wódź·cie
zawołać
zawołżań·ski
za/wozić; ~wożę,
  ~wóź·cie *lub* ~woź·cie
za/wód; ~wodzie
za/wój; ~wojów
za/wór; ~worze
zawrot·ny
za/wró/cić; ~cę, ~ć·cie
za/wrót; ~wrocie
za/wrzeć; ~warł,
  ~war·li
za/wrzeć; ~wrzał,
  ~wrzeli
za/wrze·szczeć;
  ~szcz·cie, ~szczeli
za/wsty/dzić; ~dzę,
  ~dź·cie
za/wsze
za/wszony

za/wtó/rować; ~ruje
za/wyć; ~wyje
zawyro/kować; ~kuje
zawy/żyć; ~ż·cie
za/wziąć się; ~wez·mę,
  ~weź·mie, ~wziął,
  ~wzięli, ~wzięty
za/wżdy
zazdro|s·ny; ~ś·ni
zazdros|t·ka; ~t·ce
za·zdrościć; ~zdrość·-
  cie
zazębić się
za/zgrzytać
zazierać
zazię/bić się; ~b·cie
za/znajamiać
za/znajo/mić; ~mię,
  ~mi, ~m/my
za/zwyczaj (*zwykle*)
zażalenie
zażar·ty; ~ci
zażądać
zażec; za/żże, zażeż·-
  cie, zażegł, zażeg·li
  (*zapalić*)
zażegać (*zapalać*)
zażegnać (*nie*
  dopuścić)
zaże|g·nąć; ~g·nij,
  ~g·nął *lub* ~gł,
  ~g·nęli *lub* ~g·li
  (*zapalić*)
zażenowanie
zażerać się
zażół·cić; ~cę, ~ć·cie
zaży/czyć; ~cz·cie
za/żyć; ~żyje
zażyłość
zażywać
zażyw·ny

ząb; zęba
 zą/bek; ~b·ków
ząb·kować; ~kuje
ząb·kowany
Ząb·kowice
zbajt·lować; ~luje
zban·kru/tować; ~tuje
zbara·ski; ~scy
Zbaraż
zba|w·ca; ~w·ców
zbaw·czy
zba/wić; ~w·cie
zbawien/ny
zbeł·tać
zberezeń·stwo; ~stw
zbereź·nik
zbesztać
zbez/cześcić; ~czesz-
czę, ~cześć·cie
zbęd·ny
zbić; zbije
zbiec lub zbieg·nąć;
zbiegł, zbieg·li
zbieg
zbiegostwo
zbieractwo
zbie/sić się; ~szę, ~ś·cie
zbież·ność
Zbi/gniew
zbijać
zbilan·sować; ~suje
zbior·niko/wiec;
~w·ców
zbiorowość
zbiór; zbiorze
zbiór·ka; ~ce
zbir; zbirze
zbisur·ma/nić; ~ń·cie
zbi|t·ka; ~t·ce
zbla|d·nąć; ~dł lub
~d·nął, ~d·li

zbla|k·nąć; ~kł lub
~k·nął
zbled·nąć; zbladł lub
zbled·nął, zbled·li
z bliska
zbliznowa/cieć; ~cieje
zbli/żyć; ~ż·cie
zbłaź·nić się
zbłą/dzić; ~dzę,
~dź·cie
zbłąkany
zbłękit·nieć; ~nieje
zbocze/niec; ~ń·ców
zbo/czyć; ~cz·cie
zboj·ko/tować; ~tuje
z boku na bok
zbom·bar·dować;
~duje
zboże; zbóż
zboż·ny
zbój; zbójów
zbóje·cki; ~c/cy
zbój·nicki (taniec)
zbój·nik
zbór; zborze
zbra|k·nąć; ~k·ło
zbrązo/wieć; ~wieje,
~wieli
zbrod·nia; ~ni
zbrod·niarz
zbroić; zbroję, zbroi,
zbrój, zbroił
zbroja; zbroi lub zbrój
zbrojarz
zbroj/mistrz
zbrojow·nia; ~ni
zbru/dzić; ~dzę,
~dź·cie
zbrukać
zbrzy|d·nąć; ~dł lub
~d·nął, ~d·li

zbrzy/dzić; ~dzę,
~dź·cie
zbu/dować; ~duje
zbu/dzić; ~dzę, ~dź·cie
zbujać
zbuk
zbulwer·sować; ~suje
zbun·tować; ~tuje
zbur·czeć; ~cz·cie,
~czeli
zbu/rzyć; ~rz·cie
zbut·wieć; ~wieje
zbyć; zbędzie,
zbądź·cie
zbydlęcenie
z bylekąd
Zbyszek
zbyt (np. zbyt wielki)
zby/tek; ~t·ku, ~t·ki
zbytkow·ny
zbyt·ni
z cicha (pęk)
z czasem
zdać; zdadzą
z dala
z daleka
zdalnie sterowany
zdalny
zdanio/twór·czy
zdan·ko
zda/rzenie; ~rzeń
zdarzyć się
zdat·ny
zdaw·czo-od/bior·czy
z dawien dawna
zdawkowy
z dawna
zdążać
zdą/żyć; ~ż·cie
zdecen·trali/zować;
~zuje

zdech·nąć; zdechł,
   zdech·li
zdefi/niować; ~niuje
zde·fr<u>au</u>/dować; ~duje
zdehumani/zować;
   ~zuje
zdej·mować; ~muje
zdekapitali/zować się;
   ~zuje
zdekom·ple/tować;
   ~tuje
zdekon·cen·trować;
   ~truje
zdekon·spi/rować;
   ~ruje
zdemateriali/zować;
   ~zuje
zdemen·tować; ~tuje
zdemon·tować; ~tuje
zde·pre·cjo/nować;
   ~nuje
zdep·tać; ~cz·cie
zderzak
zde/rzyć się; ~rz·cie
zdesperowany
zdeter·minowany
zdewa|luować; ~lu/uje
zdez·aktuali/zować;
   ~zuje
zdeza|wuować; ~wu/uje
zdez·in·teg·rować; ~ruje
zdez·orien·tować; ~tuje
zdezyn·fe/kować;
   ~kuje
zdę/bieć; ~bieje, ~bieli
zdjąć; zdej·mie, zdej·-
   mij, zdjął, zdjęli
zdjęcie; zdjęć
zdła/wić; ~w·cie
zdmuch·nąć; ~nął,
   ~nęli, ~nięty

z dnia na dzień
zdobić; zdób·cie
zdob·nictwo
zdobycz
zdo/być; ~będzie,
   ~bądź·cie
zdoby|w·ca; ~w·ców
zdobyw·czy
zdol·ność
zdołać
z dołu
zdomi/nować; ~nuje
zdopin·gować; ~guje
zdra/da; ~dzie
zdra/dzić; ~dzę,
   ~dź·cie
zdradzie·cki; ~c/cy
zdraj·ca
zdra|p·ka; ~p·ce
zdręt·wieć; ~wieje,
   ~wieli
zdrob·nienie
zdrowa|ś·ka; ~ś·ce
zdrowiusie|ń·ki; ~ń·cy
zdrowiu|t·ki; ~t·cy
zdroworoz/sąd·kowy
zdrowy; zdrów,
   zdrow·szy
zdro/żeć; ~żeje
zdroż·ny
zdrożony
zdrój
zdrów – *zob.* zdrowy
zdrówko
zdruzgo/tać; ~cz·cie
zdrzem·nąć się; ~nął,
   ~nęli
zdub·lować; ~luje
zdu/mieć się; ~miał,
   ~mieli, ~miony
   (*zadziwić się*)

zdu|m·nieć; ~m·niał,
   ~m·nieli (*stać się
   dumnym*)
zdun
zduń·ski; ~scy
zdur·nieć; ~nieje,
   ~nieli
zdu·sić; ~szę, ~ś·cie
zdwoić; zdwoję, zdwoi,
   zdwój, zdwoił
zdy/bać; ~b·cie
zdychać
zdymi·sjo/nować;
   ~nuje
zdyscyplinowany
zdys·kon·tować; ~tuje
zdys·kredy/tować;
   ~tuje
zdys·kwalifi/kować;
   ~kuje
zdystan·sować; ~suje
zdysza·ny; ~ni
zdzia/dzieć; ~dzieje,
   ~dzieli
zdziałać
zdzi/czeć; ~czeje,
   ~czeli
zdzieci|n/nieć;
   ~n/nieje, ~n/nieli
zdzielić
zdzier·stwo
zdzierżyć; zdzierż·cie
zdziesiąt·kować; ~kuje
zdziesięcio/krot·nić
zdzi/ra *lub* ździ/ra;
   ~rze
Zdzi/sław
zdziwa/czeć; ~czeje,
   ~czeli
zdzi/wić; ~w·cie
zebra; zebrze

ze/brać; zbierze,
  zbierz·cie
Zebrzydowice
ze/cer; ~cerzy
zecer·nia; ~ni
zecer·stwo
ze/chcieć; ~chce,
  ~chciej·cie, ~chcieli
ze/drzeć; zdarł
ze/fir; ~firze
ze/gar; ~garze
zegar/mistrzostwo
zegar/mistrzow·ski;
  ~scy
zegrzyń·ski; ~scy (od
  Zegrze)
zegzem·plifi/kować;
  ~kuje
zej·ście
zejść; zej·dzie, zejdź·-
  cie, zszedł lub
  zeszedł, ze/szli
Zelan·dia; ~dii
Zelan|d·ka; ~d·ce
zelan|dz·ki; ~dz·cy
zelektryfi/kować;
  ~kuje
zeló|w·ka; ~w·ce
ze/lżeć; ~lżeje
ze/lżyć; ~lży
ze/łgać; ~łże, ~łżyj
ze/mdleć; ~mdleje,
  ~mdleli
ze/mknąć; ~mknął,
  ~mknęli
ze/mleć; zmiele, zmełł,
  zmeł/ła, zmeł/li
ze mną
ze mnie
zemo·cjonowany
ze/mrzeć; zmarł

ze/msta; ~mście
ze/mścić się; ~mszczę,
  ~mścij
Ze/nia; ~ni
Zeno/bia; ~bii
Zenobiusz
zeń (z niego)
ze/pchnąć; ~pchnął,
  ~pchnęli
zep/pelin
ze/prać; spierze,
  spierz·cie, ze/prał
ze/psuć; ~psuje
zerk·nąć; ~nął, ~nęli
zero; zerze
zerojedyn·kowy lub
  zero-jedyn·kowy
zeró|w·ka; ~w·ce
ze/rz|nąć lub
  ze/rż|nąć; ~nął, ~nęli
ze/schnąć się; zsechł
  lub ze/schnął,
  ze/schli, ze/schła
zeskok
ze/skoru/pieć; ~pieje
ze/skro/bać; ~b·cie
ze/sku/bać; ~b·cie
ze/sła|b·nąć; ~bł lub
  ~b·nął, ~b·li
ze/słać; ~śle, ~ślij·cie,
  ~słał
ze/sła/niec; ~ń·ców
ze/słań·czy
ze/smut·nieć; ~nieje,
  ~nieli
ze/snuć; ~snuje
ze spodu
ze/spolić; ~spól·cie
ze/spół
ze/sta/rzeć się; ~rzeje,
  ~rzeli

ze/staw
ze/sta/wić; ~w·cie
ze/stro/ić; ze/stroję,
  ze/stro/i, ze/strój,
  ze/stro/ił
ze/strój; ~strojów
ze/strużyny
ze/strzelić
ze/strzyc; ~strzyż·cie,
  ~strzygł
ze/strzyżenie
zesu/nąć; ~nął, ~nęli
  – częściej zsunąć
ze/swoj·szczyć;
  ~szcz·cie
zesy/pać; ~p·cie
  – częściej zsypać
ze szczętem
ze/szczup·leć; ~leje,
  ~leli
ze/szkliwienie
ze/szlachet·nieć;
  ~nieje, ~nieli
ze/szłorocz·ny
ze/szma/cić; ~cę,
  ~ć·cie
ze/szpe/cić; ~cę, ~ć·cie
ze/szpet·nieć; ~nieje,
  ~nieli
ze/sztu/kować; ~kuje
ze/szyć; ~szyje
  – częściej zszyć
ze/szyt; ~szycie
ze/ślizg·nąć się; ~nął,
  ~nęli
ze/śli|z·nąć się; ~z·nę,
  ~ź·nie, ~ź·nij, ~z·nął,
  ~z·nęli
ze/środ·kować; ~kuje
ze/świec/czeć; ~czeje
ze/świec/czony

ze/świec/czyć; ze/-
    świec/czcie
ze/świ/nić się; ~ń·cie
ze/tknąć; ~tknął,
    ~tknęli, ~tknięty
ze/trzeć; starł, star·li
z<u>eu</u>/ropei/zować;
    ~zuje
Ze/us; Z<u>eu</u>/sa, Z<u>eu</u>/sie
zew
zewiden·cjo/nować;
    ~nuje
ze/wnątrz
ze/wnątrz/komór·kowy
ze/wnętrz·ny
ze/wrzeć; zwarł,
    zwar·li, zwar·ty
ze/wsząd
ze wszech miar
zez
ze/złościć; ~złoszczę,
    ~złość·cie
ze/zwierzęcenie
ze/zwolić; ~zwól·cie
ze/źlić się; ~źlij
ze/żreć; zżarł lub
    zeżarł
zęba|t·ka; ~t·ce
zębaty
zębiasty
zębodół
zęza
zga|d·nąć; ~dł, ~d·li
zgaduj-zgadula
zgadzać się
zga/ga; ~dze
zga/nić; ~ń·cie
zga/pić się; ~p·cie
zgar·bić się; ~b·cie
zgar·nąć; ~nął, ~nęli
zga/sić; ~szę, ~ś·cie

zga|s·nąć; ~ś·nie, ~ś·-
    nij, ~sł lub ~s·nął,
    ~ś·li lub ~s·nęli
zger·mani/zować;
    ~zuje
zgęst·nieć; ~nieje
zgęścić; zgęszczę,
    zgęści, zgęść·cie
zgiąć; ze/gnie, zgiął,
    zgięli, zgięty
zgiełk
Zgierz
zgi/nąć; ~ń·cie, ~nął,
    ~nęli
zgliszcze
zgła/dzić; ~dzę, ~dź·cie
zgłębić; zgłęb·cie
zgłod·niały
zgło/sić; ~szę, ~ś·cie
zgło|s·ka; ~s·ce
zgłos·ko/twór·czy
zgłos·ko/wiec; ~w·ców
z głupia frant
zgłu/pieć; ~pieje,
    ~pieli
zgłu/szyć; ~sz·cie
zgnę/bić; ~b·cie
zgnieść; zgnieć·cie,
    zgniótł, zgniet·li
zgni/lizna; ~liźnie
zgniłozielony
zgniły
zgno/ić; zgnoję,
    zgno/i, zgnój,
    zgno/ił
zgnuśniały
zgod·ność
zgodzić; zgodzę,
    zgódź·cie
zgo/ić; zgoję, zgo/i,
    zgój, zgo/ił

zgolić; zgol·cie lub
    zgól·cie
zgoła (całkiem)
zgon
zgo/nić; ~ń·cie
zgor·szyć; ~sz·cie
zgo/rzeć; ~rzeje, ~rzeli
zgorzel
Zgorzelec
zgorzk·nąć; ~nął, ~nęli
zgorzk·nialec
zgorzk·nieć; ~nieje,
    ~nieli
zgo/tować; ~tuje
z górą
z góry
zgra/bić; ~b·cie
zgra/bieć; ~bieje
zgra|b·ki; ~b·ków
zgrab·niu|t·ki; ~t·cy
zgrać
zgraja; zgrai, zgraj
zgranu·lować; ~luje
zgred; zgredzie
zgroma/dzić; ~dzę,
    ~dź·cie
zgro/mić; ~mię, ~mi,
    ~m/my
zgroza
zgru/bieć; ~bieje,
    ~bieli
z grub·sza
zgrucho/tać; ~cz·cie
z gruntu
zgrupowanie
zgruzłowa/cieć; ~cieje,
    ~cieli
zgruźlić się
zgrywus
zgryz
zgryzo/ta; ~cie

zgryźć; zgryzę,
　zgryź·cie, zgryzł,
　zgryź·li
zgryźli/wiec; ~w·ców
zgrzać się; zgrzej·cie,
　zgrzali *lub* zgrzeli
zgrzeb·ło
zgrzeb·ny
zgrzecz·nieć; ~nieje,
　~nieli
zgrze/szyć; ~sz·cie
zgrzewać
zgrze|w·ka; ~w·ce
zgrzybiały
zgrzyt; zgrzycie
zgrzyt·nąć; ~nął, ~nęli
zgu/bić; ~b·cie
zgub·ny
zgwał·cić; ~cę, ~ć·cie
zhan·dlować; ~dluje
zhańbić; zhańb·cie *lub*
　zhań·bij·cie
zhar·dzieć; ~dzieje,
　~dzieli
zhar·moni/zować;
　~zuje
zharowany
zhasać się
zheb·lować; ~luje
zhel/leni/zować; ~zuje
zhierar·chi/zować;
　~zuje
zhumani/zować; ~zuje
zhydroli/zować; ~zuje
ziać; zieje, ziali *lub*
　zieli
ziajać
ziaren·ko
ziar·nisty
ziarn·ko
ziar·nożer·ny

ziąb; ziąbu
ziden·tyfi/kować;
　~kuje
zidio/cieć; ~cieje,
　~cieli
zielarz
ziele; ziół
zieleniuch·ny
zieleniut·ki
ziele/nizna; ~niźnie
zieleń
Zielone Świątki
zieloniuch·ny
zieloniut·ki
zielon·ka; ~ce
zielonogór·ski; ~scy
　(*od* Zielona Góra)
zielono/oki; ·ocy
zie/lony; ~leń·szy
zie/mia; ~mi
ziemianin
ziemian·ka; ~ce
ziemiań·ski; ~scy
ziemiań·stwo
ziemio/płody
zie/misty; ~miści
ziem·niaczany
ziem·niak
ziew·nąć; ~nął, ~nęli
zięba; zięb
zię/bić; ~b·cie
zięb·nąć; zięb·nął *lub*
　ziąbł, zięb·li
zięciow·ski; ~scy
zięć
zigno/rować; ~ruje
zilust·rować; ~ruje
zima
zim·nica
zim·niusień·ki
zim·niuteń·ki

zim·no/krwisty
zim·no/od/por·ny
zim·nowojen/ny
zimoro/dek; ~d·ków
zimowisko
zin·dek·sować; ~suje
zin·dustriali/zować;
　~zuje
zin·dywiduali/zować;
　~zuje
zin·strumen·tować;
　~tuje
zin·stytu·cjonalizo-
　wany
zin·teg·rować; ~ruje
zin·telektuali/zować;
　~zuje
zin·ten·syfi/kować;
　~kuje
zin·ter·pre/tować;
　~tuje
zin·wen·tary/zować;
　~zuje
zioło; ziół
ziołolecz·nictwo
ziołotera/pia; ~pii
zioło/znaw·stwo
ziom·kostwo
ziom·kow·ski; ~scy
zio/nąć; ~ń·cie, ~nął,
　~nęli
ziół·ko
zi/pać; ~p·cie
zip·nąć; ~nął, ~nęli
ziry/tować; ~tuje
ziścić; ziszczę, ziść·cie
zjadać
zjad·li/wy; ~w·szy
zjaś·nieć; ~nieje
zjawa; zjaw
zja/wić się; ~w·cie

337

zjawisko
zjazd; zjeździe
zjazdo/wiec; ~w·ców
zjazdó|w·ka; ~w·ce
zje/chać; ~dzie, ~dź-- cie
zjednać
zjedno/czyć; ~cz·cie
zjeł·czeć; ~czeje
zjeść; zjem, zjedz·cie, zjadł, zjed·li
zjeździć; zjeż·dżę, zjeźdź·cie
zjeż·dżać
zjeż·dżal·nia; ~ni
zje/żyć; ~ż·cie
zjędr·nieć; ~nieje
zjoni/zować; ~zuje
z kolei
z końca
z kopyta
z krakow·ska
z kretesem
zlać; zleje, zlali *lub* zleli
zla/icy/zować; ~zuje
zląc się – *zob.* zlęknąć się
zle/cić; ~cę, ~ć·cie, ~cili
zle/cieć; ~cę, ~ć·cie, ~cieli
z ledwością
zlekcewa/żyć; ~ż·cie
z lek/ka
zleksykalizowany
zle/pek; ~p·ków
zlew
z lewa
zlewać
zle|w·ka; ~w·ce

zlew·nia; ~ni
zlew·niarz
zleźć; zlezę, zlezie, zleź·cie, zlazł, zleź·li
zleżały
zlęk·nąć się; zląkł, zlęk·li
zliberali/zować; ~zuje
zlicy/tować; ~tuje
zli/czyć; ~cz·cie
zlikwi/dować; ~duje
zlin/czować; ~czuje
zli/zać; ~że, ~ż·cie
zlodowacenie
zlot; zlocie
zlust·rować; ~ruje
zlu/tować; ~tuje
zlu/zować; ~zuje
zluź·nić
złachma/nić; ~ń·cie
zła/dować; ~duje
zła/godzić; ~godzę, ~godź·cie *lub* ~gódź·cie
złajać
złak·niony; ~nieni
złako/mić się; ~mię, ~mi, ~m/my
zła/mać; ~mię, ~mie, ~m/my
zła/sić się; ~szę, ~ś·cie
z łaski
złaz; złazie
zła/zić; ~żę, ~ź·cie
złącze
złą/czyć; ~cz·cie
zło·cić; ~cę, ~ć·cie
złocisz (*złotówka*)
złociuch·ny
złociu|t·ki; ~t·cy
złoczyń·ca

zło/dziej; ~dziei *lub* dziejów
złodziej·stwo
zło/ić; złoję, zło/i, złój, zło/ił
złomow·nia; ~ni
złorze/czyć; ~cz·cie
złościć; złoszczę, złość·cie
złość; złości
złośli/wiec; ~w·ców
złośli/wy; ~w·szy
złot·ko
złot·nictwo
złotodaj·ny
złoto/głów
złotokap (*krzew*)
złotopióry
Złoto/ryja; ~ry/i
złoto/usty; ~uści
złotó|w·ka; ~w·ce
zło/ty; ~ci
zło/ty; ~tego (*pieniądz; skrót:* zł)
złowić; złów·cie
złowieszczy
zło/wro/gi; ~dzy
zło/wróżb·ny
złoże; złóż *lub* złoży
złożyć; złóż·cie
złóg
złu/da; ~dzie
złud·ny
złu/dzenie; ~dzeń
złu/pić; ~p·cie
złusz·czyć; ~cz·cie
zły; źli
zmachać się
zmagać się
zma/mić; ~mię, ~mi, ~m/my

z mańki (zażyć kogoś)
zmar·ły (*skrót:* zm.)
zmar·nować; ~nuje
zmarsz|cz·ka; ~cz·ce
zmar·szczyć; ~szcz·cie
zmar·twić; ~tw·cie
zmar·twieć; ~twieje,
~twieli
zmar·twienie
zmar·twych/wstać
zmaru/dzić; ~dzę,
~dź·cie
zmar·zluch
zmar·znąć; ~zł *lub*
~znął, ~zli
zmar·znię/ty; ~ci
zmateriali/zować;
~zuje
zmaza; zmąz
zma/zać; ~że, ~ż·cie
zmą/cić; ~cę, ~ć·cie
zmąd·rzeć; ~rzeje,
~rzeli
zmecha/cić; ~cę, ~ć·cie
zmechani/zować; ~zuje
zmelio/rować; ~ruje
zmę/czyć; ~cz·cie
zmęt·nieć; ~nieje
zmęż·nieć; ~nieje,
~nieli
zmiar·kować; ~kuje
zmiatać
zmiaż·dżyć; ~dż·cie
zmiąć; ze/mnę,
ze/mnie, ze/mnij,
zmiął, zmięli
z miejsca
zmie/nić; ~ń·cie
zmien/nik
zmien/nociepł·ność
zmien/ny

zmierzać
zmierzch
zmierzch·nąć się
zmie|r·zić; ~r·żę,
~rź·cie
zmie|r·znąć; ~r·znie
lub ~r·źnie, ~rzł,
~r·zli *lub* ~r·źli
zmierz·wić
zmie/rzyć; ~rz·cie
zmieścić; zmieszczę,
zmieść·cie
zmieść; zmiotę,
zmieć·cie, zmiótł,
zmiet·li
zmiędlić
zmięk·czyć; ~cz·cie
zmię|k·nąć; ~kł *lub*
~k·nął, ~k·ła
zmięto/sić; ~szę, ~ś·cie
zmięty
zmik·sować; ~suje
zmil|k·nąć; ~kł *lub*
~k·nął, ~k·li
zmi/łować się; ~łuje
zminiatury/zować;
~zuje
zmio|t·ka; ~t·ce
zmitrę/żyć; ~ż·cie
zmizer·nieć; ~nieje,
~nieli
zmłó/cić; ~cę, ~ć·cie
zmniej·szyć; ~sz·cie
zmok·nąć; zmókł *lub*
zmoknął, zmok·li
zmok·nię/ty; ~ci
zmon·tować; ~tuje
zmora; zmorze, zmor
lub zmór
zmorzony (*zmęczony*)
zmorzyć (*zmęczyć*)

zmotoryzowany
zmowa; zmów
zmożony (*pokonany*)
zmóc; zmoże, zmóż·-
cie, zmógł, zmog·li
zmó/wić się; ~w·cie
zmrocz·nieć; ~nieje
zmrok
zmrozić; zmrożę,
zmroź·cie *lub*
zmróź·cie
zmrożony
zmru/żyć; ~ż·cie
zmumifi/kować; ~kuje
zmur·szały
zmu/sić; ~szę, ~ś·cie
zmyć; zmyje
zmydlić; zmydl·cie
zmysł; zmyśle
zmyśl·ny
zmywal·nia; ~ni
zna/chor; ~chorze
zna·cjonali/zować;
~zuje
zna/czek; ~cz·ków
zna/czyć; ~cz·cie
znad (czegoś)
z nagła
znaj·da; ~dzie
znaj·dować; ~duje
zna/kować; ~kuje
znala|z·ca; ~z·ców
znaleźć; znaj·dę,
znaj·dzie, znajdź·-
cie, znalazł, znaleź·li
znaleź·ne
znamieni/ty; ~t·szy
znamien/ny
zna/mię; ~mienia,
~miona
znamio/nować; ~nuje

339

z na/przeciw·ka
zna/rowić; ~rów·cie
znasz/li? (*czy znasz?*)
zna|w·ca; ~w·ców
znaw·stwo
zneu/trali/zować;
  ~zuje
znęcać się
znę/cić; ~cę, ~ć·cie
znędz·niały
znękany
znicz
zniechę/cić; ~cę, ~ć·cie
zniecierpli/wić się;
  ~w·cie
znieczulający
znieczulica
z niedaleka
zniedołęż·nieć; ~nieje,
  ~nieli
znie/kształ·cić; ~cę,
  ~ć·cie
zniem·czyć; ~cz·cie
znienacka
znienawi/dzić; ~dzę,
  ~dź·cie
znie/pra/wić; ~w·cie
znierucho/mieć; ~mie-
  je, ~mieli
znie/sła/wić; ~w·cie
znie/smaczony
znieść; znieś·cie,
  zniósł, znieś·li
zniewa/ga; ~dze
zniewalający
zniewa/żyć; ~ż·cie
zniewieściałość
znie/wieścieć; ~wie-
  ściej·cie, ~wieścieli
zniewolenie
znikąd

znik·czem·nieć; ~nieje,
  ~nieli
zni|k·nąć; ~k·nął *lub*
  ~kł, ~k·nęli *lub* ~k·li
znikomy
zniszczyć; zniszcz·cie
zniwe/czyć; ~cz·cie
zni|ż·ka; ~ż·ce
zni/żyć; ~ż·cie
zno/ić się; znoję,
  zno/i, znój, zno/ił
znoj·ny
znokau/tować; ~tuje
zno/sić; ~szę, ~ś·cie
znoś·ny
znowuż
znój
znów
znu/dzić; ~dzę, ~dź·cie
znużenie
zoba/czyć; ~cz·cie
zobiektywi/zować;
  ~zuje
zob·li/gować; ~guje
zobojęt·nieć; ~nieje,
  ~nieli
zobowią/zać; ~że,
  ~ż·cie
z od/dali
z od/dzielna
zodiak
Zo/fia; ~fii
zohy/dzić; ~dzę,
  ~dź·cie
z o/kładem
zołza; zołz
zom·bi
zoo
zoolo/gia; ~gii
zoomor·fizm; ~fizmie
zoo/sfera; ~sferze

zootechni·ka; ~ce
zope/rować; ~ruje
zorać; zorze, zorz·cie
zorien·tować się; ~tuje
zorza; zórz
z osob·na
zo/stać; ~stań·cie
zo/sta/wić; ~w·cie
z o/stroż·na
zowąd (ni stąd, ni
  zowąd)
z po/bliża
z początku
z polska
z ponad (*np.* jeden z
  ponad tysiąca)
z po/wrotem
z przeciwka
z przodu
z pyszna (mieć się)
zra·cjonali/zować;
  ~zuje
zradiofoni/zować;
  ~zuje
zrakowacenie
zramo/leć; ~leje, ~leli
z rana
zra/nić; ~ń·cie
zrastać się
zraz; zrazów
zra/zić; ~żę, ~ź·cie
zrazu (*z początku*)
zrażać
zrąb; zrębu
zrą/bać; ~b·cie
zrecen·zować; ~zuje
zredu/kować; ~kuje
zrefe/rować; ~ruje
zre·flek·tować się;
  ~tuje
zrefun·dować; ~duje

z reguły
zrehabili/tować; ~tuje
zrekom·pen·sować;
  ~suje
zrekon·struować;
  ~stru/uje
zrelak·sować się; ~suje
zre/prywaty·zować;
  ~zuje
zresztą
zrewalory/zować;
  ~zuje
zrewan·żować się;
  ~żuje
zrewolu·cjoni·zować;
  ~zuje
zrębowy
zręcz·nościowy
zręcz·ny
zrękowiny
zrobić; zró·bcie
zrodzić się; zródź·cie
  lub zrodź·cie
z roku na rok
zro/sić; ~szę, ~ś·cie
zros·nąć się; zroś·nie,
  zroś·nij, zrósł, zroś·li
zrost; zrościе
zroś·nięty
zroz/paczony
zro/zu/mieć; ~miem,
  ~mie, ~mieją, ~miał,
  ~mieli
zróść się – *zob.* zros-
  nąć się
zrównać
zrównoważony
zrównowa/żyć; ~ż·cie
zróżni/cować; ~cuje
zróżnicz·kować; ~kuje
zróżo/wieć; ~wieje

zrubasz·nieć; ~nieje,
  ~nieli
zrugać
zruj·nować; ~nuje
zruszczyć; zruszcz·cie
zrutyni/zować; ~zuje
zrytu/ali/zować; ~zuje
zryw
zry|w·ka; ~w·ce
z rzad·ka
zrzą/dzić; ~dzę,
  ~dź·cie
zrzec się ; zrzekł
zrze|d·nąć; ~d·nął *lub*
  ~dł
zrzekać się
zrze/szyć; ~sz·cie
zrzę/da; ~dzie
z rzędu
zrzę/dzić; ~dzę,
  ~dź·cie
zrzucać
zrzu/cić; ~cę, ~ć·cie
zrzu|t·ka; ~t·ce
zrzynać (gałęzie *lub*
  zadanie)
zrzy/nek; ~n·ków
zsa/dzić; ~dzę, ~dź·cie
zsą/czyć; ~cz·cie
zsiadać
zsiadły (*np.* mleko)
zsiąść; zsiądź·cie,
  zsiadł, zsied·li
zsiec; zsiecze,
  zsiecz·cie, zsiekł,
  zsiek·li
zsiekać
zsikać się
zsi/nieć; ~nieje, ~nieli
zsiusiać się
zsi/wieć; ~wieje, ~wieli

zstą/pić; ~p·cie
zstęp·ny
zstę/pować; ~puje
zsu/mować; ~muje
zsu/nąć; ~nął, ~nęli
zsychać się
zsyłać
zsył·ka; ~ce
zsyn·chroni/zować;
  ~zuje
zsyn·tety/zować; ~zuje
zsyp
zsy/pać; ~p·cie
zsypisko
zszargać
zszar·pać; ~p·cie
zsza/rzeć ~rzeje, ~rzeli
zszat·kować ~kuje
z szlachecka
zszo/kować; ~kuje
zszu/mować; ~muje
zszyć; zszyje
zszy|w·ka; ~w·ce
zubożały
zubo/żyć; ~ż·cie
zuch
zuchwalstwo
zuchwały
z ukosa
Zulus
zunifi/kować; ~kuje
zunifor·mi/zować;
  ~zuje
zupa
zupeł·ny
zu|p·ka; ~p·ce
zurzęd·ni/czeć; ~czeje,
  ~czeli
Zuzan/na
Zu/zia; ~zi
zu/żyć; ~żyje, ~żyty

zużyt·kować; ~kuje
zwa/bić; ~b·cie
zwać
zwa/da; ~dzie
zwal·czyć; ~cz·cie
zwali·sty; ~ści
zwalniać
zwalory/zować; ~zuje
zwał
zwa/łować; ~łuje
zwar·cie; zwarć
zwa/riować; ~riuje
zwar·ty; ~ci
zwa/rzyć; ~rz·cie,
  ~rzony (zmrozić;
  ściąć białko)
zwaśnić
zważać (brać pod
  uwagę)
zważ·nieć; ~nieje,
  ~nieli
zwa/żyć; ~ż·cie, ~żony
  (na wadze)
zwąchać
zwąt·leć; ~leje
zwąt·pić; ~pię, ~p·cie
zwer·bali/zować; ~zuje
zweryfi/kować; ~kuje
z we/wnątrz
zwę/dzić; ~dzę, ~dź·cie
zwęglić
zwę/szyć; ~sz·cie
zwę/zić; ~żę, ~ź·cie
zwiać; zwieje, zwiali
  lub zwieli
zwiad; zwiadzie
zwiado|w·ca; ~w·ców
zwiadow·czy
zwia·stować; ~stuje
zwiastun
zwią/zać; ~żę, ~ż·cie

zwią/zek; ~z·ków
związ·ko/wiec; ~w·ców
zwich·nąć; ~nął, ~nęli
zwich·rować; ~ruje
zwich·rzyć; zwichrz·cie
zwid; zwidzie
z widzenia (znać
  kogoś)
zwie/dzić; ~dzę,
  ~dź·cie
zwielo/krot·nić
zwień·czyć; ~cz·cie
zwierać
zwier·ciadło
zwierz
zwierza/czek; ~cz·ków
zwierzać się
zwierząt·ko
zwierzch·ni
zwierzch·nictwo
z wierz·chu
zwie/rzę; ~rzęcia,
  ~rząt
zwierzęcy
zwie/rzyć się; ~rz·cie
zwierzy/niec; ~ń·ców
zwie/sić; ~szę, ~ś·cie
zwieść; zwiedź·cie,
  zwiódł, zwied·li
zwie·trzeć; ~trzeje
zwie·trzyć; ~trz·cie
zwiew·ność
zwieźć; zwiozę,
  zwieź·cie, zwiózł,
  zwieź·li
zwięd·nąć; zwiądł lub
  zwięd·nął, zwięd·li
zwięk·szyć; ~sz·cie
zwięzły
zwięźle
zwijać

zwil·got·nieć; ~nieje
zwil·żyć; ~ż·cie
zwi/nąć; ~ń·cie, ~nął,
  ~nęli, ~nięty
zwin·ka; ~ce
zwin/ny
zwiot·czeć; ~czeje
zwi|s·nąć; ~s·nę, ~ś·-
  nie, ~ś·nij, ~s·nął lub
  ~sł, ~s·nęli lub ~ś·li
zwi/tek; ~t·ków
zwlec; zwlecz·cie,
  zwlókł lub zwlekł,
  zwlek·li
zwlekać
zwłaszcza
zwło/ka; ~ce
zwłoki; zwłok
zwłó/czyć; ~cz·cie
zwłók·nieć; ~nieje
z wnętrza
zwodzić; zwodzę,
  zwódź·cie
zwodzony
zwoj·nica
zwo/jować; ~juje
zwolen/nik
z wolna
zwol·nić
zwo/ływać; ~łuje
zwozić; zwożę,
  zwóź·cie lub zwoź·cie
zwód; zwodzie
zwój
zwó|z·ka; ~z·ce
zwracać
zwrot; zwrocie
zwro|t·ka; ~t·ce
zwrot·nica
zwrot·niczy
zwrot·nik

zwrot·ność
zwró/cić; ~cę, ~ć·cie
zwulgary/zować; ~zuje
zwycię·ski; ~scy
zwycięstwo
zwycię|z·ca; ~z·ców
zwycięż·czyni
zwycię/żyć; ~ż·cie
zwyczaj·ny
z wyjątkiem
zwyk·nąć; zwykł
zwymio/tować; ~tuje
zwyrod·niały
z wysoka
zwy|ż·ka; ~ż·ce
zwyż·kować; ~kuje
Zyg·fryd; ~frydzie
Zyg·munt; ~mun·cie
zygo/ta; ~cie

zyg·zak
zyg-zyg
zy·skiwać; ~skuje
zza (czegoś)
zza granicy (*spoza
linii granicznej*)
z za/granicy (*z obcego
kraju*)
z zanadrza
zza pazuchy
z zarania
z ze/wnątrz
zziajać się
zziele/nieć; ~nieje,
~nieli
z ziemi
zzięb·nąć; zzięb·nął *lub*
zziąbł, zzięb·li
z zim·na

zzuć; zzuje
z zyskiem
z żalem
zżar·ty
zżąć; ze/żnie, zżął,
zżęli (zboże)
zżerać
zżęcie
zżęty
zżół|k·nąć; ~kł *lub*
~k·nął, ~k·li
zżuć; zżuje
zżyć się; zżyje
zżymać się
zżym·nąć się; ~nął,
~nęli
zżynać (zboże)
zży/ty; ~ci
zżywać się

Ź

ździebeł·ko (*małe
ździbło*)
ździe|b·ko; ~b·ka
(*troszeczkę*)
ździer·stwo
ździ/ra *lub* zdzi/ra;
~rze

ździbło
źg|nąć *lub* dźg|nąć;
~nął, ~nęli
źle; gorzej
źrebią|t·ko; ~t·ka
źrebić się
źre/biec; ~b·ców

źre/bię; ~bięcia, ~biąt,
~bięta
źrenica
źródełko
źródlany
źródło
źródło/słów

Ż

żaba; żab
żabie/niec; ~ń·ców
żabi/ściek
ża|b·ka; ~b·ce
żab·karz
żabo/jad; ~jadzie
ża/bot; ~bocie
żach·nąć się; ~nął,
~nęli
ża/czek; ~cz·ków
żaden; żadna, żadni
żadniusień·ki
Żagań
ża/giel; ~gli
ża/giew; ~gwi
żagie|w·ka; ~w·ce
żaglo/wiec; ~w·ców
żaglow·nictwo
żagló|w·ka; ~w·ce
żak
ża/kard; ~kar·dzie
ża/kiet; ~kiecie
żakina/da; ~dzie
żakostwo
żakow·ski; ~scy
żal
żalić się
żalu·zja; ~zji
żałoba
żało|s·ny; ~ś·ni

żałość
żałoś·liwy
ża/łować; ~łuje
żan·darm
żan·dar·me/ria; ~rii
Żan/na
żar; żarze
żar·cie
żar·cik
żardynie/ra *lub*
żardinie/ra; ~rze
żar·gon
żar·li/wy; ~w·szy
żar·łacz
żar·łocz·ność
żar·łok
żar·na
żarno/wiec; ~w·ców
żaro/od/por·ność
żaró|w·ka; ~w·ce
żart; żar·cie
żartobliwie
żar·tować; ~tuje
żar·tow·niś
żar·ty; ~ci (*żarłoczny*)
Żary; Żar
żarzyć się
żąć; żnie, żnij, żął,
żęli, żęty (zboże)
żąć; żmie (wyżymać)

żądać
żądanie
żądlić
żądło
żąd·ny (*np.* władzy)
żądza; żądz
żbik
że
żeber·ko
żebractwo
żebra|cz·ka; ~cz·ce
żebrać; żebrze, żebrz·-
cie
żebro; żebrze
żebro/pław
żeby; żebym, żebyś,
żeby·śmy, żeby·ście
żeglar·ski; ~scy
żeglar·stwo
żeglarz
żeg·lować; ~luje
żeglu/ga; ~dze
żegnać
Żegota
żel
żelastwo
żelatyna
żelazisty
żelaz·ko
żelaz·ny

żelazo
żelazobeton
żelazo/chrom
żelazocyjanek
żelazoryt·nictwo
Żelazowa Wola
żelazo/wiec; ~w·ców
żel·bet
żeleźniak
żeliw·ny
żeliwo
żena/da; ~dzie
żenia|cz·ka; ~cz·ce
że/nić się; ~ń·cie
żeni/szek; ~sz·ków
że/nować; ~nuje,
~nujący
żeń·ski
żeń·szeniowy
żeń-szeń
żer; żerze
żer|d·ka; ~d·ce
żer·dziowy
żerdź; żer·dzi
żere/mie; ~mi
żer·ny (*łapczywy*)
żerom·szczyzna;
~szczyźnie
że/rować; ~ruje
żerowisko
żeton
żęcie (zboża)
żg|nąć; ~nął, ~nęli
żigolak
żleb
żło/bek; ~b·ków (*dla
dzieci*)
żłobić; żłób·cie
żło/pać; ~p·cie
żłop·nąć; ~nął, ~nęli
żłób

żłó/bek; ~b·ków (*od
żłób*)
żmigro|dz·ki; ~dz·cy
Żmi/gród; ~grodzie
żmija; żmi/i, żmij
żmij·ka; ~ce
żmijo/wiec; ~w·ców
żmud·ny
Żmudzin
żmu|dz·ki; ~dz·cy
Żmudź
Żnin
żniwiarz
żniwo
Żoliborz *lub* Żolibórz
żołą/dek; ~d·ków
żołąd·kować się; ~kuje
żołąd·ko/wiec; ~w·ców
żo/łądź; ~łędzie
żołd; żoł·dzie
żoł·da·cki; ~c/cy
żoł·dactwo
żoł·dak
żołęd·ny
żołędziowy
żoł·na
żoł·nier·stwo
żoł·nierz
żona
żona/ty; ~ci
żon·gler; ~glerze
żon·gler·stwo
żon·glować; ~gluje
żon·kil
żon·koś
żonobój·stwo
żonusia
żorżeta
żół·cić; żół·cę, żółć·cie
żół·cień
żół·cio/twór·czy

żół·ciowy
żół·ciuch·ny
żół·ciut·ki
żółć; żółci
żół|k·nąć; ~kł *lub*
~k·nął, ~k·li
żół·ta|cz·ka; ~cz·ce
żół·tek; żółt·ków
żółt·ko
żół·todziób
żół·to/skóry; ~skórzy
żół·ty; żół·ci
żółw
żół·wi
żół·wiąt·ko
żrący
żreć; żarł
żubr, żubrze
żubroń
żubró|w·ka; ~w·ce
żubrząt·ko
żubrzy
żubrzyca
żuchwa
żu/czek; ~cz·ków
żuć; żuje
żuk
żulik
żuława (*w delcie rzeki*)
żuław·ski (*od* Żuławy)
żupa
żupan
żur; żurze
żuraw
żurawina
żurek
żur·nal
żur·na/lista; ~liści
żużel
żużlobeton
żużlo/wiec; ~w·ców

żwacz
żwawy
żwir; żwirze
żwirow·nia; ~ni
żwiró|w·ka; ~w·ce
życie
życiodaj·ny
życiorys
życz·liwość
ży/czyć; ~cz·cie
żyć; żyje
Żyd; Żydzie
żydostwo
żydow·ski; ~scy
Żydó|w·ka; ~w·ce
żyjąt·ko
żylasty; żylaści
żyle|t·ka; ~t·ce
żyła
żył·ka; ~ce

ży/łować; ~łuje
żyrafa
żyran·dol
ży/rant; ~ran·ci
Żyrardów
żyro; żyrze
żyrokom·pas *lub*
　girokom·pas
żyron·dy·sta; ~ści
ży/rować; ~ruje
żyt·ko
żyt·ni
żyt·nió|w·ka; ~w·ce
ży/to; ~cie
Żytomierz
żyw·cem
żywica
żywiciel
żywi/cować; ~cuje
żywicz·ny

ży/wić; ~w·cie
ży/wiec; ~w·ca (*bydło*)
żywie·cki; ~c/cy (*od
　Żywiec*)
żywienie
żywiołowy
żywnie (jak się komu
　podoba)
żywność
żywo/kost; ~koście
żywo/płot; ~płocie
żyworó|d·ka *lub*
　żyworo|d·ka; ~d·ce
żyworódz·two
ży/wot; ~wocie
żywot·nik
żywot·ność
żywy; żyw, żyw·szy
żyzny; żyź·niej·szy
żyź·nie

Wybrane trudniejsze zakończenia wyrazów

W poniższym zestawieniu (indeksie) podano zakończenia wyrazów nastręczające trudności ortograficzne. Trudność może być spowodowana różnymi czynnikami i może dotyczyć pisania albo danych grup liter na końcu wyrazu bez względu na jego charakterystykę gramatyczną, albo zakończeń wyrazów należących do określonej grupy gramatycznej. Informacje w zestawieniu podane są tak, abyś umiał je skojarzyć z tym typem wyrazów, do którego mają być zastosowane.

W polszczyźnie na ostatnim miejscu w słowie występuje z reguły — w wyrazach odmiennych — końcówka fleksyjna. Często może ona sprawiać trudności ortograficzne, zwłaszcza gdy sposób wymawiania może mylnie sugerować inną końcówkę czy inne zakończenie wyrazu, np. *miną* to narzędnik rzeczownika *mina* (którego celownik liczby mnogiej ma postać *minom*) lub 3. osoba czasu przyszłego czasownika *minąć* (który w czasie przeszłym ma formę rodzaju męskiego *minął*).

Zdarza się niejednokrotnie, że wątpliwości pisowniowe budzi nie końcówka, lecz cząstka występująca przed nią — przyrostek (czyli w istocie nie wiadomo, jak napisać wszystkie formy wyrazu odmiennego — bez względu na to, jakimi literami się kończą). Przykładami mogą być rzeczowniki: *kalectwo, terenoznawstwo, lenistwo, dowództwo*. Można się wahać, jak napisać zarówno mianownik takiego rzeczownika, jak i każdy inny przypadek (liczby pojedynczej i mnogiej). Zakończenia form wyrazu trudnego ortograficznie ze względu na przyrostek podajemy w indeksie, lecz tylko w wyborze. Przytaczamy bowiem prócz podstawowej (np. **kalectwo**) formy częściej używane: w naszym przykładzie — formy liczby pojedynczej (*kalectwa, kalectwu, kalectwie*), bo formy liczby mnogiej (np. *kalectw, kalectwach*) bywają używane rzadko, a czytelnik — mając pewien stopień wprawy — może w indeksie znaleźć informację o ich pisowni. Jeśli kłopotliwy przyrostek nie jest częsty, ograniczamy się do samej formy podstawowej i nie podajemy w ogóle innych form.

Czasem trudność sprawia połączenie przyrostka z końcówką fleksyjną. Na przykład w formach czasownikowych typu *ciął* wątpliwości może budzić zapis samogłoski (wymawiana jest tu samogłoska ustna, nie nosowa); dokładnie ta sama wątpliwość rozciąga się na formy: *ciąłem, ciąłeś, ciąłby, ciąłbym, ciąłbyś* itd. Podobna, a jeszcze większa grupa form takich czasowników ma w temacie literę *ę*, która też może budzić wątpliwości: *cięła, cięło, cięły, cięli, cięłam, cięłaś, ..., cięliśmy, cięliście, cięlibyśmy, cięlibyście* itd. Przytaczamy je w indeksie w obszernym wyborze (pomijamy formy 1. i 2. osoby liczby mnogiej trybu warunkowego, w których wątpliwość ortograficzna dotyczy litery bardzo dalekiej od końca wyrazu).

Podobnie nie podaliśmy w indeksie wszystkich zakończeń form imiesłowów przymiotnikowych, mających przyrostki *-ąc-* i *-ęt-*, po których następuje jeszcze końcówka. Ograniczamy się do podania tych form, które mają ową końcówkę krótką, jednoliterową, pomijamy formy z końcówkami wieloliterowymi, np. *(piszqc)ych* czy *(piszqc)ymi*.

Zakończenia są ułożone w porządku alfabetycznym odwróconym. Kolejność liter alfabetu jest tu normalna, ale o miejscu napisu (zakończenia) na liście decyduje przede wszystkim jego ostatnia litera. W wypadku dwu napisów zakończonych tą samą literą bierze się pod uwagę literę przedostatnią; jeśli dwie ostatnie litery są identyczne — literę trzecią od końca itd. Inaczej niż w części słownikowej, napis krótszy następuje w zestawieniu po zawierającym go napisie dłuższym.

Zakończenia podstawowych form wyrazu odmiennego, w którym występuje trudny ortograficznie przyrostek powtarzający się przed różnymi końcówkami, są podane drukiem tłustym. Zakończenia wprowadzone wyłącznie jako ciągi liter końcowych podane są drukiem zwykłym.

W poszczególnych wierszach zawarliśmy niekiedy wskazówki, kiedy należy pisać dane zakończenie. Musieliśmy w nich stosować terminy gramatyczne, lecz staraliśmy się jak najbardziej ograniczyć ich ilość. Niekiedy dla oszczędności miejsca stosujemy skróty. Wszystkie one pochodzą od pełnej postaci wyrazów i są — jak sądzimy — łatwo czytelne. W kilku wypadkach do indeksu wprowadzone są zakończenia wariantów form fleksyjnych.

Uwagi „zawsze" i „nigdy" są pewnym uproszczeniem — odnoszą się do wyrazów pisanych zgodnie z polskimi zwyczajami ortograficznymi. W tekstach polskich mogą bowiem wystąpić wyrazy zapożyczone, w których znajdą się „niedopuszczalne" ciągi liter, np. *ninja* (japoński rycerz--zabójca) albo *wajśja* (członek jednej z kast w Indiach).

Jeśli w indeksie występują dwa zakończenia, które łatwo można pomylić (np. *-ea* i *-eja*), podaliśmy wskazówkę „Sprawdzaj!". Informuje ona, że pisownia każdego wyrazu z danym zakończeniem musi być traktowana indywidualnie, i odsyła do słownika.

Litery	Komentarze		Przykłady
-ba	Uwaga na podstawę!		kośba, prośba, groźba
-ąca	Formy przym. lub imiesł.		chcąca, tonąca, gorąca
-dca	Jeśli podstawa na *-d-*		radca, rządca, dowódca
-wca	Jeśli podstawa na *-w-*		wybawca, łowca, mówca
-zca	Jeśli podstawa na *-z-*, *-ż-*		znalazca, zwycięzca
-dźca	Jeśli podstawa na *-dź-*		uchodźca, najeźdźca
-żca	Jeśli podstawa na *-ż-*		domokrążca, grabieżca
-ea	Sprawdzaj!	Por. *-eja*	idea, kamea, orchidea
-bia	Zawsze	(Nigdy: *-bja!*)	amfibia, fobia, skrobia
-ęcia	Dopełniacz rzecz. na *-ę*		niemowlęcia, kurczęcia
-ęcia	Formy rzecz. na *-ęcie*		potknięcia, pojęcia, zaklęcia
-encia	Formy rzecz. na *-encie*		beztalencia
-cia	Dla wymowy [ća]	Por. *-cja*	ciocia, życia
-dia	Zawsze	(Nigdy: *-dja!*)	radia, melodia, gwardia
-fia	Zawsze	(Nigdy: *-fja!*)	mafia, geografia, filozofia
-gia	Zawsze	(Nigdy: *-gja!*)	legia, biologia, liturgia
-chia	Zawsze	(Nigdy: *-chja!*)	Lechia, hierarchia
-kia	Zawsze	(Nigdy: *-kja!*)	autarkia
-lia	Zawsze	(Nigdy: *-lja!*)	lilia, folia, Anglia
-mia	Zawsze	(Nigdy: *-mja!*)	epidemia, ziemia, armia
-unia	Przyrostek	(Nie: *-ónia!*)	babunia, lalunia, żonunia
-nia	Zawsze	(Nigdy: *-nja!*)	kuchnia, linia, zadania
-pia	Zawsze	(Nigdy: *-pja!*)	sepia, kopia, harpia
-ria	Zawsze	(Nigdy: *-rja!*)	Maria, aria, seria, teoria
-usia	Przyrostek	(Nie: *-ósia!*)	paniusia, lalusia, mamusia
-sia	Dla wymowy [śa]	Por. *-sja*	gosposia, misia, milusia
-tia	Zawsze	(Nigdy: *-tja!*)	apatia, partia, kwestia
-wia	Zawsze	(Nigdy: *-wja!*)	rewia, relikwia, szałwia
-zia	Dla wymowy [źa]	Por. *-zja*	buzia, Kazia
-cja	Dla wymowy [cja]	Por. *-cia*	kolacja, Grecja, akcja
-eja	Sprawdzaj!	Por. *-ea*	epopeja, nadzieja
-ója	Wyjątkowo		zbója, trója, dwója
-sja	Dla wymowy [sja]	Por. *-sia*	pasja, sesja, komisja, Rosja
-uja	Jeśli w temacie *u*		niechluja, szuja, burżuja
-zja	Dla wymowy [zja]	Por. *-zia*	poezja, wizja, fuzja, Azja
-enka	Jeśli w podstawie *-n-* lub *-ń-*		scenka, wisienka, sarenka
-ówka	Jeśli w podstawie *-ow-*		majówka, połówka, parówka
-uwka	Jeśli w podstawie *-uw-* (rzadko)		skuwka, zasuwka
-ula	Przyrostek	(Nie: *-óla!*)	babula, zgadula, czarnula

Litery	Komentarze	Przykłady
-eła	W innych formach niż -*ęła*	wyścieła, dzieła
-ęła	Formy czas. na -*ąć* Por. -*ął*	cięła, tonęła
-ełła	Tylko (formy czas.):	mełła, pełła
-uchna	Przyrostek	córuchna, matuchna
-ówna	Nazwy córek — przyrostek	cesarzówna, Nowakówna
-cczyzna	Rzecz. od przym. na -*ck*-	staroświecczyzna
-dczyzna	Rzecz. od przym. na -*dzk*-	flamandczyzna
-szczyzna	Rzecz. od przym. na -*sk*-	polszczyzna, pańszczyzna
-ąta	Formy rzecz. na -*ąt*, -*ąto*	kąta, trójkąta, chomąta
-ęta	Formy lmn. rzecz. na -*ę*	szczenięta, zwierzęta
-ęta	Formy rzecz. na -*ęt*, -*ęto*	święta, pęta, pręta
-ęta	Sprawdzaj! Rzecz. żeńskie	zachęta, pięta
-ęta	Formy przym. lub imiesł.	zapięta, zajęta, zżęta
-enta	Sprawdzaj! Rzecz. żeńskie	renta, puenta
-enta	Formy rzecz. na -*ent*, -*ento*	studenta, prezydenta, lenta
-onta	Formy rzecz. na -*ont*, -*onto*	archonta, konta
-ówa	Zgrubienia (od -*ówka*)	wałówa, łapówa, parówa
-ctwa	Formy rzecz. na -*ctwo*	bractwa, kalectwa
-wstwa	Formy rzecz. na -*wstwo*	prawodawstwa, znawstwa
-stwa	Formy rzecz. na -*stwo*	królestwa, dziadostwa
-dztwa	Formy rzecz. na -*dztwo*	inwalidztwa, dowództwa
-uwa	Jeśli w podstawie -*uw*-	spluwa, zasuwa, wsuwa

-ącą	Formy przym. lub imiesł.	mającą, wierzącą, gorącą
-eą	Formy rzecz. na -*ea*	ideą, orchideą
-bią	Zawsze (Nigdy: -*bją*!)	skrobią, skubią, dybią
-cią	Dla wymowy [ćą] Por. -*cją*	kicią, ciocią
-dią	Zawsze (Nigdy: -*dją*!)	komedią, parodią
-fią	Zawsze (Nigdy: -*fją*!)	geografią
-gią	Zawsze (Nigdy: -*gją*!)	biologią
-chią	Zawsze (Nigdy: -*chją*!)	anarchią, hierarchią
-kią	Zawsze (Nigdy: -*kją*!)	autarkią
-lią	Zawsze (Nigdy: -*lją*!)	folią, Anglią
-mią	Zawsze (Nigdy: -*mją*!)	ziemią, armią
-nią	Zawsze (Nigdy: -*nją*!)	kuchnią, linią, czynią
-pią	Zawsze (Nigdy: -*pją*!)	kopią
-rią	Zawsze (Nigdy: -*rją*!)	Marią, liberią, teorią
-sią	Dla wymowy [śą] Por. -*sją*	gosposią, mamusią
-tią	Zawsze (Nigdy: -*tją*!)	apatią, sympatią

Litery	Komentarze	Przykłady
-wią	Zawsze (Nigdy: -wją!)	rewią, relikwią, szałwią
-zią	Dla wymowy [źą] Por. -zją	buzią, Kazią
-cją	Dla wymowy [cją] Por. -cią	kolacją, Grecją
-eją	Narzędnik rzecz. na -eja	epopeją, nadzieją
-óją	Wyjątkowo	tróją, dwóją
-sją	Dla wymowy [sją] Por. -sią	komisją, Rosją
-ują	Prawie zawsze (formy czas.!)	próbują, pracują, pisują
-zją	Dla wymowy [zją] Por. -zią	fuzją, Azją
-ną	Formy lmn. czas. na -ąć	pragną, krzykną, płyną
-ętą	Formy przym. lub imiesł.	dętą, uśmiechniętą, świętą
-ą	Formy lmn. czas. (Nie: -om!)	będą, mają, piszą, rysują
-ą	Narz. rzecz. żeńsk. Por. -om	wodą, ziemią, myszą
-ą	Formy przym.	dobrą, tanią, naszą

-ąc	Imiesł. przysł. współczesny	chcąc, mając, pragnąc
-c	Bezok. czas. (Nie: -dz!)	zaprząc, biec, tłuc, strzyc

-ąć	Bezok. czas.	ciąć, wziąć, pragnąć, płynąć
-ęć	Dopełniacz lmn. rzecz.	potknięć, pojęć, zaklęć
-kroć	Łącznie	dwakroć, wielekroć
-ść	Bezok. czas. Por. -źć	jeść, wieść (od wiedzie)
-źć	Bezok. czas. (forma przeszła na -zł)	gryźć, wieźć (od wiezie)
-ć	Cząstka wzmacn. — łącznie	pójdęć, toć

-kąd	Łącznie	znikąd, dokąd, skąd
-inąd	Łącznie	skądinąd

-ące	Formy przym. lub imiesł.	wierzące, bieżące, gorące
-ce	Wariant czas. Por. -cze	kołace, łopoce, depce
-ee	Formy rzecz. na -ea	idee, orchidee
-bie	Zawsze (Nigdy: -bje!)	stułbie, fobie, dybie
-ącie	Formy rzecz. na -ąt-	kącie, mącie, chomącie
-ćcie	Lmn. trybu rozk. czas.	lećcie, puśćcie, rzućcie
-ujecie	Formy czas. na -uje	pracujecie, pisujecie
-ęcie	Rzecz. odczasownikowe	potknięcie, pojęcie, zaklęcie

Litery	Komentarze	Przykłady
-ęcie	Formy rzecz. na -ęt-	zachęcie, święcie, okręcie
-ęcie	Formy rzecz. na -ęć	pieczęcie
-ęcie	Przysłówki Por. -encie	nieugięcie, święcie
-ujcie	Lmn. trybu rozk. czas.	próbujcie, pracujcie, pisujcie
-encie	Formy rzecz. na -ent-	docencie, talencie, cemencie
-oncie	Formy rzecz. na -ont-	ortodoncie, koncie, remoncie
-eście	Zawsze łącznie	skądeście, jakeście, jużeście
-ęliście	Formy czas. na -ąć Por. -ął	cięliście, tonęliście
-libyście	Formy trybu warunk.	mielibyście, bylibyście
-łybyście	Formy trybu warunk.	miałybyście, byłybyście
-byście	Łącznie: w spójn. i partyk.	choćbyście, jeślibyście, bodajbyście, żebyście
byście	Osobno: w innych pozycjach	może byście, wtedy byście
-ęłyście	Formy czas. na˙ -ąć Por. -ął	cięłyście, tonęłyście
-ście	Zawsze łącznie	byliście, winniście, byleście, znowuście, kiedyście
-cie	Dla wymowy [će] Por. -cje	kicie, ciocie
-die	Zawsze (Nigdy: -dje!)	komedie, tragedie
-fie	Zawsze (Nigdy: -fje!)	mafie, geografie
-gie	Zawsze (Nigdy: -gje!)	religie, biologie
-chie	Zawsze (Nigdy: -chje!)	anarchie, hierarchie
-kie	Zawsze (Nigdy: -kje!)	autarkie
-lie	Zawsze (Nigdy: -lje!)	filie, folie
-zmie	Formy rzecz. na -zm (Nie: -źmie!)	egoizmie, faszyzmie
-źmie	Formy czas.	weźmie, przedsięweźmie
-mie	Zawsze (Nigdy: -mje!)	ziemie, armie
-śnie	Formy czas. na -snąć (Nie: -snie!)	mlaśnie, ciśnie, błyśnie
-ównie	Formy rzecz. na -ówna	cesarzównie, Nowakównie
-łznie	Wariant czas. Por. -łźnie	pełznie
-rznie	Wariant czas. Por. -rźnie	marznie, mierznie
-łźnie	Wariant czas. Por. -łznie	pełźnie
-rźnie	Wariant czas. Por. -rznie	marźnie, mierźnie
-źnie	Formy czas. po lit. samogł. (Nie -znie!)	grzęźnie, bluźnie, bryźnie
-źnie	Formy rzecz. na -zna (Nie: -znie!)	słabiźnie, bliźnie, ojczyźnie
-nie	Zawsze (Nigdy: -nje!)	kuchnie, linie, czynie
-pie	Zawsze (Nigdy: -pje!)	kopie, rupie

Litery	Komentarze		Przykłady
-rie	Zawsze	(Nigdy: *-rje!*)	skumbrie, ferie, kurie
-sie	Dla wymowy [śe]	Por. *-sje*	gosposie, mamusie
-tie	Zawsze	(Nigdy: *-tje!*)	apatie, sympatie
-ctwie	Formy rzecz. na *-ctwo*		bractwie, dziedzictwie
-wstwie	Formy rzecz. na *-wstwo*		prawodawstwie, szewstwie
-stwie	Formy rzecz. na *-stwo*		królestwie, lenistwie
-dztwie	Formy rzecz. na *-dztwo*		inwalidztwie, dowództwie
-wie	Zawsze	(Nigdy: *-wje!*)	rewie, relikwie, szałwie
-ździe	Formy rzecz. na *-zd-*		gaździe, gnieździe, gwiździe
-zie	Dla wymowy [źe]	Por. *-zje*	buzie, Kazie
-cje	Dla wymowy [cje]	Por. *-cie*	kolacje, facecje
-eje	Formy rzecz. na *-eja*		epopeje, nadzieje
-óje	Wyjątkowo		zbóje, tróje, dwóje
-sje	Dla wymowy [sje]	Por. *-sie*	komisje, scysje
-uje	Prawie zawsze (czasown.)		próbuje, pracuje, pisuje
-zje	Dla wymowy [zje]	Por. *-zie*	wizje, fuzje
-ęte	Formy przym. lub imiesł.		dęte, uśmiechnięte, święte
-cze	Wariant czas. na *-tać* Por. też *-ce*		kołacze, łopocze, depcze
-rze	Jeśli w temacie *r*		karze, kirze, aktorze
-rze	W temacie *rz* Sprawdzaj!		malarze, talerze, piskorze
-że	W temacie *ż* Sprawdzaj!		wiraże, jeże, wróże
-że	Łącznie: partykuła	Por. *-ż*	idźże, patrzże
-e	Forma 3. os. czas.	Por. *-ę*	(on, ona) pisze, rysuje
-e	Nieodmienne	Por. *-ę*	przecie, także, jeszcze

Litery	Komentarze		Przykłady
-eę	Formy rzecz. na *-ea*		ideę, orchideę
-bię	Zawsze	(Nigdy: *-bję!*)	skrobię
-cię	Dla wymowy [ćę]	Por. *-cję*	kicię, ciocię
-dię	Zawsze	(Nigdy: *-dję!*)	komedię, tragedię
-fię	Zawsze	(Nigdy: *-fję!*)	geografię
-gię	Zawsze	(Nigdy: *-gję!*)	biologię
-chię	Zawsze	(Nigdy: *-chję!*)	Lechię, anarchię
-kię	Zawsze	(Nigdy: *-kję!*)	autarkię
-lię	Zawsze	(Nigdy: *-lję!*)	folię, Anglię
-mię	Zawsze	(Nigdy: *-mję!*)	ziemię, armię
-mię	Rzecz. o odm.: *-mienia*		ramię, plemię, imię, wymię
-nię	Zawsze	(Nigdy: *-nję!*)	kuchnię, linię, czynię
-pię	Zawsze	(Nigdy: *-pję!*)	kopię

Litery	Komentarze	Przykłady
-rię	Zawsze (Nigdy: -*rję*!)	Marię
-się	Dla wymowy [śę] Por. -*sję*	gosposię, mamusię
-tię	Zawsze (Nigdy: -*tję*!)	apatię, partię
-wię	Zawsze (Nigdy: -*wję*!)	rewię, relikwię, szałwię
-zię	Dla wymowy [źę] Por. -*zję*	buzię, Kazię
-cję	Dla wymowy [cję] Por. -*cię*	kolację, Grecję
-eję	Formy rzecz. na -*eja*	epopeję, nadzieję
-óję	Wyjątkowo	tróję, dwóję
-sję	Dla wymowy [sję] Por. -*się*	komisję, Rosję
-uję	Prawie zawsze (czasown.)	próbuję, pracuję, pisuję
-zję	Dla wymowy [zję] Por. -*zię*	fuzję, Azję
-ównę	Formy rzecz. na -*ówna*	cesarzównę, Nowakównę
-ę	Forma 1. os. czas. Por. -*e*	(ja) piszę, rysuję, będę
-ę	Rzecz. o odm.: -*ęcia*	niemowlę, kurczę, zwierzę
-ę	Rzecz. na -*mię* (por.)	ramię, plemię, imię
-ę	Biernik rzecz. żeńskich	banię, matkę, mamę, zorzę
-ę	Zaimki — formy nieakcent.	cię, mię, się
-ę	Nieodmienne Por. -*e*	naprawdę, trochę, zasię

-ch	Prawie zawsze	zapach, blach, polach
-h	Wyjątkowo nie -*ch*	watah, poroh, druh

-ai	Dla wymowy [aji] (Nie: -*aji*!)	mai, się czai, zgrai
-bi	Dla wymowy [bi] Por. -*bii*	jedwabi, skrobi, rybi, hrabi
-ęci	Formy przym. lub imiesł.	nadęci, uśmiechnięci, święci
-ści	Jeśli w temacie -*st*-	entuzjaści, soliści, tłuści
-ści	Zawsze (Nigdy: -*śći*!)	pięści, kiści, gości
-ci	Dla wymowy [ći] Por. -*cji*	kici, dzieci, cioci
ci	Osobno — partykuła	masz ci, Krakowiaczek ci ja
-ei	Formy rzecz. na -*ea*, -*eja*, -*ej*	idei, nadziei, kolei
-ei	Dla wymowy [eji] (Nie -*eji*!)	rei, klei, olei
-bii	Dla wymowy [bji]	Arabii, amfibii, fobii
-dii	Formy rzecz. na -*dia*	encyklopedii, prozodii
-fii	Formy rzecz. na -*fia*	geografii, atrofii, filozofii
-gii	Formy rzecz. na -*gia*	legii, biologii, alergii, liturgii
-chii	Formy rzecz. na -*chia*	anarchii, hierarchii
-kii	Formy rzecz. na -*kia*	autarkii
-lii	Formy rzecz. na -*lia*	Biblii, filii, folii, Anglii

Litery	Komentarze	Przykłady
-mii	Dla wymowy [mji](Nie -*mji*!)	Mezopotamii, armii, mumii
-nii	Dla wymowy [ńji]	plebanii, pinii, kolonii, unii
-pii	Dla wymowy [pji]	terapii, kopii, harpii, rupii
-rii	Formy rzecz. na -*ria*	Marii, glorii, furii
-tii	Formy rzecz. na -*tia*	apatii, kwestii, hostii
-wii	Formy rzecz. na -*wia*	rewii, relikwii, szałwii
-ii	Dla wymowy jednosylabowej	Por. wyżej
-ii	Dla wymowy dwusylabowej	żmii
-cji	Dla wymowy [cji] Por. -*ci*	kolacji, Grecji
-sji	Dla wymowy [sji] Por. -*si*	komisji, Rosji
-zji	Dla wymowy [zji] Por. -*zi*	fuzji, Azji
-cki	Oprócz wyjątków Por. -*dzki*	sołdacki, grecki, łużycki
-owski	Przyrostek	akowski, piastowski
-wski	Jeśli w podstawie -*w*-	rawski, litewski, krakowski
-ski	Z reguły Por. -*cki*, -*dzki*	boski, włoski, francuski
-uśki	Przyrostek	leciuśki, lekuśki, caluśki
-utki	Przyrostek (Nie: -*ótki*!)	słabiutki, głupiutki, malutki
-dzki	Jeśli w rdzeniu *d* Por. -*cki*	grodzki, wojewódzki, ludzki
-eli	Nieodmienne Por. -*ęli*	jeżeli, aniżeli, niżeli
-eli	Formy czas. na -*eć*,-*ać* (gdy forma męska na-*ał*)	umieli, siwieli, leli, słyszeli
-eli	Jeśli w temacie rzecz. -*el*-	kąpieli, flaneli, treli
-eli	Formy przym.	weseli, pszczeli
-ęli	Formy czas. na -*ąć* (gdy forma męska na -*ął*) Por. -*eli*	cięli, wzięli, tonęli
-łli	Formy czas. Tylko:	mełli, pełli
-łzli	Wariant czas. Por. -*łźli*	pełzli
-rzli	Wariant czas. Por. -*rźli*	marzli, micrzli
-łźli	Wariant czas. Por. -*łzli*	pełźli
-rźli	Wariant czas. Por. -*rzli*	marźli, mierźli
-źli	Formy czas. po lit. samogł. (Nie -*zli*!)	wieźli, uwięźli, gryźli
-li	Dla wymowy [li] Por. -*lii*	pali, goli, mali
-li	Łącznie — partykuła	znaszli
-mi	Dla wymowy [mi] Por. -*mii*	plami, ziemi, rękojmi
-ni	Dla wymowy [ńi] Por. -*nii*	bani, kuchni, czyni
-oi	Dla wymowy [oji] (Nie -*oji*!)	koi, moi, poi, stoi, swoi
-ói	Wyjątkowo	trói, dwói
-pi	Dla wymowy [pi] Por. -*pii*	kipi, głupi
-si	Dla wymowy [śi] Por. -*sji*	gosposi, mamusi, dusi

Litery	Komentarze	Przykłady
-ui	Dla wymowy [uji] (Nie -uji!)	rui, tui, statui, szczeżui
-wi	Dla wymowy [wi] Por. -wii	stągwi, Karwi, krwi, bawi
-yi	Dla wymowy [yji] (Nie -yji!)	chryi, czyi, szyi
-dzi	Dla wymowy [dźi]	Władzi, dzidzi, godzi
-zi	Dla wymowy [źi]	buzi, Kazi, mrozi

---

indziej	Osobno — partykuła	gdzie indziej, kiedy indziej
-nij	Rozkaźnik czas. na -nąć, -nieć, -nić	bębnij, pomnij, rżnij
-ij	Archaiczny dopełniacz lmn. rzecz. na -ia	armij, kopij
-ój	Wymienne na -oi Por. -uj	mój, pój, strój, stój, oswój
-ój	Wyjątkowo	zbój, trój, dwój
-uj	Formy trybu rozk. czas. na -ować, -iwać, -ywać, -uć	próbuj, ratuj, pisuj, czuj
-yj	Archaiczny dopełniacz lmn. rzecz. na -ja, -ia	racyj, kwestyj

---

-unek	Przyrostek	ładunek, rysunek, ratunek
-uszek	Przyrostek	kłębuszek, staruszek
-kolwiek	Zawsze łącznie	gdziekolwiek, kogokolwiek

-ął	Formy czas. na -ąć	Por. -ą	płynął, pragnął, ciął, zajął
-bł	Formy czas.	(Nie -b!)	zziąbł, osłabł
-dł	Formy czas.	(Nie -d!)	siadł, jadł, szedł, zaśmierdł
-gł	Formy czas.	(Nie -g!)	zaprzągł, legł, strzygł
-chł	Formy czas.	(Nie -ch!)	usechł, ucichł, wybuchł
-kł	Formy czas.	(Nie -k!)	obrzękł, zmókł, przywykł
-łł	Formy czas.	Tylko:	mełł, pełł
-pł	Formy czas.	(Nie -p!)	oklapł, ścierpł, zachrypł
-rł	Formy czas.	(Nie -r!)	darł, parł, tarł, zwarł, żarł
-sł	Formy czas.	(Nie -s!)	pasł, trząsł, skisł
-tł	Formy czas.	(Nie -t!)	kwitł, zmiótł, gniótł, plótł
-zł	Formy czas.	(Nie -z!)	zlazł, ugrzązł, wiózł, gryzł

-ęciem	Narz. rzecz. na -ę	szczenięciem, kurczęciem

Litery	Komentarze	Przykłady
-ęciem	Narz. rzecz. na -*ęcie*	potknięciem, poczęciem
-enciem	Narz. rzecz. na -*encie*	beztalenciem
-giem	Narz. rzecz. na -*g*, -*go*	sągiem, tangiem, rogiem
-kiem	Narz. rzecz. na -*k*, -*ko*	talkiem, cynkiem, okiem
-ctwem	Narz. rzecz. na -*ctwo*	bractwem, kalectwem
-wstwem	Narz. rzecz. na -*wstwo*	znawstwem, szewstwem
-stwem	Narz. rzecz. na -*stwo*	lenistwem, dziadostwem
-dztwem	Narz. rzecz. na -*dztwo*	śledztwem, dowództwem
-em	Wyjątkowo — forma 1. os. czas. Por. -*ę*	umiem, rozumiem, śmiem, wiem, jem, jestem
-em	Formy przym. (tylko w nazwach własnych) Por. -*ym*	Lindem, Wysokiem, Zakopanem, Równem, Łódzkiem
-em	Cząstka czasu przeszłego — łącznie	skądem, jakem, jużem
-om	Celownik lmn. rzecz. Por. -*ą*	wodom, ziemiom, myszom
-óm	Tylko w formach (uważanych za niepoprawne):	dwóm, obydwóm
-um	Zawsze (Nie -*óm*)	bum, muzeum, indywiduum
-ęłabym	Formy trybu warunk. czas. na -*ąć*	pragnęłabym, ciełabym
-łabym	Formy trybu warunk.	miałabym, byłabym
-ąłbym	Formy trybu warunk. czas. na -*ąć*	pragnąłbym, ciąłbym
-łbym	Formy trybu warunk.	miałbym, byłbym
-bym	Łącznie: w spójn. i partyk.	choćbym, jeślibym, bodajbym, żebym
bym	Osobno: w innych pozycjach	powinna bym, gotów bym
-ym	Formy przym.: prawie zawsze Por. -*em*	słabym, obcym, chudym
-m	Cząstka czasu przeszłego — łącznie	jam, winnam, byleni, znowum, kiedym

---

| -ń | Łącznie — forma zaimka *on* | dlań, odeń, weń, doń |

-bio	Zawsze (Nigdy: -*bjo!*)	hrabio, rybio
-cio	Dla wymowy [ćo] Por. -*cjo*	skarbuńcio, papcio
-dio	Zawsze (Nigdy: -*djo!*)	radio, komedio, studio
-fio	Zawsze (Nigdy: -*fjo!*)	mafio, filozofio

Litery	Komentarze		Przykłady
-gio	Zawsze	(Nigdy: *-gjo!*)	legio, liturgio
-chio	Zawsze	(Nigdy: *-chjo!*)	Lechio, monarchio
-kio	Zawsze	(Nigdy: *-kjo!*)	autarkio, Tokio
-lio	Zawsze	(Nigdy: *-ljo!*)	ewangelio, folio, polio
-mio	Zawsze	(Nigdy: *-mjo!*)	ziemio, olbrzymio
-nio	Zawsze	(Nie: *-njo!*)	tanio, średnio, wyrocznio
-pio	Zawsze	(Nigdy: *-pjo!*)	harpio, głupio
-rio	Zawsze	(Nigdy: *-rjo!*)	Mario, serio, kurio
-sio	Dla wymowy [śo]	Por. *-sjo*	Stasio, milusio, sio
-tio	Zawsze	(Nigdy: *-tjo!*)	apatio, partio, kwestio
-wio	Zawsze	(Nigdy: *-wjo!*)	rewio, relikwio, szałwio
-zio	Dla wymowy [źo]	Por. *-zjo*	Kazio, Józio
-cjo	Dla wymowy [cjo]	Por. *-cio*	ekscelencjo, akcjo
-sjo	Dla wymowy [sjo]	Por. *-sio*	sesjo, komisjo
-zjo	Dla wymowy [zjo]	Por. *-zio*	poezjo, Azjo
-ątko	Przyrostek		psiątko, pisklątko, kaczątko
-eło	Tylko wyraz: *dzieło*		dzieło
-ęło	Formy czas. na *-ąć*		płynęło, pragnęło, cięło
-ełło	Formy czas., tylko formy:		mełło, pełło
no	Osobno — partykuła		chodź no, weź no
-ęto	Formy nieos czas. Por. *-ął*		płynięto, cięto, zajęto
to	Osobno — partykuła		gdzie to, byli to, już to
-ctwo	Jeśli *t, c, k* w rdzeniu Por. *-dztwo*		bractwo, krętactwo, kalec-two, dziedzictwo
-wstwo	Jeśli *w* w rdzeniu (z wyjątkami!) Por. *-stwo*		prawodawstwo, znawstwo, szewstwo
-stwo	W pozostałych wypadkach		królestwo, głupstwo
-dztwo	Jeśli *d(z)* w rdzeniu Por. *-ctwo*		inwalidztwo, śledztwo

---

-ó		(Nigdy!)	

-us	Przyrostek	(Nie: *-ós!*)	garbus, sługus, pijus

-eś	Zawsze łącznie		skądeś, jakeś, jużeś
-ś	Zawsze łącznie		winnaś, byłaś, byleś, żeś, znowuś, kiedyś

358

Litery	Komentarze	Przykłady
-ęłabyś	Formy trybu warunk. czas. na -ąć	cięłabyś, wyjęłabyś, pragnę-łabyś, tonęłabyś
-łabyś	Formy trybu warunk.	miałabyś, byłabyś
-ąłbyś	Formy trybu warunk. czas. na -ąć	ciąłbyś, wyjąłbyś, pragnął-byś, tonąłbyś
-łbyś	Formy trybu warunk.	miałbyś, byłbyś
-byś	Łącznie: w spójn. i partyk.	jeślibyś, bodajbyś, żebyś
byś	Osobno: w innych pozycjach	powinna byś, gotów byś

-dziesiąt	Zawsze łącznie	kilkadziesiąt, parędziesiąt
-ąt	Formy rzecz. na -ę	kurcząt, zwierząt, książąt
-ąt	Sprawdzaj! Por. -ont	kąt, trójkąt
-ąt	Formy rzecz. na -to	świąt, chomąt
-set	Zawsze łącznie	kilkaset, pięćset, paręset
-ęt	Sprawdzaj! Por. -ent	okręt, pręt, sprzęt
-ęt	Formy rzecz. na -ęta, -ęto	zachęt, pięt, pęt
-ent	Sprawdzaj! Por. -ęt	student, talent, diament
-ent	Formy rzecz. na -enta, -ento	rent, lent, puent
-ont	Sprawdzaj! Por. -ąt	lont, front, remont

-ęciu	Formy rzecz. na -ę	księciu, psięciu, pisklęciu
-ęciu	Formy rzecz. na -ęcie	potknięciu, pojęciu
-enciu	Formy rzecz.	beztalenciu
-ctwu	Celownik rzecz. na -ctwo	bractwu, kalectwu
-wstwu	Celownik rzecz. na -wstwo	prawodawstwu, znawstwu
-stwu	Celownik rzecz. na -stwo	królestwu, myślistwu
-dztwu	Celownik rzecz. na -dztwo	inwalidztwu, dowództwu

-ów	Formy rzecz.	ojców, domów, muzeów
-uw	Wyjątkowo w rdzeniach	zasuw, przesuw, dwusuw

-ęłaby	Formy trybu warunk. czas. na -ąć	usunęłaby, cięłaby, ujęłaby
-łaby	Formy trybu warunk.	miałaby, byłaby
-ęliby	Formy trybu warunk. czas. na -ąć	pragnęliby, cięliby, ujęliby

Litery	Komentarze	Przykłady
-liby	Formy trybu warunk.	mieliby, byliby
-ąłby	Formy trybu warunk. czas. na -*ąć*	pragnąłby, ciąłby, zająłby
-łby	Formy trybu warunk.	miałby, byłby
-ęłoby	Formy trybu warunk. czas. na -*ąć*	pragnęłoby, cięłoby, ujęłoby
-łoby	Formy trybu warunk.	miałoby, byłoby
-ęłyby	Formy trybu warunk. czas. na -*ąć*	pragnęłyby, cięłyby, ujęłyby
-łyby	Formy trybu warunk.	miałyby, byłyby
-by	Łącznie: w spójn. i partyk.	choćby, bodajby, żeby
by	Osobno: w innych pozycjach	miano by, można by
-ący	Formy przym. lub imiesł.	wierzący, bieżący, kojący
-ccy	Formy przym. na -*cki*	słowaccy, radzieccy
-ęły	Formy czas. na -*ąć*	cięły, tonęły
-ełły	Formy czas.: tylko:	mełły, pełły
-ujemy	Formy lmn. czas.	bijemy, pracujemy, żyjemy
-ujmy	Formy trybu rozk. czas.	pijmy, pracujmy, pisujmy
-eśmy	Zawsze łącznie	skądeśmy, jakeśmy, jużeśmy
-ęliśmy	Formy czas. na -*ąć*	cięliśmy, tonęliśmy
-ęlibyśmy	Formy trybu warunk. czas. na -*ąć*	cięlibyśmy, tonęlibyśmy
-libyśmy	Formy trybu warunk.	mielibyśmy, bylibyśmy
-ęłybyśmy	Formy trybu warunk. czas. na -*ąć*	cięłybyśmy, tonęłybyśmy
-łybyśmy	Formy trybu warunk.	miałybyśmy, byłybyśmy
-byśmy	Łącznie: w spójn. i partyk.	choćbyśmy, jeślibyśmy, bodajbyśmy, żebyśmy
byśmy	Osobno: w innych pozycjach	winni byśmy, wtedy byśmy
-ęłyśmy	Formy czas. na -*ąć*	cięłyśmy, tonęłyśmy
-śmy	Zawsze łącznie	mieliśmy, winniśmy, byleśmy, znowuśmy, kiedyśmy
-uchny	Przyrostek (Nie: -*óchny!*)	słabiuchny, lekuchny, ubożuchny
-ówny	Formy rzecz. na -*ówna*	cesarzówny, Nowakówny
-ąty	Formy rzecz. na -*ąt*	kąty, trójkąty, opląty
-ęty	Formy rzecz. na -*ęt*	okręty, pręty, sprzęty
-ęty	Formy rzecz. na -*ęta*	zachęty, pięty
-ęty	Formy przym. lub imiesł.	dęty, uśmiechnięty, święty
-enty	Formy rzecz. na -*ent*	talenty, diamenty, prezenty

Litery	Komentarze	Przykłady
-enty	Formy rzecz. na -*enta*	renty, puenty
-onty	Formy rzecz. na -*ont*	lonty, fronty, remonty
-ęty	Imiesł. przym. bierny czas. na -*ąć*	tknięty, zajęty
-rzy	Formy rzecz. i przym. z -*r*-	dobrzy, aktorzy
-rzy	W temacie *rz* Sprawdzaj!	malarzy, twarzy
-bszy	St. wyższy przym. na -*by*	słabszy, głębszy, szybszy
-dszy	St. wyższy przym. na -*dy*	gładszy, bledszy, młodszy
-chszy	St. wyższy przym. na -*chy*	cichszy, płochszy, suchszy
-hszy	St. wyższy przym. na -*hy*	błahszy
-jszy	St. wyższy przym.	mniejszy, słuszniejszy
-kszy	St. wyższy przym. na -*ki*	dzikszy, miększy, większy
-lszy	St. wyższy przym. na -*ły*	trwalszy, śmielszy, weselszy
-łszy	Imiesł. przysł. uprzedni — po literze spółgłoskowej	zszedłszy, wbiegłszy, ucichł-szy, upiekłszy, znalazłszy
-mszy	St. wyższy przym. na -*my*	świadomszy, stromszy
-ńszy	St. wyższy przym. z -*n*-/-*ń*-	tańszy, cwańszy, cieńszy
-pszy	St. wyższy przym. z -*p*-	lepszy, tępszy, głupszy
-rszy	St. wyższy przym. z -*r*-	starszy, szerszy, skorszy
-tszy	St. wyższy przym. na -*ty*	bogatszy, świętszy, obfitszy
-ąwszy	Imiesł. przysł. uprzedni czas. na -*ąć*	jąwszy, stanąwszy
-wszy	Imiesł. przysł. uprzedni — po literze samogłoskowej	dawszy, kupiwszy, utywszy
-wszy	St. wyższy przym. na -*wy*	krwawszy, szkodliwszy
-ższy	St. wyższy przym. na -*gi*, -*ki* lub -*ży*	świeższy, cięższy, sroższy, wyższy
-ży	W temacie *ż* Sprawdzaj!	wiraży, jeży, wróży

-arz	Przyrostek (wymiana *rz/r*)	kpiarz, lekarz, cmentarz
-mierz	Drugi człon złożeń	wiatromierz, kątomierz
-mistrz	Drugi człon złożeń	ogniomistrz, chórmistrz
-rz	Sprawdzaj! Por. -*ż*	kalendarz, pancerz
-ujesz	Formy czas. na -*uje*	próbujesz, pisujesz

---

bądź	Osobno — partykuła	gdzie bądź, kto bądź, ktokol-wiek bądź

Litery	Komentarze	Przykłady
też	Osobno — partykuła	kto też, już też
-ż	Sprawdzaj! Por. *-rz*	wiraż, łupież, młodzież
-ż	Zawsze łącznie — partykuła Por. *-że*	idźcież, znowuż

Sprawdź, czy już masz

Słowniki „Z Krukiem"

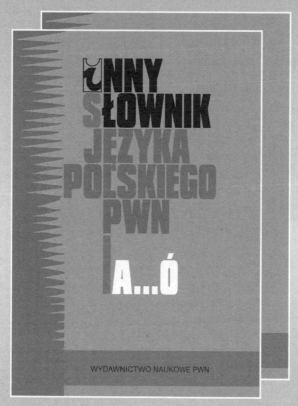

WYDAWNICTWO NAUKOWE PWN

Książki PWN można nabyć w **księgarniach firmowych**

Warszawa
Księgarnia PWN
00-251 Warszawa, ul. Miodowa 10
tel. (0 22) 635 80 88
Gdańsk
Księgarnia PWN
80-851 Gdańsk, ul. Korzenna 33/35
tel. (0 58) 305 24 50, tel./fax (0 58) 305 24 49
Katowice
Księgarnia PWN
40-012 Katowice, ul. Dworcowa 9
tel. (0 32) 253 91 54
Kraków
Księgarnia PWN
31-027 Kraków, ul. Św. Tomasza 30
tel. (0 12) 421 75 64
Łódź
Księgarnia PWN
90-721 Łódź, ul. Więckowskiego 13
tel. (0 42) 630 67 69
Poznań
Księgarnia PWN
61-782 Poznań, ul. Wodna 8/9
tel./fax (0 61) 851 74 94
Wrocław
Księgarnia PWN
50-138 Wrocław, ul. Kuźnicza 56
tel./fax (0 71) 343 54 52

Zamówienia za zaliczeniem pocztowym:
Dział Dystrybucji Wysyłkowej i Prenumerat
Wydawnictwo Naukowe PWN
00-251 Warszawa, ul. Miodowa 10
linia bezpłatna tel. 0 800 120 145
fax (0 22) 695 41 79

Zapraszamy do
księgarni internetowej
www.pwn.com.pl

Wydawnictwo Naukowe PWN SA

Wydanie czwarte poprawione
Arkuszy drukarskich 23
Druk ukończono w sierpniu 2000 r.

Druk i oprawa Łódzka Drukarnia Dziełowa S.A.

Joanna
Glatinski